U0164167

民間文學採訪記音手冊

臺灣客家話記音訓練教材

古　國　順　編著

行政院文化建設委員會　出版

臺北市立師範學院　　　承辦

中華民國八十六年十二月印行

序

　　相信許多人在小時候都有這種經驗：繞坐在長輩的膝前聽他們說故事，或與同伴邊玩邊念兒歌，例如「城門城門幾丈高」之類的話語，都為日後的生活，憑添許多甜蜜的回憶。這種經由口耳相傳的素材，無論是故事、兒歌、謎語、笑話等，都是屬於民間文學的範疇，這些民間文學隨著時代、地域及講述者的不同，除能不斷創新外，並可表現不同的風貌，因此，民間文學確是文學中的一塊瑰寶，猶如未經雕琢的璞玉，值得我們探索研究。

　　本會對民間文學的採集和整理工作，儘可能給予各種支持，在獎掖研究和著作發表外，更透過各地文化中心，舉辦多場民間文學研習營，用以建立觀念、培訓人才，且有相當的成果。惟民間文學既由口傳，採集與整理者必須具備科學的記音方法，才能精確的記錄語音，因之，有關記音訓練教材的需要也就應運而生。本會已委請專家在八十五年完成閩南語的部份，今年繼續完成「臺灣客家話記音訓練教材」，以應需要。

　　臺灣地區通行的客家話，在聲調上主要有四縣與海陸之別，音標處理相當棘手。本書係採用教育部推荐的臺灣客家語音標方案，不僅兼顧四縣與海陸，也適用於饒平、詔安等腔調。讀者可以透過教師或錄音帶的示範，熟讀各課中的「基本語料」和「詞句舉例及發音練習」，達到學習音標和記音能力的目的，當然，本書也可做為學習客家話的教本。希望本書的出版，能夠帶動民間文學採集和整理工作的蓬勃發展，讓民間文學成為文化的一泓源頭活水，歷久而彌新。

行政院文化建設委員會

主任委員　林　澄　枝

八十六年十一月

民間文學採訪記音手冊

臺灣客家話記音訓練教材

目　　次

上　編

臺灣客家話記音訓練教材

使用方法

一、臺灣客家話記音訓練教材（以下簡稱本書）之編撰，其目的在於訓練臺灣客家話的記音能力，以培養民間文學採訪人才。透過本書的學習，可望準確的把握臺灣客家話的所有語音，並可藉此有效的學習客家話。

二、本書使用臺灣語文學會研定的「臺語音標」（TAIWAN LANGUAGE PHO--NETIC ALPHABET）— 臺灣客家話部份，第一式及第二式並用，惟建議學習者儘量使用第一式。

三、本書可供四縣及海陸兩種系統同時使用，其中遇有發音不同處，先標四縣音次標海陸音，中間以斜線隔開。兩種腔的聲調高低雖不相同，但調類則同，如第一調，四縣調值爲２４Ｉ，海陸調值爲５３Ｖ，可以各發各的調。同理，南部腔、東勢腔、饒平腔、詔安腔等，也可比照使用。

四、本書分上、下編，上編重在語音鍛鍊，下編重在相關知識介紹及練習、應用。書前「客家話的聲韻系統」和「客語音標對照表」，則是了解客家話和常用音標的基本知識。前一篇，使用的是國際音標。

五、上編二十二課，各課均標明學習重點，並以簡單的生活用語爲基礎，透過多項分析練習和說明，使讀者輕鬆的進行學習，偏重技能的鍛鍊。其項目包括：

（一）、基本語料：均爲簡單的生活用語，但本課的學習重點都在其中，並且句句押韻，易學易記。

（二）、詞句舉例及發音練習：採用基本語料的字句加以變化，教師可從中分析音標和音調，讀者還可從各例句中獲得反覆練習的機會。

（三）、音標介紹：音標既經分析、練習，教師可進而從音理上加以說明。教學時，也可與前項合併運用。

（四）、對比練習：將本課所習的發音，提出最小單位的對比，使讀者獲得比較的機會，能更準確的把握發音。

（五）、拼音練習：包括： 1、本課所習音標的基本拼音及例字。實際上，從第二課以後，連前面學過的音標，也收在內，使讀者得到反覆練習的機會。 2、本課所習音標的各種拼音：即將該音標在客語中所能拼成的音綴，全部列出來。這部份，教師只需領讀，不必要求強記，到最後都會出現。 3、常用詞：包括雙聲、疊韻詞和生活用語等，藉使讀者增加練習機會，並學到更多的辭彙和語句。

六、上編教材均兩套音標並用，先標第一式，次標第二式，最後才是漢字，讀者應以學習音標爲主。

七、本書標音，一律採用本調，學習時可先習本調，再跟著教師或錄音帶學變調。

八、下編十八課，介紹連音變調、音節結構、破音、又讀、文白異讀、次方言、漢字書寫問題及記音要點等，偏重理論的認知層面。並有聽音與記音練習，以供測驗記音能力，最後兩課是民間文學採訪的實例。

九、本書另附有錄音帶，錄上編第一、二兩部份，四縣與海陸發音各一卷，其他腔調則從缺，讀者諒之。

十、本書在撰寫及打印校對上，錯誤在所難免，敬祈惠賜高見，以便修訂及改正。

客家話的聲韻

一、 發音器官簡介

　　人類有一套十分完善的發音器官，藉著不同的器官和不同的方法，可以發出並調整語音。這些器官包括：（一）肺和氣管；（二）喉頭和聲帶；（三）咽頭、口腔和鼻腔。分別說明如下：

（一）肺和氣管

　　這是人類的呼吸器官。肺臟是呼吸氣流的總倉庫，在發音的作用上，相當於風琴裡的風囊。靠著肺臟的一呼一吸，發出氣流，構成人類發音的原動力。氣管則是輸送氣流的器官，它把來自肺臟的氣流，輸送到口腔或鼻腔。

　　除了肺和氣管外，橫隔膜的作用也和呼吸有關。它分隔胸腔和腹部。當橫隔膜下垂，肺臟膨脹，亦即胸腔增大，外面的空氣從口腔或鼻腔進入肺部，這就是吸氣；當橫隔膜上升，肺部縮小，亦即胸腔縮小，氣流從肺部流出，這就是呼氣。

　　一般語言都是用呼出的氣流來發音的，所以每說幾句話以後，須再吸一口氣，才能繼續說下去。但有些聲音也可以用吸氣來發音，例如我們表示稱讚或惋惜時，利用舌尖發出「嘖嘖」的吸氣音。在漢語中，幾乎都是呼氣音，只有非洲的少數語言及海南島部份語言有吸入音（Implosion）。

（二）喉頭和聲帶

　　喉頭是由甲狀軟骨、環狀軟骨和杓狀軟骨所組成。從我們脖子的前方看，在脖子的正中間那塊突起的骨頭，就是喉頭。

　　聲帶就在這些軟骨所構成的圓筒狀喉室裡，它是由肌肉、粘膜等所組成的兩片韌帶，富有彈性，可以左右分開，也可以合攏。當肺裡呼出的氣流，通過合攏的聲門，就引起聲帶顫動而發出聲音來。所以聲帶是人類發音的主體。

（三）咽頭、口腔和鼻腔

　　人類發音的原動力是氣流，發音的主體是聲帶、聲門，而咽頭、口腔和鼻腔三者是發音的共鳴器。

　　咽頭最接近聲門，上通鼻腔，中通口腔，下通喉頭。咽頭的後壁叫做咽壁，當我們面對鏡子時，張開嘴巴，就可以看得很清楚。

　　口腔是指口的內部，所包括的部位最多，像唇、舌、齒、牙、顎等，再加以細分的話，包括上唇、下唇、上齒、下齒、上齒齦、硬顎、軟顎、舌頭等，舌頭又可分為舌尖、舌面、舌根等。說話的時候，如果軟顎和小舌上升，鼻腔通路堵塞，氣流從口腔流出，就成為口音了。

　　鼻腔在口腔的上頭，軟顎和小舌隔開口腔。當呼吸時，軟顎、小舌懸在中間，口腔和鼻腔的通路同時打開，氣流可以自由出入。如果軟顎、小舌下垂，關閉了口腔的通路，氣流從鼻腔流出，就成為鼻音了。

以下是發音器官圖:

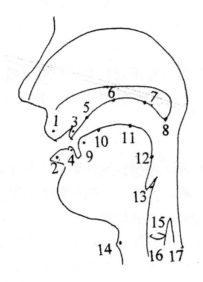

1、上唇　　11、舌面後
2、下唇　　12、舌根
3、上齒　　13、會厭軟骨
4、下齒　　14、喉頭
5、上齒齦　15、聲帶（中為聲門）
6、硬顎　　16、氣管
7、軟顎　　17、食道
8、小舌
9、舌尖
10、舌面前

二、聲母

任何語言的語音都有「元音」（Vowel）和「輔音」（Consonant）兩種音素。輔音，也叫做子音，它有三個特徵：

1、 氣流通路有阻礙。

2、 氣流向外流出的力量較強。

3、發音器官不發生阻礙部份不緊張。

所以，輔音最顯著的因素，就是氣流在口腔中所遭遇的阻礙。由肺裡呼出來的氣流，經過發音器官的阻礙，所造成不帶音的噪音或帶音的噪音和樂音，稱作「輔音」。前者如 p、 pʻ、t、 tʻ 等，發音時聲帶不顫動；後者如 m、n、l 等，發音時聲帶顫動，是樂音和噪音的混合音。

輔音的一般發音特點有三：（一）是清與濁、（二）是送氣與不送氣、（三）是鼻音與口音。分別說明如下：

（一）清與濁

所謂清濁，純指發輔音時聲帶顫動不顫動而言，如果發輔音時，聲帶受氣流摩擦而發生顫動的，稱為濁音，語言學上叫做帶音（Voiced）；如果發輔音時，聲帶不受氣流摩擦而顫動，稱為濁音，語言學上叫做不帶音（Voiceless）。客語裡的濁音有：m、v、n、ŋ、l 、ʒ。其餘的聲母都是清音。

（二）送氣與不送氣

當塞音與塞擦音在阻塞解除之後，氣流向外流出的力量有強有弱，如果強，則需要經過氣流向外流出之過程，才能與其後的音相連結，這種情形叫做送氣（Aspirate）；如果弱，則不需要經過氣流向外流出之過程，便能立刻與其後的音相連結，這種情形叫做不送氣（Unaspirate）。通常在音標的右上角標「ʻ」，表示送氣。在客語中有下列相對的送氣不送氣的聲母：

雙唇清塞音：p-------- pʻ

舌尖清塞音：t--------- tʻ

舌根清塞音：k-------- kʻ

舌尖前清塞擦音：ts------- tsʻ

舌面前清塞擦音：tɕ ------- tɕʻ

舌尖面前清塞擦音：tʃ ------- tʃʻ

（三）鼻音與口音

發音時，軟顎和小舌下垂，堵住口腔的通道，氣流從鼻腔出來的稱為鼻音，如 m、n、ŋ；軟顎和小舌上升，堵住通往鼻腔的通道，氣流從口腔出來的稱為口音。如 p、t、k 等非屬鼻音的都是口音。

「輔音」是一般語言學上通用的名稱，在分析漢語時，習慣用「聲母」。聲母是指一個音節開頭的輔音，或者說一個音節除去韻母、聲調的部份，就是聲母。所以它又叫做「前音」（Initial），如巴（pa）、哥（ko）二字的 p 和 k 便是。

聲母永遠在音節的前頭，但輔音有時可放在前頭，有時可放在後頭，當作韻

尾，如班（pan）、北（pet）二字的 n 和 t 兩個輔音，都是韻的一部份（韻尾），這是聲母與輔音不同的地方。漢字中有許多字是只有元音或元音開頭，也就是沒有聲母，這種音節叫做零聲母。如安（on）、哀（oi）、歐（eu）等字，都是以元音 o 和 e 開頭，沒有聲母。

　　客家話的聲母共有二十一個，按發音部位（Place of Articulation）與發音方法（Manner of Articulation）說明如下：

（一）從發音部位分：

1、唇音（Labial）：以上下唇的動作所構成的音，叫做唇音。可分為兩類：

　（1）雙唇音（bilabial）：氣流受到上下唇的阻礙而成的音。客語裡有 p、p'、m 三個，古人稱為重唇音。

　（2）唇齒音（labio-dental）：指下唇向上門齒靠攏，造成氣流的阻礙而發出的音。客語裡有 f（清）、v（濁）兩個，古人稱為清唇音。

2、舌尖音（Dental）：以舌尖的動作所構成的音，叫做舌尖音。可分為三類：

　（1）舌尖中音（alaveolar）：指舌尖抵住上齒齦，造成氣流阻塞而發出的音。一般叫做舌尖音。客語裡有 t、t'、n、l 四個。

　（2）舌尖前音（dental）：指舌尖向前平伸，抵住門齒背，造成氣流阻塞而發出的音。客語裡有 ts、ts'、s 三個。

　（3）舌尖面音（palato - alveolar）：指舌尖到舌面之間（舌葉）的部位抵住前顎，造成氣流阻塞而發出的音，原是介於 t（ㄐ）與 ts（ㄗ）舌位之間的音，又稱舌葉音或舌尖面混合音，客語海陸話與東勢地方話有 tʃ、tʃ'、ʃ、ʒ 四個，但海陸話的這四個音，非常接近於捲舌音（舌尖後音）tʂ（ㄓ）、tʂ'（ㄔ）、ʂ（ㄕ）、ʐ（ㄖ）。

3、舌根音（Velar）：指舌面後部向上隆起，靠近軟顎，造成氣流阻塞而發出的音。客語裡有 k（ㄍ）、k'（ㄎ）、ŋ（π）三個。

4、喉音（Glottal）：指聲帶靠近，氣流從聲帶中間擠出。客語中有 h 一個。

5、無聲母（Zero Initial）：指以元音為韻頭，或以主要元音為音首的字。如鴨唸 ap，影唸 ia 等。有些學者也把 ȵ（广）和 tɕ（ㄐ）、tɕ'（ㄑ）、ɕ（ㄒ）列出來，這裡因為前者都有介音 i（ㄧ），可用 ŋi 代表，如牛（ŋiu）、人（ŋin）等，以節省音標。後者則是受國語ㄐ、ㄑ、ㄒ的影響所起的變化，老一輩的口語並無此音，只有 tsi（ㄗㄧ）、ts'i（ㄘㄧ）、si（ㄙㄧ）的音，但為避免兒童學習的干擾，當使用ㄅ、ㄆ、ㄇ系統注音時，還是注成ㄐ、ㄑ、ㄒ，因為國語ㄗ、ㄘ、ㄙ都不與ㄧ拼音。

（二）從發音方法分：

1、塞聲（Stop　or　plosive）：發音時，口腔中某兩部份發音器官完全緊密，同時軟顎抬起，堵塞鼻腔的通道，然後突然打開，氣流從口腔迸裂而出，有如爆竹原理，這種音叫做塞音，也叫做爆音或塞爆音。客語裡的塞音有：

　　　　雙唇塞音：p-、p'-。
　　　　舌尖塞音：t-、t'-。

舌根塞音：k-、k'-。

2、鼻音（Nasal）：發音時，口腔的通道完全阻塞，軟顎和小舌下垂，讓氣流從鼻腔逸出，同時聲帶振動，這種音叫做鼻音。客語裡的鼻音有：

　　　　雙唇鼻音：m。

　　　　舌尖鼻音：n。

　　　　舌根鼻音：ŋ。

相反的，如果發音時，軟顎和小舌上升，鼻腔的通路完全阻塞，氣流從口腔逸出，這種音則稱為口音。如 p、t、k 等屬之。

3、邊音（Lateral）：發音時，舌尖抵住上齒齦，氣流在口腔中央的通路遇到了阻礙，改從舌頭兩邊的間隙流出，這種音叫做邊音。客語裡的邊音有：

　　　　舌尖邊音：l。

4、擦音（Fricative）：發音時，發音器官的某兩部份相互接近，把通路變得很窄，甚至只留下一條隙縫，氣流從隙縫中擠出來，發出帶有摩擦成分的音，這種音叫做擦音。客語中的擦音有：

　　　　唇齒擦音：f、v。

　　　　舌尖前擦音：s。

　　　　舌尖面擦音：ʃ。

　　　　舌根擦音：h。

5、塞擦音（Affricative）：這是結合「塞音」和「擦音」在一起的發音方法。發音時，口腔某兩部份發音器官完全阻塞，同時軟顎抬起，堵塞鼻腔的通道，然後氣流從阻塞部份的狹縫中摩擦而出，這種音叫做塞擦音。塞音和擦音結合的時候，非常緊密，幾乎是同時發生，聽來就像是只有一個音素。客語裡的塞擦音有：

　　　　舌尖前塞擦音：ts、ts'。

　　　　舌尖面塞擦音：tʃ、tʃ'。

　發聲母的時候，通常可分為「成阻」、「持阻」、「除阻」三個步驟。

　(1)成阻：指阻礙的開始形成。

　(2)持阻：指阻礙的繼續保持。

　(3)除阻：指阻礙的解除；也叫做破阻。

　一般說來，塞音在除阻時才能發出聲音來，而且一發即逝，無法延長，所以叫做「暫音」（Momentary　Consonant）；而擦音的持阻就可以一口氣延長下去，所以又叫做「久音」（Continuant　Consonant）。

客語聲母表

發音方法\發音部位	塞音		塞擦音		鼻音	邊音	擦音	
	清音		清音		濁音	濁音	清音	濁音
	不送氣	送氣	不送氣	送氣				
雙唇	p 兵班	p′ 盤偏			m 滿免			
唇齒							f 反火	v 橫翁
舌尖中	t 端斗	t′ 段透			n 暖難	l 來樓		
舌尖前			ts 走贊	ts′ 坐窗			s 沙蘇	
舌尖面			tʃ 照戰	tʃ′ 穿齒			ʃ 舍書	ʒ 野容
舌根	k 該久	k′ 開舊			ŋ 疑我			
喉							h 汗喜	∅ 安歐

音標說明

（一）塞音：
　1、雙唇
　　〔p 〕清不送氣雙唇塞音
　　〔p′〕清送氣雙唇塞音
　2、舌尖中
　　〔t 〕清不送氣舌尖中塞音
　　〔t′〕清送氣舌尖塞音
　3、舌根
　　〔k 〕清不送氣舌根塞音
　　〔k′〕清送氣舌根塞音
（二）塞擦音：
　1、舌尖前
　　〔ts 〕清不送氣舌尖前塞擦音
　　〔ts′〕清送氣舌尖前塞擦音
　2、舌尖面
　　〔tʃ〕清不送氣舌面塞擦音
　　〔tʃ′〕清送氣舌面塞擦音
（三）鼻音：
　　〔m〕濁雙唇鼻音
　　〔n 〕濁舌尖中鼻音
　　〔ŋ〕濁舌根鼻音

（四）邊音：
　　〔 l 〕濁舌尖中邊音
（五）擦音：
　　〔 f 〕清唇齒擦音
　　〔 v 〕濁唇齒擦音
　　〔 s 〕清舌尖前擦音
　　〔 ʃ 〕清舌尖面擦音
　　〔 ʒ 〕濁舌尖面擦音
　　〔 h 〕清喉擦音

三、韻母

　　前面提過，任何語言都有「元音」和「輔音」這兩個基本要素。元音，也叫做母音，它也有三個特徵：

　　1、氣流通路沒有阻礙，只需利用口腔、鼻腔等造成不同的共鳴器就可以發出各種不同的元音。

　　2、氣流向外流出的力量較弱。

　　3、發音器官的緊張狀態是均衡的，並沒有任何一部份特別緊張。

　　所以，元音就是氣流在口腔中不受任何器官顯著的阻礙，聲帶顫動，而發出的音。因為在一個漢語音節裡，它總是在後頭，所以，又叫做「後音」（Final）。

　　元音的性質由口腔的形狀決定，口腔的形狀則由舌頭與嘴唇的位置來決定，因此，分析元音的性質有三原則：

（一）舌頭的前後

　　舌頭隆起部位的前後。前元音舌頭隆起部位向硬顎提升；後元音隆起部位向軟顎提升。從舌頭活動部份的前後，可以分元音為：前元音、央元音、後元音。

（二）舌位的高低

　　舌頭隆起部位的高低。舌位從靜止平放狀態逐漸上升，升到接近上顎而不致發生摩擦的程度，這中間可以產生許多不同的元音。根據舌位的升高或降低，可以分元音為高元音、中元音、低元音。或分為高元音、半高元音、半低元音、低元音。或分為高元音、次高元音、半高元音、中元音、半低元音、次低元音、低元音。

（三）唇形的圓展

　　嘴唇的狀態可分為展唇與圓唇。發音時，嘴唇舒展而成扁平形或保持自然狀態的，叫做展唇或不圓唇；發音時，嘴唇突斂而成攏圓的，叫做圓唇。除中性元音外，每一個展唇元音都有一個圓唇元音和它相配；每一個圓唇元音也都有一個展唇元音和它相配。發前元音以展唇為原則，發後元音以圓唇為原則，合於這個原則的元音，叫做「正規元音」。

根據上述三種性質，底下介紹元音舌位圖：

語言學家利用 X 光攝製，把人類在口腔發〔i〕、〔e〕、〔ɛ〕、〔a〕、〔u〕、〔o〕、〔ɔ〕、〔ɑ〕這八個元音拍攝下來，就成為下圖：

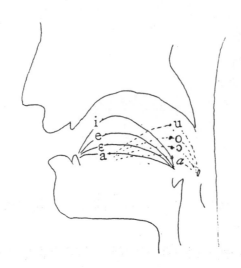

　　首先把舌尖抵住下齒背，舌面前部儘量向前硬顎提升，但以不產生摩擦為準，同時嘴唇向兩邊咧張，關閉通往鼻腔的通道，這樣發出來的音就是〔i〕。如果舌面保持平時靜止時的高度，舌面前部儘量向下壓低，舌尖抵住下齒背，舌面前成為全舌頭的最高點，這樣發出來的音就是〔a〕。舌面前在〔a〕、〔i〕之間，上升三分之一的地方，發出來的音就是〔ɛ〕。上升三分之二的地方，發出來的音就是〔e〕。如果舌頭向後縮，舌面後儘量向軟顎提升，以不產生摩擦為準，這樣發出來的音，就是〔u〕。如果舌頭在平時靜止時高度儘量向後縮，舌面後向下降，也關閉通往鼻腔的孔道，口腔大開，這樣發出來的音，就是〔ɑ〕。舌面後在〔ɑ〕〔u〕之間上升三分之一的地方，發出來的音就是〔ɔ〕。上升三分之二的地方，發出來的音就是〔o〕。以上八元音為練習一切元音的基礎，所以英國語言學家、倫敦大學教授瓊斯（ Prof Daniel Jones ）稱之為「標準元音」。按他的說法，八個標準元音舌位圖如下：

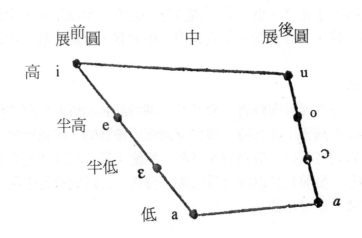

這八個元音的脣形如下：

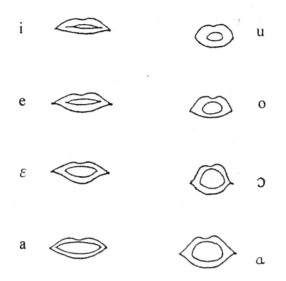

i：前高元音，如比（pi）
e：前半高元音，如細（se）
ɛ：前半低元音，如係（hɛ）
a：前低元音，如打（ta）
u：後高元音，如古（ku）
o：後半高元音，如多（to）
ɔ：後半低元音，如高（kɔ）
ɑ：後低元音，如家（kɑ）

　　前元音以展唇為主，舌位越高則唇形越展；後元音以圓唇為主，舌位越高則唇形越圓。在客語中，e 與 ɛ、o 與 ɔ、a 與 ɑ，都沒有辨義作用，一般人也不會去分別它，所以就取 e、o、a 為代表，加上 i 和 u，形成 a、e、i、o、u，是客語常用的元音。

　　除了這八個元音外，人類可以發出許許多多的元音，所以就有國際音標舌位

圖：

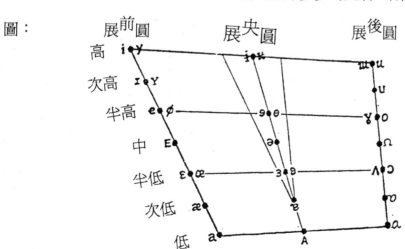

不過上面介紹的只是舌面元音（Dorsal Vowel），另外還有舌尖元音（Apical Vowel），國語裡有三套：一是跟在 ts（ㄗ）tsʻ（ㄘ）s（ㄙ）後面的韻母，稱爲舌尖前（展唇）元音；二是跟在 tʂ（ㄓ）tʂʻ（ㄔ）ʂ（ㄕ）後面的韻母，稱爲舌尖後（展唇）元音；三是經常單獨使用的，稱爲半高半低之間舌尖後元音。第一二種因爲不會同時出現在一個音節裡，可以合併起來，用一個符號代表，稱爲空韻。客語只有空韻，沒有第三種，茲將三種音標及例字列在下面：

	第一式	第二式	國際音標	國語例字	客語例字
1、舌尖前元音：	ii	ㄴ	ɿ ｝	姿次司	姿次司
2、舌尖後元音：	ii	ㄴ	ʅ ｝	紙齒時	紙齒時（四縣海陸混合腔的一種）
3、半高半低之間的後元音：			ɚ	兒耳二	

客語韻母計 70 個（海陸系 66 個），組成的因素包括：1、舌面元音五個；2、舌尖元音一個；3、輔音（也作爲聲母）六個。分類說明如下：

1、**舒聲類**：與入聲韻相對，即非以塞音 p、t、k 爲韻尾的韻母，可分爲兩小類：

　（1）開尾韻母：即以舌尖元音（空韻）ɿ 及舌面元音 a、e、i、o、u 爲主要元音或韻尾的韻母。又稱「陰聲韻母」。

　（2）鼻音尾韻母：即以鼻音 m、n、ŋ 三個輔音爲韻尾的韻母，又稱「陽聲韻母」。

2、**入聲類**：即以塞音 p、t、k 三個輔音爲韻尾的韻母。又稱「輔音韻尾」。

學過國語的人都知道，韻母有 i（ㄧ）、u（ㄨ）、y（ㄩ）三種介音，又稱「韻頭」，分別稱爲齊齒呼、合口呼、撮口呼；沒有介音 i、u、y 的則稱爲開口呼，所以有開、齊、合、撮四種：

　1、開口呼：主要元音或介音不是〔i〕、〔u〕、〔y〕的韻母，如：阿（a），奧（au）、恩（ən）、巴（pa）、高（kau）、根（kən）、、、

　2、齊齒呼：主要元音或介音屬於〔i〕的韻母，如：低（ti）、野（ie）、有（iou）、邊（pien）、亮（lia）、、、

　3、合口呼：主要元音或介音屬於〔u〕的韻母，如：杜（tu）、甫（fu）、關（kuan）、光（kua）、、、

　4、撮口呼：主要元音或介音屬於〔y〕的韻母，如：雨（y）、園（yan）、女（ny）、捲（tɕyan）、學（ɕye）、、、、、這是由古音〔iu〕演變成的。

客家語保存古音〔iu〕成份的韻，如九（kiu）、君（kiun）、訓（hiun）等，但沒有演變成撮口呼，所以只有開、齊、合三類。另外有 m、n、ŋ 三個鼻音可以單獨表示音義，稱爲「成音節的輔音」，也一併介紹如下：

客語韻母表

1、舒聲韻母（46個）

韻攝＼韻頭	開　尾　韻　母（陰　聲　韻　母）22								
開　口	ii 資私	a 家花	o 寶島	e 洗	ai 泰觧	oi 開來		au 袍鬧	eu 走笑
齊　齒	i 起飛	ia 謝	io 茄靴	ie 契解	iai 觧街	ioi 瘍	ieu 狗橋	iau 料橋笑	iu 九手笑
合　口	u 扶手	ua 瓜瓦		ue 口	uai 怪乖		ui 貴飛		

韻攝＼韻頭	鼻音尾韻母（陽聲韻母）24										
	m 韻尾 6			n 韻尾 11					ŋ 韻尾 7		
開　口	am 敢堪	em 森	iim(əm) 深斟	an 班眼	on 安寬	en 恩等	iin(ən) 陳神		aŋ 莽撐	oŋ 幫講	
齊　齒	iam 欺險	iem 醃	im 欽深	ian 天眼	ion 全軟	ien 天眼	in 令神	iun 君近	iaŋ 丙請	ioŋ 向姜	iuŋ 弓誦
合　口				uan 關款		uen 耿		un 村坤	uaŋ 莖		uŋ 公紅

2、入聲韻母（24個）

韻攝＼韻頭	塞音尾韻母（入聲韻母）24										
	p 韻尾 6			t 韻尾 11					k 韻尾 7		
開　口	iip(əp) 汁濕	ap 答臘	ep 澀	iit(ət) 質食	at 發辣	et 北得	ot 脫割		ak 白麥	ok 莫落	
齊　齒	ip 立濕	iap 接業	iep 口	it 力食	iat 結缺	iet 結缺	iot 嘬	iut 屈	iak 逆錫	iok 略腳	iuk 曲足

合　口					uat 括	uet 國		ut 骨佛	uak 口		uk 木祿

3、成音節輔音（3個）

　　m：晤（不）

　　n：你

　　ŋ：魚、女、五、吳、你

說明：（1）上表未附例字的，表示口語有此音，一時找不到適當的字。

　　　（2）例字之下畫線的，表示海陸音。

　　　（3）括號中的（ien）、（iet）與（ian）、（iat）不會同時出現，如天、結二字，六堆地區多說成（t ian）、（kiat），北部則說成（t‘ien）、（kiet），故（ien）的第二式音標仍要注ㄧㄢ（如國語的「煙」），所以寬式注音可用（ian）統攝（ien），嚴式注音則（ian）與（ien）區別。

　　　（4）成音節的 n，只有四縣話使用，但「你」也可說成 「ŋ」，所以嚴格說來，也只有二個。

四、聲調

（一）聲調的意義

　　在漢藏語系各語言裡，不同的音高升降起伏變化，往往有區別詞義的作用，語言學上把具有這種作用的音高升降起伏狀態叫做「 聲調 」（Tone）。例如媽ｍａ˧、麻ｍａ˥、馬ｍａ˦、罵ｍａ˨， 聲韻的組織是一樣的，就因為聲調不同，代表的字義就各不相同了。

　　聲調不僅是一種言語特徵，同時，與主要元音都是任何一個音節中不可或缺的因素。而構成聲調最主要的因素是音高（Pitch）， 所謂音高就是指聲音的高低，由聲帶的鬆緊來決定。如果發音時，聲帶越緊，在一定時間內顫動數（稱為「頻率」）就越多，聲音就高；反之，聲帶越鬆，在一定時間內顫動數就越少，聲音就低。聲帶鬆緊的變化，就形成高低變化。同時，這種變化是呈現複合起伏的形式，亦即它是從一個音滑到另一個音，而不是從一個音跳到另一個音。例如，聲調是３５，發音的時候，是由３滑到５，而不是先唸３，再唸５。

　　其次，音長也是影響聲調的，所謂音長（Duration）就是指發音在時間的長短。趙元任先生曾把聲調界定為：「一個音節裡頭，帶音部份的基音的音高，在時間上的函數。」說明了音高、音長與聲調的密切關係。

（二）調類

　　所謂調類，就是調的分類。隋唐以來中古音韻書，把聲調分爲平聲、上聲、去聲、入聲四類，這種傳統的分類，稱爲調類。調類會產生分化的現象，如《中原音韻》時代，北平話的平聲就分化爲陰平和陽平，因此，有些方言裡的聲調有七個、八個之多，就是這些方言的平上去入各分化爲二，成爲陰平、陽平、陰上、陽上、陰去、陽去、陰入、陽入等。國語有四個調類，即陰平、陽平、上聲、去聲，它與傳統四聲的關係如下圖：

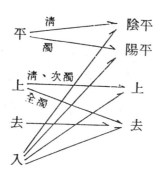

　　中古的平聲，清聲字變陰平，濁聲字變陽平，顯示了分化的情況。

　　客語裡最多有七種聲調，海陸系七種俱全，四縣話陽去與陰去調值相同，故缺陽去聲，只有六種。然而，我們注音時應就其所分，注七種。這七種調類是陰平、陰上、陰去、陰入、陽平、陽去、陽入，爲方便起見，我們以１２３４５７８阿拉伯數字來標示。圖示如下：

四聲 陰陽	平	上	去	入
陰	1	2	3	4
陽	5		*7	8

　　陰平就是１，陰上就是２，陰去就是３，陰入就是４，陽平就是５，陽去就是７，陽入就是８。這種「調類」標調法不僅可以兼顧四縣、海陸等次方言，也可以兼顧傳統聲韻學和閩南語的標示，所以爲本書所採用。學習者只要記熟這些調類分別代表的「調值」，便能運用自如了。至於這七種聲調的調值各爲多少，請見下文討論。

（三）調值

　　所謂調值，就是各種聲調實際的調音。從事聲調研究實驗最有名的有劉復、趙元任兩位先生。劉氏把每個聲調的實際變化狀況作成《四聲實驗錄》一書，他將中國字各調量了聲浪，密的就是高，疏的就是低，從密到疏，從疏到密，就是聲調的變化，量出了四聲。他爲了保留某些方言的入聲狀況，又根據清代樊騰鳳的《五方元音》，加上一個入聲調，但北平話是沒有入聲的。

　　民國二十三年，白滌洲先生依照劉復的方法給北平聲調做了一次比較

精細的測斷，他按北平話的四聲，每類各選了五個字在浪紋計（Kymograph）上說出，用聲調推斷尺推算，依據每個字的顫動數，推斷出各字在聲音進行中每一點的音高，畫出聲調曲線；然後又把同調類的五個字的音高曲線從起點、中點，到終點的音高值求出平均數，就代表這一類聲調的調型。

白氏所測定的北平話基本調型如下：

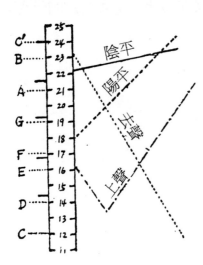

陰平：A#—B，22.2—23.4
陽平：F#—C'，18—24'.4
上聲：E—C#—A#，16.2—13.4—21.6
去聲：B—C，23.2—11.8

四個聲調中，最高的是 C'（就是音階上的「中央 C」），就低的是 C（比「中央 C」低八度的低音 C），當中一共有十二個「半音」。如果改用五度制的分法，12—14.4 為一度；14.4—16.8 為二度；16.8—19.2 為三度；19.2—21.6 為四度；21.6—24 為五度。

白氏也根據浪紋計上浪紋的長短，推算出各聲的平均值，陰平是 436，陽平是 455，上聲是 483，去聲是 425，由此可知，上聲最長，陽平次之，陰平又次之，去聲最短了。

但是記錄漢語聲調，最實用的辦法是採用趙元任先生的五度制，方法是：畫一個縱座標，把音高的程度分成五度，共有五個點，自下而上用 12345 代表低、半低、中、半高、高五度音高，然後將聲調的高低、長短變化自左向右和縱座標聯接起來，結果陰平是 55：，陽平是 35：，上聲是 214：，去聲是 51：。它的簡譜如下：

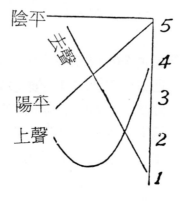

另外，還有不同音值的五度制座標法，分別以圖 a、圖 b 來顯示：

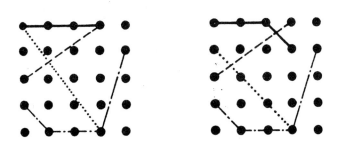

圖 a　　　　　　　　　圖 b

圖 a：陰平 5555，陽平 3//5，上聲 21114，去聲 5//1。

圖 b：陰平 5554，陽平 3//5，上聲 21114，去聲 4321。

（陽平和去聲首尾之間的斜線，代表音高滑動的過程）

客語的調值，四縣與海陸不同，如下表：

區域＼調號	陰　平	上	陰　去	陰　入	陽　平	陽　去	陽　入
四　縣	24	31	55	<u>32</u>	11	(55)	<u>55</u>
海　陸	53	13	21	<u>55</u>	44	33	<u>32</u>

（四縣除去陽去相同）

　　因為音值的不同，代表聲調起落點和調子的形成。我們可以就音值的數字分析調性（也稱「調型」），如 55：叫做高平；11：叫做低平；42：叫做高降；13：叫做低升；21：叫做低降；<u>32</u>：叫做中降短，、、、等。

（四）調號

　　所謂調號，就是用來記錄聲調的符號。民國七年，教育部公布注音符號實施辦法，規定四聲點法，那時還有入聲，規定在字的四角作點，陰平無調符，如圖 c：

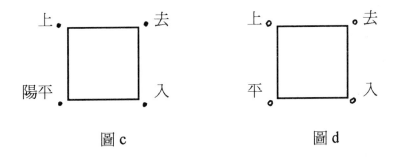

圖 c　　　　　　　　　圖 d

十七

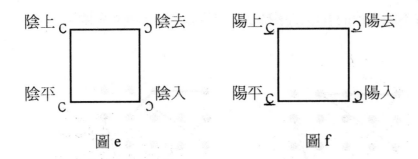

圖 e　　　　　　　　圖 f

　　這種點法，來自古人的四聲調類的圈讀法（如圖 d），只是把「圈」改成「點」而已。爲了方言標調的需要，又有在四角加 c 和 c 分別表示陰陽的，如圖 e、圖 f。但這種辦法，只能標示所屬調類的記號，無法明白表示實際語音的調值，同時點起既不方便也不美觀，所以民國十一年教育部把調型符號撤去座標就成爲陰平—，陽平ㄗ，上聲ㄨ，去聲ㄟ，入聲．，陰平的調號可以省去。民國二十一年重新修訂國音以後，已經沒有入聲，就用 ● 作爲輕聲的標記符號。但是在語音學的研究上，不少使用國際音標的，那麼調號就寫在每一個音節的後頭，如 ts‘a˩ sui˩(客語「茶水」)。也有把調值寫在音節的右上角的，如 fo¹¹ hi⁵⁵ (客語「和氣」)。

　　客語的調號，可以採座標標示，七個調類，依四縣、海陸的不同，而有不同的調號，如下表：

調類 / 語別	1 陰 平	2 上	3 陰 去	4 陰 入	5 陽 平	7 陽 去	8 陽 入
四 縣	ㄥ	ㄟ	﹁	ㄥ	﹂	(﹁)	﹁
海 陸	ㄟ	ㄥ	﹄	﹁	﹁	﹂	ㄟ

（四縣陰去陽去相同）

以下就拿國語、四縣、海陸的調值、調性、調號作一比較，並附例字，以供練習。

調號		國語			四縣			海陸			例字
		調值	調性	調號	調值	調性	調號	調值	調性	調號	
陰平	1	55	高平	ㄱ	24	低升	ㄥ	53	高降	ㄱ	青春交通 村莊康當
上	2	315	降升	ㄩ	31	中降	ㄣ	13	低升	ㄥ	統請可水 穩守老早
陰去	3	51	全降	ㄥ	55	高平	ㄱ	21	低降	ㄥ	唱壯看破 放暢礦浸
陰入	4				32	中降短	ㄣ	55	高平短	ㄱ	德色國責 織北出谷
陽平	5	35	中升	ㄥ	11	低平	⌐	44	高平	⌐	紅洋堂祥 情形尋林
陽去	7				(同陰去)			33	半低平	⊣	象亮樣運 動鄧淨靜
陽入	8				55	高平短	ㄱ	32	中降短	ㄣ	沒落末勻 薄鑿俗讀

練習時，可依調類的次序和例字，分別記住它的調值。請見下表：

調 類		1	2	3	4	5	7	8
例 字		三	嫂	曬	穀	無	盡	力
音 標		sam	so	sai	kuk	mo	ts in	lit
調值	四縣	24	31	55	32	11	(55)	55
	海陸	53	13	21	55	44	33	32

注音時，調值注在音標的後面或右上角，但調值標調法無法兼顧四縣和海陸，如果為了一體通用，最好是採用調類來標調，例如上面的七個字，依次可標成：sam^1 so^2 sai^3 kuk^4 mo^5 $ts\,in^7$ lit^8，四縣、海陸各讀各的調，非常方便，本教材便是採取這個辦法的。

客語音標對照表

一、聲母

第 一 式	第二式	國際音標	羅馬拼音	漢語拼音	例　　　　　　　字
p	ㄅ	〔p〕	p	b	-a 巴霸　-i 埤比　-u 埔補
ph	ㄆ	〔pʻ〕	ph	p	-a 划怕　-i 被備　-u 舖部
m	ㄇ	〔m〕	m	m	-a 馬麻　-i 迷米　-u 模墓
f	ㄈ	〔f〕	f	f	-a 花化　-i/-ui 非　-u 夫胡
v	万	〔v〕	v	v	-a 挖偎　-i/-ui 畏　-u 烏舞
t	ㄉ	〔t〕	t	d	-a 打○　-i 知抵　-u 都肚
th	ㄊ	〔tʻ〕	th	t	-a 他　　-i 第提　-u 凸途
n	ㄋ	〔n〕	n	n	-a 拿那　-i 尼膩　-u 奴努
l	ㄌ	〔l〕	l	l	-a 拉罅　-i 里梨　-u 鹵路
k	ㄍ	〔k〕	k	g	-a 加價　-i 居己　-u 姑古
kh	ㄎ	〔kʻ〕	kh	k	-a 卡　　-i 企其　-u 枯庫
ng	π	〔ŋ〕	ng	ng	-a 牙雅　-i 議汝　-oi 外呆
h	ㄏ	〔h〕	h	h	-a 哈暇　-i 希許　-o 耗好
c（i）	ㄐ	〔tɕ〕	ch（i）	j（i）	-a 借嗟　-iu 酒縐　-ap 接
ch（i）	ㄑ	〔tɕʻ〕	chh（i）	q（i）	-a 謝斜　-iu 秋就　-ap 妾婕
ng（i）	π ㄧ	〔ɲ〕	ng（i）	ng（i）	-a 惹　　-iu 牛扭　-ap 業
s（i）	ㄒ	〔ɕ〕	s（i）	x（i）	-a 邪寫　-i 紙製　-ap 洩
z	ㄓ	〔tʃ〕	chi	zh	-a 遮者　-i 紙製　-u 豬煮
zh	ㄔ	〔tʃʻ〕	chh	ch	-a 車扯　-i 癡齒　-u 柱處
sh	ㄕ	〔ʃ〕	s	sh	-a 舍蛇　-i 屍時　-u 書薯
j	ㄖ	〔ʒ〕	j	r	-a 野也　-i 衣椅　-oŋ 養羊
c	ㄗ	〔ts〕	ch	z	-a 楂詐　-i 擠濟　-u 租祖
ch	ㄘ	〔tsʻ〕	chh	c	-a 差查　-i 徐娶　-u 粗楚
s	ㄙ	〔s〕	s	s	-a 砂儕　-i 西四　-u 蘇素
		〔∅〕			-an 恁　-en 恩　-on 安

二、韻母

第 一 式	第二式	國際音標	羅馬拼音	漢語拼音	例　　　　　字
ï i	ㄭ	〔ï〕	ṳ	i	c-資子　ch-次詞　s-私士
i	ㄧ	〔i〕	i	i	t-知帝　k-居佢　kh 企其
e	ㄝ	〔e〕	e	e	m-姆　s-細　sh 勢
a	ㄚ	〔a〕	a	a	p-爸把　m-媽罵　z-遮者
o	ㄛ	〔o〕	o	o	k-哥高　s-嫂掃　t-多倒
u	ㄨ	〔u〕	u	u	t-都肚　th-涂度　f-呼腐
i e	ㄧㄝ	〔ie〕	ie	ie	k-計解　kh-契乞　ng-蟻艾
eu	ㄝㄨ	〔eu〕	eu	eu	o-歐漚　t-斗鬥　h-侯候
ieu	ㄧㄝㄨ	〔ieu〕	ieu	ieu	k-鉤溝　kh-摳扣　ng-偶藕
ia	ㄧㄚ	〔ia〕	ia	ia	t-蹀　c-嗟借　s-邪瀉
ua	ㄨㄚ	〔ua〕	ua	ua	k-瓜掛　kh-誇　ng-瓦
ai	ㄞ	〔ai〕	ai	ai	c-栽載　ch-菜猜　s-曬徙
uai	ㄨㄞ	〔uai〕	uai	uai	k-乖怪　kh-快
au	ㄠ	〔au〕	au	au	p-包豹　ph-跑刨　m-矛貌
iau	ㄧㄠ	〔iau〕	iau	iau	o-枵　t-鳥弔　l-廖遼
io	ㄧㄛ	〔io〕	io	io	kh-茄瘸　ng-蹂　h-靴
oi	ㄛㄧ	〔oi〕	oi	oi	p-背杯　ph-賠杯　m-梅妹
ioi	ㄧㄛㄧ	〔ioi〕	ioi	ioi	ch-脆
iu	ㄧㄨ	〔iu〕	iu	iu	t-丟　l-流柳　s-秀羞
ui	ㄨㄧ	〔ui〕	ui	ui	k-鬼貴　t-對追　l-類雷
ue	ㄨㄝ	〔ue〕	ue	ue	kh-□
ï i m	(ㄭ)ㄇ	〔ïm〕	ṳm	im	c-斟枕　ch-深沉　s-沈甚
i m	ㄧㄇ	〔im〕	im	im	z-斟 zh-深 sh-沈 c-浸 ch 侵
em	ㄝㄇ	〔em〕	em	em	c-砧　ch-岑　s-森蔘
iem	ㄧㄝㄇ	〔iem〕	iem	iem	k-□　kh-□
am	ㄚㄇ	〔am〕	am	am	f-范凡　t-擔膽　l-藍覽
iam	ㄧㄚㄇ	〔iam〕	iam	iam	t-店點　c-尖佔　ch-讖漸
ï i n	(ㄭ)n	〔ïn〕	ṳn	in	c-真蒸　ch-秤稱　s-勝神
in	ㄧㄣ	〔in〕	in	in	z-真 zh 稱 sh 申 t 鼎 th 定 l 令
en	ㄝㄣ	〔en〕	en	en	o-恩應　c-曾贈　t-丁等
ien	ㄧㄢ	〔ien〕	ien	ien	p-編扁　t-顛典　ng-願年

第 一 式	第二式	國際音標	羅馬拼音	漢語拼音	例　　　　　字
uen	ㄨㄝㄣ	〔uen〕	uen	uen	k-耿
an	ㄢ	〔an〕	an	an	p-班半　t-單旦　　z-氈戰
uan	ㄨㄢ	〔uan〕	uan	uan	k-關慣　kh-款環　ng-頑玩
on	ㆆㄣ	〔on〕	on	on	o-安鞍　ph-飯　　t-端短
ion	ㄧㆆㄣ	〔ion〕	ion	ion	ng-軟　ch-全吮　l-連
un	ㄨㄣ	〔un〕	un	un	p-本笨　th-屯吞　c-俊
iun	ㄧㄨㄣ	〔iun〕	iun	iun	k-君僅　kh-裙近　ng-忍韌
ang	ㄤ	〔aŋ〕	ang	ang	o-罌　p-邦　　t-頂丁
iang	ㄧㄤ	〔iaŋ〕	iang	iang	ph 平病　ch-青請　s-星姓
uang	ㄨㄤ	〔uaŋ〕	uang	uang	k-莖
ong	ㆆㄥ	〔oŋ〕	ong	ong	p-邦榜　t-當擋　j-養羊
iong	ㄧㆆㄥ	〔ioŋ〕	iong	iong	p-枋放　th-暢　　s-箱像
ung	ㄨㄥ	〔uŋ〕	ung	ung	ph 蜂縫　t-東薰　s-雙送
iung	ㄧㄨㄥ	〔iuŋ〕	iung	iung	l-龍壠　ch-松從　s-誦
iip	(ㄥ)ㄅ	〔ïp〕	up	ib	c-汁執　s-濕十
ip	ㄧㄅ	〔ip〕	ip	ib	z-汁 sh-濕 l-立 k-急 kh 及
ep	ㄝㄅ	〔ep〕	ep	eb	t-擲　　c-　　s-澀箇
iep	ㄧㄝㄅ	〔iep〕	iep	ieb	k-　　　kh-
ap	ㄚㄅ	〔ap〕	ap	ab	t-答　　k-甲　　h-合
iap	ㄧㄚㄅ	〔iap〕	iap	iab	th-帖　　c-接　　k-劫
iit	(ㄥ)ㄉ	〔ït〕	ut	id	c-質　　ch-直　　s-食
it	ㄧㄉ	〔it〕	it	id	z-質 zh 直 sh 食 p-筆 t 滴
et	ㄝㄉ	〔et〕	et	ed	p-北　　t-德　　c-則
iet	ㄧㄝㄉ	〔iet〕	iet	ied	p-鱉　　t-跌　　s-雪
uet	ㄨㄝㄉ	〔uet〕	uet	ued	k-國
at	ㄚㄉ	〔at〕	at	ad	p-八　　t-值　　kh 刻
uat	ㄨㄚㄉ	〔uat〕	uat	uad	k-刮括
ot	ㆆㄉ	〔ot〕	ot	od	p-發　　t 脫　　l 捋
iot	ㄧㆆㄉ	〔iot〕	iot	iod	c-嘬

第 一 式	第二式	國際音標	羅馬拼音	漢語拼音	例　　　　字
ut	ㄨㄅ	〔ut〕	ut	ud	p-不　ph-勃　m-沒
iut	ㄧㄨㄅ	〔iut〕	iut	iud	kh-屈
ak	ㄚㄍ	〔ak〕	ak	ag	p-伯　th-羅○　z-隻
iak	ㄧㄚㄍ	〔iak〕	iak	iag	p-壁　c-跡　s-錫
uak	ㄨㄚㄍ	〔uak〕	uak	uag	k-　kh-
ok	ㄛㄍ	〔ok〕	ok	og	o-惡　p-博　k-各
iok	ㄧㄛㄍ	〔iok〕	iok	iog	p-縛　l-略　s-削
uk	ㄨ	〔uk〕	uk	ug	p-卜　t-篤　k-谷
iuk	ㄧㄨㄍ	〔iuk〕	iuk	iug	l-陸　s-粟　ng-肉

三、成音節輔音

第 一 式	第二式	國際音標	羅馬拼音	漢語拼音	例　　　　字
m	ㄇ	〔m〕	m	m	唔
n	ㄣ	〔n〕	n	n	你
ng	ㄥ	〔 〕	ng	ng	魚五

四、聲調

臺語音標（本書使用）		國際音標		羅馬音標		漢語音標	例　　　　字
調　音	調　類	調值	調號	調類	調號	調　類	
陰　平	1	（略）		1	^	1	青春交通村莊康當
上	2	（略）		3		3	統請可水穩守老早
陰　去	3	（略）		4		4	唱壯看破放暢礦浸
陰　入	4	（略）		6		6	德色國責織北出谷
陽　平	5	（略）		2		2	紅洋堂祥情形尋林
陽　去	7	（略）		7	°	5	象亮樣運動鄧淨靜
陽　入	8	（略）		5		7	沒落末勻薄鑿俗讀

臺灣客家話記音訓練教材　上編

第 一 課　　阿 保 哥

學習重點：p-　-a　-o及第1、2、5調

一、基本語料

a¹　po²　ko¹　，　lok⁸　loi⁵　cho¹，siit⁸/shit⁸　lo²　ciu²　，　pong²　thian⁵　lo⁵。
ㄚ¹　ㄅㄛ²　ㄍㄛ¹　　ㄌㄛㄍ⁸ㄌㄛ|⁵　ㄑㄛ¹　ㄙㄉ⁸/ㄕ|ㄉ⁸ㄌㄛ²ㄐ|ㄨ²　ㄅㄛㄥ²　ㄊ|ㄢ⁵　ㄌㄛ⁵
阿　保　哥　，　落　來　坐(1)，　食　老　酒，榜(2)　田　螺。

a¹　pu³　cia²　，　hi³　cak⁴　cha⁵　，cha⁵　mo⁵　cak⁴　，　hi³　ko³　ka¹。
ㄚ¹　ㄅㄨ³　ㄐ|ㄚ²　ㄏ|³　ㄗㄚㄍ⁴ㄘㄚ⁵　ㄘㄚ⁵　ㄇㄛ⁵　ㄗㄚㄍ⁴　ㄏ|³　ㄍㄛ³　ㄍㄚ¹
阿　布　姐(3)，　去　摘　茶，　茶　無　摘，　去　過　家(4)。

二、詞句舉例及發音練習

p-：po²，a¹　po²，tam¹　po²，a¹　po²　ko¹　hi³　tam¹　po²。
　　ㄅㄛ²　ㄚ¹　ㄅㄛ²　ㄉㄚㄇ¹ㄅㄛ²　ㄚ¹　ㄅㄛ²　ㄍㄛ¹　ㄏ|³　ㄉㄚㄇ¹　ㄅㄛ²
　　保，阿　保，　擔　保，阿　保　哥　去　擔　保。

pong²，kiap⁴　pong²，　mo⁵　choi³　pong²，
ㄅㄛㄥ²　ㄍ|ㄚㄅ⁴ㄅㄛㄥ²　　ㄇㄛ⁵　ㄘㄛ|³　ㄅㄛㄥ²
　榜　，挾　榜　，無　菜　榜　，
siit⁸/shit⁸　fan⁷/phon³　mo⁵　choi³　pong²。
ㄙㄉ⁸/ㄕ|ㄉ⁸　ㄈㄢ⁷/ㄆㄛㄣ³　ㄇㄛ⁵　ㄘㄛ|³　ㄅㄛㄥ²
　食　　飯　　無　菜　榜　。

pu³，phak⁸　pu³，mai¹　phak⁸　pu³，mai¹　phak⁸　pu³　cho³　sam¹　fu³。
ㄅㄨ³　ㄆㄚㄍ⁸ㄅㄨ³　ㄇㄞ¹　ㄆㄚㄍ⁸　ㄅㄨ³　ㄇㄞ¹　ㄆㄚㄍ⁸　ㄅㄨ³　ㄗㄛ³　ㄙㄚㄇ¹　ㄈㄨ³
布，白　布，買　白　布，買　白　布　做　衫　褲。

-o：ko¹，thai⁷　ko¹，　se³　ko¹，　a¹　sam¹　ko¹　loi⁵　cho¹。
　　ㄍㄛ¹　ㄊㄞ⁷ㄍㄛ¹　　ㄙㄝ³　ㄍㄛ¹　ㄚ¹　ㄙㄚㄇ¹　ㄍㄛ¹　ㄌㄛ|⁵　ㄘㄛ¹
　　哥，　大　哥，細　哥，阿　三　哥　來　坐。

cho¹，loi⁵ cho¹，lok⁸ loi⁵ cho¹，ngin⁵ hak⁴ lok⁸ loi⁵ cho¹。

ㄘㄛ¹ ㄌㄛ|⁵ ㄘㄛ¹ ㄌㄨㄍ⁸ ㄌㄛ|⁵ ㄘㄛ¹ ㄇ|ㄣ⁵ ㄏㄚㄍ⁴ ㄌㄨㄍ⁸ ㄌㄛ|⁵ ㄘㄛ¹

坐， 來 坐，落 來 坐， 人 客 落 來 坐。

lo⁵，thian⁵ lo⁵，pong² thian⁵ lo⁵，

ㄌㄛ⁵ ㄊ|ㄢ⁵ ㄌㄛ⁵ ㄅㄛㄥ² ㄊ|ㄢ⁵ ㄌㄛ⁵

螺， 田 螺，榜 田 螺，

siit⁸/shit⁸ lo² ciu² pong² thian⁵ lo⁵。

ㄙㄉ⁸/ㄕ|ㄉ⁸ ㄌㄛ² ㄐ|ㄨ² ㄅㄛㄥ² ㄊ|ㄢ⁵ ㄌㄛ⁵

食 老 酒 榜 田 螺。

ko³，theu⁵ ko³，hi³ ko³，thoi⁵ pet⁴ ngai⁵ mang⁵ hi³ ko³。

ㄍㄛ³ ㄊㄝㄨ⁵ ㄍㄛ³ ㄏ|³ ㄍㄛ³ ㄊㄛ|⁵ ㄅㄝㄉ⁴ ㄇㄞ⁵ ㄇㄤ⁵ ㄏ|³ ㄍㄛ³

過， 頭 過，去 過，台 北 偓 未 去 過。

-a：cha⁵，cak⁴ cha⁵，a¹ pu³ cia² cak⁴ cha⁵。

ㄘㄚ⁵ ㄗㄚㄍ⁴ ㄘㄚ⁵ ㄚ¹ ㄅㄨ³ ㄐ|ㄚ² ㄗㄚㄍ⁴ ㄘㄚ⁵

茶， 摘 茶，阿 布 姐 摘 茶。

ka¹，ko³ ka¹，a¹ po² ko¹ ko³ ka¹。

ㄍㄚ¹ ㄍㄛ³ ㄍㄚ¹ ㄚ¹ ㄅㄛ² ㄍㄛ¹ ㄍㄛ³ ㄍㄚ¹

家， 過 家，阿 保 哥 過 家。

聲調練習：

第 1 調：

ko¹，a¹ ko¹，a¹ po² ko¹。

ㄍㄛ¹ ㄚ¹ ㄍㄛ¹ ㄚ¹ ㄅㄛ² ㄍㄛ¹

哥， 阿 哥，阿 保 哥。

cho¹，loi⁵ cho¹，lok⁸ loi⁵ cho¹。

ㄘㄛ¹ ㄌㄛㄍ⁵ ㄘㄛ¹ ㄌㄛㄍ⁸ ㄌㄛ|⁵ ㄘㄛ¹

坐， 來 坐，落 來 坐。

ka^1，ko^3　ka^1，hi^3　ko^3　ka^1

ㄍㄚ^1　ㄍㄛ^3　ㄍㄚ^1　ㄏㄧ^3　ㄍㄛ^3　ㄍㄚ^1

家　，過家　，去　過　家　。

第2調：

po^2，a^1　po^2，a^1　po^2　ko^1。

ㄅㄛ^2　ㄚ^1　ㄅㄛ^2　ㄚ^1　ㄅㄛ^2　ㄍㄛ^1

保，阿保，阿保　哥　。

lo^2，lo^2　ciu^2；ciu^2，lo^2　ciu^2；siit^8/shit^8　lo^2　ciu^2。

ㄌㄛ^2　ㄌㄛ^2　ㄐㄧㄨ^2　ㄐㄧㄨ^2　ㄌㄛ^2　ㄐㄧㄨ^2　ㄙㄉ^8/ㄕㄉ^8　ㄌㄛ^2　ㄐㄧㄨ^2

老，老酒　；酒，老　酒　；食　老酒　。

pong^2，pong^2　ciu^2，pong^2　choi^3，mo^5　choi^3　ho^2　pong^2。

ㄅㄛㄥ^2　ㄅㄛㄥ^2　ㄐㄧㄨ^2　ㄅㄛㄥ^2　ㄘㄛㄧ^3　ㄇㄛ^5　ㄘㄛㄧ^3　ㄏㄛ^2　ㄅㄛㄥ^2

榜，榜酒　，榜　菜　，無　菜　好榜　。

cia^2，a^1　cia^2，a^1　pu^3　cia^2；a^1　pu^3　cia^2　hi^3　cak^4　cha^5。

ㄐㄧㄚ^2　ㄚ^1　ㄐㄧㄚ^2　ㄚ^1　ㄅㄨ^3　ㄐㄧㄚ^2　ㄚ^1　ㄅㄨ^3　ㄐㄧㄚ^2　ㄏㄧ^3　ㄗㄚㄍ^4　ㄘㄚ^5

姐，阿姐，阿布　姐；阿布　姐　去　摘　茶　。

第5調：

loi^5，lok^8　loi^5，lok^8　loi^5　cho^1。

ㄌㄛㄧ^5　ㄌㄛㄍ^8　ㄌㄛㄧ^5　ㄌㄛㄍ^8　ㄌㄛㄧ^5　ㄘㄛ^1

來　，落　來　，落　來　坐　。

thian^5，thian^5　lo^5；lo^5，thian^5　lo^5；siit^8/shit^8　ciu^2　pong^2　thian^5　lo^5。

ㄊㄧㄢ^5　ㄊㄧㄢ^5　ㄌㄛ^5　ㄌㄛ^5　ㄊㄧㄢ^5　ㄌㄛ^5　ㄙㄉ^8/ㄕㄉ^8　ㄐㄧㄨ^2　ㄅㄛㄥ^2　ㄊㄧㄢ^5　ㄌㄛ^5

田　，田　螺；螺，田　螺；食　酒　榜　田　螺。

cha^5，cak^4　cha^5，hi^3　cak^4　cha^5，mo^5　cak^4　cha^5　hi^3　ko^3　ka^1。

ㄘㄚ^5　ㄗㄚㄍ^4　ㄘㄚ^5　ㄏㄧ^3　ㄗㄚㄍ^4　ㄘㄚ^5　ㄇㄛ^5　ㄗㄚㄍ^4　ㄘㄚ^5　ㄏㄧ^3　ㄍㄛ^3　ㄍㄚ^1

茶　，摘茶　，去摘　茶　，無　摘　茶　去　過　家。

三、音標介紹：

　　本教材使用兩套音標：第一式爲羅馬字母音標，全在英文二十六字母範圍內，但有幾個發音與英語字母不完全相同；第二式爲國語注音符號，但客家語的韻母比國語多，多的部份就是國語沒有的，練習時要特別注意。特此敬告親愛的讀者，以下就不再一一說明了。

p　ㄅ　（聲符）
　　發音部位：雙唇
　　發音方法：塞音、清、不送氣。如巴（pa¹）補（pu²）的聲母。

a　ㄚ　（韻符）
　　低元音；展唇音，舌位最低，張口度最大，如：阿。

o　ㄛ　（韻符）
　　次高的後元音，圓唇，如寶（po²）、哥（ko¹）、好（ho²）韻母部份都是。

　　〔調類說明〕：客家語四縣腔有六種聲調，海陸腔有七種聲調，爲使本教材同時適用這兩大腔調，自然是分其所能分，採七分法而不用六分法，並以調類標調，而不用調值和調號。都先列國語以便比較，至於東勢、饒平、詔安等腔，使用人口尚多，也在電台上出現，並列於次，以便參考。以下各課都一樣，不另做說明。

　　第一調（陰平）：涵蓋的字相當於國語第一聲（偶爾也有不同之處，碰到的地方會做說明）如：哥、坐、家等字的聲調便是。

　　　國　語：調值　55　調號　˥（高平調）
　　　四縣腔：調值　24　調號　˩˥（低升調）
　　　美濃腔：調值　33　調號　˧（中平調，美濃腔其它聲調與四縣無分別）
　　　海陸腔：調值　53　調號　˥˧（高降調）
　　　東勢腔：調值　44　調號　˦（半高平調）
　　　饒平腔：調值　11　調號　˩（低平調）
　　　詔安腔：調值　22　調號　˨（半低平調）
　　　上例中的「坐」字，客語的聲調與哥、家等陰平字同類，所以也是第一調。

　　第二調（上聲）：涵蓋的字相當於國語的第三聲，因爲不分陰陽，故統稱上聲，如：保、老、榜等字的聲調便是：

　　　國　語：調值　315　調號　˧˩˥（降升調）
　　　四縣腔：調值　31　調號　˧˩（中降調）
　　　海陸腔：調值　13　調號　˩˧（低升調）
　　　東勢腔：調值　31　調號　˧˩（中降調）

饒平腔：調值　53　調號　ㄚ（高降調）

詔安腔：調值　31　調號　ㄚ（中降調）

第五調（陽平）：涵蓋的字相當於國語的第二聲，如：來、螺、茶等字的聲調便是：

國　語：調值　35　調號　ㄚ（中升調）

四縣腔：調值　11　調號　ㄚ（低平調）

海陸腔：調值　44　調號　ㄚ（高平調）

東勢腔：調值　112　調號　ㄚ（低升調）

饒平腔：調值　55　調號　ㄚ（高平調）

詔安腔：調值　52　調號　ㄚ（高降調）

四、對比練習

第一式：　　　　　　　　　第二式：

po	pu	pa
ko	ku	ka
lo	lu	la

ㄅㄛ	ㄅㄨ	ㄅㄚ
ㄍㄛ	ㄍㄨ	ㄍㄚ
ㄌㄛ	ㄌㄨ	ㄌㄚ

上面兩式的 po 與 pu、pa 以韻母 o 與 u、a 的不同而區別；
po 與 ko、lo，則是以聲母 p 與 k、l 的不同而區分。

五、拼音練習

（一）本課所習音標的基本拼音及例字

第一式：　　　第二式：　　　聲調及例字：

p { a / o / u }　ㄅ { ㄚ / ㄛ / ㄨ }　　1.巴　2.把　5.揹
　　　　　　　　　　　　　　　　　　1.波　2.保　5.O
　　　　　　　　　　　　　　　　　　1 哺　2.補　5.哺~煙（抽煙）

p / k / l } a　ㄅ / ㄍ / ㄌ } ㄚ　　1.巴　2.把　5.揹
　　　　　　　　　　　　　　　　　1.加　2.假　5.口~衫(披衣)
　　　　　　　　　　　　　　　　　1.拉　2.O　5.口~歌利曲

p / ch / l } o　ㄅ / ㄘ / ㄌ } ㄛ　　1.褒　2.保　5.O
　　　　　　　　　　　　　　　　　1.坐　2.草　5.曹
　　　　　　　　　　　　　　　　　1.口(拖)2.老　5.螺

（二）本課所習音標的各種拼音

pa	pe	pi	po	pu	pai	pau	peu	poi	pia	piu	piau	pui
ㄅㄚ	ㄅㄝ	ㄅㄧ	ㄅㄛ	ㄅㄨ	ㄅㄞ	ㄅㄠ	ㄅㄝㄨ	ㄅㄛㄧ	ㄅㄧㄚ	ㄅㄧㄨ	ㄅㄧㄠ	ㄅㄨㄧ

pan	pen	pin	pun	pian
ㄅㄢ	ㄅㄝㄣ	ㄅㄧㄣ	ㄅㄨㄣ	ㄅㄧㄢ

pang	pong	pung	piang	piong
ㄅㄤ	ㄅㄛㄥ	ㄅㄨㄥ	ㄅㄧㄤ	ㄅㄧㄛㄥ

pat	pet	pit	pot	piet	put
ㄅㄚㄉ	ㄅㄝㄉ	ㄅㄧㄉ	ㄅㄛㄉ	ㄅㄧㄝㄉ	ㄅㄨㄉ

pak	pok	piak	puk
ㄅㄚㄍ	ㄅㄛㄍ	ㄅㄧㄚㄍ	ㄅㄨㄍ

（三）p-的常用詞

pa^1 si^1	pi^2 soi^3	po^3 miang^5	pu^2 sip^8
ㄅㄚ^1 ㄒㄧ^1	ㄅㄧ^2 ㄙㄛ^3	ㄅㄛ^3 ㄇㄧㄤ^5	ㄅㄨ^2 ㄒㄧㄅ^8
巴　西	比　賽	報　名	補　習

pau^1 siuk^4	peu^2/piau^2 ko^1	poi^3 nong^5	pen^1 thong^5
ㄅㄠ^1 ㄙㄧㄨㄍ^4	ㄅㄝㄨ^2/ㄅㄧㄠ^2 ㄍㄛ^1	ㄅㄛㄧ^3 ㄋㄛㄥ^5	ㄅㄝㄣ^1 ㄊㄛㄥ^5
包　粟(5)	表　哥	背　囊(6)	冰　糖

（四）p-的雙聲詞

pat^4 po^2	po^2 pi^3/pui^3	po^2 peu^1/piau^1	pan^5 pu^3
ㄅㄚ^4 ㄅㄅㄛ^2	ㄅㄛ^2 ㄅㄧ^3/ㄅㄨ^3	ㄅㄛ^2 ㄅㄝㄨ^1/ㄅㄧㄠ^1	ㄅㄢ^5 ㄆㄨ^3
八　寶	寶　貝	保　鏢	頒　布

piak^4 po^3	pin^5 pian^3
ㄅㄧㄚㄍ^4 ㄅㄛ^3	ㄅㄧㄣ^5 ㄅㄧㄢ^3
壁　報	兵　變

（五）-a 與 -o 的疊韻詞

ka^1 sa^1	ma^5 sa^1	ha^5 ma^5	fa^5 ha^3	ta^2 ma^3	ma^1 kha^3
ㄍㄚ^1 ㄙㄚ^1	ㄇㄚ^5 ㄙㄚ^1	ㄏㄚ^5 ㄇㄚ^5	ㄈㄚ^5 ㄏㄚ^3	ㄉㄚ^2 ㄇㄚ^3	ㄇㄚ^1 ㄍㄨㄚ^3
袈　裟	麻　紗	蝦　蟆	華　廈	打　罵	馬　褂

ko³	fo²	lo² fo³	mo⁵ to¹	o² pho⁵	co² vo⁵	po¹ lo⁵
ㄍㆦ³	ㄈㆦ²	ㄌㆦ² ㄈㆦ³	ㄇㆦ⁵ ㄉㆦ¹	ㆦ² ㄆㆦ⁵	ㄗㆦ² ㄇㆦ⁵	ㄅㆦ¹ ㄌㆦ⁵
過	火(7)	老 貨(8)	無 多	襖 婆(9)	早 禾(10)	波 羅

【注解】

(1)落來坐：進來坐。

(2)榜：同音代用字，配也。食飯榜菜即吃飯配菜。

(3)姐(cia²)：①婦女的通稱；②母親，「爺姐」就是父母。

(4)過家：串門子。

(5)包粟：玉米。

(6)背囊：人的背部。

(7)過火：①食物煎煮的火候過度；②言行太過分；③從火堆上
　走過去；④分割香火。

(8)老貨：老人家。

(9)襖婆：襖。婆字是詞尾，無義。

(10)早禾：①早插的稻；②第一季的稻子。

第 二 課　　阿 登 嫂

學習重點：t-　-e　-u 及第 3、7 調

一、基本語料

a¹　　ten¹　　so²，an² cii² se³ ，vuk⁴ mang⁵ so⁷ ，sam¹ mang⁵ se² ，
ㄚ¹　ㄅㄝㄣ¹　ㄙㆤ²　ㄢ²　ㄗ²　ㄙㄝ³　万ㄨㄍ⁴　ㄇㄤ⁵　ㄙㆤ⁷　ㄙㄚㄇ¹　ㄇㄤ⁵　ㄙㄝ²
阿　登　嫂，恁 仔 細(1)，屋　未　掃(2)，衫　未　洗 ，

sian¹　loi⁵　then³　co³　se⁷/she⁷ 。
ㄒㄧㄢ¹　ㄌㄛㄧ⁵　ㄊㄝㄣ³　ㄗㆤ³　ㄙㄝ⁷/ㄕㄝ⁷
先　　來　　擦(3)　做　　事 。

se³ ham¹　ku² ，mo⁵ mi² cu²/zu² ，siit⁸/shit⁸　fan¹ su⁵/shu⁵ ，
ㄙㄝ³ ㄏㄚㄇ¹　ㄍㄨ²　ㄇㆤ⁵ ㄇㄧ²　ㄗㄨ²/ㄓㄨ²　ㄙㄣˋ⁸/ㄕˋ⁸　ㄈㄢ¹　ㄙㄨ⁵/ㄕㄨ⁵
細　憨　牯(4)，無　米　煮 ， 食　蕃　藷 ，

pong²　theu⁷　fu⁷ 。
ㄅㆲ²　ㄊㄝㄨ⁷　ㄈㄨ⁷
榜　　豆　　腐 。

tai³　lip⁴　ma⁵ ，hang⁵ thai⁷ lu⁷ ，hang⁵ to³ kui¹　ha¹　cu³/zu³ 。
ㄉㄞ³　ㄌㄧㄣ⁴　ㄇㄚ⁵　ㄏㄤ⁵　ㄊㄞ⁷ ㄌㄨ⁷　ㄏㄤ⁵ ㄉㆤ³　ㄍㄨㄧ¹　ㄏㄚ¹　ㄗㄨ³/ㄓㄨ³
戴　笠　嬤(5)，行　大　路 ，行　到　歸　下　晝(6)。

二、詞句舉例及發音練習

t-：ten¹ ，ten¹ so² ，a¹ ten¹　so² ，a¹ ten¹　so² lok⁸ loi⁵ cho¹ 。
ㄅㄝㄣ¹　ㄅㄝㄣ¹ ㄙㆤ²　ㄚ¹ ㄅㄝㄣ¹　ㄙㆤ²　ㄚ¹ ㄅㄝㄣ¹　ㄙㆤ²　ㄌㆤㄍ⁸　ㄌㆤ¹⁵　ㄘㆤ¹
登 ，登 嫂 ，阿 登 嫂 ，阿 登 嫂 落 來 坐 。

tai³ ，tai³　lip⁴ ，tai³ lip⁴ ma⁵ ，tai³　lip⁴ ma⁵　hi³ ko³ ka¹ 。
ㄉㄞ³　ㄉㄞ³　ㄌㄧㄣ⁴　ㄉㄞ³　ㄌㄧㄣ⁴ ㄇㄚ⁵　ㄉㄞ³　ㄌㄧㄣ⁴ ㄇㄚ⁵　ㄏㄧ³　ㄍㆤ³　ㄍㄚ¹
戴 ，戴 笠 ，戴 笠 嬤 ，戴 笠 嬤 去 過 家 。

to³ ，hang⁵ to³ ，hang⁵ to³ nai⁷ ，hang⁵ to³ cha⁵ san¹ hi³ cak⁴ cha⁵ 。
ㄉㆤ³　ㄏㄤ⁵ ㄉㆤ³　ㄏㄤ⁵ ㄉㆤ³ ㄋㄞ⁷　ㄏㄤ⁵ ㄉㆤ³ ㄘㄚ⁵　ㄙㄢ¹　ㄏㄧ³　ㄗㄚㄍ⁴ ㄘㄚ⁵
到 ，行 到 ，行 到 那(7)，行 到 茶 山 去 摘 茶 。

-e：se^3, cii^2 se^3, an^2 cii^2 se^3, siin^5/shin^5 mung^5 ngi^5 an^2 cii^2 se^3。

ㄙㄝ^3 ㄗ^2 ㄙㄝ^3 ㄋ^2 ㄗ^2 ㄙㄝ^3 ㄙㄣ^5/ㄕㄣ^5 ㄇㄨㄥ^5 ㄫㄧ^5 ㄋ^2 ㄗ^2 ㄙㄝ^3

細，仔細，恁仔細，　承　蒙　你(8)恁仔細。

se^2, se^2 sam^1, sam^1 mang^5 se^2, vuk^4 mang^5 so^7 sam^1 mang^5 se^2。

ㄙㄝ^2 ㄙㄝ^2 ㄙㄚㄇ^1 ㄙㄚㄇ^1 ㄇㄤ^5 ㄙㄝ^2 万ㄨㄍ^4 ㄇㄤ^5 ㄙㄛ^7 ㄙㄚㄇ^1 ㄇㄤ^5 ㄙㄝ^2

洗，洗衫，衫未洗，屋　未掃衫未　洗。

se^7/she^7, co^3 se^7/she^7, then^3 co^3 se^7/she^7,

ㄙㄝ^7/ㄕㄝ^7 ㄗㄛ^3 ㄙㄝ^7/ㄕㄝ^7 ㄊㄝㄋ^3 ㄗㄛ^3 ㄙㄝ^7/ㄕㄝ^7

事　，做　事　，摒做　事　，

lo^2 ten^1 so^2 then^3 co^3 se^7/she^7。

ㄌㄛ^2 ㄅㄝㄋ^1 ㄙㄛ^2 ㄊㄝㄋ^3 ㄗㄛ^3 ㄙㄝ^7/ㄕㄝ^7

老登嫂摒做　事　。

-u：ku^2, ham^1 ku^2, se^3 ham^1 ku^2,

ㄍㄨ^2 ㄏㄚㄇ^1 ㄍㄨ^2 ㄙㄝ^3 ㄏㄚㄇ^1 ㄍㄨ^2

牯，憨牯，細　憨牯，

se^3 ham^1 ku^2 siit^8/shit^8 fan^1 su^5/shu^5。

ㄙㄝ^3 ㄏㄚㄇ^1 ㄍㄨ^2 ㄙㄉ^8/ㄕㄧㄉ^8 ㄈㄢ^1 ㄙㄨ^5/ㄕㄨ^5

細　憨牯　食蕃　薯　。

cu^2/zu^2, cu^2/zu^2 fan^7/phon^7, fan^7/phon^7 mang^5 cu^2/zu^2；

ㄗㄨ^2/ㄓㄨ^2 ㄗㄨ^2/ㄓㄨ^2 ㄈㄢ^7/ㄆㄛㄋ^7 ㄈㄢ^7/ㄆㄛㄋ^7 ㄇㄤ^5 ㄗㄨ^2/ㄓㄨ^2

煮　，煮　飯　，飯　未煮　；

fan^7/phon^7 mang^5 cu^2/zu^2 cu^2/zu^2 fan^1 su^5/shu^5。

ㄈㄢ^7/ㄆㄛㄋ^7 ㄇㄤ^5 ㄗㄨ^2/ㄓㄨ^2 ㄗㄨ^2/ㄓㄨ^2 ㄈㄢ^1 ㄙㄨ^5/ㄕㄨ^5

飯　未煮　煮蕃　薯。

fu^7, theu^7 fu^7, pong^2 theu^7 fu^7；

ㄈㄨ^7 ㄊㄝㄨ^7 ㄈㄨ^7 ㄅㄛㄥ^2 ㄊㄝㄨ^7 ㄈㄨ^7

腐，豆腐，榜　豆腐；

siit^8/shit^8 lo^2 ciu^2 pong^2 theu^7 fu^7。

ㄙㄉ^8/ㄕㄧㄉ^8 ㄌㄛ^2 ㄐㄧㄨ^2 ㄅㄛㄥ^2 ㄊㄝㄨ^7 ㄈㄨ^7

食　老　酒　榜　豆腐。

lu⁷，thai⁷　lu⁷，hang⁵　thai⁷　lu⁷；
ㄌㄨ⁷　ㄊㄞ⁷　ㄌㄨ⁷　ㄏㄤ⁵　ㄊㄞ⁷　ㄌㄨ⁷
路，大　路，行　大　路；
tai³　lip⁴　ma⁵　hang⁵　thai⁷　lu⁷。
ㄉㄞ³　ㄌㄧㄣ⁴　ㄇㄚ⁵　ㄏㄤ⁵　ㄊㄞ⁷　ㄌㄨ⁷
戴　笠　嬤　行　大　路。

cu³/ziu³，ha¹　cu³/ziu³，kui¹　ha¹　cu³/ziu³；
ㄗㄨ³/ㄓㄧㄨ³　ㄏㄚ¹　ㄗㄨ³/ㄓㄧㄨ³　ㄍㄨㄧ¹　ㄏㄚ¹　ㄗㄨ³/ㄓㄧㄨ³
畫　，下　畫　，歸　下　畫；
sam¹　li¹　lu⁷　hang⁵　to³　kui¹　ha¹　cu³/ziu³。
ㄙㄚㄇ¹　ㄌㄧ¹　ㄌㄨ⁷　ㄏㄤ⁵　ㄉㄛ³　ㄍㄨㄧ¹　ㄏㄚ¹　ㄗㄨ³/ㄓㄧㄨ³
三　里　路　行　到　歸　下　畫　。

聲調練習

第3調：

se³，cii²　se³，an²　cii²　se³。
ㄙㄝ³　ㄗ²　ㄙㄝ³　ㄋ²　ㄗ²　ㄙㄝ³
細，仔　細，恁　仔　細。

then³，then³　su²/shu²，then³　co³　se⁷/she⁷。
ㄊㄝㄣ³　ㄊㄝㄣ³　ㄙㄨ²/ㄕㄨ²　ㄊㄝㄣ³　ㄗㄛ³　ㄙㄝ⁷/ㄕㄝ⁷
捹　，捹　手　，捹　做　事　。

tai³，siang³　tai³，tai³　lip⁴　ma⁵。
ㄉㄞ³　ㄒㄧㄤ³　ㄉㄞ³　ㄉㄞ³　ㄌㄧㄣ⁴　ㄇㄚ⁵
戴　，姓　戴　，戴　笠　嬤　。

cu³/ziu³，ha¹　cu³/ziu³，kui¹　ha¹　cu³/ziu³。
ㄗㄨ³/ㄓㄧㄨ³　ㄏㄚ¹　ㄗㄨ³/ㄓㄧㄨ³　ㄍㄨㄧ¹　ㄏㄚ¹　ㄗㄨ³/ㄓㄧㄨ³
畫　，下　畫　，歸　下　畫　。

第 7 調：（四縣第 7 調與第 3 調相同）

se^7/she^7　，　co^3　se^7/she^7　，　then^3　co^3　　se^7/she^7　。

ㄙㄝ^7/ㄕㄝ^7　　ㄗㄛ^3　ㄙㄝ^7/ㄕㄝ^7　　ㄊㄝㄣ^3　ㄗㄛ^3　　ㄙㄝ^7/ㄕㄝ^7

事　，　做　　事　，　撙　　做　　　事　。

theu^7，fan^1　theu^7，cung^3/zung^3　fan^1　　theu^7。

ㄊㄝㄨ^7　ㄈㄢ^1　ㄊㄝㄨ^7　ㄗㄨㄥ^3/ㄓㄨㄥ^3　ㄈㄢ^1　　ㄊㄝㄨ^7

豆　，　番　　豆(9)，　　種　　番　　豆　。

fu^7，　theu^7　fu^7，　co^3　theu^7　fu^7。

ㄈㄨ^7　ㄊㄝㄨ^7　ㄈㄨ^7　ㄗㄛ^3　ㄊㄝㄨ^7　ㄈㄨ^7

腐　，　豆　　腐　，　做　豆　　腐　。

thai^7，　thai^7　kie^1/kai^1，　thai^7　kie^1/kai^1　lu^7。

ㄊㄞ^7　　ㄊㄞ^7　ㄍㄧㄝ^1/ㄍㄞ^1　ㄊㄞ^7　ㄍㄧㄝ^1/ㄍㄞ^1　ㄌㄨ^7

大　，　大　　街　，　大　　街　　路　。

lu^7，thai^7　lu^7，hang^5　thai^7　lu^7。

ㄌㄨ^7　ㄊㄞ^7　　ㄌㄨ^7　ㄏㄤ^5　ㄊㄞ^7　ㄌㄨ^7

路　，　大　　路　，　行　　大　　路　。

三、　音標介紹：

t　ㄉ　（聲符）

　　發音部位：舌尖與上齒齦

　　發音方法：塞音、清、不送氣。如客語多（to^1）、堵（tu^2）的聲母。

e　ㄝ　（韻符）

　　前部、展唇、半高元音。如客語細（se^3）的韻母。事實上客語有些音是
　　半低元音（ε），如姆（mε^1）（母親），這裡不細分，視爲同一音
　　位。又音ㄜ，用在海陸語尾助詞，如冰仔（pen^1　ne^5）。

u　ㄨ　（韻符）

　　後部、圓唇、高元音。如國語烏（u），客語補（pu^2）的韻母。

　　〔調類說明〕：

　　　第 3 調（陰去）：涵蓋國語第四聲的一半（還有陽去聲也是國語的第四聲）
　，如：細、戴、書等字的聲調便是。

　　　國　語：調值　51　調號　　　（全降調）

四縣腔：調值 55 調號 ㄱ（高平調）
海陸腔：調值 21 調號 ↘（低降調）
東勢腔：調值 53 調號 ㄟ（高降調）
饒平腔：調值 24 調號 ㄑ（低升調）
詔安腔：調值 33 調號 ─┤（中平調）

第 7 調（陽去）：涵蓋國語第四聲的另一半。這是海陸腔的特色，發調值 33，四縣腔系統讀與第三調無差別，學習時稍加注意便無困難。

四、對比練習：

第一式：　　　　　　　　第二式：

to	ta	te	tu	ㄅㄛ	ㄅㄚ	ㄅㄝ	ㄅㄨ
po	pa	pe	pu	ㄅㄛ	ㄅㄚ	ㄅㄝ	ㄅㄨ
ko	ka	ke	ku	ㄍㄛ	ㄍㄚ	ㄍㄝ	ㄍㄨ

上面兩式的（to）與（ta）、（te）、（tu），以韻母與（a）、（e）、（u）的不同而區別；（to）與（po）、（ko）則是以聲母（t）與（p）、（k）的不同區分。

五、 拼音練習：

（一）本課所習音標的基本拼音及例字

第一式：　　　第二式：　　　　聲調及例字：

	第一式	第二式	聲調及例字	
t {	en / ai / o	ㄅ { ㄝㄣ / ㄞ / ㄛ	3.凳 / 3.戴 / 3.過	7.0 / 7.0 / 7.0
s	s/sh } e	ㄙ / ㄙ/ㄕ } ㄝ / ㄉ	3.細 / 3.勢 / 3.口(塊)	7.0 / 7.事 / 7.0
t				
p / f / t } u / l / k }		ㄅ / ㄈ / ㄉ } ㄨ / ㄌ / ㄍ }	3.布 / 3.富 / 3.貯 / 3.露 / 3.顧	7. / 7.腐 / 7. / 7.路 / 7.

（二）本課所習音標的各種拼音

ta　te　ti　to　tu　tai　tau　teu　toi　tia　tio　tiu　tui
ㄅㄚ　ㄅㄝ　ㄅㄧ　ㄅㄛ　ㄅㄨ　ㄅㄞ　ㄅㄠ　ㄅㄝㄨ　ㄅㄛㄧ　ㄅㄧㄚ　ㄅㄧㄛ　ㄅㄧㄨ　ㄅㄨㄧ

tam　tem　tiam　tan　ten　tin　ton　tun　tian　tang　tong
ㄅㄚㄇ　ㄅㄝㄇ　ㄅㄧㄚㄇ　ㄅㄢ　ㄅㄝㄣ　ㄅㄧㄣ　ㄅㄛㄣ　ㄅㄨㄣ　ㄅㄧㄢ　ㄅㄤ　ㄅㄛㄥ

tung　tiang　tiong　tap　tep　tiap　tat　tet　tit　tut　tiet
ㄅㄨㄥ　ㄅㄧㄤ　ㄅㄧㄛㄥ　ㄅㄚㄅ　ㄅㄝㄅ　ㄅㄧㄚㄅ　ㄅㄚㄉ　ㄅㄝㄉ　ㄅㄧㄉ　ㄅㄨㄣ　ㄅㄧㄝㄅ

（三）t-的常用詞

tung[1]　si[1]　ta[2]　thiet[4]　tan[1]　to[1]　tam[1]　po[2]　tong[1]　pin[1]
ㄅㄨㄥ[1]　ㄒㄧ[1]　ㄅㄚ[2]　ㄊㄧㄝㄅ[4]　ㄅㄢ[1]　ㄅㄛ[1]　ㄅㄚㄇ[1]　ㄅㄛ[2]　ㄅㄛㄥ[1]　ㄅㄧㄣ[1]
東　西　打　鐵　單　刀　擔　保　當　兵

ten[2]　che[5]　tang[2]　theu[5]　to[3]　khi[5]
ㄅㄝㄣ[2]　ㄔㄝ[5]　ㄅㄤ[2]　ㄊㄝㄨ[5]　ㄅㄛ[3]　ㄎㄧ[5]
等　齊　頂　頭(10)　到　期

（四）t 的雙聲詞

tam[1]　tong[1]　tui[3]　tap[4]　tien[2]　tong[3]　ta[2]　tan[1]　to[3]　tai[2]
ㄅㄚㄇ[1]　ㄅㄛㄥ[1]　ㄅㄨㄧ[3]　ㄅㄚㄅ[4]　ㄅㄧㄝㄣ[2]　ㄅㄛㄥ[3]　ㄅㄚ[2]　ㄅㄢ[1]　ㄅㄛ[3]　ㄅㄞ[2]
擔　當　對　答　典　當　打　單(11)　到　底

teu[1]　ten[3]　tiam[2]　tuk[4]　ten[1]　tui[3]
ㄅㄝㄨ[1]　ㄅㄝㄣ[3]　ㄅㄧㄚㄇ[2]　ㄅㄨㄍ[4]　ㄅㄝㄣ[1]　ㄅㄨㄧ[3]
兜　凳(12)　點　督(13)　丁　對(14)

（五）e 與 u 的疊韻詞

ne[3]　se[3]　me[3]　he[3]　se3　ce[5]　ve[5]　se[1]
ㄋㄝ[3]　ㄙㄝ[3]　ㄇㄝ[3]　ㄏㄝ[3]　ㄙㄝ3　ㄗㄝ[5]　ㄖㄝ[5]　ㄙㄝ[1]
膩　細(15)　○　係(16)　細　姊　㘉　嘶(17)

chu[1]　pu[3]　vu[1]　fu[3]　cu[2]/zu[2]　ku[3]　lu[1]　fu[1]
ㄘㄨ[1]　ㄅㄨ[3]　ㄖㄨ[1]　ㄈㄨ[3]　ㄗㄨ[2]/ㄓㄨ[2]　ㄍㄨ[3]　ㄌㄨ[1]　ㄈㄨ[1]
粗　布　烏　褲(18)　主　顧　魯　夫(19)

cu^1/zu^1	tu^2	vu^5	chu^3
ㄗㄨ¹/ㄓㄨ¹	ㄉㄨ²	ㄎㄨ⁵	ㄘㄨ³
豬	肚	無	助

【注解】

(1)恁仔細：這麼客氣；謝謝你。仔細，客氣，苗栗一帶通用語。

(2)屋未掃：房子尚未打掃。

(3)捒：幫忙；協助。

(4)細憨牯：小傻子，細，小；憨，傻；牯，指男生。

(5)笠嬤：笠帽。嬤字是詞尾。

(6)歸下晝：整個下午。歸，整個（all）；下晝，下午。

(7)那：哪裡？疑問助詞。

(8)承蒙你：謝謝你，桃園新竹一帶的講法。

(9)番豆：花生。海陸話叫地豆。

(10)頂頭：上面。

(11)打單：①買票。②單獨，如「打單行」（獨行）。

(12)兜凳：端凳子。

(13)點督：指點督導。

(14)丁對：相配。

(15)膩細：小氣。

(16)me³係：也是。如「這本書係匣介，這隻筆me³係匣介。」

(17)噭嘶：哭。

(18)烏褲：黑褲。

(19)魯夫：斯文的反面，粗魯。

第三課　　桂香姊

學習重點：c-　-i　-ii　及-i與-ii比較；第1、2、3、5、7調複習

一、基本語料：

ceu^1　fu^3　po^2，an^2　voi^7　co^2，sun^5　thian^5　sui^2/shui^2，kot^4　ngiu^5　cho^2。
ㄗㄨㄝ^1　ㄈㄨ^3　ㄅㄛ^2　ㄢ^2　ㄪㄛㄧ^7　ㄗㄛ^2　ㄙㄨㄣ^5　ㄊㄧㄢ^5　ㄙㄨㄧ^2/ㄕㄨㄧ^2　ㄍㄛㄉ^4　ㄫㄧㄨ^5　ㄘㄛ^2
鄒　富　保，恁　會　早(1)，巡　田　水，割　牛　草。

kui^3　hiong^1　ci^2，cho^1　ten^5　i^2/ji^2，soi^7/shoi^7　phong^3　chong^5，
ㄍㄨㄧ^3　ㄏㄧㄛㄥ^1　ㄐㄧ^2　ㄘㄛ^1　ㄊㄝㄣ^5　ㄧ^2/ㄖㄧ^2　ㄙㄛㄧ^7/ㄕㄛㄧ^7　ㄆㄛㄥ^3　ㄘㄛㄥ^5
桂　香　姊，坐　藤　椅，睡　椪　床(2)，
koi^3　fa^1　phi^1。
ㄍㄛㄧ^3　ㄈㄚ^1　ㄆㄧ^1
蓋　花　被(3)。

phang^5　fo^2　sii^1，mai^1　ap^4　cii^2，ka^1　kam^2　mai^1，mo^5　thoi^1　chii^5。
ㄆㄤ^5　ㄈㄛ^2　ㄙ^1　ㄇㄞ^1　ㄚㄅ^4　ㄗ^2　ㄍㄚ^1　ㄍㄚㄇ^2　ㄇㄞ^1　ㄇㄛ^5　ㄊㄛㄧ^1　ㄘ^5
彭　火　獅，買　鴨　子，加　減　買(4)，無　推　辭。

lip^8　thai^7　cii^3/zi^3，ti^1　liam^5　chii^2/zhi^2，co^3　san^3/shan^3　sii^7，
ㄌㄧㄅ^8　ㄊㄞ^7　ㄗ^3/ㄓ^3　ㄉㄧ^1　ㄌㄧㄚㄇ^5　ㄘ^2/ㄔㄧ^2　ㄗㄛ^3　ㄙㄢ^3/ㄕㄢ^3　ㄙ^7
立　大　志，知　廉　恥，做　善　事，
put^4　lun^7　sii^5/shi^5。
ㄅㄨㄉ^4　ㄌㄨㄣ^7　ㄙ^5/ㄕㄧ^5
不　論　時。

二、詞句舉例及發音練習

c-：co^2，voi^7　co^2，an^2　co^2，an^2　voi^7　co^2，
ㄗㄛ^2　ㄪㄛㄧ^7　ㄗㄛ^2　ㄢ^2　ㄗㄛ^2　ㄢ^2　ㄪㄛㄧ^7　ㄗㄛ^2
早，會　早，恁　早，恁　會　早，
a^1　po^2　ko^1　an^2　voi^7　co^2。
ㄚ^1　ㄅㄛ^2　ㄍㄛ^1　ㄢ^2　ㄪㄛㄧ^7　ㄗㄛ^2
阿　保　哥　恁　會　早。

ceu¹ , siang³ ceu¹ 。 cho¹ , loi⁵ cho¹ , lok⁸ loi⁵ cho¹ ;

ㄗㄨㄝ¹ ㄒㄧㄤ³ ㄗㄨㄝ¹ ㄘㄛ¹ ㄌㄛㄧ⁵ ㄘㄛ¹ ㄌㄛㄍ⁸ ㄌㄛㄧ⁵ ㄘㄛ¹

鄒 , 姓 鄒 。 坐 , 來 坐 , 落 來 坐 ;

kui³ hiong¹ ci² lok⁸ loi⁵ cho¹ 。

ㄍㄨㄧ³ ㄏㄛㄥ¹ ㄐㄧ² ㄌㄛㄍ⁸ ㄌㄛㄧ⁵ ㄘㄛ¹

桂 香 姊 落 來 坐 。

ci² , a¹ ci² , hiong¹ ci² , kui³ hiong¹ ci² kot⁴ ngiu⁵ cho² 。

ㄐㄧ² ㄚ¹ ㄐㄧ² ㄏㄛㄥ¹ ㄐㄧ² ㄍㄨㄧ³ ㄏㄛㄥ¹ ㄐㄧ² ㄍㄛㄉ⁴ ㄫㄨ⁵ ㄘㄛ²

姊 , 阿 姊 , 香 姊 , 桂 香 姊 割 牛 草 。

-i : i²/ji , ten⁵ i²/ji² , cho¹ ten⁵ i²/ji² ; a¹ po² ko¹ cho¹ ten⁵ i²/ji² 。

ㄧ²/ㄖㄧ² ㄊㄝㄣ⁵ ㄧ²/ㄖㄧ² ㄘㄛ¹ ㄊㄝㄣ⁵ ㄧ²/ㄖㄧ² ㄚ¹ ㄅㄛ² ㄍㄛ¹ ㄘㄛ¹ ㄊㄝㄣ⁵ ㄧ²/ㄖㄧ²

椅 , 藤 椅 , 坐 藤 椅 ; 阿 保 哥 坐 藤 椅 。

phi¹ , fa¹ phi¹ , koi³ fa¹ phi¹ ; kui³ hiong¹ ci² koi³ fa¹ phi¹ 。

ㄆㄧ¹ ㄈㄚ¹ ㄆㄧ¹ ㄍㄛ³ ㄈㄚ¹ ㄆㄧ¹ ㄍㄨㄧ³ ㄏㄛㄥ¹ ㄐㄧ² ㄍㄛ³ ㄈㄚ¹ ㄆㄧ¹

被 , 花 被 , 蓋 花 被 ; 桂 香 姊 蓋 花 被 。

-ii : cii² , ap⁴ cii² , mai¹ ap⁴ cii² ; ceu¹ fu³ po² mai¹ ap⁴ cii² 。

ㄗ² ㄚㄅ⁴ ㄗ² ㄇㄞ¹ ㄚㄅ⁴ ㄗ² ㄗㄨㄝ¹ ㄈㄨ³ ㄅㄛ² ㄇㄞ¹ ㄚㄅ⁴ ㄗ²

子 , 鴨 子 , 買 鴨 子 ; 鄒 富 保 買 鴨 子 。

chii⁵ , thoi¹ chii⁵ , mo⁵ thoi¹ chii⁵ ; ka¹ kam² mai¹ mo⁵ thoi¹ chii⁵ 。

ㄘ⁵ ㄊㄛㄧ¹ ㄘ⁵ ㄇㄛ⁵ ㄊㄛㄧ¹ ㄘ⁵ ㄍㄚ¹ ㄍㄚㄇ² ㄇㄞ¹ ㄇㄛ⁵ ㄊㄛㄧ¹ ㄘ⁵

辭 , 推 辭 , 無 推 辭 ; 加 減 買 無 推 辭 。

-ii/-i : cii³/zi³ , thai⁷ cii³/zi³ , lip⁸ thai⁷ cii³/zi³ ;

ㄗ³/ㄓ³ ㄊㄞ⁷ ㄗ³/ㄓ³ ㄌㄧㄣ⁸ ㄊㄞ⁷ ㄗ³/ㄓ³

志 , 大 志 , 立 大 志 ;

lip⁸ thai⁷ cii³/zi³ ti¹ liam⁵ chii²/zhi² 。

ㄌㄧㄣ⁸ ㄊㄞ⁷ ㄗ³/ㄓ³ ㄅㄧ¹ ㄌㄧㄚㄇ⁵ ㄘ²/ㄔ²

立 大 志 知 廉 恥 。

sii⁵/shi⁵ , ki² sii⁵/shi⁵ , put⁴ lun⁷ sii⁵/shi⁵ ;

ㄙ⁵/ㄕ⁵ ㄍㄧ² ㄙ⁵/ㄕ⁵ ㄅㄨㄉ⁴ ㄌㄨㄣ⁷ ㄙ⁵/ㄕ⁵

時 , 幾 時 , 不 論 時 ;

co³　san³/shan³　sii⁷　put⁴　lun⁷　sii⁵/shi⁵。
ㄗㄜ³　ㄙㄢ³/ㄕㄢ³　ㄙ⁷　ㄅㄨㄉ⁴　ㄌㄨㄅ⁷　ㄙ⁵/ㄕ丨⁵
做　　善　　　事　不　論　　時　。

聲調複習

第 1 調：

hiong¹　，kui³　hiong¹　，kui³　hiong¹　ci²。
ㄏ丨ㄜㄥ¹　《ㄨ丨³　ㄏ丨ㄜㄥ¹　《ㄨ丨³　ㄏ丨ㄜㄥ¹　ㄐ丨²
香　，桂　　香　，桂　　香　　姊。

cho¹，loi⁵　cho¹，lok⁸　loi⁵　cho¹。
ㄘㄜ¹　ㄌㄜ丨⁵　ㄘㄜ¹　ㄌㄜ《⁸　ㄌㄜ丨⁵　ㄘㄜ¹
坐　，來　坐　，落　來　坐　。

fa¹，fung⁵　fa¹，khoi¹　fung⁵　fa¹。
ㄈㄚ¹　ㄈㄨㄥ⁵　ㄈㄚ¹　ㄎㄜ丨¹　ㄈㄨㄥ⁵　ㄈㄚ¹
花　，紅　花　，開　紅　　花。

phi¹，fa¹　phi¹，koi³　fa¹　phi¹。
ㄆ丨¹　ㄈㄚ¹　ㄆ丨¹　《ㄜ³　ㄈㄚ¹　ㄆ丨¹
被　，花　被　，蓋　花　　被　。

sii¹，fo²　sii¹，phang⁵　fo²　sii¹。
ㄙ¹　ㄈㄜ²　ㄙ¹　ㄆㄤ⁵　ㄈㄜ²　ㄙ¹
獅　，火　獅　，彭　火　獅　。

mai¹，mai¹　vuk⁴，mai¹　ap⁴　cii²。
ㄇㄞ¹　ㄇㄞ¹　ㄇㄨ《⁴　ㄇㄞ¹　ㄚㄅ⁴　ㄗ²
買　，買　屋　，買　鴨　子　。

ka¹，ka¹　kam²，ka¹　kam²　mai¹。
《ㄚ¹　《ㄚ¹　《ㄚㄇ²　《ㄚ¹　《ㄚㄇ²　ㄇㄞ¹
加　，加　減　，加　減　買　。

thoi^{1} , thoi^{1} chii^{5} , mo^{5} thoi^{1} chii^{5} 。

ㄊㄛㄧ^{1} ㄊㄛㄧ^{1} ㄘ^{5} ㄇㄛ^{5} ㄊㄛㄧ^{1} ㄘ^{5}

推，推辭，無推辭。

第2調：

po^{2} , tam^{1} po^{2} , ceu^{1} fu^{3} po^{2} 。

ㄅㄛ^{2} ㄉㄚㄇ^{1} ㄅㄛ^{2} ㄗㄨㄝ^{1} ㄈㄨ^{3} ㄅㄛ^{2}

保，擔保，鄒富保。

co^{2} , voi^{7} co^{2} , an^{2} voi^{7} co^{2} 。

ㄗㄛ^{2} ㄪㄛㄧ^{7} ㄗㄛ^{2} ㄢ^{2} ㄪㄛㄧ^{7} ㄗㄛ^{2}

早，會早，恁會早。

sui^{2}/shui^{2} , thian^{5} sui^{2}/shui^{2} , sun^{5} thian^{5} sui^{2}/shui^{2} 。

ㄙㄨㄧ^{2}/ㄕㄨㄧ^{2} ㄊㄧㄢ^{5} ㄙㄨㄧ^{2}/ㄕㄨㄧ^{2} ㄙㄨㄣ^{5} ㄊㄧㄢ^{5} ㄙㄨㄧ^{2}/ㄕㄨㄧ^{2}

水，田水，巡田水。

cho^{2} , ngiu^{5} cho^{2} , kot^{4} ngiu^{5} cho^{2} 。

ㄘㄛ^{2} ㄫㄧㄨ^{5} ㄘㄛ^{2} ㄍㄛㄉ^{4} ㄫㄧㄨ^{5} ㄘㄛ^{2}

草，牛草，割牛草。

ci^{2} , a^{1} ci^{2} , a^{1} kui^{3} ci^{2} 。

ㄐㄧ^{2} ㄚ^{1} ㄐㄧ^{2} ㄚ^{1} ㄍㄨㄧ^{3} ㄐㄧ^{2}

姊，阿姊，阿桂姊。

i^{2}/ji^{2} , kau^{1} i^{2}/ji^{2} , cho^{1} kau^{1} i^{2}/ji^{2} 。

ㄧ^{2}/ㆢㄧ^{2} ㄍㄠ^{1} ㄧ^{2}/ㆢㄧ^{2} ㄘㄛ^{1} ㄍㄠ^{1} ㄧ^{2}/ㆢㄧ^{2}

椅，交椅，坐交椅。

fo^{2} , thian^{7} fo^{2} , tiam^{2} thian^{7} fo^{2} 。

ㄈㄛ^{2} ㄊㄧㄢ^{7} ㄈㄛ^{2} ㄉㄧㄚㄇ^{2} ㄊㄧㄢ^{7} ㄈㄛ^{2}

火，電火(5)，點電火(6)。

kam^{2} , mo^{5} kam^{2} , iu^{1}/jiu^{1} ka^{1} mo^{5} kam^{2} 。

ㄍㄚㄇ^{2} ㄇㄛ^{5} ㄍㄚㄇ^{2} ㄧㄨ^{1}/ㆢㄧㄨ^{1} ㄍㄚ^{1} ㄇㄛ^{5} ㄍㄚㄇ^{2}

減，無減，有加無減。

第 3 調：

fu³ ， fung¹ fu³ ， keu² loi⁵ fu³ 。

ㄈㄨ³ ㄈㄨㄥ¹ ㄈㄨ³ ㄍㄝㄨ² ㄌㄛ丨⁵ ㄈㄨ³

富 ， 豐 富 ， 狗 來 富 。

kui³ ，chiu¹ kui³ ， chun¹/zhun¹ lan⁵ chiu¹ kui³ 。

ㄍㄨ丨³ ㄑ丨ㄨ¹ ㄍㄨ丨³ ㄘㄨㄣ¹/ㄔㄨㄣ¹ ㄌㄢ⁵ ㄑ丨ㄨ¹ ㄍㄨ丨³

桂 ， 秋 桂 ， 春 蘭 秋 桂 。

koi³ ， koi³ phi¹ ， vok⁸ koi³ ， koi³ ho² 。

ㄍㄛ丨³ ㄍㄛ丨³ ㄆ丨¹ 万ㄛㄍ⁸ ㄍㄛ丨³ ㄍㄛ丨³ ㄏㄛ²

蓋 ， 蓋 被 ， 鑊 蓋 ， 蓋 好 。

cii³/zi³ ， lip⁸ cii³/zi³ ， iu¹/jiu¹ cii³/zi³ hi³ 。

ㄗ³/ㄓ³ ㄌ丨ㄣ⁸ ㄗ³/ㄓ³ 丨ㄨ¹/ㄖㄨ¹ ㄗ³/ㄓ³ ㄏ丨³

志 ， 立 志 ， 有 志 氣 。

co³ ， co³ sii⁷ ，co³ ho² sii⁷ 。

ㄗㄛ³ ㄗㄛ³ ㄙ⁷ ㄗㄛ³ ㄏㄛ² ㄙ⁷

做 ， 做 事 ， 做 好 事 。

san³/shan³ ， san³/shan³ liong⁵ ， sin³ pun² san³/shan³ 。

ㄙㄢ³/ㄕㄢ³ ㄙㄢ³/ㄕㄢ³ ㄌ丨ㄛㄥ⁵ ㄒ丨ㄣ³ ㄅㄨㄣ² ㄙㄢ³/ㄕㄢ³

善 ， 善 良 ， 性 本 善 。

第 5 調：

sun⁵ ， sun⁵ thian⁵ ，sun⁵ thian⁵ sui²/shui² 。

ㄙㄨㄣ⁵ ㄙㄨㄣ⁵ ㄊ丨ㄢ⁵ ㄙㄨㄣ⁵ ㄊ丨ㄢ⁵ ㄙㄨ丨²/ㄕㄨ丨²

巡 ， 巡 田 ， 巡 田 水 。

ngiu⁵ ， sui²/shui² ngiu⁵ ， thai⁷ sui²/shui² ngiu⁵ 。

ㄫ丨ㄨ⁵ ㄙㄨ丨²/ㄕㄨ丨² ㄫ丨ㄨ⁵ ㄊㄞ⁷ ㄙㄨ丨²/ㄕㄨ丨² ㄫ丨ㄨ⁵

牛 ， 水 牛 ， 大 水 牛 。

ten^{5} ，ten^{5} i^{2}/ji^{2} ，fan^{1} su^{5}/shu^{5} ten^{5} 。

ㄊㄝㄣ^{5} ㄊㄝㄣ^{5} ㄧ^{2}/ㄖㄧ^{2} ㄈㄢ^{1} ㄙㄨ^{5}/ㄕㄨ^{5} ㄊㄝㄣ^{5}

藤 ，藤 椅 ，蕃 藷 藤 。

chong^{5} ，phong^{3} chong^{5} ，soi^{3}/shoi^{3} phong^{3} chong^{5} 。

ㄘㄛㄥ^{5} ㄆㄛㄥ^{3} ㄘㄛㄥ^{5} ㄙㄛㄧ^{3}/ㄕㄛㄧ^{7} ㄆㄛㄥ^{3} ㄘㄛㄥ^{5}

床 ，椪 床 ，睡 椪 床 。

chii^{5} ，thoi^{1} chii^{5} ，chii^{5} theu^{5} lu^{7} 。

ㄘ^{5} ㄊㄛㄧ^{1} ㄘ^{5} ㄘ^{5} ㄊㄝㄨ^{5} ㄌㄨ^{7}

辭 ，推 辭 ，辭 頭 路 。

sii^{5}/shi^{5} ，sii^{5}/shi^{5} kian^{1} ，ki^{2} sii^{5}/shi^{5} 。

ㄙ^{5}/ㄕㄧ^{5} ㄙ^{5}/ㄕㄧ^{5} ㄍㄧㄢ^{1} ㄍㄧ^{2} ㄙ^{5}/ㄕㄧ^{5}

時 ，時 間 ，幾 時 。

第 7 調：

voi^{7} ，an^{2} voi^{7} ，voi^{7} co^{2} 。

ㄪㄛㄧ^{7} ㄢ^{2} ㄪㄛㄧ^{7} ㄪㄛㄧ^{7} ㄗㄛ^{2}

會 ，恁 會(7)，會 早 。

soi^{7}/shoi^{7} ，soi^{7}/shoi^{7} muk^{4} ，oi^{3} soi^{7}/shoi^{7} 。

ㄙㄛㄧ^{7}/ㄕㄛㄧ^{7} ㄙㄛㄧ^{7}/ㄕㄛㄧ^{7} ㄇㄨㄍ^{4} ㄛㄧ^{3} ㄙㄛㄧ^{7}/ㄕㄛㄧ^{7}

睡 ，睡 目(8)，愛 睡 。

sii^{7} ，san^{3}/shan^{3} sii^{7} ，mo^{5} sii^{7} 。

ㄙ^{7} ㄙㄢ^{3}/ㄕㄢ^{3} ㄙ^{7} ㄇㄛ^{5} ㄙ^{7}

事 ，善 事 ，無 事 。

lun^{7} ，put^{4} lun^{7} ，kung^{1} lun^{7} 。

ㄌㄨㄣ^{7} ㄅㄨㄉ^{4} ㄌㄨㄣ^{7} ㄍㄨㄥ^{1} ㄌㄨㄣ^{7}

論 ，不 論 ，公 論 。

三、音標介紹

c ㄗ（聲符）

發音部位：舌尖前與上下門齒背

發音方法：塞擦音、清、不送氣。本聲母是先發塞音（t），連著發擦音（s）所形成的，國際語言學音標為（ts），本教材所採《台灣語言音標方案》第一式作 c，是為了書寫方便。

i　l（韻符）

前部、展唇、高元音。如國語的衣。

ii　⊥（韻符）

展唇的舌尖高元音，跟在舌尖前音 c（ㄗ）ch（ㄘ）s（ㄙ）後面的是舌尖前高元音（ʅ），跟在舌尖後（捲舌）音 z（ㄓ）zh（ㄔ）sh（ㄕ）j（ㄖ）後面的是舌尖後高元音（ʅ），因為這兩種不會同時在一個音節中出現，所以國際音標作（ɿ），這是寬式的記法，本教材的系統標作 ii（兩個 i）和 ⊥，是為了電腦輸入方便。國語注音符號是把ㄓ倒寫，平常不注出，稱為空韻。如資（cii）此（chii）私（sii）的韻母便是。

四、對比練習

第一式：　　　　　　　第二式：

co	co	ci	cii	ceu
po	po	pi		peu
to	to	ti		teu

ㄗㄛ	ㄗ丨	ㄗ⊥	ㄗㄝㄨ
ㄅㄛ	ㄅ丨		ㄅㄝㄨ
ㄉㄛ	ㄉ丨		ㄉㄝㄨ

上面縱的對比是聲母之異，橫的對比是韻母之異。

五、 拼音練習：

（一）本課所習音標的基本拼音及例字

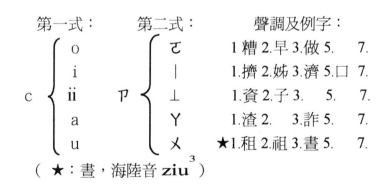

	第一式：	第二式：	聲調及例字：
c	o	ㄛ	1.糟 2.早 3.做 5.　 7.
	i	丨	1.擠 2.姊 3.濟 5.□ 7.
	ii	⊥	1.資 2.子 3.　 5.　 7.
	a	ㄚ	1.渣 2.　 3.詐 5.　 7.
	u	ㄨ	★1.租 2.祖 3.書 5.　 7.

（ ★：書，海陸音 ziu^3 ）

p　　ㄅ　　★1.埤 2.比 3.幣 5.脾 7.
f　　ㄈ　　★1.飛 2.　3.費 5.回 7.會.
t　　ㄉ　　1.知 2.抵 3.蒂 5.　7.
l　}　i　ㄌ　}　丨　1.里 2.李 3.濾 5.離 7利.
k　　ㄍ　　1.機 2.幾 3.句 5.佢 7.
ch　　ㄑ　　1.妻 2.取 3.趣 5.臍 7.飼★
s　　ㄙ　　1.西 2.死 3.四 5.口 7.

（★：脾，又音 phi^5；飛、費、回、會，海陸音 fui。飼，四縣音 cii^7）

c（z）　　ㄗ（ㄓ）　　1.資 2.子 3.　5.薺 7.
　　　　　　　　　　★1.膣 2.紙 3.志 5.　7.
ch（zh）} ii（i）ㄘ（ㄔ）}（丨）1.　2.此 3.　5.辭 7.次
　　　　　　　　　　★1.癡 2.齒 3.試 5.池 7.治
s（sh）　　ㄙ（ㄕ）　　1.私 2.使 3.　5.　7.事
　　　　　　　　　　★1.詩 2.屎 3.示 5.時 7.蒔

（★：膣、癡、詩三行，海陸的聲母為 z、zh、sh，韻母為 i，四縣與海陸混居地區，則有兩種音韻變化，一是聲母隨海陸 z、zh、sh，韻母仍為 ii；另一是聲母隨四縣作 c、ch、s，韻母從海陸作 i。這都可說是「四海腔」。）

（二）本課所習音標的各種拼音

cii　ca　ce　ci　co　cu　cai　cau　ceu　coi　cia　cio
ㄗ　ㄗㄚ　ㄗㄝ　ㄐ丨　ㄗㄛ　ㄗㄨ　ㄗㄞ　ㄗㄠ　ㄗㄝㄨ　ㄗㄛ丨　ㄐ丨ㄚ　ㄐ丨ㄛ

ciu　ciau　cui
ㄐ丨ㄨ　ㄐ丨ㄠ　ㄗㄨ丨

cam　cem　cim　ciim　ciam
ㄗㄚㄇ　ㄗㄝㄇ　ㄐ丨ㄇ　ㄗㄥㄇ　ㄐ丨ㄚㄇ

can　cen　cin　con　cun　ciin　cian
ㄗㄢ　ㄗㄝㄣ　ㄐ丨ㄣ　ㄗㄛㄣ　ㄗㄨㄣ　ㄗㄥㄣ　ㄐ丨ㄢ

cang　cong　cung　ciang　ciong　ciung
ㄗㄤ　ㄗㄛㄥ　ㄗㄨㄥ　ㄐ丨ㄤ　ㄐ丨ㄛㄥ　ㄐ丨ㄨㄥ

cap　cip　ciip　ciap
ㄗㄚㄅ　ㄐ丨ㄅ　ㄗㄥㄅ　ㄐ丨ㄚㄅ

cat　cet　cit　cot　cut　ciit　ciet
ㄗㄚㄉ　ㄗㄝㄉ　ㄐ丨ㄉ　ㄗㄛㄉ　ㄗㄨㄉ　ㄗㄥㄉ　ㄐ丨ㄝㄉ

（三）c-的常用詞

cii^{2}	sun^{1}	co^{3}	kung^{1}	cai^{2}	siong^{3}	ceu^{2}	loi^{5}	cu^{1}	vuk^{4}
ㄗ^{2}	ㄙㄨㄣ^{1}	ㄗㄛ^{3}	ㄍㄨㄥ^{1}	ㄗㄞ^{2}	ㄒ丨ㄛㄥ^{3}	ㄗㄝㄨ^{2}	ㄌㄛ丨^{5}	ㄗㄨ^{1}	ㄪㄨㄍ^{4}
子	孫	做	工	宰	相	走	來	酒	碗

cam^{2}	theu^{5}	ca^{3}/za^{3}	thian^{5}	cu^{2}/zu^{2}	ngin^{5}	cii^{3}/zi^{3}	thu^{7}
ㄗㄚㄇ^{2}	ㄊㄝㄨ^{5}	ㄗㄚ^{3}/ㄓㄚ^{3}	ㄊ丨ㄢ^{5}	ㄗㄨ^{2}/ㄓㄨ^{2}	ㄫ丨ㄣ^{5}	ㄗ^{3}/ㄓ^{3}	ㄊㄨ^{7}
斬	頭	蔗	田	主	人	制	度

（四）c-的雙聲詞

ciu^{2}	cui^{3}	cu^{2}	cung^{1}	cung^{2}	cet^{4}	cin^{1}	con^{3}
ㄐ丨ㄨ^{2}	ㄗㄨ丨3	ㄗㄨ^{2}	ㄗㄨㄥ^{1}	ㄗㄨㄥ^{2}	ㄗㄝㄉ^{4}	ㄐ丨ㄣ^{1}	ㄗㄛㄣ^{3}
酒	醉	祖	宗	總	則	精	鑽(9)

cen^{1}	cin^{3}	ceu^{2}	cok^{4}	cung^{2}/zung^{2}	cong^{3}/zong^{3}
ㄗㄝㄣ^{1}	ㄐ丨ㄣ^{3}	ㄗㄝㄨ^{2}	ㄗㄛㄍ^{4}	ㄗㄨㄥ^{2}/ㄓㄨㄥ^{2}	ㄗㄛㄥ^{3}/ㄓㄛㄥ^{3}
增	進	走	桌(10)	腫	脹

cu^{2}/zu^{2}	cuk^{4}/zuk^{4}	ceu^{3}/zau^{3}	cun^{2}/zun^{2}
ㄗㄨ^{2}/ㄓㄨ^{2}	ㄗㄨㄍ^{4}/ㄓㄨㄍ^{4}	ㄗㄨㄝ^{3}/ㄓㄠ^{3}	ㄗㄨㄣ2/ㄓㄨㄣ2
煮	粥	照	准

（五）**i-與-ii** 的疊韻詞

ki^{1}	li^{1}	ti^{1}	si^{2}	chi^{2}	chi^{1}	chi^{1}	mi^{2}	ngi^{2}	ki^{1}
ㄍ丨^{1}	ㄌ丨^{1}	ㄉ丨^{1}	ㄒ丨^{2}	ㄑ丨^{2}	ㄑ丨^{1}	ㄑ丨^{1}	ㄇ丨^{2}	ㄫ丨^{2}	ㄍ丨^{1}
拘	禮	知	死	娶	妻	篩	米	耳	機
thi^{7}	li^{7}	si^{1}	phi^{5}	hi^{1}	khi^{5}	hi^{2}	ki^{1}	chii^{7}	sii^{1}
ㄊ丨^{7}	ㄌ丨^{7}	ㄒ丨^{1}	ㄆ丨^{5}	ㄏ丨^{1}	ㄎ丨^{5}	ㄏ丨^{2}	ㄍ丨^{1}	ㄘ^{7}	ㄙ^{1}
地	利	西	皮	希	奇	起	乩	自	私

sii^{5}	cii^{1}	chii^{2}	sii^{7}/she^{7}	chii^{7}	cii^{2}	sii^{7}	sii^{5}/shi^{5}
ㄙ^{5}	ㄗ^{1}	ㄘ^{2}	ㄙ^{7}/ㄕ^{7}	ㄘ^{7}	ㄗ^{2}	ㄙ^{7}	ㄙ^{5}/ㄕ丨^{5}
師	資	此	事	次	子	巳	時

cii³/zi³	cii²/zi²	cii²/zi²	sii³/shi³	cii¹/ki¹	chii⁵/zhi⁵
ㄗ³/ㄓㄧ³	ㄗ²/ㄓㄧ²	ㄗ²/ㄓㄧ²	ㄙ³/ㄕㄧ³	ㄗ¹/ㄍㄧ¹	ㄘ⁵/ㄔㄧ⁵
製	紙	指	示	支	持

【注解】

(1)恁會早：那麼早，早安。早晨的問候語，也可以說：恁早、會早、早。

(2)椪床：彈簧床。

(3)花被：花布被單的棉被。

(4)加減買：①有多少就買多少。②買多買少都不論。

(5)電火：電燈。

(6)點電火：開電燈。點是點燈。

(7)恁會：那麼能幹。

(8)睡目：睡覺。

(9)精鑽：精明能幹。

(10)走桌：跑江湖的一行，到飯館酒樓挨桌彈唱賣藝，又稱「走唱」。又特種
營業陪侍人員的換檯也叫「走桌」。

第 四 課　七 層 塔

學習重點：k-、-ap、-at 及第 4、8 調

一、基本語料

lo² ngiu⁵ ku²， kok⁴ cha¹ cha¹， siit⁸/shit⁸ pau² m⁵ ku³ ka¹。
ㄌㄛ² ㄇㄧㄨ⁵ ㄍㄨ² ㄍㄛㄍ⁴ ㄘㄚ¹ ㄘㄚ¹ ㄙㄣ⁸/ㄕㄅ⁸ ㄅㄠ² ㄇ⁵ ㄍㄨ³ ㄍㄚ¹
老 牛 牯(1)，角 叉 叉(2)， 食 飽 毋 顧 家。

chit⁴ chen⁵ thap⁴，tiam² fung⁵ lap⁸，fung⁵ lap⁸ ko¹ ko¹ chap⁴。
ㄑㄧㄅ⁴ ㄘㄝㄣ⁵ ㄊㄚㄅ⁴ ㄅㄧㄚ² ㄈㄨㄥ⁵ ㄌㄚㄅ⁸ ㄈㄨㄥ⁵ ㄌㄚㄅ⁸ ㄍㄛ¹ ㄍㄛ¹ ㄘㄚㄅ⁴
七 層 塔，點 紅 臘，紅 臘 高 高 插。

tai³ fu⁵ ap⁴，muk⁴ cu¹/zu¹ sap⁴/shap⁴ a¹ sap⁴/shap⁴，
ㄊㄞ³ ㄈㄨ⁵ ㄚㄅ⁴ ㄇㄨㄍ⁴ ㄗㄨ¹/ㄓㄨ¹ ㄙㄚㄅ⁴/ㄕㄚㄅ⁴ ㄚ¹ ㄙㄚㄅ⁴/ㄕㄚㄅ⁴
大 鬼 鴨，目 珠 眨 啊 眨，

phun⁷ lon² iung⁷/jung⁷ kiok⁴ tap⁸。
ㄆㄨ⁷ ㄌㄛㄣ² ㄧㄨㄥ³/ㄖㄨㄥ⁷ ㄍㄧㄛㄍ⁴ ㄊㄚㄅ⁸
孵 卵 用 腳 踏。

siip⁸/ship⁸ chit⁴ pat⁴，co³ kin³ chat⁴，sii⁷ ngiap⁸ voi⁷ fat⁴ that⁸。
ㄙㄣ⁸/ㄕㄅ⁸ ㄑㄧㄅ⁴ ㄅㄚㄅ⁴ ㄗㄛ³ ㄍㄧㄣ³ ㄘㄚㄅ⁴ ㄙ⁷ ㄇㄧㄚㄅ⁸ ㄨㄛㄧ⁷ ㄈㄚㄅ⁴ ㄊㄚㄅ⁸
十 七 八，做 警 察， 事 業 會 發 達。

kong² fa¹ sat⁸/shat⁸ ， pun¹ ngin⁵ fat⁸ ，
ㄍㄛㄥ² ㄈㄚ¹ ㄙㄚㄅ⁸/ㄕㄚㄅ⁸ ㄅㄨㄣ¹ ㄇㄧㄣ⁵ ㄈㄚㄅ⁸
講 花 舌(3) ， 分 人 罰 ，
kian³ ngin⁵ m⁵ tet⁴ mo⁵ kat⁴ sat⁴ 。
ㄍㄧㄢ³ ㄇㄧㄣ⁵ ㄇ⁵ ㄅㄝㄅ⁴ ㄇㄛ⁵ ㄍㄚㄅ⁴ ㄙㄚㄅ⁴
見 人 毋 得(4) 無 結 煞(5)。

二、詞句舉例及發音練習

k-：ku²， ngiu⁵ ku²， lo² ngiu⁵ ku²。
ㄍㄨ² ㄇㄧㄨ⁵ ㄍㄨ² ㄌㄛ² ㄇㄧㄨ⁵ ㄍㄨ²
牯， 牛 牯，老 牛 牯。

lo^{2} ngiu^{5} ku^{2} kok^{4} cha^{1} cha^{1}。
ㄌㄛ^{2} ㄫㄧㄨ^{5} ㄍㄨ^{2} ㄍㄛㄍ^{4} ㄘㄚ^{1} ㄘㄚ^{1}
老 牛 牯 角 叉 叉。

kok^{4}，ngiu^{5} kok^{4}，vong^{5} ngiu^{5} kok^{4}。liong^{2} ki^{1} vong^{5} ngiu^{5} kok^{4}。
ㄍㄛㄍ^{4}ㄫㄧㄨ^{5} ㄍㄛㄍ^{4} ㄪㄛㄥ^{5} ㄫㄧㄨ^{5} ㄍㄛㄍ^{4} ㄌㄧㄤ^{2} ㄍㄧ^{1} ㄍㄛㄍ^{5} ㄫㄧㄨ^{5} ㄍㄛㄍ^{4}
角，牛 角，黃 牛 角。兩 枝 黃 牛 角。

ku^{3}，ku^{3} ka^{1}，m^{5} ku^{3} ka^{1}， siit^{8}/shit^{8} pau^{2} m^{5} ku^{3} ka^{1}。
ㄍㄨ^{3} ㄍㄨ^{3} ㄍㄚ^{1} ㄇ^{5} ㄍㄨ^{3} ㄍㄚ^{1} ㄙㄉ^{8}/ㄕㄧㄉ^{8} ㄅㄠ^{2} ㄇ^{5} ㄍㄨ^{3} ㄍㄚ^{1}
顧，顧 家，毋 顧 家， 食 飽 毋 顧 家。

-ap：thap^{4}， ko^{1} thap^{4}， chit^{4} chen^{5} thap^{4}。
ㄊㄚㄅ^{4} ㄍㄛ^{1} ㄊㄚㄅ^{4} ㄑㄧㄉ^{4} ㄘㄝㄣ^{5} ㄊㄚㄅ^{4}
塔，高 塔，七 層 塔。
muk^{4} cu^{1}/zu^{1} sap^{4}/shap^{4} a^{1} sap^{4}/shap^{4}。
ㄇㄨㄍ^{4} ㄗㄨ^{1}/ㄓㄨ^{1} ㄙㄚㄅ^{4}/ㄕㄚㄅ^{4} ㄚ^{1} ㄙㄚㄅ^{4}/ㄕㄚㄅ^{4}
目 珠 眨 阿 眨。

lap^{8}，fung^{5} lap^{8}，tiam^{2} fung^{5} lap^{8}，
ㄌㄚㄅ^{8} ㄈㄨㄥ^{5} ㄌㄚㄅ^{8} ㄉㄧㄚ^{2} ㄈㄨㄥ^{5} ㄌㄚㄅ^{8}
蠟，紅 蠟，點 紅 臘，
fung^{5} lap^{8} ngiap^{4} a^{1} ngiap^{4}。
ㄈㄨㄥ^{5} ㄌㄚㄅ^{8} ㄫㄧㄚㄅ^{4} ㄚ^{1} ㄫㄧㄚ^{4}
紅 臘 攝 阿 攝。

ap^{4}，fu^{5} ap^{4}，lo^{2} fu^{5} ap^{4}。
ㄚㄅ^{4} ㄈㄨ^{5} ㄚㄅ^{4} ㄌㄛ^{2} ㄈㄨ^{5} ㄚㄅ^{4}
鴨，鳧 鴨，老 鳧 鴨。
ap^{4} ma^{5} phu^{7} lon^{2} iung^{7}/jung^{7} kiok^{4} tap^{8}。
ㄚㄅ^{4} ㄇㄚ^{5} ㄆㄨ^{7} ㄌㄛㄣ^{2} ㄧㄨㄥ^{7}/ㄖㄨㄥ^{7} ㄍㄧㄛㄍ^{4} ㄊㄚㄅ^{8}
鴨 嫲 孵 卵 用 腳 踏。

-at：sat^{8}/shat^{8}， fa^{1} sat^{8}/shat^{8}，pun^{1} ngin^{5} fat^{8}，
ㄙㄚㄉ^{8}/ㄕㄚㄉ^{8} ㄈㄚ^{1} ㄙㄚㄉ^{8}/ㄕㄚㄉ^{8} ㄅㄨㄣ^{1} ㄫㄧㄣ^{5} ㄈㄚㄉ^{8}
舌，花 舌，分 人 罰，

kian³　ngin⁵　m⁵　tet⁴　mo⁵　kat⁴　sat⁴　。
ㄍㄧㄢ³　ㄫㄧㄣ⁵　ㄇ⁵　ㄅㄝㄅ⁴　ㄇㆦ⁵　ㄍㄚㄅ⁴　ㄙㄚㄅ⁴
見　　人　　毋　得　　無　　結　　煞　　。

聲調練習：

第4調：

kok⁴　，ngiu⁵　kok⁴　，sam¹　kok⁴　。
ㄍㆦㄍ⁴　ㄫㄧㄨ⁵　ㄍㆦㄍ⁴　ㄙㄚㄇ¹　ㄍㆦㄍ⁴
角　，牛　角　，三　　角　。

chit⁴　，siip⁸/ship⁸　chit⁴　，pak⁴　chit⁴　。
ㄑㄧㄅ⁴　ㄙㄣ⁸/ㄕㄧㄣ⁸　ㄑㄧㄅ⁴　ㄅㄚㄍ⁴　ㄑㄧㄅ⁴
七　，十　　　　七　，百　　七　。

thap⁴　，siip⁸/ship⁸　thap⁴　，ko¹　thap⁴　。
ㄊㄚㄅ⁴　ㄙㄨㄧ⁸/ㄕㄨㄧ⁸　ㄊㄚㄅ⁴　ㄍㆦ¹　ㄊㄚㄅ⁴
塔　，水　　　　塔　，高　塔　。

chap⁴　，mo⁵　chap⁴　，m⁵　chap⁴　。
ㄘㄚㄅ⁴　ㄇㆦ⁵　ㄘㄚㄅ⁴　ㄇ⁵　ㄘㄚㄅ⁴
插　，無　插(6)　，毋　插(7)。

ap⁴　，tai³　ap⁴　，fu⁵　ap⁴　。
ㄚㄅ⁴　ㄊㄞ³　ㄚㄅ⁴　ㄈㄨ⁵　ㄚㄅ⁴
鴨　，大　鴨　，凫　鴨　。

sap⁴/shap⁴　，muk⁴　sap⁴/shap⁴　，muk⁴　sap⁴/shap⁴　sap⁴/shap⁴　。
ㄙㄚㄅ/ㄕㄚㄅ⁴　ㄇㄨㄍ⁴　ㄙㄚㄅ⁴/ㄕㄚㄅ⁴　ㄇㄨㄍ⁴　ㄙㄚㄅ⁴/ㄕㄚㄅ⁴　ㄙㄚㄅ⁴/ㄕㄚㄅ⁴
眨　，目　　眨　，目　　眨　　眨　。

muk⁴　，soi⁷/shoi⁷　muk⁴　，soi⁷/shoi⁷　it⁴　kau³　muk⁴　。
ㄇㄨㄍ⁴　ㄙㆦㄧ⁷/ㄕㆦㄧ⁷　ㄇㄨㄍ⁴　ㄙㆦㄧ⁷/ㄕㆦㄧ⁷　ㄧㄅ⁴　ㄍㄠ³　ㄇㄨㄍ⁴
目　，睡　　　目　，睡　　　一　覺　目　。

kiok⁴ ， tai³ kiok⁴ ，se² kiok⁴ 。
ㄍ丨ㄛㄍ⁴ ㄊㄞ³ ㄍ丨ㄛㄍ⁴ ㄙㄝ² ㄍ丨ㄛㄍ⁴
腳 ， 大 腳 ，洗 腳 。

pat⁴ ， siip⁸/ship⁸ pat⁴ ，pak⁴ pat⁴ 。
ㄅㄚㄉ⁴ ㄙㄣ⁸/ㄕㄣ⁸ ㄅㄚㄉ⁴ ㄅㄚㄍ⁴ ㄅㄚㄉ⁴
八 ， 十 八 ，百 八 。

tet⁴ ， co³ tet⁴ ， co³ m⁵ tet⁴ 。
ㄉㄝㄉ⁴ ㄗㄛ³ ㄉㄝㄉ⁴ ㄗㄛ³ ㄇ⁵ ㄉㄝㄉ⁴
得 ，做 得(8)， 做 毋 得(9)。

fat⁴ ， tai³ fat⁴ ， tai³ pau³ fat⁴ 。
ㄈㄚㄉ⁴ ㄊㄞ³ ㄈㄚㄉ⁴ ㄊㄞ³ ㄅㄠ³ ㄈㄚㄉ⁴
發 ， 大 發 ，大 爆 發 。

sat⁴ ， mo⁵ kat⁴ sat⁴ 。
ㄙㄚㄉ⁴ ㄇㄛ⁵ ㄍㄚㄉ⁴ ㄙㄚㄉ⁴
煞 ， 無 結 煞 。

第8調：

lap⁸ ， fung⁵ lap⁸ ， tiam² fung⁵ lap⁸ 。
ㄌㄚㄅ⁸ ㄈㄨㄥ⁵ ㄌㄚㄅ⁸ ㄉ丨ㄚ² ㄈㄨㄥ⁵ ㄌㄚㄅ⁸
臘 ， 紅 蠟 ，點 紅 臘 。

tap⁸ ， kiok⁴ tap⁸ ， iung⁷/jung⁷ kiok⁴ tap⁸ 。
ㄊㄚㄅ⁸ ㄍ丨ㄛㄍ⁴ ㄊㄚㄅ⁸ 丨ㄨㄥ⁷/ㄖㄨㄥ⁷ ㄍ丨ㄛㄍ⁴ ㄊㄚㄅ⁸
踏 ， 腳 踏 ，用 腳 踏 。

ngiap⁸ ， sii⁷ ngiap⁸ ， co³ sii⁷ ngiap⁸ 。
ㄫ丨ㄚㄅ⁸ ㄙ⁷ ㄫ丨ㄚㄅ⁸ ㄗㄛ³ ㄙ⁷ ㄫ丨ㄚㄅ⁸
業 ， 事 業 ， 做 事 業 。

that⁸ ， fat⁴ that⁸ ， tai⁷ fat⁴ that⁸ 。
ㄊㄚㄉ⁸ ㄈㄚㄉ⁴ ㄊㄚㄉ⁸ ㄊㄞ⁷ ㄈㄚㄉ⁴ ㄊㄚㄉ⁸
達 ， 發 達 ，大 發 達 。

fat^{8} ， fat^{8} chian^{5} ， pun^{1} ngin^{5} fat^{8} 。

□□□^{8} □□□^{8} □^{5} □□□^{1} ㄫ|ㄣ^{5} □□□^{8}

罰 ， 罰 錢 ， 分 人 罰。

三、音標介紹

k　ㄍ（聲符）

發音部位：舌根與軟顎。

發音方法：塞音、清、不送氣。如國語「嘎」（**ka**）、「古」（**ku**）和客語「高」（**ko**）、「貴」（**kui**）的聲母。

a p　ㄚㄅ（韻符）

低元 a 與雙唇清塞音 p 結合而成的塞音尾韻母，國語沒有。韻尾是雙唇塞音 p（ㄅ），最明顯的現象是聲調爲入聲（第四或第八調），如答（**t—ap**^{4}）臘（**lap**^{8}）的韻母部份。發音時要注意與雙唇鼻音韻尾，如膽（**tam**^{2}）斬（**cam**^{2}）的區別。閩南語與英語都有這種發音，學起來很容易。

a t　ㄚㄉ（韻符）

低元音 **a** 與舌尖清塞音 **t** 結合而成的塞音尾韻母，國語也沒有。韻尾是尖塞音 **t**（ㄉ），也是入聲調，如八（**pat**^{4}）、值（**tat**^{8}）的韻母部份。相對應的鼻音韻是（**an**），如班（**pan**^{1}）、單（**tan**^{1}）。

〔調類說明〕：

第四調（陰入）：國語沒有入聲韻，古音和現代音的入聲韻，國語變做第一、二、三聲或第四聲（陰平、陽平、上聲或去聲）。入聲調發音短促，故稱促調或短調。如：德、甲、鴨等字的聲調便是。

國　語：調值　　調號

四縣調：調值 32　調號 ˧˨（中降短調）

海陸腔：調值 55　調號 ˥（高平短調）

東勢腔：調值 32　調號 ˧˨（中降短調）

饒平腔：調值 32　調號 ˧˨（中降短調）

詔安腔：調值 33　調號 ˧（中平短調）

第八調：國語也變成陰平、陽平、上聲或去聲。如：臘、業、達等字的聲調便是。

國　語：調值　　調號

四縣調：調值 55　調號 ˥（高平短調）

海陸腔：調值 32　調號 ˧˨（中降短調）

東勢腔：調值 55　調號 ˥（高平短調）

饒平腔：調值 <u>55</u>　　調號 ㄱ（高平短調）

詔安腔：調值 <u>43</u>　　調號 ㄱ（高降短調）

四、對比練習

第一式：　　　　　　　　　　　　第二式：

ku	ka	ko	kok
pu	pa	po	pok
tu	ta	to	tok
cu	ca	co	cok

ㄍㄨ	ㄍㄚ	ㄍㄛ	ㄍㄛㄍ
ㄅㄨ	ㄅㄚ	ㄅㄛ	ㄅㄛㄍ
ㄉㄨ	ㄉㄚ	ㄉㄛ	ㄉㄛㄍ
ㄗㄨ	ㄗㄚ	ㄗㄛ	ㄗㄛㄍ

ku 與 ka、ko、kok 因韻母不同而有區別；ku 與 pu、tu、cu 因聲母不同而有區別。

五、拼音練習

（一）本課所習音標的基本拼音及例字

第一式：　　第二式：　　聲調及例字：

k { u / a / o k / o / i }　ㄍ { ㄨ / ㄚ / ㄛㄍ / ㄛ / ㄧ }

1.姑	2.古	3.顧	4.	5.口	7.	8.
1.家	2.假	3.價	4.	5.口	7.	8.
1.	2.	3.	4.郭	5.	7.	8.摑
1.哥	2.果	3.過	4.	5.膏	7.	8.
1.居	2.幾	3寄	4.	5.佢	7.	8.

∅ / ｜ / th } ap　ㄅ / ㄊ } ㄚㄅ

1.	2.	3.	4.鴨	5.	7.	8.
1.	2.	3.	4.塌	5.	7.	8.臘
1.	2.	3.	4.塔	5.	7.	8.踏

s／sh / p / t } at　ㄙ／ㄕ / ㄅ / ㄉ } ㄚㄉ

1.	2.	3.	4.設	5.	7.	8.蝕
1.	2.	3.	4.八	5.	7.	8.撥
1.	2.	3.	4.笪		7.	8.值

（二）本課所習音標的各種拼音

ka	ke	ki	ko	ku	kai	kau	koi	kia	kie
ㄍㄚ	ㄍㄝ	ㄍㄧ	ㄍㄛ	ㄍㄨ	ㄍㄞ	ㄍㄠ	ㄍㄛㄧ	ㄍㄧㄚ	ㄍㄧㄝ

kio　　kiu　　kiau　　kieu　　kiai　　kua　　kue　　kui　　kuai

《一ㄛ　《一ㄨ　《一ㄠ　《一せㄨ　《一ㄞ　《ㄨㄚ　《ㄨせ　《ㄨ一　《ㄨㄞ

kam　kim　kiam　　kan　kin　kon　　kun　kian　kiun　　kuan　kuen

《ㄚㄇ《一ㄇ《一ㄚㄇ　《ㄢ　《一ㄣ《ㄛㄣ　《ㄨㄣ《一ㄢ《一ㄨㄣ　《ㄨㄢ　《ㄨせㄣ

kang　kong　kung　　kiang　kiong　kiung　kuang

《ㄤ　《ㄛㄥ　《ㄨㄥ　《一ㄤ　《一ㄛㄥ　《一ㄨㄥ　《ㄨㄤ

kap　　kiep　　kip　　kiap

《ㄚㄅ　《一せㄅ　《一ㄅ　《一ㄚㄅ

kat　　kit　　kot　　kut　　kiet

《ㄚㄉ　《一ㄉ　《ㄛㄉ　《ㄨㄉ　《一せㄉ

（三）k 的常用詞

ka^1　thiam^1　　ko^2　cok^4/zok^4　　ku^1　so^2　kau^1　thung^1

《ㄚ^1　ㄊ一ㄚㄇ^1　《ㄛ^2　ㄗㄛ《^{4}/ㄓㄛ《^{4}　《ㄨ^1　ㄙㄛ^2　《ㄠ^1　ㄊㄨㄥ^1

加　　添　　果　　酌(10)　　姑　　嫂　　交　　通

keu^2　phoi^3　　kie^1/kai^1　thai^5　　kap^4　ten^2　ki^1　hi^3

《せㄨ^2　ㄆㄛ一^3　《一せ^1/《ㄞ^1　ㄊㄞ^5　《ㄚㄅ^4　ㄅせㄣ^2　《一^1　ㄏ一^3

狗　　吠　　雞　　啼　　甲　　等　　機　　器

（四）k 的雙聲詞

ka^1　kam^2　　kua^3　kieu^1　kau^2　kui^2　kiu^3　ka^3

《ㄚ^1　《ㄚㄇ^2　《ㄨㄚ^3　《一せㄨ^1　《ㄠ^2　《ㄨ一^2　《一ㄨ^2　《ㄚ^3

加　　減　　掛　　鉤　　搞　　鬼　　救　　駕

kian^1　kok^4　　kie^3　kau^3　　kau^1　ka^1　ku^1　ka^3

《一ㄢ^1　《ㄛ《^{4}　《一せ^3　《ㄠ^3　《ㄠ^1　《ㄚ^1　《ㄨ^1　《ㄚ^3

間　　角(11)　　計　　較　　交　　加　　估　　價

（五）ap 的疊韻詞

lap^8　ap^4　lap^8　chap^8　thap^8　thap^4　thap^4　lap^4

ㄌㄚㄅ^8　ㄚㄅ^4　ㄌㄚㄅ^8　ㄔㄚㄅ^8　ㄊㄚㄅ^8　ㄊㄚㄅ^4　ㄊㄚㄅ^4　ㄌㄚㄅ^4

臘　鴨　拉　雜　踏　塔　塔　塌(12)

ciap⁴	khap⁴	sap⁸/shap⁸	liap⁸	fat⁸	phat⁴	fat⁴	that⁸
ㄧㄚㄅ⁴	ㄎㄚㄅ⁴	ㄙㄚㄅ⁸/ㄕㄚㄅ⁸	ㄌㄧㄚㄅ⁸	ㄈㄚㄅ⁸	ㄆㄚㄅ⁴	ㄈㄚㄅ⁴	ㄊㄚㄅ⁸
接	洽	涉	獵	活	潑	發	達

ngat⁴	chat⁴	pat⁴	cap⁴	sat⁴	lat⁸
ㄫㄚㄅ⁴	ㄘㄚㄅ⁴	ㄅㄚㄅ⁴	ㄗㄚㄅ⁴	ㄙㄚㄅ⁴	ㄌㄚㄅ⁸
齧	察(13)	八	折	煞	辣(14)

【註解】

(1)老牛牯：老公牛。

(2)角叉叉：角交叉的樣子。

(3)講花舌：說謊話。花舌，謊話。

(4)見人毋得：見不得人。

(5)無結煞：不知如何是好。也說「無結無煞」。

(6)無插：沒插上（香、蠟燭等）或沒插手管。

(7)毋插：不插上（香、蠟燭等）或不管。

(8)做得：①可以做；②應答之詞。

(9)做毋得：①不可做；②不行，不可。

(10)果酌：水果。

(11)間角：房間的角落。

(12)塌：陷落。

(13)齧察：吝嗇。

(14)煞辣：行事迅速果決。

第 五 課　　唐 三 伯

學習重點：ph-　th-　ch-　kh-

一、基本語料

thong⁵ sam¹ pak⁴， cok⁴/zok⁴　　phak⁸ sam¹， pun¹ ngin⁵ chiang²，

ㄊㅇㄥ⁵ ㄙㄚㄇ¹ ㄅㄚㄍ⁴ ㄗㄛㄍ⁴/ㄓㄛㄍ⁴ ㄅㄚㄍ⁸ ㄙㄚㄇ¹ ㄅㄨㄣ¹ ㅠ丨ㄣ⁵ ㄑ丨ㅇ²

唐　三　伯，　　著　　　白　衫(1)，分　人　　請(2)，

sam¹ phu³ ta² co³ liong² phu³ hang⁵。

ㄙㄚㄇ¹ ㄅㄨ³ ㄅㄚ² ㄗㄛ³ ㄌ丨ㄛㄥ² ㄅㄨ³ ㄏㅇㄤ⁵

　　三　　步　打　做　　兩　　步　　行(3)。

chai³ nga⁵ kho¹， sin¹ khoi¹ ngiap⁸　，　tai⁷　iu⁵/jiu⁵　　thai⁷，

ㄘㄞ³ ㅠㄚ⁵ ㄎㄛ¹ ㄒ丨ㄣ¹ ㄎㄛ丨¹ ㅠㄚㄅ⁸ ㄊㄞ⁷ 丨ㄨ⁵/ㄖㄨ⁵ ㄊㄞ⁷

蔡　牙　科，新　　開　　業　，大　　優　　　　待，

chiang² mok⁸ cho³ ko³ ho² ki¹　　fi⁷/fui⁷　。

ㄑ丨ㄤ² ㄇㄛㄍ⁸ ㄘㄛ³ ㄍㄛ³ ㄏㄛ² ㄍ丨¹ ㄈ丨⁷/ㄈㄨ丨⁷

　請　莫　　錯　過　好　機　　會　　。

二、詞句舉例及發音練習

ph：phak⁸， phak⁸ sam¹， cok⁴/zok⁴　　phak⁸ sam¹；

ㄅㄚㄍ⁸ ㄅㄚㄍ⁸ ㄙㄚㄇ¹ ㄗㄛㄍ⁴/ㄓㄛㄍ⁴ ㄅㄚㄍ⁸ ㄙㄚㄇ¹

　白，　白　衫，　著　　　白　衫　；

thong⁵ sam¹ pak⁴　　cok⁴/zok⁴　　phak⁸ sam¹。

ㄊㅇㄥ⁵ ㄙㄚㄇ¹ ㄅㄚㄍ⁴ ㄗㄛㄍ⁴/ㄓㄛㄍ⁴ ㄅㄚㄍ⁸ ㄙㄚㄇ¹

　唐　三　伯　　著　　　白　衫　。

phu⁷，liong² phu⁷，liong² sam¹ phu⁷；

ㄅㄨ⁷ ㄌ丨ㄛㄥ² ㄅㄨ⁷ ㄌ丨ㄛㄥ² ㄙㄚㄇ¹ ㄅㄨ⁷

　步，兩　　步，兩　　三　步　；

sam¹ phu⁷ ta² co³ liong² phu⁷ hang⁵。

ㄙㄚㄇ¹ ㄅㄨ⁷ ㄅㄚ² ㄗㄛ³ ㄌ丨ㄛㄥ² ㄅㄨ⁷ ㄏㅇㄤ⁵

　三　步　打　做　兩　　步　　行　。

th：thong⁵，thong⁵ sam¹，thong⁵ sam¹ pak⁴；
ㄊㄛㄥ⁵　ㄊㄛㄥ⁵　ㄙㄚㄇ¹　ㄊㄛㄥ⁵　ㄙㄚㄇ¹　ㄅㄚㄍ⁴
　唐　，唐　三　，唐　三　伯　；
thong⁵ sam¹ pak⁴ pun¹ ngin⁵ chiang²。
ㄊㄛㄥ⁵　ㄙㄚㄇ¹　ㄅㄚㄍ⁴　ㄅㄨㄣ¹　ㄫㄧㄣ⁵　ㄑㄧㄤ²
　唐　三　伯　分　人　請　。

thai⁷，iu⁵/jiu⁵　thai⁷，tai⁷ iu⁵/jiu⁵　thai⁷；
ㄊㄞ⁷　ㄧㄨ⁵/ㄖㄨ⁵　ㄊㄞ⁷　ㄊㄞ⁷　ㄧㄨ⁵/ㄖㄨ⁵　ㄊㄞ⁷
　待　，優　待　，大　優　待　；
sin¹ khoi¹ ngiap⁸ tai⁷ iu⁵/jiu⁵　thai⁷。
ㄒㄧㄣ¹　ㄎㄛㄧ¹　ㄫㄧㄚㄅ⁸　ㄊㄞ⁷　ㄧㄨ⁵/ㄖㄨ⁵　ㄊㄞ⁷
　新　開　業　大　優　待　。

ch：chiang²，chiang² ngin⁵，chiang² ngin⁵　hak⁴；
ㄑㄧㄤ²　ㄑㄧㄤ²　ㄫㄧㄣ⁵　ㄑㄧㄤ²　ㄫㄧㄣ⁵　ㄏㄚㄍ⁴
　請　，請　人　，請　人　客　；
sin¹ khoi¹ ngiap⁸ chiang² ngin⁵　hak⁴。
ㄒㄧㄣ¹　ㄎㄛㄧ¹　ㄫㄧㄚㄅ⁸　ㄑㄧㄤ²　ㄫㄧㄣ⁵　ㄏㄚㄍ⁴
　新　開　業　請　人　客　。

cho³，cho³ ko³，mok⁸ cho³ ko³；
ㄘㄛ³　ㄘㄛ³　ㄍㄛ³　ㄇㄛㄍ⁸　ㄘㄛ³　ㄍㄛ³
　錯　，錯　過　，莫　錯　過　；
tai⁷ iu⁵/jiu⁵　thai⁷ mok⁸ cho³ ko³。
ㄊㄞ⁷　ㄧㄨ⁵/ㄖㄨ⁵　ㄊㄞ⁷　ㄇㄛㄍ⁸　ㄘㄛ³　ㄍㄛ³
　大　優　待　莫　錯　過　。

kh：kho¹，nga⁵ kho¹，chai³ nga⁵ kho¹；
ㄎㄛ¹　ㄫㄚ⁵　ㄎㄛ¹　ㄘㄞ³　ㄫㄚ⁵　ㄎㄛ¹
　科　，牙　科　，蔡　牙　科　；
chai³ nga⁵ kho¹ sin¹ khoi¹ ngiap⁸。
ㄘㄞ³　ㄫㄚ⁵　ㄎㄛ¹　ㄒㄧㄣ¹　ㄎㄛㄧ¹　ㄫㄧㄚㄅ⁸
　蔡　牙　科　新　開　業　。

khoi¹，sin¹ khoi¹，tai⁷ khoi¹ mun⁵；
ㄎㄛㄧ¹　ㄒㄧㄣ¹　ㄎㄛㄧ¹　ㄊㄞ⁷　ㄎㄛㄧ¹　ㄇㄨㄣ⁵
　開　，新　開　，大　開　門　；

ko^{3} sin^{1} ngin^{5} tai^{7} khoi^{1} mun^{5} 。
ㄍㄛ^{3} ㄒㄧㄣ^{1} ㄫㄧㄣ^{5} ㄊㄞ^{7} ㄎㄛㄧ^{1} ㄇㄨㄣ^{5}
過 新 年 大 開 門 。

聲調複習

第4調：

pak^{4} ， sam^{1} pak^{4} ， thong^{5} sam^{1} pak^{4} ；
ㄅㄚㄍ^{4} ㄙㄚㄇ^{1} ㄅㄚㄍ^{4} ㄊㄛㄥ^{5} ㄙㄚㄇ^{1} ㄅㄚㄍ^{4}
伯 ， 三 伯 ， 唐 三 伯 ；
thong^{5} sam^{1} pak^{4} mai^{1} se^{3} ap^{4} 。
ㄊㄛㄥ^{5} ㄙㄚㄇ^{1} ㄅㄚㄍ^{4} ㄇㄞ^{1} ㄙㄝ^{3} ㄚㄅ^{4}
唐 三 伯 買 細 鴨 。

hak^{4} ， ngin^{5} hak^{4} ， chiang^{2} ngin^{5} hak^{4} ；
ㄏㄚㄍ^{4} ㄫㄧㄣ^{5} ㄏㄚㄍ^{4} ㄑㄧㄤ^{2} ㄫㄧㄣ^{5} ㄏㄚㄍ^{4}
客 ， 人 客 ， 請 人 客 ；
thong^{5} sam^{1} pak^{4} chiang^{2} ngin^{5} hak^{4} 。
ㄊㄛㄥ^{5} ㄙㄚㄇ^{1} ㄅㄚㄍ^{4} ㄑㄧㄤ^{2} ㄫㄧㄣ^{5} ㄏㄚㄍ^{4}
唐 三 伯 請 人 客 。

cak^{4} ， ho^{2} cak^{4} ， cha^{5} mo^{5} cak^{4} ；
ㄗㄚㄍ^{4} ㄏㄛ^{2} ㄗㄚㄍ^{4} ㄘㄚ^{5} ㄇㄛ^{5} ㄗㄚㄍ^{4}
摘 ， 好 摘 ， 茶 無 摘 ；
chiang^{2} ngin^{5} hak^{4} cha^{5} mo^{5} cak^{4} 。
ㄑㄧㄤ^{2} ㄫㄧㄣ^{5} ㄏㄚㄍ^{4} ㄘㄚ^{5} ㄇㄛ^{5} ㄗㄚㄍ^{4}
請 人 客 茶 無 摘 。

vuk^{4} ， sin^{1} vuk^{4} ， hi^{2} sin^{1} vuk^{4} ；
ㄪㄨㄍ^{4} ㄒㄧㄣ^{1} ㄪㄨㄍ^{4} ㄏㄧ^{2} ㄒㄧㄣ^{1} ㄪㄨㄍ^{4}
屋 ， 新 屋 ， 起 新 屋 ；
a^{1} ten^{1} so^{2} hi^{2} sin^{1} vuk^{4} 。
ㄚ^{1} ㄉㄝㄣ^{1} ㄙㄛ^{2} ㄏㄧ^{2} ㄒㄧㄣ^{1} ㄪㄨㄍ^{4}
阿 登 嫂 起 新 屋 。

第8調：

phak^8，phak^8 sam^1，　cok^4/zok^4　phak^8　sam^1；

ㄆㄚㄍ^8　ㄆㄚㄍ^8　ㄙㄚㄇ^1　ㄗㄛㄍ^4/ㄓㄛㄍ^4　ㄆㄚㄍ^8　ㄙㄚㄇ^1

白　，白　衫，　著　　白　衫；

ten^2　tet^4　cii^2　tai^7　fu^5　si^1　tu^7　phak^8。

ㄉㄝㄣ^2　ㄉㄝㄉ^4　ㄗ^2　ㄊㄞ^7　ㄈㄨ^5　ㄒㄧ^1　ㄉㄨ^7　ㄆㄚㄍ^8

等　得　子　大　鬍　鬚　都　白　。

lok^5，　lok^8　loi^5，　lok^8　loi^5 cho^1；a^1　po^2　ko^1　lok^8　loi^5 cho^1。

ㄌㄛㄍ^5　ㄌㄛㄍ^8　ㄌㄛㄧ^5　ㄌㄛㄍ^8　ㄌㄛㄧ^5 ㄘㄛ^1　ㄚ^1　ㄅㄛ^2　ㄍㄛ^1　ㄌㄛㄍ^8　ㄌㄛㄧ^5 ㄘㄛ^1

落　，落　來，落　來坐；阿　保　哥　落　來　坐。

siit^8/shit^8，　siit^8/shit^8　fan^7/phon^7，　mo^5　fan^7/phon^7　siit^8/shit^8；

ㄙㄉ^8/ㄕㄉ^8　ㄙㄉ^8/ㄕㄉ^8　ㄈㄢ^7/ㄆㄛㄣ^7　ㄇㄛ^5　ㄈㄢ^7/ㄆㄛㄣ^7　ㄙㄉ^8/ㄕㄉ^8

食　，食　　飯　，無　　飯　食；

se^3　ham^1　ku^2　mo^5　mi^2　siit^8/shit^8。

ㄙㄝ^3　ㄏㄚㄇ^1　ㄍㄨ^2　ㄇㄛ^5　ㄇㄧ^2　ㄙㄉ^8/ㄕㄉ^8

細　憨　牯　無　米　食。

三、音標介紹

p h　ㄆ（聲符）

　　發音部位：雙唇。

　　發音方法：塞音、清、送氣。如怕（pha^3）、破（pho^3）的聲母。

t h　ㄊ（聲符）

　　發音部位：舌尖與上齒齦。

　　發音方法：塞音、清、送氣。如土（thu^2）、地（thi^7）的聲母。

c h　ㄑ（聲符）

　　發音部位：舌尖前與上下齒背。

　　發音方法：塞擦音、清、送氣。本聲母是先發送氣的舌尖清塞音（t'），接著發擦音（s）所形成的，國際音標爲（ts'），本教材採用的音標的第一式爲 ch，如次（chii^7）、草（cho^2）的聲母部份。

k h　ㄎ（聲符）

　　發音部位：舌根與軟顎

　　發音方法：塞音、清、送氣。如科（kho^1）、苦（khu^2）的聲母部份。

四、對比練習：

第一式：　　　　　　　　　第二式：

ph	th	ch	kh		ㄆ	ㄊ	ㄘ	ㄎ
----	----	----	----		----	----	----	----
p	t	c	k		ㄅ	ㄉ	ㄗ	ㄍ

上面縱的對比是發音部位相同（雙唇），發音方法不同（送氣與不送氣）。
橫的對比主要是聲母發音部位的不同（雙唇、舌尖、舌尖前、舌根），其中的
ｃｈ聲母是塞擦音，與其他三個塞音的發音方法也有不同。

五、拼音練習：

（一）本課所習音標的基本拼音及例字

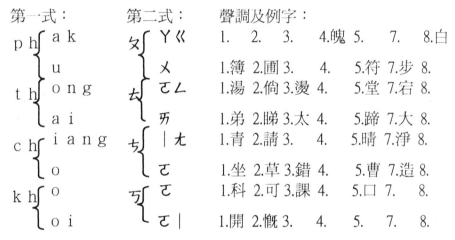

第一式：　　　　第二式：　　　聲調及例字：

p h ┌ a k　ㄆ┌ ㄚㄍ　1.　2.　3.　4.魄 5.　7.　8.白
　　└ u　　　└ ㄨ　　1.簿 2.圃 3.　4.　5.符 7.步 8.
t h ┌ o n g　ㄊ┌ ㄛㄥ　1.湯 2.倘 3.燙 4.　5.堂 7.宕 8.
　　└ a i　　└ ㄞ　　1.弟 2.睇 3.太 4.　5.蹄 7.大 8.
c h ┌ i a n g　ㄘ┌ ㄧㄤ　1.青 2.請 3.　4.　5.晴 7.淨 8.
　　└ o　　　└ ㄛ　　1.坐 2.草 3.錯 4.　5.曹 7.造 8.
k h ┌ o　　ㄎ┌ ㄛ　　1.科 2.可 3.課 4.　5.口 7.　8.
　　└ o i　　└ ㄛㄧ　1.開 2.慨 3.　4.　5.　7.　8.

（二）本課所習音標的各種拼音

pha　phi　pho　phu　phai　phau　pheu　phoi　phia　phiu　phiau　phui

ㄆㄚ　ㄆㄧ　ㄆㄛ　ㄆㄨ　ㄆㄞ　ㄆㄠ　ㄆㄝㄨ　ㄆㄛㄧ　ㄆㄧㄚ　ㄆㄧㄨ　ㄆㄧㄠ　ㄆㄨㄧ

phan　phen　phin　phon　phun　phian

ㄆㄢ　ㄆㄝㄣ　ㄆㄧㄣ　ㄆㄛㄣ　ㄆㄨㄣ　ㄆㄧㄢ

phang　phong　phung　phiang　phiong

ㄆㄤ　ㄆㄛㄥ　ㄆㄨㄥ　ㄆㄧㄤ　ㄆㄧㄛㄥ

phat　phet　phit　phut　phiet

ㄆㄚㄉ　ㄆㄝㄉ　ㄆㄧㄉ　ㄆㄨㄉ　ㄆㄧㄝㄉ

phak　phok　phiak　phiok　phuk

ㄆㄚㄍ　ㄆㄛㄍ　ㄆㄧㄚㄍ　ㄆㄧㄛㄍ　ㄆㄨㄍ

tha　the　thi　tho　thu　thai　thau　theu　thoi　thiu　thiau　thui

ㄊㄚ　ㄊㄝ　ㄊ丨　ㄊㄛ　ㄊㄨ　ㄊㄞ　ㄊㄠ　ㄊㄝㄨ　ㄊㄛ丨　ㄊ丨ㄨ　ㄊ丨ㄠ　ㄊㄨ丨

tham　thiam　than　then　thin　thon　thun　thian

ㄊㄚㄇ　ㄊ丨ㄚㄇ　ㄊㄢ　ㄊㄝㄣ　ㄊ丨ㄣ　ㄊㄛㄣ　ㄊㄨㄣ　ㄊ丨ㄢ

thang　thong　thung　thiong　thap　thiap

ㄊㄤ　ㄊㄛㄥ　ㄊㄨㄥ　ㄊ丨ㄛㄥ　ㄊㄚㄅ　ㄊ丨ㄚㄅ

that　thet　thit　thot　thut　thiet　thak　tuk

ㄊㄚㄅ　ㄊㄝㄅ　ㄊ丨ㄅ　ㄊㄛㄅ　ㄊㄨㄅ　ㄊ丨ㄝㄅ　ㄊㄚㄍ　ㄊㄨㄍ

chii　cha　che　chi　cho　chu　chai　chau　cheu　choi

ㄘ　ㄘㄚ　ㄘㄝ　ㄘ丨　ㄘㄛ　ㄘㄨ　ㄘㄞ　ㄘㄠ　ㄘㄝㄨ　ㄘㄛ丨

chia　chio　chiu　chiau　chioi　chui

ㄑ丨ㄚ　ㄑ丨ㄛ　ㄑ丨ㄨ　ㄑ丨ㄠ　ㄑ丨ㄛ丨　ㄘㄨ丨

cham　chem　chim　chiim　chiam

ㄘㄚㄇ　ㄘㄝㄇ　ㄑ丨ㄇ　ㄘㄇ　ㄑ丨ㄚㄇ

chan　chen　chin　chon　chun　chiin　chian　chion

ㄘㄢ　ㄘㄝ　ㄑ丨ㄣ　ㄘㄛㄣ　ㄘㄨㄥ　ㄘㄣ　ㄑ丨ㄢ　ㄑ丨ㄛㄣ

chang　chong　chung　chiang　chiong　chiung

ㄘㄤ　ㄘㄛㄥ　ㄘㄨㄥ　ㄑ丨ㄤ　ㄑ丨ㄛㄥ　ㄑ丨ㄨㄥ

chap　chip　chiap

ㄘㄚㄅ　ㄑ丨ㄅ　ㄑ丨ㄚㄅ

chat　chet　chit　chot　chut　chiit　chiet

ㄘㄚㄅ　ㄘㄝㄅ　ㄑ丨ㄅ　ㄘㄛㄅ　ㄘㄨㄅ　ㄘㄅ　ㄑ丨ㄝㄅ

chak　chok　chiak　chiok　chiuk

ㄘㄚㄍ　ㄘㄛㄍ　ㄑ丨ㄚㄍ　ㄑ丨ㄛㄍ　ㄑ丨ㄨㄍ

kha　khe　khi　kho　khu　khai　khau　khoi　khia　khie

ㄎㄚ　ㄎㄝ　ㄎ丨　ㄎㄛ　ㄎㄨ　ㄎㄞ　ㄎㄠ　ㄎㄛ丨　ㄎ丨ㄚ　ㄎ丨ㄝ

khio　khiu　khiau　khieu　khioi　khua　khue　khui　kuai

ㄎ丨ㄛ　ㄎ丨ㄨ　ㄎ丨ㄠ　ㄎ丨ㄝㄨ　ㄎ丨ㄛ丨　ㄎㄨㄚ　ㄎㄨㄝ　ㄎㄨ丨　ㄎㄨㄞ

kam　khim　khiam

ㄎㄚㄇ　ㄎ丨ㄇ　ㄎ丨ㄚㄇ

khan　khin　khon　khun　khian　khiun　khuan

ㄎㄢ　ㄎ丨ㄣ　ㄎㄛㄣ　ㄎㄨㄣ　ㄎ丨ㄢ　ㄎ丨ㄨㄣ　ㄎㄨㄢ

khang　khong　khung　khiang　khiong　khiung　khuang

ㄎㄤ　ㄎㄛㄥ　ㄎㄨㄥ　ㄎ丨ㄤ　ㄎ丨ㄛㄥ　ㄎ丨ㄨㄥ　ㄎㄨㄤ

```
khap    kiep    khip    khiap
ㄎㄚㄅ   ㄎㄧㄝㄅ  ㄎㄧㄅ   ㄎㄧㄚㄅ
khat    khit    khut    khiet    khiut
ㄎㄚㄉ   ㄎㄧㄉ   ㄎㄨㄉ   ㄎㄧㄝㄉ   ㄎㄧㄨㄉ
khak    khok    khiak    khiok    khiuk    khuk    khuak
ㄎㄚㄍ   ㄎㄛㄍ   ㄎㄧㄚㄍ   ㄎㄧㄛㄍ   ㄎㄧㄨㄍ   ㄎㄨㄍ   ㄎㄨㄚㄍ
```

（三）ph-、th-、ch-、kh-的常用詞

phu⁷	fun⁷	phak⁴	pu³	phok⁸	cii²/zi²	pha³	si²
ㄆㄨ⁷	ㄈㄨㄣ⁷	ㄆㄚㄍ⁴	ㄅㄨ³	ㄆㄛㄍ⁸	ㄗ²/ㄓ²	ㄆㄚ³	ㄒㄧ²
部	份	白	布	薄	紙	怕	死

phi⁵	siong¹	phai³	liong⁷	tha¹	ngin⁵	thi²	chau¹
ㄆㄧ⁵	ㄒㄧㄛㄥ¹	ㄆㄞ³	ㄌㄧㄥ⁷	ㄊㄚ¹	ㄫㄣ⁵	ㄊㄧ²	ㄘㄠ¹
皮	箱	派	令	他	人	體	操

tho³	fong⁵	thoi⁵	pet⁴	thiau³	ien²/jan²	thui³	phu⁷
ㄊㄛ³	ㄈㄛㄥ⁵	ㄊㄛ⁵	ㄅㄝㄉ⁴	ㄊㄧㄠ³	ㄧㄝㄣ²/ㄖㄢ²	ㄊㄨ³	ㄆㄨ⁷
套	房	台	北	跳	遠	退	步

chui¹	hang⁵	chim¹	liok⁸	chiam⁷	chiam⁷	chen⁷	kung¹
ㄘㄨㄧ¹	ㄏㄤ⁵	ㄑㄧㄇ¹	ㄌㄧㄛㄍ⁸	ㄑㄧㄚㄇ⁷	ㄑㄧㄚㄇ⁷	ㄘㄝㄣ⁷	ㄍㄨㄥ¹
催	行	侵	略	漸	漸	襯	工（4）

chin⁵	hin⁵	chian¹	kin¹	khian³	kie²/kai²	khong¹	nen⁵
ㄑㄧㄣ⁵	ㄏㄧㄣ⁵	ㄑㄧㄢ¹	ㄍㄧㄣ¹	ㄎㄧㄢ³	ㄍㄧㄝ²/ㄍㄞ²	ㄎㄛㄥ¹	ㄋㄝㄣ⁵
情	形	千	斤	勸	解	康	寧

khuan²	siit⁴/shit⁴	khiun¹	ien²/jan²	khip⁸	kiet⁴	khok⁴	thing⁷
ㄎㄨㄢ²	ㄙㄣㄉ⁴/ㄕㄧㄉ⁴	ㄎㄧㄨㄣ¹	ㄧㄝㄣ²/ㄖㄢ²	ㄎㄧㄅ⁸	ㄍㄧㄝㄉ⁴	ㄎㄛㄍ⁴	ㄊㄧㄥ⁷
款	式	近	遠	及	格	確	定

（四）ph-、th-、ch-、kh-的雙聲詞

phi⁵	pha⁵	phin²	phin⁵	phi¹	phan³	phak⁸	phau⁵
ㄆㄧ⁵	ㄆㄚ⁵	ㄆㄧㄣ²	ㄆㄧㄣ⁵	ㄆㄧ¹	ㄆㄢ³	ㄆㄚㄍ⁸	ㄆㄠ⁵
枇	杷	品	評	批	判	白	袍

phu¹	phai⁵	phian¹	phong⁵	thin⁵	thian⁷	thi³	theu⁵
ㄆㄨ¹	ㄆㄞ⁵	ㄆㄧㄢ¹	ㄆㄛㄥ⁵	ㄊㄣ⁵	ㄊㄧㄢ⁷	ㄊㄧ³	ㄊㄝㄨ⁵
舖	排(5)	偏	旁	停	電	剃	頭

thi⁷	theu⁷	thoi⁵	thai⁷	thian³	tham⁵	thian¹	than⁵
ㄊㄧ⁷	ㄊㄝㄨ⁷	ㄊㄛ丨⁵	ㄊㄞ⁷	ㄊㄧㄠ³	ㄊㄚㄇ⁵	ㄊㄧㄢ¹	ㄊㄢ⁵
地	豆(6)	台	大	跳	潭	天	壇

chi⁷	chon¹	chian¹	chun¹	chon⁷	chian⁵	chit⁴	chen⁵
ㄑㄧ⁷	ㄘㄛㄣ¹	ㄑㄧㄢ¹	ㄘㄨㄣ¹	ㄗㄛㄣ⁷	ㄑㄧㄢ⁵	ㄑㄧㄉ⁴	ㄘㄝㄣ⁵
聚	餐	遷	村	賺	錢	七	層

chin¹	chian⁵/chan⁵	chiang¹	chiung⁵	khi⁷	khiong⁵	khong¹	khian⁷
ㄑㄣ¹	ㄑㄧㄢ⁵/ㄘㄢ⁵	ㄑㄤ¹	ㄑㄧㄨㄥ⁵	ㄎㄧ⁷	ㄎㄧㄛㄥ⁵	ㄎㄛㄥ¹	ㄎㄧㄢ⁷
淸	泉	靑	松	懼	強	康	健

khi⁵	khau²	kho²	kho³	khoi¹	khieu²	khong²	khoi²
ㄎㄧ⁵	ㄎㄠ²	ㄎㄛ²	ㄎㄛ³	ㄎㄛ丨¹	ㄎㄧㄝㄨ²	ㄎㄛㄥ²	ㄎㄛ丨²
奇	巧	可	靠	開	口	慷	慨

【注解】

(1)著白衫：穿白衣服。
(2)分人請：參加宴會。
(3)三步打做兩步行：大步趕路。
(4)襯工：義務幫忙工作。
(5)舖排：菜餚豐富。
(6)地豆：花生。四縣話叫做「番豆」。

第 六 課　胡 會 計

學習重點：f-　-ia　-ie　-io　-ua

一、基本語料

seu²/siau²　　siang³　siang³　fu⁵，
ㄙㄝㄨ²/ㄒㄧㄠ²　ㄒㄧㄤ³　ㄒㄧㄤ³　ㄈㄨ⁵
　小　　　姓　姓　胡，

chai⁷　ien³/jan³　ciin³/zin³　fu²　co³　fi⁷/fui⁷　kie³，
ㄔㄞ⁷　ㄧㄝㄣ³/ㄖㄢ³　ㄗㄣ³/ㄓㄧㄣ³　ㄈㄨ²　ㄗㄛ³　ㄈㄧ⁷/ㄈㄨ⁷　ㄍㄧㄝ³
　在　縣　政　府　做　會　計　，

ia²/lia²　fi⁵/fui⁵　loi³　kui³　thi⁷　fong²　mun³，
ㄧㄚ²/lia²　ㄈㄧ⁵/ㄈㄨ⁵　ㄌㄛㄧ⁵　ㄍㄨ³　ㄊㄧ⁷　ㄈㄛㄥ²　ㄇㄨㄣ³
　這　回　來　貴　地　訪　問，

kam²　kok⁴　chin⁷　fon¹　hi²。
ㄍㄚㄇ²　ㄍㄛㄍ⁴　ㄑㄧㄣ⁷　ㄈㄛㄣ¹　ㄏㄧ²
　感　覺　盡(1)　歡　喜。

ngin⁵　sii³　ngiong²　pan¹　sia²？
ㄫㄧㄣ⁵　ㄙ³　ㄫㄧㄛㄥ²　ㄅㄢ¹　ㄒㄧㄚ²
　人　字　羔　般(2)　寫？

sin¹　sang¹　ham³/ham³　ngai⁵　mun³　a¹　cia²，
ㄒㄧㄣ¹　ㄙㄤ¹　ㄏㄚㄇ³/ㄏㄚㄇ³　ㄫㄞ⁵　ㄇㄨㄣ³　ㄚ¹　ㄐㄧㄚ²
　先　生　喊　偃　問　阿　姐(3)，

a¹　cia²　kong²：ngin⁵　sii³　sia²　loi⁵　liong²　phian²　chia⁵。
ㄚ¹　ㄐㄧㄚ²　ㄍㄛㄥ²　ㄫㄧㄣ⁵　ㄙ³　ㄒㄧㄚ²　ㄌㄛㄧ⁵　ㄌㄧㄛㄥ²　ㄆㄧㄢ²　ㄑㄧㄚ⁵
　阿　姐　講：人　字　寫　來　兩　片　斜　。

kiet⁴　siit⁸/shit⁸　siong²　kie³，hang⁵　to³　sin¹　vuk⁴　kie¹/kai¹，
ㄎㄧㄝㄉ⁴　ㄙㄉ⁸/ㄕㄉ⁸　ㄒㄧㄛㄥ²　ㄍㄝ³　ㄏㄤ⁵　ㄉㄛ³　ㄒㄧㄣ¹　ㄞㄨㄍ⁴　ㄍㄧㄝ¹/ㄍㄞ¹
　乞　食　想　計，行　到　新　屋　街，

tu⁵　to²　it⁴　cak⁴/zak⁴　tai⁷　vong⁵　ngie³，
ㄉㄨ⁵　ㄉㄛ²　ㄧㄉ⁴　ㄗㄚㄍ⁴/ㄓㄚㄍ⁴　ㄊㄞ⁷　ㄞㄛㄥ⁵　ㄫㄧㄝ³
　堵(4)　到　一　隻　大　黃　蟻，

vong⁵　ngie³　kung¹　ia⁷/ja⁷　siong²　m⁵　kie²/kai²。
ㄞㄛㄥ⁵　ㄫㄧㄝ³　ㄍㄨㄥ¹　ㄧㄚ⁷/ㄖㄚ⁷　ㄒㄧㄛㄥ²　ㄇ⁵　ㄍㄧㄝ²/ㄍㄞ²
　黃　蟻　公　也　想　毋　解(5)。

-41-

thai⁷ ci² cok⁴/zok⁴   sin¹   hio¹,

ㄊㄞ⁷ ㄐㄧ² ㄗㄛㄍ⁴/ㄓㄛㄍ⁴ ㄒㄧㄣ¹ ㄏㄧㄛ¹

大   姊   著   新   靴,

mang⁵ chien⁵ hang⁵ ciu³ kiam⁵ kiam⁵ kio¹。

ㄇㄤ⁵ ㄑㄧㄝㄣ⁵ ㄏㄤ⁵ ㄑㄨ³ ㄍㄧㄚㄇ⁵ ㄍㄧㄚㄇ⁵ ㄍㄧㄛ¹

未   曾   行   就   ○   ○   ○(6)。

lo² moi³ cok⁴/zok⁴   sin¹   hio¹,

ㄌㄛ² ㄇㄛㄧ³ ㄗㄛㄍ⁴/ㄓㄛㄍ⁴ ㄒㄧㄣ¹ ㄏㄧㄛ¹

老   妹   著   新   靴,

m⁵ hiau² hang⁵ lam² sam² chio³。

ㄇ⁵ ㄏㄧㄠ² ㄏㄤ⁵ ㄌㄚㄇ² ㄙㄚㄇ² ㄑㄧㄛ³

毋   曉   行(7) 濫   糝   蹶(8)。

it⁴/jt⁴   phan⁵ ng⁵ nge²/ngə⁵ kua²   kua²   theu⁵,

ㄧㄅ⁴/ㄖㄧㄅ⁴ ㄆㄢ⁵ ㄫ⁵ ㄫㄝ²/ㄫㄜ⁵ ㄍㄨㄚ² ㄍㄨㄚ² ㄊㄝㄨ⁵

一   盤   魚   仔   寡   寡   頭(9),

kua² kua² theu⁵, theu⁵ kua² kua²,

ㄍㄨㄚ² ㄍㄨㄚ² ㄊㄝㄨ⁵ ㄊㄝㄨ⁵ ㄍㄨㄚ² ㄍㄨㄚ²

寡   寡   頭,   頭   寡   寡,

phu⁵ ue²/uə⁵ na¹ loi⁷ von⁷ tung¹ kua¹。

ㄆㄨ⁵ ㄨㄝ²/ㄨㄛ⁵ ㄋㄚ¹ ㄌㄛㄧ⁷ ㄎㄛㄣ⁷ ㄉㄨㄥ¹ ㄍㄨㄚ¹

瓠   仔   拿   來   換   冬   瓜 。

二、詞句舉例及發音練習

f-： fu⁵, siang³ fu⁵；fu², ciin³/zin³   fu²。

ㄈㄨ⁵ ㄒㄧㄤ³ ㄈㄨ⁵ ㄈㄨ² ㄗㄣ³/ㄓㄣ³ ㄈㄨ²

胡,   姓   胡；府,   政   府 。

fi⁷/fui⁷,   fi⁷/fui⁷ kie³；fi⁵/fui⁵, ia²/lia²   fi⁵/fui⁵。

ㄈㄧ⁷/ㄈㄨㄧ⁷ ㄈㄧ⁷/ㄈㄨㄧ⁷ ㄍㄧㄝ³ ㄈㄧ⁵/ㄈㄨㄧ⁵ ㄧㄚ²/lia² ㄈㄧ⁵/ㄈㄨㄧ⁵

會,   會   計；回,   這   回 。

fong², fong² mun³；fon¹, fon¹ hi²。

ㄈㄛㄥ² ㄈㄛㄥ² ㄇㄨㄣ³ ㄈㄛㄣ¹ ㄈㄛㄣ¹ ㄏㄧ²

訪,   訪   問；歡,   歡   喜 。

-ia：sia2，ngiong2 pan1 sia2；cia2，mun3 a1 cia2。
ㄒㄧㄚ2 ㄫㄧㄛㄥ2 ㄅㄢ1 ㄒㄧㄚ2 ㄐㄧㄚ2 ㄇㄨㄣ3 ㄚ1 ㄐㄧㄚ2
寫，恙般寫；姐，問阿姐。

chia5，liong2 phian2 chia5；ngin5 sii3 sia2 loi5 liong2 phian2 chia5。
ㄑㄧㄚ5 ㄌㄧㄛㄥ2 ㄆㄧㄢ2 ㄑㄧㄚ5 ㄫㄧㄣ5 ㄙ3 ㄒㄧㄚ2 ㄌㄛㄧ5 ㄌㄧㄛㄥ2 ㄆㄧㄢ2 ㄑㄧㄚ5
斜，兩片斜；人字寫來兩片斜。

-ie：kie3，siong2 kie3，kie3 son3；kie1/kai1，sin1 vuk4 kie1/kai1。
ㄍㄝ3 ㄒㄧㄛㄥ2 ㄍㄝ3 ㄍㄧㄝ3 ㄙㄛㄣ3 ㄍㄧㄝ1/ㄍㄞ1 ㄒㄧㄣ1 ㄪㄨㄍ4 ㄍㄧㄝ1/ㄍㄞ1
計，想計，計算；街，新屋街。

ngie3，tai7 vong5 ngie3；kie2/kai2，siong2 m5 kie2/kai2。
ㄫㄧㄝ3 ㄊㄞ7 ㄪㄛㄥ5 ㄫㄧㄝ3 ㄍㄧㄝ2/ㄍㄞ2 ㄒㄧㄛㄥ2 ㄇ5 ㄍㄧㄝ2/ㄍㄞ2
蟻，大黃蟻；解，想毋解。

-io：hio1，sin1 hio1；kio1，kiam5 kiam5 kio1。
ㄏㄧㄛ1 ㄒㄧㄣ1 ㄏㄧㄛ1 ㄍㄧㄛ1 ㄍㄧㄚㄇ5 ㄍㄧㄚㄇ5 ㄍㄧㄛ1
靴，新靴；○，○○○。

chio3，lam2 sam2 chio3。
ㄑㄧㄛ3 ㄌㄚㄇ2 ㄙㄚㄇ2 ㄑㄧㄛ3
蹴，濫糝蹴。

-ua：kua2，theu5 kua2 kua2。
ㄍㄨㄚ2 ㄊㄝㄨ5 ㄍㄨㄚ2 ㄍㄨㄚ2
寡，頭寡寡。

kua3，chong5/zhong5 phau5 ma1 kua3。
ㄍㄨㄚ3 ㄘㄛㄥ5/ㄔㄛㄥ5 ㄆㄠ5 ㄇㄚ1 ㄍㄨㄚ3
褂，長袍馬褂。

kua1，tung5 kua1，si1 kua1；khua1，chii7 thai7 chii7 khua1。
ㄍㄨㄚ1 ㄉㄨㄥ5 ㄍㄨㄚ1 ㄒㄧ1 ㄍㄨㄚ1 ㄎㄨㄚ1 ㄘ7 ㄊㄞ7 ㄘ7 ㄎㄨㄚ1
瓜，冬瓜，西瓜；誇，自大自誇。

聲調練習

第 1 調：

sen¹ ， chai⁷ sen¹， ki⁵ pi² ngai⁵ sen¹ loi⁵。
ㄙㄝㄣ¹ ㄔㄞ⁷ ㄙㄝㄣ¹ ㄍ丨⁵ ㄅ丨² ㄫㄞ⁵ ㄙㄝㄣ¹ ㄌㄛ⁵
先 ， 在 先 ，佢 比 𠊎 先 來(10)。

sang¹， sin¹ sang¹， son³ miang⁷ sin¹ sang¹ ceu² kong¹ fu⁵。
ㄙㄤ¹ ㄒ丨ㄣ¹ ㄙㄤ¹ ㄙㄛㄣ³ ㄇ丨ㄤ⁷ ㄒ丨ㄣ¹ ㄙㄤ¹ ㄗㄝㄨ² ㄍㄛㄥ¹ ㄈㄨ⁵
生 ， 先 生 ， 算 命 先 生 走 江 湖 。

sen¹， chuk⁴/zhuk⁴ sen¹， hi³ hiong¹ kung¹ so² po³ chuk⁴/zhuk⁴ sen¹。
ㄙㄝㄣ¹ ㄔㄨㄍ⁴/ㄓㄨㄍ⁴ ㄙㄝㄣ¹ ㄏ丨³ ㄏ丨ㄛㄥ¹ ㄍㄨㄥ¹ ㄙㄛ² ㄅㄛ³ ㄔㄨㄍ⁴/ㄓㄨㄍ⁴ ㄙㄝㄣ¹
生 ， 出 生 ，去 鄉 公 所 報 出 生 。

kua¹， tung¹ kua¹， phu⁵ ue²/ue⁵ na¹ loi⁵ von⁷ tung⁵ kua¹。
ㄍㄨㄚ¹ ㄅㄨㄥ¹ ㄍㄨㄚ¹ ㄆㄨ⁵ ㄨㄝ²/ㄨㄛ⁵ ㄋㄚ¹ ㄌㄛ丨⁵ ㄇㄛㄣ⁷ ㄅㄨㄥ⁵ ㄍㄨㄚ¹
瓜 ， 多 瓜 ， 瓠 仔 拿 來 換 多 瓜 。

第 2 調：

fong²， pai³ fong²， hi³ ko¹ hiong⁵ pai³ fong² phen⁵ iu¹/jiu¹ 。
ㄈㄛㄥ² ㄅㄞ³ ㄈㄛㄥ² ㄏ丨³ ㄍㄛ¹ ㄏ丨ㄨㄥ⁵ ㄅㄞ³ ㄈㄛㄥ² ㄆㄝㄣ⁵ 丨ㄨ¹/ㄖ丨ㄨ¹
訪 ， 拜 訪 ，去 高 雄 拜 訪 朋 友 。

kong²， ien¹/jan¹ kong²， cham¹ ka¹ hak⁴ ngi¹ ien¹/jan¹ kong²。
ㄍㄛㄥ² 丨ㄝㄣ¹/ㄖㄢ¹ ㄍㄛㄥ² ㄔㄚㄇ¹ ㄍㄚ¹ ㄏㄚㄍ⁴ ㄫ丨¹ 丨ㄝㄣ¹/ㄖㄢ¹ ㄍㄛㄥ²
講 ， 演 講 ， 參 加 客 語 演 講 。

liong²， liong² ngin⁵， liong² ngin⁵ khiung⁷ lu⁷ hang⁵。
ㄌ丨ㄛㄥ² ㄌ丨ㄛㄥ² ㄫ丨ㄣ⁵ ㄌ丨ㄛㄥ² ㄫ丨ㄣ⁵ ㄎ丨ㄨㄥ⁷ ㄌㄨㄥ⁷ ㄏㄤ⁵
兩 ， 兩 人 ， 兩 人 共 路 行 。

siong²， sii¹ siong²， soi⁷/shoi⁷ to³ sam¹ kang¹ sii¹ siong² hi²。
ㄒ丨ㄛㄥ² ㄙ丨¹ ㄒ丨ㄛㄥ² ㄙㄛ丨⁷/ㄕㄛ丨⁷ ㄅㄛ³ ㄙㄚㄇ¹ ㄍㄤ¹ ㄙ丨¹ ㄒ丨ㄛㄥ² ㄏ丨²
想 ， 思 想 ， 睡 到 三 更 思 想 起 。

第3調：

siang³, miang⁵ siang³, sin¹ sang¹ mun³ ki⁵ mak⁴ ke³ miang⁵ siang³。
ㄒ丨ㄤ³ ㄇ丨ㄤ⁵ ㄒ丨ㄤ³ ㄒ丨ㄣ¹ ㄙㄤ¹ ㄇㄨㄣ³ ㄍ丨⁵ ㄇㄚㄍ⁴ ㄍㄝ³ ㄇ丨ㄤ⁵ ㄒ丨ㄤ³
姓，名　姓，先　生　問　佢　脈　個　名　姓。

kui³, po² kui³, sen¹ miang³ cui³ po² kui³。
ㄍㄨ丨³ ㄅㄛ² ㄍㄨ丨³ ㄙㄝㄣ¹ ㄇ丨ㄤ³ ㄗㄨ丨³ ㄅㄛ² ㄍㄨ丨³
貴，寶　貴，生　命　最　寶　貴。

ham³, ham³ li¹, chiang² li² sen¹ ham³ li¹。
ㄏㄚㄇ³ ㄏㄚㄇ³ ㄌ丨¹ ㄑ丨ㄤ² ㄌ丨² ㄙㄝㄣ¹ ㄏㄚㄇ³ ㄌ丨¹
喊，喊　禮，請　禮　生　喊　禮。

mun³, mun³ thi⁵, ia²/lia² khian⁷ sii⁷ iu¹/jiu¹ mun³ thi⁵。
ㄇㄨㄣ³ ㄇㄨㄣ³ ㄊ丨⁵ 丨ㄚ²/ㄌ丨ㄚ² ㄎ丨ㄢ⁷ ㄙ⁷ 丨ㄨ¹/ㄖㄨ¹ ㄇㄨㄣ³ ㄊ丨⁵
問，問　題，這　　件　事　有　　問　題。

第5調：

fi⁵/fui⁵, ia²/lia² fi⁵/fui⁵, ia²/lia² fi⁵/fui⁵ sii³ ngai⁵ m⁵ ti¹。
ㄈ丨⁵/ㄈㄨ丨⁵ 丨ㄚ²/ㄌ丨ㄚ² ㄈ丨⁵/ㄈㄨ丨⁵ 丨ㄚ²/ㄌ丨ㄚ² ㄈ丨⁵/ㄈㄨ丨⁵ ㄙ³ ㄫㄞ⁵ ㄇ⁵ ㄉ丨¹
回，　這　回，　這　回　事　倻　唔　知。

ngin⁵, tai⁷ ngin⁵, tai⁷ ngin⁵ co³ sii⁷ se³ ngin⁵ khon³。
ㄫ丨ㄣ⁵ ㄊㄞ⁷ ㄫ丨ㄣ⁵ ㄊㄞ⁷ ㄫ丨ㄣ⁵ ㄗㄛ³ ㄙ⁷ ㄙㄝ³ ㄫ丨ㄣ⁵ ㄎㄛㄣ³
人，大　人，大　人　做　事　細　人　看。

hang⁵, hang⁵ lu⁷, mang⁵ hok⁸ hang⁵ sen¹ hok⁸ ceu²。
ㄏㄤ⁵ ㄏㄤ⁵ ㄌㄨ⁷ ㄇㄤ⁵ ㄏㄛㄍ⁸ ㄏㄤ⁵ ㄙㄝㄣ¹ ㄏㄛㄍ⁸ ㄗㄝㄨ²
行，行　路，盲　學　行　先　學　走。

theu⁵, ng⁵ theu⁵, ng⁵ theu⁵ sam¹ fun¹ sem¹。
ㄊㄝㄨ⁵ ㄫ⁵ ㄊㄝㄨ⁵ ㄫ⁵ ㄊㄝㄨ⁵ ㄙㄚㄇ¹ ㄈㄨㄣ¹ ㄙㄝㄇ¹
頭，魚　頭，魚　頭　三　分　參。

第7調：

fi⁷/fui⁷， khoi¹ fi⁷/fui⁷， sam¹ ngiet⁸ khoi¹ li¹ min⁵ thai⁷ fi⁷/fui⁷。
ㄈㄧ⁷/ㄈㄨㄧ⁷ ㄎㄛㄧ¹ ㄈㄧ⁷/ㄈㄨㄧ⁷ ㄙㄚㄇ¹ ㄕㄣ⁸ ㄎㄛㄧ¹ ㄌㄧ¹ ㄇㄧㄣ⁵ ㄊㄞ⁷ ㄈㄧ⁷/ㄈㄨㄧ⁷
　會 ， 開 　 會 ， 三 月 開 里 民 大 會 。

iung⁷/jung⁷， mo⁵ iung⁷/jung⁷， mo⁵ iung⁷/jung⁷ ke³/kai³ tung¹ si¹。
ㄧㄨㄥ⁷/ㄖㄨㄥ⁷ ㄇㄛ⁵ ㄧㄨㄥ⁷/ㄖㄨㄥ⁷ ㄇㄛ⁵ ㄧㄨㄥ⁷/ㄖㄨㄥ⁷ ㄍㄝ³/ㄍㄞ³ ㄉㄨㄥ¹ ㄒㄧ¹
　用 ， 無 　 用 ， 無 　 用 介 東 西 。

thai⁷， iu¹/jiu¹ thai⁷， sin¹ khoi¹ ngiap⁸ ta² cat⁴/zat⁴ iu¹/jiu¹ thai⁷。
ㄊㄞ⁷ ㄧㄨ¹/ㄖㄨ¹ ㄊㄞ⁷ ㄒㄧㄣ¹ ㄎㄛㄧ¹ ㄫㄧㄚㄅ⁸ ㄉㄚ² ㄗㄚㄅ⁴/ㄓㄚㄅ⁴ ㄧㄨ¹/ㄖㄨ¹ ㄊㄞ⁷
　待 ， 優 　 待 ， 新 開 業 打 折 優 待 。

chai⁷， chii⁷ chai⁷， ngiun¹ it⁴/jit⁴ sii⁵/shi⁵ on¹ ien⁵/jan⁵ chii⁷ chai⁷。
ㄘㄞ⁷ ㄘ⁷ ㄘㄞ⁷ ㄫㄧㄨㄣ¹ ㄧㄅ⁴/ㄖㄧㄅ⁴ ㄙ⁵/ㄕ⁵ ㄛㄣ¹ ㄧㄝㄣ⁵/ㄖㄢ⁵ ㄘ⁷ ㄘㄞ⁷
　在 ， 自 　 在 ， 忍 一 　 時 安 然 自 在 。

三、音標介紹

f ㄈ（聲母）

　發音部位：下唇與上齒（唇齒）

　發音方法：擦音、清。如國語「飛」（fei）。客語「胡」（fu⁵）、
「發」（fat⁴）的聲母。

i a ㄧㄚ（結合韻母）

　前高元音 i 和低元音 a 結合而成的韻符。發音時，先發 i，並迅速滑到 a，
連成一個音，音量由小變大，而成為 ia。如國語的「家」（cia）和客語
的「借」（cia³）的韻母。

i e ㄧㄝ（結合韻母）

　前高元音 i 和半高元音 e 結合而成的韻母。先發 i，並迅速滑到 e，連成
一個音，音量由小變大，而成為 ie。如國語的「街」（cie），客語的「街」
（kie¹）和「蟻」（ngie³）的韻母。

i o ㄧㄛ（結合韻母）

　前高元音 i 和後元音 o 結合而成的韻母。發音時，先發 i，並迅速滑到 o，
連成一個音，音量由小變大，而成為 io。如國語「啊唷」的「唷」（io）
（無聲母）和客語的「靴」（hio¹）的韻母。

u a ㄨㄚ（結合韻母）

　後元音 u 和低元音 a 結合而成的韻母。發音時，先發 u，並迅速滑到 a，

連成一個音，音量由小變大，而成為 ua。如「瓜」（kua¹）、「跨」（khua³）的韻母。

四、對比練習

第一式

fu	fa	fo
mu	ma	mo
tu	ta	to

第二式

ㄈㄨ	ㄈㄚ	ㄈㄛ
ㄇㄨ	ㄇㄚ	ㄇㄛ
ㄅㄨ	ㄅㄚ	ㄅㄛ

上面縱的對比是聲母之異，橫的對比是韻母之異。

| ia | ie | io |
| ua | ue | uo |

| ㄧㄚ | ㄧㄝ | ㄧㄛ |
| ㄨㄚ | ㄨㄝ | ㄨㄛ |

上面縱的對比是介音（韻頭）的不同，橫的對比是主要元音（韻腹）的不同。

五、拼音練習

（一）本課所習音標的基本拼音及例字

第一式	第二式		聲調及例字
f $\begin{cases} u \\ a \\ o \end{cases}$	ㄈ $\begin{cases} ㄨ \\ ㄚ \\ ㄛ \end{cases}$		1、夫　　2、府 3、付　5、胡　　7、腐 1、花　　2、　 3、化　5、華　　7、畫 1、　　　2、火 3、貨　5、和　　7、
s t c k $\Big\} ia$	ㄙ\ㄒ ㄉ ㄗ\ㄐ ㄍ $\Big\} ㄧㄚ$		1、些　　2、寫 3、瀉　5、邪　　7、 1、蹀　　2、　 3、(11) 5、(12) 7、 1、嗟　　2、姐 3、借　5、(13) 7、 1、迦　　2、　 3、崎　5、(14) 7、
k kh ng $\Big\} ie$	ㄍ ㄎ π $\Big\} ㄧㄝ$		1、街　　2、解 3、計　5、醢(15)7、 1、溪(16) 2、乞 3、契　5、　　7、 1、　　　2、　 3、蟻　5、　　7、

k		《		1、(17)	2、	3、	5、	7、
k h		ㄎ		1、	2、	3、	5、茄	7、
n g		π		1、蹂	2、	3、	5、	7、
h	i o	ㄏ	ㄧ ㄛ	1、靴	2、	3、	5、(18)	7、
c		ㄗ\ㄐ		1、(19)	2、	3、(20)	5、(21)	7、
c h		ㄘ\ㄑ		1、(22)	2、(23)	3、蹴	5、	7、
s		ㄙ\ㄒ		1、	2、	3、(24)	5、(25)	7、

k	u a	《	ㄨㄚ	1、瓜	2、寡	3、卦	5、呱	7、
k h		ㄎ		1、誇	2、踝	3、胯	5、	7、

（二）本課所習音標的各種拼音

fa	fe	fi	fu	fai	foi	fui	feu	fam	fap	fin	fit	fun
ㄈㄚ	ㄈㄝ	ㄈㄧ	ㄈㄨ	ㄈㄞ	ㄈㄛㄧ	ㄈㄨㄧ	ㄈㄝㄨ	ㄈㄚㄇ	ㄈㄚㄅ	ㄈㄧㄣ	ㄈㄧㄅ	ㄈㄨㄣ

fut	fan	fat	fen	fet	fon	fung	fuk	fang	fak
ㄈㄨㄅ	ㄈㄢ	ㄈㄚㄅ	ㄈㄝㄣ	ㄈㄝㄅ	ㄈㄛㄣ	ㄈㄨㄥ	ㄈㄨ《	ㄈㄤ	ㄈㄚ《

pia	phia	mia	tia	lia	cia	chia	sia	kia	khia	ngia	hia
ㄅㄧㄚ	ㄆㄧㄚ	ㄇㄧㄚ	ㄉㄧㄚ	ㄌㄧㄚ	ㄐㄧㄚ	ㄑㄧㄚ	ㄒㄧㄚ	《ㄧㄚ	ㄎㄧㄚ	πㄧㄚ	ㄏㄧㄚ

kie	khie	ngie
《ㄧㄝ	ㄎㄧㄝ	πㄧㄝ

tio	nio	lio	cio	chio	sio	kio	khio	ngio	hio
ㄉㄧㄛ	ㄋㄧㄛ	ㄌㄧㄛ	ㄐㄧㄛ	ㄑㄧㄛ	ㄒㄧㄛ	《ㄧㄛ	ㄎㄧㄛ	πㄧㄛ	ㄏㄧㄛ

kua	khua	ngua
《ㄨㄚ	ㄎㄨㄚ	πㄨㄚ

（三）f-的常用詞

fu⁵ siang³	fu² kua¹	fu³ khuan²	fu¹ ngin⁵	fuk⁴ hi³
ㄈㄨ⁵ ㄒㄧπ³	ㄈㄨ² 《ㄨㄚ¹	ㄈㄨ³ ㄎㄨㄢ²	ㄈㄨ¹ πㄧㄣ⁵	ㄈㄨ《⁴ ㄏㄧ³
胡姓	苦瓜	付款	夫人	福氣

fong²	mun³	fan¹	siin¹/shin¹	fi⁷/fui⁷	chin¹	fung⁵	cheu⁷
ㄈㅌㄥ²	ㄇㄨㄣ³	ㄈㄢ¹	ㄙㄣ¹/ㄕ丨ㄣ¹	ㄈ丨⁷/ㄈㄨ丨⁷	ㄑ丨ㄣ¹	ㄈㄨㄥ⁵	ㄊㅌㄨ⁷
訪	問	翻	身	會	親	紅	豆

（四）f 的雙聲詞

fung⁵	fa¹	fat⁴	fung⁵	fan²	fung¹	fun¹	fu³	fung¹	fu³
ㄈㄨㄥ⁵	ㄈㄚ¹	ㄈㄚㄉ⁴	ㄈㄨㄥ⁵	ㄈㄢ²	ㄈㄨㄥ¹	ㄈㄨㄣ¹	ㄈㄨ³	ㄈㄨㄥ¹	ㄈㄨ³
紅	花	發	紅	反	風	分	付	豐	富

fan¹	fu⁵	fu³	fi⁷/fui⁷	fu¹	fu³	fung⁷	fong⁵
ㄈㄢ¹	ㄈㄨ⁵	ㄈㄨ³	ㄈ丨⁷/ㄈㄨ丨⁷	ㄈㄨ¹	ㄈㄨ³	ㄈㄨㄥ⁷	ㄈㅌㄥ⁵
番	湖	赴	會	夫	婦	鳳	凰

（五）ia、ie、io、ua 的常用詞

mia¹	sia¹	liam³	chia³	kia⁵	cia²	cia³	mi²	sia²	sii⁷
ㄇ丨ㄚ¹	ㄒ丨ㄚ¹	ㄌ丨ㄚㄇ³	ㄑ丨ㄚ³	ㄍ丨ㄚ⁵	ㄐ丨ㄚ²	ㄐ丨ㄚ³	ㄇ丨²	ㄒ丨ㄚ²	ㄙ⁷
摸	些	○	斜	厥	姐	借	米	寫	字

khia⁵	pit⁴	chia⁷	moi⁵	sia⁵	sut⁸	sia³	tu²
ㄎ丨ㄚ⁵	ㄅ丨ㄉ⁴	ㄑ丨ㄚ⁷	ㄇㅌ丨⁵	ㄙ丨ㄚ⁵	ㄙㄨㄉ⁸	ㄒ丨ㄚ³	ㄉㄨ²
擎	筆	謝	媒	邪	術	瀉	肚

kie³	meu⁵	kie¹	lu⁷	kie²	kiet⁴	khie³	pan²	ngie³	kung¹
ㄍ丨ㄝ³	ㄇㄝㄨ⁵	ㄍ丨ㄝ¹	ㄌㄨ⁷	ㄍ丨ㄝ²	ㄍ丨ㄝㄉ⁴	ㄎ丨ㄝ³	ㄅㄢ²	ㄤ丨ㄝ³	ㄍㄨㄥ¹
計	謀	街	路	解	決	喫	粄	蟻	公

phi⁵	hio¹	ngio¹	nang³	fan¹	khio⁵	si¹	kua¹	chii⁷	khua¹	kua³	sim¹
ㄆ丨¹	ㄏㅌ¹	ㄤ丨ㅌ¹	ㄋㅊ³	ㄈㄢ¹	ㄎ丨ㅌ⁵	ㄒ丨¹	ㄍㄨㄚ¹	ㄘ⁷	ㄎㄨㄚ¹	ㄍㄨㄚ³	ㄒ丨ㄇ¹
皮	靴	蹂	躪	番	茄	西	瓜	自	誇	掛	心

【注解】

(1)畫：非常。

(2)恙般：怎樣。

(3)阿姐：母親。

(4)堵：遇到。

(5)想毋解：想不出來。

(6)kiam⁵ kiam⁵ kio¹：站立不穩而倒下。

(7)毋曉行：不會走。

(8)lam² sam² 蹴：亂踩一氣。

(9)一盤魚仔寡寡頭：一盤魚裡面魚頭很多。比喻意見分歧，誰也不服誰。寡寡是同音代用字，形容多。

(10)先：sen¹ 又音為 sien¹。

(11)tia³，克～，克制也。

(12)tia⁵，幼兒學步的樣子。

(13)cia⁵、吵雜聲。又小兒捉迷藏聲（海陸）。

(14)kia⁵、他的。如：～爸。

(15)醢，海陸音（koi⁵）。

(16)溪，又音（hai¹）

(17)kio¹，亂踩。如牛～欄。

(18)hio⁵，喝斥。如大聲～。

(19)cio¹，偏斜，如～走去。

(20)cio³，要脅，如日日去～。

(21)cio⁵，狀聲詞，常用來模擬小便的聲音。

(22)chio¹，俏麗。如～頭。

(23)chio²，偏斜（形容詞）常重疊使用。

(24)sio³，用腳尖踢。

(25)sio⁵，遲鈍。

第 七 課　簿 紙 一 疊

學習重點：-iap　-et　-ict　-uat　-uet

一、基本語料

phu^1　cii^2/zi^2　it^4　thiap^8　，　si^1　kua^1　liong^2　liap^8　，
ㄆㄨ^1　ㄗ^2/ㄓ^2　ㄧㄅ^4　ㄊㄚㄅ^8　　ㄒㄧ^1　ㄍㄨㄚ^1　ㄌㄛㄥ^2　ㄌㄧㄚㄅ^8
簿　　紙　　一　　疊　，　西　瓜　兩　　粒　，

sam^1　chi^1　si^3　chiap^4　，　chiong^2　ngin^5　ta^2　kiap^4　。
ㄙㄚㄇ^1　ㄑㄧ^1　ㄒㄧ^3　ㄑㄧㄚㄅ^4　ㄑㄧㄛㄥ^2　ㄫㄧㄅ^5　ㄉㄚ^2　ㄍㄧㄚㄅ^4
三　　妻　四　妾　，　搶　　人　打　劫　。

tung^1　si^1　nam^5　pet^4　，　choi^3　theu^5　lo^5　phet^8　，
ㄉㄨㄥ^1　ㄒㄧ^1　ㄋㄚㄇ^5　ㄅㄝㄉ^4　ㄘㄛㄧ^3　ㄊㄝㄨ^5　ㄌㄛ^5　ㄆㄝㄉ^8
東　　西　南　　北　，　菜　頭(1)　蘿　蔔　，

khiong^5　tho^7　ok^4　chet^8　，　khian^5　ta^2　kiok^4　thet^4　。
ㄎㄧㄛㄥ^5　ㄊㄛ^7　ㄛㄍ^4　ㄘㄝㄉ^8　ㄎㄧㄅ^5　ㄉㄚ^2　ㄍㄧㄛㄍ^4　ㄊㄝㄉ^4
強　　盜　惡　賊　，　拳　　打　腳　　踢　。

it^4/jit^4　tiam^2　it^4/jit^4　phiet^4　，　cung^1/zung^1　mi^2　ta^2　thiet^4　，
ㄧㄅ^4/㆞ㄧㄅ^4　ㄉㄧㄚㄇ^2　ㄧㄅ^4/㆞ㄧㄅ^4　ㄆㄧㄝㄉ^4　ㄗㄨㄥ^1/ㄓㄨㄥ^1　ㄇㄧ^2　ㄉㄚ^2　ㄊㄧㄝㄉ^4
一　　點　　一　　撇　，　舂　　米　打　鐵　，

it^4/jit^4　hon^5　it^4/jit^4　ngiet^4　，　cu^3/ziu^3　ko^1　ma^3　chiet^8　。
ㄧㄅ^4/㆞ㄧㄅ^4　ㄏㄛㄣ^5　ㄧㄅ^4/㆞ㄧㄅ^4　ㄫㄧㄝㄉ^8　ㄗㄨ^3/ㄓㄨ^3　ㄍㄛ^1　ㄇㄚ^3　ㄑㄧㄝㄉ^8
一　　寒　一　　熱　，　咒　孤　罵　絕(2)　。

fung^1　choi^1/zhui^1　sa^1　kuat^4　，　mo^5　kat^4　mo^5　sat^4　，
ㄈㄨㄥ^1　ㄘㄛㄧ^1/ㄔㄨㄧ^1　ㄙㄚ^1　ㄍㄨㄚㄉ^4　ㄇㄛ^5　ㄍㄚㄉ^4　ㄇㄛ^5　ㄙㄚㄉ^4
風　　吹　　沙　刮　，　無　結　無　　煞　，

thian^1　ha^3　kok^4　kuet^4　，　chung^7/zhung^7　sii^3/shi^3　tho^7　tet^4　。
ㄊㄧㄅ^1　ㄏㄚ^3　ㄍㄛㄍ^4　ㄍㄨㄝㄉ^4　ㄘㄨㄥ^7/ㄔㄨㄥ^7　ㄙ^3/ㄕ^3　ㄊㄛ^7　ㄅㄝㄉ^4
天　　下　各　國　　，　重　　視　道　德　。

二、詞句舉例及發音練習

-iap：thiap⁸，it⁴　thiap⁸，phu¹　cii²/zi²　it⁴　thiap⁸，

ㄊㄧㄚㄅ⁸　ㄧㄅ⁴　ㄊㄧㄚㄅ⁸　ㄆㄨ¹　ㄗ²/ㄓ²　ㄧㄅ⁴　ㄊㄧㄚㄅ⁸

疊，　一　疊，簿　紙　一　疊，

phu¹　cii²/zi²　it⁴　thiap⁸　ng²　siip⁸/ship⁸　cong¹/zong¹

ㄆㄨ¹　ㄗ²/ㄓ²　ㄧㄅ⁴　ㄊㄧㄚㄅ⁸　ㄫ²　ㄙㄣ⁸/ㄕㄣ⁸　ㄗㄛㄥ¹/ㄓㄛㄥ¹

簿　紙　一　疊　五　十　張　。

liap⁸，liong²　liap⁸，si¹　kua¹　liong²　liap⁸ᐟ⁴ ；

ㄌㄧㄚㄅ⁸　ㄌㄧㄛㄥ²　ㄌㄧㄚㄅ⁸　ㄒㄧ¹　ㄍㄨㄚ¹　ㄌㄧㄛㄥ²　ㄌㄧㄚㄅ⁸ᐟ⁴

粒，　兩　粒，西　瓜　兩　粒(3)；

si¹　kua¹　liong²　liap⁸　ngi³　siip⁸/ship⁸　kin¹　。

ㄒㄧ¹　ㄍㄨㄚ¹　ㄌㄧㄛㄥ²　ㄌㄧㄚㄅ⁸　ㄫㄧ³　ㄙㄣ⁸/ㄕㄣ⁸　ㄍㄧㄣ¹

西　瓜　兩　粒　二　十　斤　。

chiap⁴，chi¹　chiap⁴，sam¹　chi¹　si³　chiap⁴ ；

ㄑㄧㄚㄅ⁴　ㄑㄧ¹　ㄑㄧㄚㄅ⁴　ㄙㄚㄇ¹　ㄑㄧ¹　ㄒㄧ³　ㄑㄧㄚㄅ⁴

妾，　妻　妾，　三　妻　四　妾　；

sam¹　chi¹　si³　chiap⁴　m⁵　he³　fuk⁴　。

ㄙㄚㄇ¹　ㄑㄧ¹　ㄒㄧ³　ㄑㄧㄚㄅ⁴　ㄇ⁵　ㄏㄝ³　ㄈㄨㄍ⁴

三　妻　四　妾　毋　係　福　。

kiap⁴，ta²　kiap⁴，chiong²　ngin⁵　ta²　kiap⁴ ；

ㄍㄧㄚㄅ⁴　ㄉㄚ²　ㄍㄧㄚㄅ⁴　ㄑㄧㄛㄥ²　ㄫㄧㄣ⁵　ㄉㄚ²　ㄍㄧㄚㄅ⁴

劫，　打　劫，　搶　人　打　劫　；

chiong²　ngin⁵　ta²　kiap⁴　mo⁵　ho²　mu¹/mui¹　。

ㄑㄧㄛㄥ²　ㄫㄧㄣ⁵　ㄉㄚ²　ㄍㄧㄚㄅ⁴　ㄇㄛ⁵　ㄏㄛ²　ㄇㄧ¹/ㄇㄨ¹

搶　人　打　劫　無　好　尾　。

-et：pet⁴，nam⁵　pet⁴，tung¹　si¹　nam⁵　pet⁴，

ㄅㄝㄉ⁴　ㄋㄚㄇ⁵　ㄅㄝㄉ⁴　ㄉㄨㄥ¹　ㄒㄧ¹　ㄋㄚㄇ⁵　ㄅㄝㄉ⁴

北，　南　北，東　西　南　北，

tung¹　si¹　nam⁵　pet⁴，ho²　siit⁸/shit⁸　m⁵　ho²　chet⁴　。

ㄉㄨㄥ¹　ㄒㄧ¹　ㄋㄚㄇ⁵　ㄅㄝㄉ⁴　ㄏㄛ²　ㄙㄣ⁸/ㄕㄣ⁸　ㄇ⁵　ㄏㄛ²　ㄘㄝㄉ⁴

東　西　南　北，好　食　毋　好　塞　。

phet^8 ，lo^5　phet^8 ，choi^3　theu^5　lo^5　phet^8。

ㄆㄝㄅ^8　ㄌㄛ^5　ㄆㄝㄅ^8　ㄘㄛㄧ^3　ㄊㄝㄨ^5　ㄌㄛ^5　ㄆㄝㄅ^8

蔔　，蘿　蔔　，菜　頭　蘿　蔔　。

ngi^5　kong^2　choi^3　theu^5　ngai^5　kong^2　lo^5　phet^8。

ㄫㄧ^5　ㄍㄛㄥ^2　ㄘㄛㄧ^3　ㄊㄝㄨ^5　ㄫㄞ^5　ㄍㄛㄥ^2　ㄌㄛ^5　ㄆㄝㄅ^8

你　講　菜　頭　𠊎　講　蘿　蔔　。

chet^8 ，ok^4　chet^8 ，khiong^5　tho^7　ok^4　chet^8。

ㄘㄝㄅ^8　ㄛㄍ^4　ㄘㄝㄅ^8　ㄎㄧㄛㄥ^5　ㄊㄛ^7　ㄛㄍ^4　ㄘㄝㄅ^8

賊　，惡　賊　，強　盜　惡　賊　　。

kon^1　pin^1　cok^4/cuk^4　na^1　khiong^5　tho^7　ok^4　chet^8。

ㄍㄛㄣ^1　ㄅㄧㄣ^1　ㄗㄛㄍ^4/ㄗㄍㄨ^4　ㄋㄚ^1　ㄎㄧㄛㄥ^5　ㄊㄛ^7　ㄛㄍ^4　ㄘㄝㄅ^8

官　兵　捉　拿　強　盜　惡　賊　。

thet^4 ，kiok^4　thet^4 ，khian^5　ta^2　kiok^4　thet^4。

ㄊㄝㄅ^4　ㄍㄧㄛㄍ^4　ㄊㄝㄅ^4　ㄎㄧㄢ^5　ㄉㄚ^2　ㄍㄧㄛㄍ^4　ㄊㄝㄅ^4

踢　，腳　踢　，拳　打　腳　踢　。

song^1/shong^1　san^1　liap^8　fu^2　khian^5　ta^2　kiok^4　thet^4。

ㄙㄛㄥ^1/ㄕㄛㄥ^1　ㄙㄢ^1　ㄌㄧㄚㄣ^8　ㄈㄨ^2　ㄎㄧㄢ^5　ㄉㄚ^2　ㄍㄧㄛㄍ^4　ㄊㄝㄅ^4

上　　山　獵　虎　拳　打　腳　踢　。

-iet：phiet^4 ，it^4/jit^4　phiet^4 ，it^4/jit^4　tiam^2　it^4/jit^4　phiet^4 ，

ㄆㄧㄝㄅ^4　ㄧㄅ^4/ㄖㄧㄅ^4　ㄆㄧㄝㄅ^4　ㄧㄅ^4/ㄖㄧㄅ^4　ㄉㄧㄚㄇ^2　ㄧㄅ^4/ㄖㄧㄅ^4　ㄆㄧㄝㄅ^4

撇　，一　撇　，一　點　一　撇　，

ka^1　it^4/jit^4　tiam^2　seu^2/shau^2　it^4/jit^4　phiet^4。

ㄍㄚ^1　ㄧㄅ^4/ㄖㄧㄅ^4　ㄉㄧㄚㄇ^2　ㄙㄝㄨ^2/ㄕㄠ^2　ㄧㄅ^4/ㄖㄧㄅ^4　ㄆㄧㄝㄅ^4

加　一　點　少　一　撇　。

thiet^4 ，ta^2　thiet^4 ，cung^1/zung^1　mi^2　ta^2　thiet^4 ，

ㄊㄧㄝㄅ^4　ㄉㄚ^2　ㄊㄧㄝㄅ^4　ㄗㄨㄥ^1/ㄓㄨㄥ^1　ㄇㄧ^2　ㄉㄚ^2　ㄊㄧㄝㄅ^4

鐵　，打　鐵　，春　米　打　鐵　，

cung^1/zung^1　phak^8　mi^2　ta^2　sin^1　thiet^4。

ㄗㄨㄥ^1/ㄓㄨㄥ^1　ㄆㄚㄍ^8　ㄇㄧ^2　ㄉㄚ^2　ㄒㄧㄣ^1　ㄊㄧㄝㄅ^4

春　白　米　打　新　鐵　。

ngiet^{8}， hon^{5} ngiet^{8}， it^{4}/jit^{4} hon^{5} it^{4}/jit^{4} ngiet^{8}，
ㄫㄧㄝㄉ^{8} ㄏㄛㄣ^{5} ㄫㄧㄝㄉ^{8} ㄧㄉ^{4}/ㄖㄧㄉ^{4} ㄏㄛㄣ^{5} ㄧㄉ^{4}/ㄖㄧㄉ^{4} ㄫㄧㄝㄉ^{8}
熱，寒熱，一寒一熱，
tung^{1} cii^{3}/zi^{3} thai^{3} chu^{2}/zhu^{2} it^{4}/jit^{4} hon^{5} it^{4}/jit^{4} ngiet^{8}。
ㄉㄨㄥ^{1} ㄗ^{3}/ㄓㄧ^{3} ㄊㄞ^{3} ㄘㄨ^{2}/ㄔㄨ^{2} ㄧㄉ^{4}/ㄖㄧㄉ^{4} ㄏㄛㄣ^{5} ㄧㄉ^{4}/ㄖㄧㄉ^{4} ㄫㄧㄝㄉ^{8}
冬至大暑一寒一熱。

chiet^{8}， chiet^{8} thoi^{3}， cu^{3}/ziu^{3} ko^{1} ma^{3} chiet^{8}，
ㄑㄧㄝㄉ^{8} ㄑㄧㄝㄉ^{8} ㄊㄛㄧ^{3} ㄗㄨ^{3}/ㄓㄧㄨ^{3} ㄍㄛ^{1} ㄇㄚ^{3} ㄑㄧㄝㄉ^{8}
絕，絕代，咒孤罵絕，
cu^{3}/ziu^{3} ko^{1} ma^{3} chiet^{8} cui^{7} mo^{5} khieu^{2} tet^{4}。
ㄗㄨ^{3}/ㄓㄧㄨ^{3} ㄍㄛ^{1} ㄇㄚ^{3} ㄑㄧㄝㄉ^{8} ㄗㄨㄛ^{7} ㄇㄛ^{5} ㄎㄧㄝㄨ^{2} ㄉㄝㄉ^{4}
咒孤罵絕最無口德。

-uat： kuat^{4}， thi^{3} kuat^{4}， fung^{1} choi^{1}/zhui^{1} sa^{1} kuat^{4}，
ㄍㄨㄚㄉ^{4} ㄊㄧ^{3} ㄍㄨㄚㄉ^{4} ㄈㄨㄥ^{1} ㄘㄛㄧ^{1}/ㄔㄨㄧ^{1} ㄙㄚ^{1} ㄍㄨㄚㄉ^{4}
刮，剃刮，風吹砂刮，
sui^{2}/shui^{2} lim^{5} sui^{2}/shui^{2} tuk^{4}， fung^{1} choi^{1}/zhui^{1} sa^{1} kuat^{4}。
ㄙㄨㄧ^{2}/ㄕㄨㄧ^{2} ㄌㄧㄇ^{5} ㄙㄨㄧ^{2}/ㄕㄨㄧ^{2} ㄉㄨㄍ^{4} ㄈㄨㄥ^{1} ㄘㄛㄧ^{1}/ㄔㄨㄧ^{1} ㄙㄚ^{1} ㄍㄨㄚㄉ^{4}
水霖水涿，風吹砂刮。

-uet： kuet^{4}， kok^{4} kuet^{4}， thian^{1} ha^{3} kok^{4} kuet^{4}；
kuet^{4} ㄍㄛㄍ^{4} ㄍㄨㄝㄉ^{4} ㄊㄧㄢ^{1} ㄏㄚ^{3} ㄍㄛㄍ^{4} ㄍㄨㄝㄉ^{4}
國，各國，天下各國；
ngi^{3} siip^{8}/ship^{8} se^{3}/shoi^{3} iu^{5} pnian^{3} thian^{1} ha^{7} kok^{4} kuet^{4}。
ㄫㄧ^{3} ㄙㄣ^{8}/ㄕㄧㄅ^{8} ㄙㄝ^{3}/ㄙㄛㄧ^{3} ㄧㄨ^{5} ㄆㄧㄢ^{3} ㄊㄧㄢ^{1} ㄏㄚ^{7} ㄍㄛㄍ^{4} ㄍㄨㄝㄉ^{4}
二十歲遊遍天下各國。

聲調複習

第四調：

chiap^{4}，chi^{1} chiap^{4}， che^{5} ngin^{5} iu^{1}/jiu^{1} it^{4}/jit^{4} chi^{1} it^{4}/jit^{4} chiap^{4}。
ㄑㄧㄚㄅ4 ㄑㄧ^{1} ㄑㄧㄚㄅ^{4} ㄘㄝ^{5} ㄫㄧㄣ^{5} ㄧㄨ^{1}/ㄖㄧㄨ^{1} ㄧㄉ^{4}/ㄖㄧㄉ^{4} ㄑㄧ^{1} ㄧㄉ^{4}/ㄖㄧㄉ^{4} ㄑㄧㄚㄅ^{4}
妾，妻妾，齊人有一妻一妾。

kiap⁴ ， ta² kiap⁴ ， san¹ thai³ vong⁵ lan⁵ lu⁷ chiong² kiap⁴ 。

《｜ㄚㄅ⁴ ㄅㄚ² 《｜ㄚㄅ⁴ ㄙㄢ¹ ㄊㄞ³ ㄅㄛㄥ⁵ ㄌㄢ⁵ ㄌㄨ⁷ ㄑ｜ㄛㄥ² 《｜ㄚㄅ⁴

劫 ， 打 劫 ， 山 大 王 攔 路 搶 劫 。

kot⁴ ， to¹ kot⁴ ， ok⁴ ngi¹ song¹/shong¹ ngin⁵ li⁷ i⁵/ji⁵ to¹ kot⁴ 。

《ㄛㄅ⁴ ㄅㄛ¹ 《ㄛㄅ⁴ ㄛ《⁴ ㄫ｜¹ ㄙㄛㄥ¹/ㄕㄛㄥ¹ ㄫ｜ㄣ⁵ ㄌ｜⁷ ｜¹/ㄖ｜¹ ㄅㄛ¹ 《ㄛㄅ⁴

割 ， 刀 割 ， 惡 語 傷 人 利 如 刀 割 。

tap⁴ ， po³ tap⁴ ， su³/shiu³ ngin⁵ en¹ chin⁵ oi³ po³ tap⁴ 。

ㄅㄚㄅ⁴ ㄅㄛ³ ㄅㄚㄅ⁴ ㄙㄨ³/ㄕ｜ㄨ³ ㄫ｜ㄣ⁵ ㄝㄣ¹ ㄑ｜ㄣ⁵ ㄛ｜³ ㄅㄛ³ ㄅㄚㄅ⁴

答 ， 報 答 ， 受 人 恩 情 愛 報 答 。

第八調：

lip⁸ ， chii⁷ lip⁸ ， cii² ng² cong²/zong² thai⁷ chii⁷ lip⁸ mun⁵ fu³ 。

ㄌ｜ㄅ⁸ ㄘ⁷ ㄌ｜ㄅ⁸ ㄗ² ㄥ² ㄗㄛㄥ²/ㄓㄛㄥ² ㄊㄞ⁷ ㄘ⁷ ㄌ｜ㄅ⁸ ㄇㄨㄣ⁵ ㄈㄨ³

立 ， 自 立 ， 子 女 長 大 自 立 門 戶 。

siip⁸/ship⁸ ， sam¹ siip⁸/ship⁸ ， sam¹ siip⁸/ship⁸ am³ pu¹

ㄙㄣ⁸/ㄕ｜ㄣ⁸ ㄙㄚㄇ¹ ㄙㄣ⁸/ㄕ｜ㄣ⁸ ㄙㄚㄇ¹ ㄙㄣ⁸/ㄕ｜ㄣ⁸ ㄚㄇ³ ㄅㄨ¹

十 ， 三 十 ， 三 十 暗 晡

chut⁴/zhut⁴ cak⁴/zak⁴ thai³ ngiet⁸ kong¹ 。

ㄘㄨㄅ⁴/ㄔㄨㄅ⁴ ㄗㄚ《⁴/ㄓㄚ《⁴ ㄊㄞ³ ㄫ｜ㄝㄅ⁸ 《ㄛㄥ¹

出 只 大 月 光 。

ngip⁸ ， chut⁴/zhut⁴ ngip⁸ ， chian⁵ ngiun⁵ chut⁴ ngip⁸ oi³ seu²/siau² sim¹ 。

ㄫ｜ㄅ⁸ ㄘㄨㄅ⁴/ㄔㄨㄅ⁴ ㄫ｜ㄅ⁸ ㄑ｜ㄢ⁵ ㄫ｜ㄨㄣ⁵ ㄘㄨㄅ⁴ ㄫ｜ㄅ⁸ ㄛ｜³ ㄙㄝㄨ²/ㄒ｜ㄠ² ㄒ｜ㄇ¹

入 ， 出 入 ， 錢 銀 出 入 愛 小 心 。

chap⁸ ， fun³ chap⁸ ， fun¹ lui⁷ chin¹ chu² put⁴ kho² fun³ chap⁸ 。

ㄘㄚㄅ⁸ ㄈㄨㄣ³ ㄘㄚㄅ⁸ ㄈㄨㄣ¹ ㄌㄨ｜⁷ ㄑ｜ㄣ¹ ㄘㄨ² ㄅㄨㄅ⁴ ㄎㄛ² ㄈㄨㄣ³ ㄘㄚㄅ⁸

雜 ， 混 雜 ， 分 類 清 楚 不 可 混 雜 。

三、音標介紹

i a p 　｜ㄚㄅ（塞尾韻母）

　　結合韻母 **ia** 加輔音 **p** 合成的韻母，屬於入聲韻，不是第 4 調就是第 8 調，沒有平、上、去聲，所以也是國語裡沒有的聲調。學習時可與第四課的 **ap**

做比較，**ap** 的前面加介音 **i** 便是 **iap**，如劫(**kiap**^{4})、疊(**thi
—ap**^{8})的韻母。

e t ㄝㄅ（塞尾韻母）

前半高元音 **e** 與舌尖清塞音 **t** 結合而成的塞音尾韻母，國語裡沒有。韻尾
是塞音 **t**，也是入聲調，如北(**pet**^{4})、賊(**chet**^{8})的韻母。相對的鼻
音韻是(**en**)，如等(**ten**^{2})、能 (**nen**^{5})。

i e t   ㄧㄝㄅ（塞尾韻母）

et 之前加介音 **i** 形成的塞音尾韻母，如結(**kiet**^{4})、穴(**hiet**^{8})
的韻母，國語裡夜沒有。相對應的鼻音是(**ien**)，如牽(**khien**^{1})、
連(**lien**^{5})。

u a t ㄨㄚㄅ（塞尾韻母）

at 之前加介音 **u** 形成的塞音尾韻母，如刮(**kuat**^{4})、闊(**khuat**^{4})
東勢腔的韻母，國語裡也沒有。相對應的鼻音韻是(**uan**)，如關(**jua
—n**^{1})、款(**khue**^{2})。

u e t ㄨㄝㄅ（塞尾韻母）

et 之前加介音 **u** 形成的塞音尾韻母，如國(**kuet**^{4})的韻母，國語裡也
沒有。相對應的鼻音韻是(**uen**)，如耿(**kuen**^{2})。

四、 對比練習

第一式			第二式	
i a p	i e p		ㄧㄚㄅ	ㄧㄝㄅ
a p	e p		ㄚㄅ	ㄝㄅ
i e t	i a t		ㄧㄝㄅ	ㄧㄚㄅ
e t	a t		ㄝㄅ	ㄚㄅ
u e t	u a t		ㄨㄝㄅ	ㄨㄚㄅ

上面兩組，縱的對比是介音 **i**、**u** 的有無或不同。橫的對比是主要元音（韻
腹）**a** 與 **e** 的不同。

五、拼音練習

（一）本課所習音標的基本拼音及例字

	第一式	第二式	聲調及例字
	t h	ㄊ	4、帖 8、疊
	l	ㄌ	4、粒 8、獵
	c ⎱ iap	ㄗ/ㄐ ⎱ ㄧㄚㆴ	4、接 8、輒
	c h	ㄘ/ㄑ	4、妾 8、
	k	ㄍ	4、劫 8、
	p	ㄅ	4、北 8、
	p h	ㄆ	4、　 8、蔔
	m	ㄇ	4、陌 8、墨
	c ⎱ et	ㄗ ⎱ ㆤㆵ	4、則 8、
	c h	ㄘ	4、策 8、賊
	t	ㄉ	4、德 8、
	t h	ㄊ	4、踢 8、
	p	ㄅ	4、鱉 8、
	p h	ㄆ	4、撇 8、別
	t	ㄉ	4、跌 8、
	t h	ㄊ	4、鐵 8、凸(4)
	c	ㄗ/ㄐ	4、節 8、(5)
	c h ⎱ iet	ㄘ/ㄑ ⎱ ㄧㆤㆵ	4、切 8、絕
	s (iat)	ㄙ/ㄒ (ㄧㄚㆵ)	4、雪 8、洩
	k	ㄍ	4、結 8、
	k h	ㄎ	4、缺 8、傑
	n g	π	4、　 8、月
	h	ㄏ	4、歇 8、穴
	k ⎰ uat	ㄍ ⎰ ㄨㄚㆵ	4、括 8、
	⎱ uet	⎱ ㄨㆤㆵ	4、國 8、摑

（二）本課所習音標的各種拼音

tiap　　thiap　　liap　　ciap　　chiap　　siap　　kiap　　ngiap

ㄅㄧㄚㆴ　ㄊㄧㄚㆴ　ㄌㄧㄚㆴ　ㄐㄧㄚㆴ　ㄑㄧㄚㆴ　ㄒㄧㄚㆴ　ㄍㄧㄚㆴ　ㄫㄧㄚㆴ

pet　phet　met　fet　vet　tet　thet　net　cet　chet　set　het　et

ㄅㄝㆵ　ㄆㄝㆵ　ㄇㄝㆵ　ㄈㄝㆵ　ㄪㄝㆵ　ㄉㄝㆵ　ㄊㄝㆵ　ㄋㄝㆵ　ㄗㄝㆵ　ㄘㄝㆵ　ㄙㄝㆵ　ㄏㄝㆵ　ㄝㆵ

piat　phiat　miat　tiat　thiat　liat　ciat　chiat　siat　kiat

ㄅㄧㄚㆵ　ㄆㄧㄚㆵ　ㄇㄧㄚㆵ　ㄉㄧㄚㆵ　ㄊㄧㄚㆵ　ㄌㄧㄚㆵ　ㄐㄧㄚㆵ　ㄑㄧㄚㆵ　ㄒㄧㄚㆵ　ㄍㄧㄚㆵ

khiat　ngiat　hiat

ㄎㄧㄚㆵ　ㄫㄧㄚㆵ　ㄏㄧㄚㆵ

piet　phiet　miet　tiet　thiet　liet　ciet　chiet　siet　kiet

ㄅㄧㄝㆵ　ㄆㄧㄝㆵ　ㄇㄧㄝㆵ　ㄉㄧㄝㆵ　ㄊㄧㄝㆵ　ㄌㄧㄝㆵ　ㄐㄧㄝㆵ　ㄑㄧㄝㆵ　ㄒㄧㄝㆵ　ㄍㄧㄝㆵ

khiet　ngiet　hiet

ㄎㄧㄝㆵ　ㄫㄧㄝㆵ　ㄏㄧㄝㆵ

kuat　khuat　huet　kat　khat　kiet

ㄍㄨㄚㆵ　ㄎㄨㄚㆵ　ㄍㄨㄝㆵ　ㄍㄚㆵ　ㄎㄚㆵ　ㄍㄧㄝㆵ

（三）-iap、-et、-iet、-uat、-uet 的常見詞

chiang^2　thiap^4　sii^7　ngiap^8　sung^1　thiap^8　au^1　ciap^4

ㄑㄧㄤ^2　ㄊㄧㄚㆵ^4　ㄙ^7　ㄫㄧㄚㆴ^8　ㄙㄨㄥ^1　ㄊㄧㄚㆴ^8　ㄍㄠ^1　ㄐㄧㄚㆵ^4

請　　帖　　事　　業　　雙　　疊　　交　　接

ta^2　liap^8　vu^2　hiap^8　chiong^2　kiap^4　ngiang^5　ciap^4

ㄉㄚ^2　ㄌㄧㄚㆴ^8　ㄪㄨ^2　ㄏㄧㄚㆴ^8　ㄑㄧㆲ^2　ㄍㄧㄚㆴ^4　ㄫㄧㄤ^5　ㄐㄧㄚㆵ^4

打　　獵　　武　　俠　　搶　　劫　　迎　　接

pet^4　fong^1　lo^5　phet^8　met^8　phan^8　let^8　mi^2

ㄅㄝㆵ^4　ㄈㆲ^1　ㄌㆦ^5　ㄆㄝㆵ^8　ㄇㄝㆵ^8　ㄆㄢ^8　ㄌㄝㆵ^8　ㄇㄧ^2

北　　方　　蘿　　蔔　　墨　　盤　　扐　　米

net^4　cho^2　chet^8　ku^2　khau^2　het^4　phak^8　set^4

ㄋㄝㆵ^4　ㄘㆦ^2　ㄘㄝㆵ^8　ㄍㄨ^2　ㄎㄠ^2　ㄏㄝㆵ^4　ㄆㄚㆶ^8　ㄙㄝㆵ^4

笁　　草　　賊　　牯　　考　　核　　白　　色

kui¹	piet⁴	fun¹	hiet⁸	tiet⁴	to²	ngiet⁸	liet⁸
ㄍㄨ ¹	ㄅ丨ㄝㄉ⁴	ㄈㄨㄣ¹	ㄏ丨ㄝㄉ⁸	ㄉ丨ㄝㄉ⁴	ㄉㄛ²	ㄫ丨ㄝㄉ⁸	ㄌ丨ㄝㄉ⁸
龜	鱉	分	別	跌	倒	熱	烈

siet⁴	san¹	ciet⁴	hi³	chiet⁸	tang²	hiet⁴	khun³
ㄒ丨ㄝㄉ⁴	ㄙㄢ¹	ㄐ丨ㄝㄉ⁴	ㄏ丨³	ㄑ丨ㄝㄉ⁸	ㄉㄤ²	ㄏ丨ㄝㄉ⁴	ㄎㄨㄣ³
雪	山	節	氣	絕	頂	歇	困

kuat⁴	si¹	pau¹	kuat⁴	kuat⁴	ngiuk⁴	sam¹	kuet⁴
ㄍㄨㄚㄉ⁴	ㄒ丨¹	ㄅㄠ¹	ㄍㄨㄚㄉ⁴	ㄍㄨㄚㄉ⁴	ㄫ丨ㄨㄍ⁴	ㄙㄚㄇ¹	ㄍㄨㄝㄉ⁴
刮	鬚	包	括	刷	肉	三	國

kuet⁸	theu⁵	na⁵		kin¹	kuet⁴	in¹/jin¹		hiung⁵
ㄍㄨㄝㄉ⁸	ㄊㄝㄨ⁵	ㄋㄚ⁵		ㄍ丨ㄣ¹	ㄍㄨㄝㄉ⁴	丨ㄣ¹/ㄗ丨ㄣ¹		ㄏ丨ㄨㄥ⁵
摑	頭	那		巾	幗	英		雄

（四）-et、-iet 的疊韻詞

tet⁴	chet⁴	fet⁸	tet⁴	set⁴	tet⁴	chet⁸	pet⁴	pet⁴	cet⁴
ㄉㄝㄉ⁴	ㄔㄝㄉ⁴	ㄈㄝㄉ⁸	ㄉㄝㄉ⁴	ㄙㄝㄉ⁴	ㄊㄝㄉ⁴	ㄔㄝㄉ⁸	ㄅㄝㄉ⁴	ㄅㄝㄉ⁴	ㄗㄝㄉ⁴
德	澤	獲	得	塞	忒	賊	逼	北	側

ngiet⁸	hiet⁴	chiet⁴	thiet⁴	kiet⁴	ciet⁴	kiet⁴	liet⁸
ㄫ丨ㄝㄉ⁸	ㄏ丨ㄝㄉ⁴	ㄔ丨ㄝㄉ⁴	ㄊ丨ㄝㄉ⁴	ㄍ丨ㄝㄉ⁴	ㄐ丨ㄝㄉ⁴	ㄎ丨ㄝㄉ⁴	ㄌ丨ㄝㄉ⁸
熱	血	切	鐵	決	節	缺	裂

ng²	ngiet⁸	ciet⁴		liuk⁴	ngiet⁸	siet⁴
ㄫ²	ㄫ丨ㄝㄉ⁸	ㄐ丨ㄝㄉ⁴		ㄌ丨ㄨㄍ⁴	ㄫ丨ㄝㄉ⁸	ㄒ丨ㄝㄉ⁴
五	月	節		六	月	雪

【注解】

(1)菜頭：海陸話稱蘿蔔爲菜頭。

(2)咒孤罵絕：孤、絕、貧是民間發毒誓常用語。咒罵人孤老、絕代。孤音轉爲高，「孤盲」（ko¹ mo¹）是罵人既孤又盲。

(3)粒：四縣、海陸都是高平短調 liap⁵⁵，所以四縣屬第 8 調，海陸屬第 4 調。

(4)凸，又音 thut⁸。

(5)ciet⁸，擊拳也。

第 八 課　　紹 介

學習重點：-an　-in　-iin　-un　-au　-eu

一、基本語料

ngai^5　siang^3　phan^1，tai^3　ngiu^5　kok^4　　van^1。
ㄫㄞ^5　ㄒㄧㄤ^3　ㄆㄢ^1　　ㄉㄞ^3　ㄫㄧㄨ^5　ㄍㄛㄍ^4　　ㄇㄢ^1
偓　　姓　　潘，戴　　牛　　角　　彎(1)。

vuk^4　　ha^1　khoi^1　fan^7/phon^7　tiam^3，con^1/zon^1　mai^3　hoi^2　san^2。
ㄇㄨㄍ^4　ㄏㄚ^1　ㄎㄛㄧ^1　ㄈㄢ^7/ㄆㄛㄣ^7　ㄉㄧㄚㄇ^3　ㄗㄛㄣ^1/ㄓㄛㄣ^1　ㄇㄞ^3　ㄏㄞ^2　ㄙㄢ^2
屋　　下　　開　　飯　　店　，專　　賣　海　　產。

ki^5　siang^3　chin^5，tai^3　si^3　kok^4　thin^5，
ㄍㄧ^5　ㄒㄧㄤ^3　ㄑㄧㄣ^5　ㄉㄞ^3　ㄒㄧ^3　ㄍㄛㄍ^4　ㄊㄧㄣ^5
佢　　姓　　秦，戴　　四　　角　　亭(2)，

co^3　ngin^5　chin^3　min^5　li^1，hian^7　　ha^7　co^3　　pin^1。
ㄗㄛ^3　ㄫㄧㄣ^5　ㄑㄧㄣ^3　ㄇㄧㄣ^5　ㄌㄧ^1　ㄏㄧㄢ^7　ㄏㄚ^7　ㄗㄛ^3　ㄅㄧㄣ^1
做　　人　　盡　明　　理，現　　下　　做　　兵(3)。

ki^5　siang^3　chiin^5/zhin^5，miang^5　ham^3　hi^1　siin^3/shin^3，
ㄍㄧ^5　ㄒㄧㄤ^3　ㄘㄣ^5/ㄔㄧㄣ^5　ㄇㄧㄤ^5　ㄏㄚㄇ^3　ㄏㄧ^1　ㄙㄣ^3/ㄕㄧㄣ^3
佢　　姓　　陳　，名　　喊　希　　聖　，

hian^7　ha^7　tong^1　ngi^7　ien^5/an^5，co^3　sii7　ngin^7　ciin^1/zin^1。
ㄏㄧㄢ^7　ㄏㄚ^7　ㄉㄛㄥ^1　ㄫㄧ^7　ㄧㄝㄣ^5/ㄖㄢ^5　ㄗㄛ^3　ㄙㄣ^7　ㄫㄧㄣ^7　ㄗㄣ^1/ㄓㄧㄣ^1
現　　下　　當　　議　　員，做　　事　　認　　真　。

ki^5　siang^3　sun^1，het^4　ti^3/tui^3　theu^5　fun^7，
ㄍㄧ^5　ㄒㄧㄤ^3　ㄙㄨㄣ^1　ㄏㄝㄉ^4　ㄉㄧ^3/ㄉㄨ^3　ㄊㄝㄨ^5　ㄈㄨㄣ^7
佢　　姓　　孫，○　　對　　頭　　份(4)，

mai^1　mai^3　oi^3　son^3　fun^1，siong^1　chiang^2　mo^5　lun^7。
ㄇㄞ^1　ㄇㄞ^3　ㄛ^3　ㄙㄛㄣ^3　ㄈㄨㄣ^1　ㄒㄧㄛㄥ^1　ㄑㄧㄤ^2　ㄇㄛ^5　ㄌㄨㄣ^7
買　　賣　　愛　　算　　分，相　　請　　無　　論。

seu^2/siau^2　siang^3　siang^3　pau^1，kung^1　sii^1　co^3　ngoi^7　kau^1，
ㄙㄝㄨ^2/ㄒㄧㄠ^2　ㄒㄧㄤ^3　ㄒㄧㄤ^3　ㄅㄠ^1　ㄍㄨㄥ^1　ㄙ^1　ㄗㄛ^3　ㄫㄛㄧ^7　ㄍㄠ^1
小　　姓　姓　包，公　司　做　外　　交，

chui^{1} seu^{1}/siau^{1} siin^{5}/shin^{5} thung^{1} san^{2}，
ㄘㄨㄧ^{1} ㄙㄝㄨ^{1}/ㄒㄧㄠ^{1} ㄙㄣ^{5}/ㄕㄧㄣ^{5} ㄊㄨㄥ^{1} ㄙㄢ^{2}
推 銷 神 通 散，
fi^{1}/fui^{1} song^{5}/shong^{5} iu^{1}/jiu^{1} hau^{2}。
ㄈㄧ^{1}/ㄈㄨㄧ^{1} ㄙㄛㄥ^{5}/ㄕㄛㄥ^{5} ㄧㄨ^{1}/ㄖㄧㄨ^{1} ㄏㄠ^{2}
非 常 有 效。

ki^{5} siang^{3} eu^{1}，cung^{2} phu^{7} tong^{1} cham^{1} meu^{5}，
ㄍㄧ^{5} ㄒㄧㄤ^{3} ㄝㄨ^{1} ㄗㄨㄥ^{2} ㄆㄨ^{7} ㄉㄛㄥ^{1} ㄘㄚㄇ^{1} ㄇㄝㄨ^{5}
佢 姓 歐，總 部 當 參 謀，
fi^{1}/fui^{1} song^{5}/shong^{5} lok^{8} sian^{3}，mo^{5} iu^{5}/jiu^{5} mo^{5} seu^{2}。
ㄈㄧ^{1}/ㄈㄨㄧ^{1} ㄙㄛㄥ^{5}/ㄕㄛㄥ^{5} ㄌㄛㄍ^{8} ㄒㄧㄢ^{3} ㄇㄛ^{5} ㄧㄨ^{5}/ㄖㄧㄨ^{5} ㄇㄛ^{5} ㄙㄝㄨ^{5}
非 常 樂 線(5)，無 憂 無 愁。

ia^{2}/lia^{2} vi^{3}/vui^{3} siang^{3} cheu^{7}/zhau^{7}，
ㄧㄚ^{2}/ㄌㄧㄚ^{2} ㄪㄧ^{3}/ㄪㄨㄧ^{3} ㄒㄧㄤ^{3} ㄘㄝㄨ^{7}/ㄔㄚㄨ^{7}
這 位 姓 趙，
miang^{5} ham^{3} sung^{1} ceu^{1}/zau^{1}，
ㄇㄧㄤ^{5} ㄏㄚㄇ^{3} ㄙㄨㄥ^{1} ㄗㄝㄨ^{1}/ㄓㄠ^{1}
名 喊 雙 昭，
mo^{5} kieu^{2} hiuk^{4} meu^{3}/ngiau^{3}，mo^{5} tan^{3} seu^{1}/shau^{1} cheu^{5}/chiau^{5}，
ㄇㄛ^{5} ㄍㄧㄝㄨ^{2} ㄏㄧㄨㄍ^{4} ㄇㄝㄨ^{3}/ㄫㄧㄠ^{3} ㄇㄛ^{5} ㄊㄢ^{3} ㄙㄝㄨ^{1}/ㄕㄠ^{1} ㄘㄝㄨ^{5}/ㄑㄧㄠ^{5}
無 狗 畜 貓(6)，無 炭 燒 樵，
sen^{1} fat^{8} chin^{7} seu^{1}/siau^{1} ieu^{5}/jau^{5}。
ㄙㄝㄣ^{1} ㄈㄚㄉ^{8} ㄑㄧㄣ^{7} ㄙㄝㄨ^{1}/ㄒㄧㄠ^{1} ㄧㄝㄨ^{5}/ㄖㄠ^{5}
生 活 盡 逍 遙。

二、詞語舉例及發音練習

-an：phan^{1}，siang^{3} phan^{1}，ngai^{5} siang^{3} phan^{1}。
ㄆㄢ^{1} ㄒㄧㄤ^{3} ㄆㄢ^{1} ㄫㄞ^{5} ㄒㄧㄤ^{3} ㄆㄢ^{1}
潘，姓 潘，𠊎 姓 潘。

van^{1}，con^{2}/zon^{2} van^{1}，ngiu^{5} kok^{4} van^{1}。
ㄪㄢ^{1} ㄗㄛㄣ^{2}/ㄓㄛㄣ^{2} ㄪㄢ^{1} ㄫㄧㄨ^{5} ㄍㄛㄍ^{4} ㄪㄢ^{1}
彎，轉 彎，牛 角 彎。

fan⁷/phon⁷， siit⁸/shit⁸ fan⁷/phon⁷， phak⁸ mi¹ fan⁷/phon⁷。
ㄈㄢ⁷/ㄆㄛㄣ⁷ ㄙㄉ⁸/ㄕㄉ⁸ ㄈㄢ⁷/ㄆㄛㄣ⁷ ㄆㄚㄍ⁸ ㄇ丨¹ ㄈㄢ⁷/ㄆㄛㄣ⁷
　飯 ，　食 　飯 ，　白 米 　飯 。

san²， hoi² san²， siit⁸/shit⁸ hoi² san²。
ㄙㄢ² ㄏㄞ² ㄙㄢ² ㄙㄉ⁸/ㄕㄉ⁸ ㄏㄞ² ㄙㄢ²
　產 ，海 產 ，　食 海 　產 。

-in： chin⁵， siang³ chin⁵， ki⁵ siang³ chin⁵。
ㄑ丨ㄣ⁵ ㄒ丨ㄤ³ ㄑ丨ㄣ⁵ ㄍ丨⁵ ㄒ丨ㄤ³ ㄑ丨ㄣ⁵
　秦 ，　姓 　秦 ， 佢 姓 　秦 　。

thin⁵， liong⁵ thin⁵， si³ kok⁴ thin⁵。
ㄊ丨ㄣ⁵ ㄌ丨ㄛㄥ⁵ ㄊ丨ㄣ⁵ ㄒ丨³ ㄍㄛㄍ⁴ ㄊ丨ㄣ⁵
　亭 ，　涼 　亭 ，四 角 　亭 。

min⁵， fun¹ min⁵， khon³ fun¹ min⁵。
ㄇ丨ㄣ⁵ ㄈㄨㄣ¹ ㄇ丨ㄣ⁵ ㄎㄛㄣ³ ㄈㄨㄣ¹ ㄇ丨ㄣ⁵
　明 ，　分 　明 ，看 　分 　明 。

pin¹， co³ pin¹， co³ hian⁷ pin¹。
ㄅ丨ㄣ¹ ㄗㄛ³ ㄅ丨ㄣ¹ ㄗㄛ³ ㄏ丨ㄢ⁷ ㄅ丨ㄣ¹
　兵 ，　做 兵 ，　做 　憲 兵 。

-iin/-in： chiin⁵/zhin⁵， siang³ chiin⁵/zhin⁵， ki⁵ siang³ chiin⁵/zhin⁵。
ㄘㄣ⁵/ㄔㄣ⁵ ㄒ丨ㄤ³ ㄘㄣ⁵/ㄔㄣ⁵ ㄍ丨⁵ ㄒ丨ㄤ³ ㄘㄣ⁵/ㄔㄣ⁵
　　陳 ，姓 　　陳 ，佢 姓 　　陳 　。

siin³/shin³， sii¹/shi¹ siin³/shin³， khung² siin³/shin³ ngin⁵。
ㄙㄣ³/ㄕ丨ㄣ³ ㄙ¹/ㄕ丨¹ ㄙㄣ³/ㄕ丨ㄣ³ ㄎㄨㄥ² ㄙㄣ³/ㄕ丨ㄣ³ ㄫ丨ㄣ⁵
　聖 ，　詩 　聖 ，　孔 　聖 　人 。

ciin¹/zin¹， ngin⁷ ciin¹/zin¹， tong¹ ngin⁷ ciin¹/zin¹。
ㄗㄣ¹/ㄓㄣ¹ ㄫ丨ㄣ⁷ ㄗㄣ¹/ㄓㄣ¹ ㄉㄛㄥ¹ ㄫ丨ㄣ⁷ ㄗㄣ¹/ㄓㄣ¹
　真 ，　認 真 ，　當 　認 　真(7) 。

-un： sun^{1}，cii^{2} sun^{1}，ho^{2} cii^{2} sun^{1}。
ㄙㄨㄣ^{1} ㄗ^{2} ㄙㄨㄣ^{1} ㄏㄛ^{2} ㄗ^{2} ㄙㄨㄣ^{1}
孫，子 孫，好 子 孫。

fun^{7}，theu^{5} fun^{7}，siip^{8}/ship^{8} ng^{2} fun^{7}。
ㄈㄨㄣ^{7} ㄊㄝㄨ^{5} ㄈㄨㄣ^{7} ㄙㄅ^{8}/ㄕㄧㄅ^{8} ㄥ^{2} ㄈㄨㄣ^{7}
份，頭 份，十 五 份。

fun^{1}，ng^{2} fun^{1}，chit^{4} pat^{4} fun^{1}。
ㄈㄨㄣ^{1} ㄥ^{2} ㄈㄨㄣ^{1} ㄑㄧㄉ^{4} ㄅㄚㄉ^{4} ㄈㄨㄣ^{1}
分，五 分，七 八 分。

lun^{7}，mo^{5} lun^{7}，vu^{5} lun^{7}。
ㄌㄨㄣ^{7} ㄇㄛ^{5} ㄌㄨㄣ^{7} ㄪㄨ^{5} ㄌㄨㄣ^{7}
論，無 論，無 論。

-au：pau^{1}，siang^{3} pau^{1}，choi^{3} pau^{1}。
ㄅㄠ^{1} ㄒㄧㄤ^{3} ㄅㄠ^{1} ㄘㄛㄧ^{3} ㄅㄠ^{1}
包，姓 包，菜 包(8)。

kau^{1}，ngoi^{7} kau^{1}，co^{3} ngoi^{7} kau^{1}。
ㄍㄠ^{1} ㄫㄛㄧ^{7} ㄍㄠ^{1} ㄗㄛ^{3} ㄫㄛㄧ^{7} ㄍㄠ^{1}
交，外 交，做 外 交。

hau^{2}，iu^{1}/jiu^{1} hau^{2}，cui^{3} iu^{1}/jiu hau^{2}。
ㄏㄠ^{2} ㄧㄨ^{1}/ㄖㄧㄨ^{1} ㄏㄠ^{2} ㄗㄨㄧ^{3} ㄧㄨ^{1}/ㄖㄧㄨ^{1} ㄏㄠ^{2}
效，有 效，最 有 效。

-eu：eu^{1}，siang^{3} eu^{1}，a^{1} khiu^{1} siang^{3} eu^{1}。
ㄝㄨ^{1} ㄒㄧㄤ^{3} ㄝㄨ^{1} ㄚ^{1} ㄎㄧㄨ^{1} ㄒㄧㄤ^{3} ㄝㄨ^{1}
歐，姓 歐，阿 舅 姓 歐。

meu^{5}，cham^{1} meu^{5}，tong^{1} cham^{1} meu^{5}。
ㄇㄝㄨ^{5} ㄘㄚㄇ^{1} ㄇㄝㄨ^{5} ㄉㄛㄥ^{1} ㄘㄚㄇ^{1} ㄇㄝㄨ^{5}
謀，參 謀，當 參 謀。

seu² ， ti¹ seu² ， m⁵ ti¹ seu²。

ㄙㄝㄨ² ㄉㄧ¹ ㄙㄝㄨ² ㄇ⁵ ㄉㄧ¹ ㄙㄝㄨ²

愁 ， 知 愁 ， 毋 知 愁 。

-eu/-au：cheu⁷/zhau⁷ ， siang³ cheu⁷/zhau⁷ ， cheu⁷/zhau⁷ chian⁵ sun¹ li²。

ㄘㄝㄨ⁷/ㄔㄚㄨ⁷ ㄒㄧㄤ³ ㄘㄝㄨ⁷/ㄔㄚㄨ⁷ ㄘㄝㄨ⁷/ㄔㄚㄨ⁷ ㄑㄧㄢ⁵ ㄙㄨㄣ¹ ㄌㄧ²

趙 ， 姓 趙 ， 趙 錢 孫 李 。

ceu¹/zau¹ ，sung¹ ceu¹/zau¹ ， cheu⁷/zhau⁷ sung¹ ceu¹/zau¹。

ㄗㄝㄨ¹/ㄓㄠ¹ ㄙㄨㄥ¹ ㄗㄝㄨ¹/ㄓㄠ¹ ㄘㄝㄨ⁷/ㄔㄚㄨ⁷ ㄙㄨㄥ¹ ㄗㄝㄨ¹/ㄓㄠ¹

昭 ， 雙 昭 ， 趙 雙 昭 。

meu³/ngiau³ ， vu¹ meu³/ngiau³ ， thai⁷ fa¹ meu³/ngiau³。

ㄇㄝㄨ³/ㄫㄧㄠ³ ㄇㄨ¹ ㄇㄝㄨ³/ㄫㄧㄠ³ ㄊㄞ⁷ ㄈㄚ¹ ㄇㄝㄨ³/ㄫㄧㄠ³

貓 ， 烏 貓 ， 大 花 貓 。

seu¹/shau¹ ， fo² seu¹/shau¹ ， chu³/zhiu³ fo² seu¹/shau¹。

ㄙㄝㄨ¹/ㄕㄠ¹ ㄈㄛ² ㄙㄝㄨ¹/ㄕㄠ¹ ㄘㄨ³/ㄔㄧㄨ³ ㄈㄛ² ㄙㄝㄨ¹/ㄕㄠ¹

燒 ， 火 燒 ， 臭 火 燒(9) 。

三、音標介紹

a n ㄢ（鼻音尾韻母）

低元音 a 加舌尖鼻音 n 合成的韻母。發音時，由 a 迅速滑向 n，成為鼻音尾韻母。如國語的安（**an**），以及客語班（**pan¹**）、單（**tan¹**）的韻母。

i n ㄧㄣ（鼻音尾韻母）

高元音 i 加舌尖鼻音 n 合成的韻母。發音時，由 i 迅速滑向 n，成為鼻音尾韻母。如國語的因（**in**），以及客語清（**chin¹**）、令（**lin⁷**）的韻母。第二式音標寫作ㄧㄣ，但其中ㄣ的音值為（∂n），而發（**in**）這個音時，（∂）是不存在的，也就說此韻母的音值是（**in**），而不是（**i∂n**）。

i i n ㄩㄣ（鼻音尾韻母）

舌尖元音 ii 加舌尖鼻音合成的韻母。相配的聲母是 c、ch、s 且為四縣系統；也有與 z、zh、sh、j 拼音的，如真（**ciin¹**）、稱（**chiin¹**）、申（**siin¹**）的韻母部份。對應的海陸話韻母是 in，如真（**zin¹**）、稱（**zhin¹**）、申（**shin¹**），但也有少數海陸腔用 iin 為韻母，發（**zii—n¹**）、（**zhiin¹**）、（**shiin¹**）這種音的，是一種四縣與海陸的混合腔。

un　　ㄨㄣ（鼻音尾韻母）

後高元音 u 與舌尖鼻音 n 合成的韻母。發音時，從 u 迅速滑向 n，成為鼻音尾韻母，包括的音素是 u 與 n，如客語溫（vun¹）、昆（khun¹）的韻母。

第二式音標寫作ㄨㄣ，但其中ㄣ的音值為（ən），而發（un）這個音時，（ə）是不存在的，這與前面 in 的發音情形相同，自學與教學用第二式符號時，應特別注意。

au　　ㄠ　（複韻母）

低元音 a 與後高元音 u 合成的複韻母，如包（pau¹）、貌（mau⁷）的韻母。

eu　　ㄝㄨ（複韻母）

前半高元音 e 與後高元音 u 合成的複韻母，這是國語、閩南語都沒有，而為客家語所獨有的韻母，學習時要特別留意。如猴（heu⁵）、厚（heu⁷）、茂（meu⁷）、樓（leu⁵）等字的韻母屬之。

四、對比練習

第一式

an	in	iin	un
pan	pin		pun
can	cin	ciin	cun
san	sin	siin	sun
kan	kin		kun

第二式

ㄢ	ㄧㄣ	ㆪ	ㄨㄣ
ㄅㄢ	ㄅㄧㄣ		ㄅㄨㄣ
ㄗㄢ	ㄐㄧㄣ	ㄗㄣ	ㄗㄨㄣ
ㄙㄢ	ㄒㄧㄣ	ㄙㄣ	ㄙㄨㄣ
ㄍㄢ	ㄍㄧㄣ		ㄍㄨㄣ

au	eu	iu
pau	peu	piu
tau	teu	tiu
cau	ceu	ciu
kau		kiu

ㄠ	ㄝㄠ	ㄧㄨ
ㄅㄠ	ㄅㄝㄨ	ㄅㄧㄨ
ㄉㄠ	ㄉㄝㄨ	ㄉㄧㄨ
ㄗㄠ	ㄗㄝㄨ	ㄗㄧㄨ
ㄍㄠ		ㄍㄧㄨ

上面兩組，縱的對比是聲母之異，橫的對比是主要元音（韻腹）的差別。

五、拼音練習

（一）本課所習音標的基本拼音及例字

第一式	第二式	聲調及例字

第一組（an／ㄢ）

第一式	第二式	1	2	3	5	7
p	ㄅ	班	粄	半		
ph	ㄆ	潘		絆	盤	辦
f	ㄈ	番	反	販	煩	飯
t	ㄉ	單	(10)	旦		
th	ㄊ	灘	毯	炭	彈	
k	ㄍ	奸	簡(11)			
kh	ㄎ	刊				
c	ㄗ	孱	盞	贊		
ch	ㄘ		鏟	粲	泉(12)	

第二組（in／ㄧㄣ）

第一式	第二式	1	2	3	5	7
p	ㄅ	兵	稟	並		
ph	ㄆ	拼	品	聘	評	
t	ㄉ	叮	鼎	釘	(13)	
th	ㄊ	汀	艇	聽	亭	定
k	ㄍ	斤	緊	敬		
kh	ㄎ	卿		慶	勤	
c	ㄗ/ㄐ	精	晉	進		
ch	ㄘ/ㄑ	清			情	靜

第三組（iin (in)／(ㄥ)(ㄧㄣ)）

第一式	第二式	1	2	3	5	7
c/z	ㄗ/ㄓ	真	整	正		
ch/zh	ㄘ/ㄔ	稱	逞	秤	陳	陣
s/sh	ㄙ/ㄕ	申		聖	神	
/j(15)	/ㄖ	英	應	印	仁	

第四組（un／ㄨㄣ）

第一式	第二式	1	2	3	5	7
p	ㄅ	奔	本	笨		
ph	ㄆ	(16)	(17)	噴	盆	
f	ㄈ	昏	粉	混	魂	份
t	ㄉ	敦	蠢	頓		
th	ㄊ	吞	遁		屯	鈍
k	ㄍ		滾	棍	(18)	
kh	ㄎ	昆	綑	困		
c	ㄗ	尊	撙	俊		
ch	ㄘ	村		寸		

p	au	ㄅ	ㄠ	1、包	2、飽	3、豹	5、	7、
ph		ㄆ		1、抛	2、	3、泡	5、袍	7、
t		ㄉ		1、	2、	3、	5、投	7、
th		ㄊ		1、	2、	3、套	5、	7、
k		ㄍ		1、交	2、校	3、教	5、攪	7、
kh		ㄎ		1、拷	2、考	3、敲	5、○	7、
c		ㄗ		1、燥	2、找	3、	5、	7、
ch		ㄘ		1、抄	2、炒	3、躁	5、吵	7、

p	eu (iau)	ㄅ	ㄝㄨ (ㄧㄠ)	1、鏢	2、表	3、	5、	7、
ph		ㄆ		1、飄	2、漂	3、票	5、嫖(19)	7、
t		ㄉ		1、兜	2、斗	3、鬥	5、	7、
th		ㄊ		1、偷	2、透	3、透(20)	5、頭	7、豆
c		ㄗ		1、鄒	2、走	3、奏	5、	7、
ch		ㄘ		1、	2、	3、湊	5、柴	7、嚼

（二）本課所習音標的各種拼音

pan	phen	man	fan	van	tan	than	nan	lan	can	chan	san
ㄅㄢ	ㄆㄢ	ㄇㄢ	ㄈㄢ	ㄪㄢ	ㄉㄢ	ㄊㄢ	ㄋㄢ	ㄌㄢ	ㄗㄢ	ㄘㄢ	ㄙㄢ
zan	zhan	shan	jan	kan	khan	ngan	han				
ㄓㄢ	ㄔㄢ	ㄕㄢ	ㄖㄢ	ㄍㄢ	ㄎㄢ	ㄫㄢ	ㄏㄢ				

pin	phin	min	fin	tin	thin	nin	lin	cin	chin	sin	zin
ㄅㄧㄣ	ㄆㄧㄣ	ㄇㄧㄣ	ㄈㄧㄣ	ㄉㄧㄣ	ㄊㄧㄣ	ㄋㄧㄣ	ㄌㄧㄣ	ㄗㄧㄣ	ㄘㄧㄣ	ㄙㄧㄣ	ㄓㄧㄣ
zhin	shin	jin	kin	khin	ngin	hin					
ㄔㄧㄣ	ㄕㄧㄣ	ㄖㄧㄣ	ㄍㄧㄣ	ㄎㄧㄣ	ㄫㄧㄣ	ㄏㄧㄣ					

ciin	chiin	siin	ziin	zhiin	shiin	jiin
ㄗ(⊥)ㄣ	ㄘ(⊥)ㄣ	ㄙ(⊥)ㄣ	ㄓ(⊥)ㄣ	ㄔ(⊥)ㄣ	ㄕ(⊥)ㄣ	ㄖ(⊥)ㄣ(21)

pun	phun	mun	fun	vun	tun	thun	nun	lun	cun	chun
ㄅㄨㄣ	ㄆㄨㄣ	ㄇㄨㄣ	ㄈㄨㄣ	ㄪㄨㄣ	ㄉㄨㄣ	ㄊㄨㄣ	ㄋㄨㄣ	ㄌㄨㄣ	ㄗㄨㄣ	ㄘㄨㄣ
sun	zun	zhun	shun	jun	kun	khun				
ㄙㄨㄣ	ㄓㄨㄣ	ㄔㄨㄣ	ㄕㄨㄣ	ㄖㄨㄣ	ㄍㄨㄣ	ㄎㄨㄣ				

pau	phau	mau	tau	thau	nau	lau	cau	chau	sau	zau
ㄅㄠ	ㄆㄠ	ㄇㄠ	ㄉㄠ	ㄊㄠ	ㄋㄠ	ㄌㄠ	ㄗㄠ	ㄘㄠ	ㄙㄠ	ㄓㄠ

zhau shau jau kau khau ngau hau

ㄔㄠ ㄕㄠ ㄖㄠ ㄍㄠ ㄎㄠ ㄫㄠ ㄏㄠ

peu pheu meu feu teu theu neu leu ceu cheu seu ngeu heu

ㄅㄝㄨ ㄆㄝㄨ ㄇㄝㄨ ㄈㄝㄨ ㄉㄝㄨ ㄊㄝㄨ ㄋㄝㄨ ㄌㄝㄨ ㄗㄝㄨ ㄘㄝㄨ ㄙㄝㄨ ㄫㄝㄨ ㄏㄝㄨ

（三）-an、-in、-iin、-un、-au、-eu 的常用詞

pan^{3} ngian^{5}　phan^{5} von^{2}　fan^{2} tui^{3}　tan^{1} fong^{1}

ㄅㄢ^{3} ㄫㄧㄢ^{5}　ㄆㄢ^{5} ㄪㄛㄣ^{2}　ㄈㄢ^{2} ㄉㄨㄧ^{3}　ㄉㄢ^{1} ㄈㄛㄥ^{1}

半 年　盤 碗　反 對　單 方

khan^{1} vut^{8}　can^{3} chu^{7}　chan^{2} cho^{2}　chan^{3} cong^{1}

ㄎㄢ^{1} ㄪㄨㄉ^{8}　ㄗㄢ^{3} ㄘㄨ^{7}　ㄘㄢ^{2} ㄘㄛ^{2}　ㄘㄢ^{3} ㄗㄛㄥ^{1}

刊 物　贊 助　剷 草　燦 妝

pin^{1} fuk^{8}　phin^{5} lun^{7}　tin^{2} lip^{8}　thin^{5} liu^{5}

ㄅㄧㄣ^{1} ㄈㄨㄍ^{8}　ㄆㄧㄣ^{5} ㄌㄨㄣ^{7}　ㄉㄧㄣ^{2} ㄌㄧㄅ^{8}　ㄊㄧㄣ^{5} ㄌㄧㄨ^{5}

兵 服　評 論　鼎 立　停 留

kin^{1} liong^{1}　khin^{3} ho^{3}　cin^{3} phu^{7}　chin^{1} kiet^{4}

ㄍㄧㄣ^{1} ㄌㄧㄛㄥ^{1}　ㄎㄧㄣ^{3} ㄏㄛ^{3}　ㄗㄧㄣ^{3} ㄆㄨ^{7}　ㄘㄧㄣ^{1} ㄍㄧㄝㄉ^{4}

斤 兩　慶 賀　進 步　清 潔

ciin^{1}/zin^{1} ka^{2}　chiin^{5}/zhin^{5} chin^{5}　siin^{1}/shin^{1} chiang^{2}　pun^{1} chian^{5}

ㄗㄣ^{1}/ㄓㄧㄣ^{1} ㄍㄚ^{2}　ㄘㄣ^{5}/ㄔㄧㄣ^{5} ㄑㄧㄣ^{5}　ㄙㄣ^{1}/ㄕㄧㄣ^{1} ㄑㄧㄤ^{2}　ㄅㄨㄣ^{1} ㄑㄧㄢ^{5}

真 假　陳 情　申 請　分 錢

phun^{5} fo^{2}　fun^{3} chap^{8}　thun^{7} to^{1}　kun^{2} thong^{1}

ㄆㄨㄣ^{5} ㄈㄛ^{2}　ㄈㄨㄣ^{3} ㄘㄚㄅ^{8}　ㄊㄨㄣ^{7} ㄉㄛ^{1}　ㄍㄨㄣ^{2} ㄊㄛㄥ^{1}

歕 火　混 雜　鈍 刀　滾 湯

khun^{3} nan^{5}　cun^{1} kin^{3}　chun^{1} lin^{5}　pau^{1} siuk^{4}

ㄎㄨㄣ^{3} ㄋㄢ^{5}　ㄗㄨㄣ^{1} ㄍㄧㄣ^{3}　ㄘㄨㄣ^{1} ㄌㄧㄣ^{5}　ㄅㄠ^{1} ㄒㄧㄨㄍ^{4}

困 難　尊 敬　村 鄰　包 粟

phau^{3} cha^{5}　kau^{1} chin^{5}　khau^{1} ta^{2}　cau^{2} chian^{5}

ㄆㄠ^{3} ㄘㄚ^{5}　ㄍㄠ^{1} ㄑㄧㄣ^{5}　ㄎㄠ^{1} ㄉㄚ^{2}　ㄗㄠ^{2} ㄑㄧㄢ^{5}

泡 茶　交 情　拷 打　找 錢

chau¹　pun²　　peu²　min⁵　　pheu¹　ieu⁵　　piau²　min⁵
ㄘㄠ¹　ㄅㄨㄣ²　ㄅㄝㄨ²　ㄇㄧㄣ⁵　ㄆㄝㄨ¹　ㄧㄝㄨ⁵　ㄅㄧㄠ²　ㄇㄧㄣ⁵
抄　　本　　表　　明　　飄　　搖　　表　　明

phiau¹　jau⁵　teu³　ngiu⁵　theu²　hl³　ceu³　ngok⁸　cheu³　hap⁸
ㄆㄧㄠ¹　ㄖㄠ⁵　ㄉㄝㄨ³　ㄠㄧㄨ⁵　ㄊㄝㄨ²　ㄏㄧ³　ㄗㄝㄨ³　ㄠㄛㄍ⁸　ㄘㄝㄨ³　ㄏㄚㄅ⁸
飄　搖(22)　鬥　牛　透　氣　奏　樂　湊　合

（四）-an、-in、-iin、-un、-au、-eu 的疊韻詞

fan²　phan⁷　　van⁷　tan¹　　pan³　phan⁵　　san¹　san²
ㄈㄢ²　ㄆㄢ⁷　　ㄇㄢ⁷　ㄉㄢ¹　　ㄅㄢ³　ㄆㄢ⁵　　ㄙㄢ¹　ㄙㄢ²
反　　叛　　萬　　丹　　半　　盤　　山　　產

sin¹　pin¹　　phin⁵　thin⁷　　ngin⁵　chin⁵　　ngin⁷　chin¹
ㄒㄧㄣ¹　ㄅㄧㄣ¹　ㄆㄧㄣ⁵　ㄊㄧㄣ⁷　ㄠㄧㄣ⁵　ㄑㄧㄣ⁵　ㄠㄧㄣ⁷　ㄑㄧㄣ¹
新　　兵　　評　　定　　人　　情　　認　　親

ciin³　siin¹　　chiin⁵　siin³　　zin³　shin¹　　zhin⁵　shin³
ㄗㄣ³　ㄙㄣ¹　　ㄘㄣ⁵　ㄙㄣ³　　ㄓㄧㄣ³　ㄕㄧㄣ¹　ㄔㄧㄣ⁵　ㄕㄧㄣ³
正　　身　　陳　　勝　　正　　身　　陳　　勝(23)

lun⁵　tun¹　　pun³　sun²　　khun³　tun³　　sun¹　vun⁵
ㄌㄨㄣ⁵　ㄉㄨㄣ¹　ㄅㄨㄣ³　ㄙㄨㄣ²　ㄎㄨㄣ³　ㄉㄨㄣ³　ㄙㄨㄣ¹　ㄇㄨㄣ⁵
倫　　敦　　笨　　筍　　困　　頓　　孫　　文

chau⁵　nau³　　chau²　cau¹　　pau¹　mau⁵　　hau³　kau²
ㄘㄠ⁵　ㄋㄠ³　　ㄘㄠ²　ㄗㄠ¹　　ㄅㄠ¹　ㄇㄠ⁵　　ㄏㄠ³　ㄍㄠ²
吵　　鬧　　炒　　燥　　包　　茅　　好　　搞

ceu²　leu³　　heu⁵　theu⁵　　heu⁷　leu⁵　　teu¹　neu²
ㄗㄝㄨ²　ㄌㄝㄨ³　ㄏㄝㄨ⁵　ㄊㄝㄨ⁵　ㄏㄝㄨ⁷　ㄌㄝㄨ⁵　ㄊㄝㄨ¹　ㄋㄝㄨ²
走　　漏　　猴　　頭　　後　　樓　　偷　　鈕

（五）-an、-in、-iin、-un、-au、-eu 的生活用語

ngai⁵ siang³ phan¹， tai³ tui³ sii¹ teu⁵ san¹， mo⁵ siit⁸/shit⁸
厓 姓 潘， 邸 （在） 獅 頭 山， 無 食

ciu² loi⁵ mo⁵ siit⁸/shit⁸ ian¹/jan¹， song¹/shong¹ san¹ cung³/zung³
酒 來 無 食 煙， 上 山 種

meu² tan¹， ha¹ thian⁵ chiu⁷ hi³ cok⁴/cuk⁴ vong⁵ san¹/shan¹
牡 丹，下 田 就 去 捉 黃 鱔。

ngai⁵ siang³ chin⁵， het⁸ ti³ thai⁷ fu⁵ li¹ ng² lin⁵
厓 姓 秦，核 （在） 大 湖 里 五 鄰，

ngai⁵ thang¹ ngin⁵ kong²
厓 聽 人 講；

ian²/jan² sui²/shui² nan⁵ kiu³ khiun¹ fo²
遠 水 難 救 近 火，

ian²/jan² chin¹ put⁴ i⁵/ji⁵ kiun⁷ lin⁵
遠 親 不 如 近 鄰。

li² khian⁵ khun¹， co³ sii⁷ iu¹/jiu¹ fun¹ chun³， hok⁸ chii⁵/zhi⁵
李 乾 坤，做 事 有 分 寸，學 劇

cu¹/zu¹， cu¹/zu¹ sat⁸/shat⁸ pun²，koi² hong⁵ mai⁷ mi² fun²
豬， 豬 蝕 本，改 行 賣 米 粉。

lim⁵　chion⁵　kau¹，hi³　hok⁸　kau²，mai⁷　mian⁷　pau¹

ㄌㄧㄇ⁵　ㄑㄧㄛㄣ⁵　ㄍㄠ¹　ㄏㄧ³　ㄏㄛㄍ⁸　ㄍㄡ²　ㄇㄞ⁷　ㄇㄧㄢ⁷　ㄅㄠ¹

林　　全　　交　，去　　學　　校，賣　　麵　　包，

mian⁷　pau¹　mo⁵　mai⁷　thet⁴，na¹　con²/zon²　chit⁴　ka¹　ngau¹

ㄇㄧㄢ⁷　ㄅㄠ¹　ㄇㄛ⁵　ㄇㄞ⁷　ㄊㄝㄉ⁴　ㄋㄚ¹　ㄗㄛㄣ²/ㄓㄛㄣ²　ㄑㄧㄉ⁴　ㄍㄚ¹　ㄤㄠ¹

麵　　包　無　賣　　忒　，拿　　轉　　自　家　　咬。

a¹　vu³　theu⁵，hi³　nam⁵　theu⁵，hi²　ko¹　leu⁵

ㄚ¹　ㄅㄨ³　ㄊㄝㄨ⁵　ㄏㄧ³　ㄋㄚㄇ⁵　ㄊㄝㄨ⁵　ㄏㄧ²　ㄍㄛ¹　ㄌㄝㄨ⁵

阿　戊　頭　，去　　南　　投　，起　高　　樓，

iu¹/jiu¹　ngiap⁸　iu¹/jiu¹　san²　sen¹　fat⁸　m⁵　sii²　seu⁵

ㄧㄨ¹/ㄖㄧㄨ¹　ㄤㄧㄚㄅ⁸　ㄧㄨ¹/ㄖㄧㄨ¹　ㄙㄢ²　ㄙㄝㄣ¹　ㄈㄚㄉ⁸　ㄇ⁵　ㄙ²　ㄙㄝㄨ⁵

有　　業　　有　　產，生　　活　　毋　使　　愁。

【注解】

(1)戴牛角彎：住在牛角彎。戴，住。

(2)戴四角亭：住在四角亭。

(3)現下作兵：現下，目前；做兵，當兵。

(4)hat⁸對頭份：住在頭份。hat⁸，同戴，住也。苗栗一帶的用語。

(5)樂線：樂觀。

(6)畜貓：養貓。

(7)當認真：非常認真。

(8)茶包：客家米食之一。

(9)臭火燒：發出燒焦的臭味。

(10)tan²，都……的意思，如：阿爸講介話，你～～毋聽。

(11)奸、簡，四縣音為 kian（kien），此處為海陸音。

(12)泉，四縣音又讀 chian⁵（chien⁵）。

(13)tin⁵以快刀砍物，如「～竹尾」

(14)本韻母 iin 只與四縣語 c、ch、s 拼音。海陸話韻母是 in，但海陸話也有少部份人拿這個韻母與 z（ㄓ）、zh（ㄔ）、ch（ㄕ）、j（ㄖ）拼音的，屬於四縣海陸混合腔。

(15)上列聲母為 j(ㄖ)的一行，四縣話的韻母是 in，海陸話的韻母也是 in。又「應」字本音為第三調，讀第二調時，意思是「應允」或徵求別人的應允，如「應頭路」。

(16)phun¹，厚也，如～薄。

(17)phun²，浪費，盡量花費，如盡～。

(18)kun⁵，捲也；也作第二調，是動詞，如～起來，又說 kien⁵ 起來，也是名詞，
如～，也可說 kien²。

(19)上表中「鏢、表、飄、漂、票、嫖、柴、嚼」爲四縣音，海陸的音是(iau)。

(20)透字第 2 聲如「透氣」，第 3 聲如「通透」。

(21)最末四音是四縣與海陸混合音，是聲母 ts-組捲舌變 z-的結果。又第二式空
韻ㄗ，注音時可省略。

(22)以上四組，先出現的兩組是四縣音，後兩組爲海陸音。

(23)以上四組，先出現的兩組是四縣音。

第九課　　彭祖焚香

學習重點：-ian（ien）　-uan　-iun　-iau　-ieu

一、基本語料

hon³　vu²　vi⁵　kiun¹　siong²　pian³　sian¹，
ㄏㄛㄣ³　ㄇㄨ²　ㄇ丨⁵　ㄍ丨ㄨㄣ¹　ㄒ丨ㄛㄥ²　ㄅ丨ㄢ³　ㄒ丨ㄢ¹
漢　武　爲　君(1)　想　變　仙　，

sak⁸/shak⁸　chiung⁵　ho⁵　fu³　than³　mo⁵　chian⁵；
ㄙㄚㄍ⁸/ㄕㄚㄍ⁸　ㄑ丨ㄨㄥ⁵　ㄏㄛ⁵　ㄈㄨ³　ㄊㄢ³　ㄇㄛ⁵　ㄑ丨ㄢ⁵
石　　崇(2)　豪　富　歎　無　　錢；

song⁵/shong⁵　ngo⁵　ceu³/zau³　kiang³　hiam⁵　mau⁷　chu²/zhiu²，
ㄙㄛㄥ⁵/ㄕㄛㄥ⁵　ㄫㄛ⁵　ㄗㄝㄨ³/ㄓㄚㄨ³　ㄍ丨ㄤ³　ㄏ丨ㄚㄇ⁵　ㄇㄠ⁷　ㄘㄨ²/ㄔ丨ㄨ²
嫦　　娥(3)　照　鏡　嫌　貌　醜　，

phang⁵　cu²　fun⁵　hiong¹　cuk⁴/zuk⁴　su⁷/shiu⁷　ngien⁵。
ㄆㄤ⁵　ㄗㄨ²　ㄈㄨㄣ⁵　ㄏ丨ㄛㄥ¹　ㄗㄨㄍ⁴/ㄓㄨㄍ⁴　ㄙㄨ⁷/ㄕㄨ⁷　ㄫ丨ㄢ⁵
彭　祖(4)　焚　　香　祝　　壽　年　。

kuan¹　lo²　ia⁵/ja⁵　khi⁵　ma¹　to³　thung⁵　kuan¹，
ㄍㄨㄢ¹　ㄌㄛ²　丨ㄚ⁵/ㄖㄚ⁵　ㄎ丨⁵　ㄇㄚ¹　ㄉㄛ³　ㄊㄨㄥ⁵　ㄍㄨㄢ¹
關　老　爺　騎　馬　到　潼　關，

siip⁸/ship⁸　sii⁷　kie¹/kai¹　theu⁵　ko³　ien⁵/jan⁵　khuan⁵，
ㄙㄣ⁸/ㄕ丨ㄣ⁸　ㄙ⁷　ㄍ丨ㄝ¹/ㄍㄞ¹　ㄊㄝㄨ⁵　ㄍㄛ³　丨ㄝㄣ⁵/ㄖㄢ⁵　ㄎㄨㄢ⁵
十　　字　街　頭　過　圓　　環，

cha¹/zha¹　liong⁵　an²　to¹　ki⁵　m⁵　kuan³，
ㄘㄚ¹/ㄔㄚ¹　ㄌㄛㄥ⁵　ㄋ²　ㄉㄛ¹　ㄍ丨⁵　ㄇ⁵　ㄍㄨㄢ³
車　　輛　恁　多　佢　毋　慣(5)，

lok⁸　ngiun⁵　hong⁵　hi³　phan⁷　thoi⁷　khuan²。
ㄌㄛㄍ⁸　ㄫ丨ㄨㄣ⁵　ㄏㄛㄥ⁵　ㄏ丨³　ㄆㄢ⁷　ㄊㄛ丨⁷　ㄎㄨㄢ²
落　銀　行　去　辦　貸　款　。

hi²　kim¹　ngiun⁵，hi³　su⁷/shiu⁷　hiun³，
ㄏ丨²　ㄍ丨ㄇ¹　ㄫ丨ㄨㄣ⁵　ㄏ丨³　ㄙㄨ⁷/ㄕ丨ㄨ⁷　ㄏ丨ㄨㄣ³
許　金　銀，去　受　　訓，

tong¹　hoi²　kiun¹，lip⁸　kung¹　hiun¹。
ㄉㄛㄥ¹　ㄏㄛ丨²　ㄍ丨ㄨㄣ¹　ㄌ丨ㄅ⁸　ㄍㄨㄥ¹　ㄏ丨ㄨㄣ¹
當　海　軍，立　功　勳　。

thai^7 tiau^1 thu^3 se^3 tiau^1，su^7/shu^7 tang^2 pit^4 pit^4 thiau^3。
ㄊㄞ^7 ㄉㄧㄠ^1 ㄊㄨ^3 ㄙㄝ^3 ㄉㄧㄠ^1 ㄙㄨ^7/ㄕㄨ^7 ㄉㄤ^2 ㄅㄧㄉ^4 ㄅㄧㄉ^4 ㄊㄧㄠ^3
大 鳥 度 細 鳥， 樹 頂 嗶 嗶 跳(6)。

se^3 ngin^5 cung^2/zung^2 oi^7 iu^1/jiu^1 ho^2 liau^7，
ㄙㄝ^3 ㄫㄧㄣ^5 ㄗㄨㄥ^2/ㄓㄨㄥ^2 ㄛㄧ^7 ㄧㄨ^1/ㄖㄧㄨ^1 ㄏㄛ^2 ㄌㄧㄠ^7
細 人 總 愛 有 好 料，
m^5 voi^7 ki^1， m^5 ti^1 iau^1。
ㄇ^5 ㄪㄛㄧ^7 ㄍㄧ^1 ㄇ^5 ㄉㄧ^1 ㄧㄠ^1
毋 會 飢(7)，毋 知 枵(8)。

it^4/jit^4 ka^1 sam^1 khieu^2， ko^3 hiuk^4 liong^2 thiau^5 kieu^2。
ㄧㄉ^4/ㄖㄧㄉ^4 ㄍㄚ^1 ㄙㄚㄇ^1 ㄎㄧㄝㄨ^2 ㄍㄛ^3 ㄏㄧㄨㄍ^4 ㄌㄧㄛㄥ^2 ㄊㄧㄠ^5 ㄍㄧㄝㄨ^2
一 家 三 口，過 畜(9) 兩 條 狗 。

it^4/jit^4 cak^4/zak^4 thung^2 sam^1 cak^4/zak^4 khieu^1，
ㄧㄉ^4/ㄖㄧㄉ^4 ㄗㄚㄍ^4/ㄓㄚㄍ^4 ㄊㄨㄥ^2 ㄙㄚㄇ^1 ㄗㄚㄍ^4/ㄓㄚㄍ^4 ㄎㄧㄝㄨ^1
一 隻 桶 三 隻 箍(10)，

tiet^4 lok^8 ciang^2， iung^3/jung^7 kieu^1 ue^2/ue^5 kieu^5 。
ㄉㄧㄝㄉ^4 ㄌㄛㄍ^8 ㄐㄧㄤ^2 ㄧㄨㄥ^3/ㄖㄨㄥ^7 ㄍㄧㄝㄨ^1 ㄨㄝ^2/ㄨㄜ^5 ㄍㄧㄝㄨ^5
跌 落 井， 用 鉤 仔 勾 。

khi^5 ma^1 cho^1 khieu^7/khiau^7，tu^2 kieu^2/kiau^2 sii^2 hieu^1/hiau^1 ，
ㄎㄧ^5 ㄇㄚ^1 ㄘㄛ^1 ㄎㄧㄝㄨ^7/ㄎㄧㄠ^7 ㄉㄨ^2 ㄍㄧㄝㄨ^2/ㄍㄧㄠ^2 ㄙ^2 ㄏㄧㄝㄨ^1/ㄏㄧㄠ^1
騎 馬 坐 轎 ，賭 繳 使 梟(11) ，
mo^5 kin^2 mo^5 ieu^3/jau^3，hang^5 lu^7 man^7 man^7 ieu^5/jau^5。
ㄇㄛ^5 ㄍㄧㄣ^2 ㄇㄛ^5 ㄧㄝㄨ^3/ㄖㄠ^3 ㄏㄤ^5 ㄌㄨ^7 ㄇㄢ^7 ㄇㄢ^7 ㄧㄝㄨ^5/ㄖㄠ^5
無 緊 無 要，行 路 慢 慢 搖 。

二、詞句舉例及發音練習

ian： pian^3，pian^3 fa^3， si^2 mo^5 pian^3。
(ien) ㄅㄧㄢ^3 ㄅㄧㄢ^3 ㄈㄚ^3 ㄒㄧ^2 ㄇㄛ^5 ㄅㄧㄢ^3
變 ，變 化，死 無 變(12) 。

sian¹　，　sii⁵/shin⁵　sian¹　，　thai⁷　lo⁵　kim¹　sian¹。

ㄒㄧㄋ¹　　ㄙㄝㄋ⁵/ㄕㄧㄋ⁵　ㄒㄧㄋ¹　　ㄊㄞ⁷　ㄌㄛ⁵　ㄍㄧㄇ¹　ㄒㄧㄋ¹

仙　，　神　　仙　，　大　羅　金　仙(13)。

chian⁵　，mo⁵　chian⁵　，sak⁸/shak⁸　chiung⁵　ho⁵　fu³　than³　mo⁵　chian⁵。

ㄑㄧㄢ⁵　ㄇㄛ⁵　ㄑㄧㄢ⁵　ㄙㄚㄍ⁸/ㄕㄚㄍ⁸　ㄑㄧㄨㄥ⁵　ㄏㄛ⁵　ㄈㄨ³　ㄊㄢ³　ㄇㄛ⁵　ㄑㄧㄢ⁵

錢　，無　錢　，石　　崇　豪　富　歎　無　錢。

ngien⁵　，su⁷/shiu⁷　ngien⁵　，

ㄫㄧㄋ⁵　ㄙㄨ⁷/ㄕㄧㄨ⁷　ㄫㄧㄋ⁵

年　，　壽　　年　，

phang⁵　cu²　fun⁵　hiong¹　cuk⁴/zuk⁴　su⁷/shiu⁷　ngien⁵　。

ㄆㄤ⁵　ㄗㄨ²　ㄈㄨㄋ⁵　ㄏㄧㄛㄥ¹　ㄗㄨㄍ⁴/ㄓㄨㄍ⁴　ㄙㄨ⁷/ㄕㄧㄨ⁷　ㄫㄧㄋ⁵

彭　祖　焚　香　　祝　　壽　　年　。

-uan：kuan¹　，thung⁵　kuan¹　，pa²　su²/shiu²　san¹　hoi²　kuan¹。

ㄍㄨㄢ¹　ㄊㄨㄥ⁵　ㄍㄨㄢ¹　ㄅㄚ²　ㄙㄨ²/ㄕㄧㄨ²　ㄙㄢ¹　ㄏㄛㄧ²　ㄍㄨㄢ¹

關　，潼　　關　，把　守　　山　海　關　。

khuan⁵　，ien⁵/jan⁵　khuan⁵　，kiu²　lian⁵　khuan⁵。

ㄎㄨㄢ⁵　ㄧㄝㄋ⁵/ㄖㄢ⁵　ㄎㄨㄢ⁵　ㄍㄧㄨ²　ㄌㄧㄢ⁵　ㄎㄨㄢ⁵

環　，圓　　環　，九　連　環　。

kuan³　，sip⁸　kuan³　，m⁵　sip⁸　kuan³。

ㄍㄨㄢ³　ㄒㄧㄅ⁸　ㄍㄨㄢ³　ㄇ⁵　ㄒㄧㄅ⁸　ㄍㄨㄢ³

慣　，習　慣　，毋　習　慣　。

khuan²　，thoi⁷　khuan²　，lok⁸　ngiun⁵　hong⁵　phan⁷　li¹　thoi⁷　khuan²。

ㄎㄨㄢ²　ㄊㄛㄧ⁷　ㄎㄨㄢ²　ㄌㄛㄍ⁸　ㄫㄧㄨㄋ⁵　ㄏㄛㄥ⁵　ㄆㄢ⁷　ㄌㄧ¹　ㄊㄛㄧ⁷　ㄎㄨㄢ²

款　，貸　款　，落　　銀　行　辦　理　貸　　款。

-iun：ngiun⁵　，kim¹　ngiun⁵　，kim¹　ngiun⁵　choi⁵　po²　ngin⁵　ngin⁵　oi³。

ㄫㄧㄨㄋ⁵　ㄍㄧㄇ¹　ㄫㄧㄨㄋ⁵　ㄍㄧㄇ¹　ㄫㄧㄨㄋ⁵　ㄘㄛㄧ⁵　ㄅㄛ²　ㄫㄧㄋ⁵　ㄫㄧㄋ⁵　ㄛㄧ³

銀　，金　銀　，金　銀　財　寶　人　人　愛。

-iau：tiau¹　，thai¹　tiau¹　，thai¹　phen⁵　tiau¹。

ㄅㄧㄠ¹　ㄊㄞ³　ㄅㄧㄠ¹　ㄊㄞ¹　ㄆㄝㄋ⁵　ㄅㄧㄠ¹

鳥　，大　鳥　，大　鵬　鳥。

thiau³ ， pit⁴ pit⁴ thiau³ ， thiau³ loi⁵ thiau³ hi³ 。

ㄊㄧㄠ³ ㄅㄧㄅ⁴ ㄅㄧㄅ⁴ ㄊㄧㄠ³ ㄊㄧㄠ³ ㄌㆶ⁵ ㄊㄧㄠ³ ㄏㆢ³

跳 ， 嗶 嗶 跳 ， 跳 來 跳 去 。

liau⁷ ， iu⁵ liau⁷ ， ha³ li¹ pai³ ngit⁴ iu¹ ho² liau⁷ 。

ㄌㄧㄠ⁷ ㄧㄨ⁵ ㄌㄧㄠ⁷ ㄏㄚ³ ㄌㄧ¹ ㄅㄞ³ ㆫㄧㄅ⁴ ㄧㄨ¹ ㄏㆦ² ㄌㄧㄠ⁷

料 ， 遊 料 ， 下 禮 拜 日 有 好 料 。

iau ， tu² iau¹ ， se³ ngin⁵ iu¹/jiu¹ kau² m⁵ ti¹ iau¹ 。

ㄧㄠ ㄉㄨ² ㄧㄠ¹ ㄙㆤ³ ㆫㄧㄣ⁵ ㄧㄨ¹/ㄖㄧㄨ¹ ㄍㄠ² ㄇ⁵ ㄉㄧ¹ ㄧㄠ¹

㧡 ， 肚 㧡 ， 細 人 有 搞 毋 知 㧡 。

-ieu： khieu² ， ngin⁵ khieu² ， it⁴/jit⁴ ka¹ sam¹ khieu² 。

ㄎㄧㆤㄨ² ㆫㄧㄣ⁵ ㄎㄧㆤㄨ² ㄧㄅ⁴/ㄖㄧㄅ⁴ ㄍㄚ¹ ㄙㄚㄇ¹ ㄎㄧㆤㄨ²

口 ， 人 口 ， 一 家 三 口 。

kieu² ， vong⁵ kieu² ， hiuk⁴ vong⁵ kieu² co³ phan¹ 。

ㄍㄧㆤㄨ² ㄅㆦㄥ⁵ ㄍㄧㆤㄨ² ㄏㄨㄍ⁴ ㄅㆦㄥ⁵ ㄍㄧㆤㄨ² ㄗㆦ³ ㄆㄢ¹

狗 ， 黃 狗 ， 畜 黃 狗 做 伴 。

khieu¹ ， thung² khieu¹ ， ta² thung² khieu¹ 。

ㄎㄧㆤㄨ¹ ㄊㄨㄥ² ㄎㄧㆤㄨ¹ ㄉㄚ² ㄊㄨㄥ² ㄎㄧㆤㄨ¹

箍 ， 桶 箍 ， 打 桶 箍 。

kieu¹ ， thiet⁴ kieu¹ ， sin¹ ta² sam¹ ki¹ thiet⁴ kieu¹ 。

ㄍㄧㆤㄨ¹ ㄊㄧㆤㄉ⁴ ㄍㄧㆤㄨ¹ ㄒㄧㄣ¹ ㄉㄚ² ㄙㄚㄇ¹ ㄍㄧ¹ ㄊㄧㆤㄉ⁴ ㄍㄧㆤㄨ¹

鉤 ， 鐵 鉤 ， 新 打 三 支 鐵 鉤 。

kieu⁵ ， kieu⁵ hi² loi⁵ ， van¹ van¹ kieu⁵ kieu⁵ 。

ㄍㄧㆤㄨ⁵ ㄍㄧㆤㄨ⁵ ㄏㄧ² ㄌㆦㄧ⁵ ㄅㄢ¹ ㄅㄢ¹ ㄍㄧㆤㄨ⁵ ㄍㄧㆤㄨ⁵

勾 ， 勾 起 來 ， 彎 彎 勾 勾 。

thung⁵ sian³ ne²/ne⁵ van¹ van¹ kieu⁵ kieu⁵ 。

ㄊㄨㄥ⁵ ㄒㄧㄢ³ ㄋㆤ²/ㄋㆤ⁵ ㄅㄢ¹ ㄅㄢ¹ ㄍㄧㆤㄨ⁵ ㄍㄧㆤㄨ⁵

銅 線 仔 彎 彎 勾 勾 。

hiun³ ， su⁷/shiu⁷ hiun³ ， su⁷/shiu⁷ kiun¹ hiun³ 。

ㄏㄧㄨㄣ³ ㄙㄨ⁷/ㄕㄨ⁷ ㄏㄧㄨㄣ³ ㄙㄨ⁷/ㄕㄨ⁷ ㄍㄧㄨㄣ¹ ㄏㄧㄨㄣ³

訓 ， 受 訓 ， 受 軍 訓 。

kiun¹ ， hoi² kiun¹ ， na⁵ lo² thai¹ tong¹ hoi² kiun¹ 。

《ㄧㄨㄣ¹ ， ㄏㄛㄧ² 《ㄧㄨㄣ¹ ㄤㄚ⁵ ㄌㄛ² ㄊㄞ¹ ㄉㄛㄥ¹ ㄏㄛㄧ² 《ㄧㄨㄣ¹

軍 ， 海 軍 ， 吾 老 弟 當 海 軍 。

hiun¹ ， kung¹ hiun¹ ， kian³ lip⁸ kung¹ hiun¹ 。

ㄏㄧㄨㄣ¹ ， 《ㄨㄥ¹ ㄏㄧㄨㄣ¹ 《ㄧㄢ³ ㄌㄧㄣ⁸ 《ㄨㄥ¹ ㄏㄧㄨㄣ¹

勳 ， 功 勳 ， 建 立 功 勳 。

-icu /-iau： khieu⁷/khiau⁷ ， cho¹ khieu⁷/khiau⁷ ， cho¹ fung⁵ khieu⁷/khiau⁷ 。

ㄎㄧㄝㄨ⁷/ㄎㄧㄠ⁷ ， ㄘㄛ¹ ㄎㄧㄝㄨ⁷/ㄎㄧㄠ⁷ ， ㄘㄛ¹ ㄈㄨㄥ⁵ ㄎㄧㄝㄨ⁷/ㄎㄧㄠ⁷

轎 ， 坐 轎 ， 坐 紅 轎 。

a¹ ci² cho¹ fung⁵ khieu⁷/khiau⁷ 。

ㄚ¹ ㄐㄧ² ㄘㄛ¹ ㄈㄨㄥ⁵ ㄎㄧㄝㄨ⁷/ㄎㄧㄠ⁷

阿 姐 坐 紅 轎 。

kieu²/kiau² ， tu² kieu²/kiau² ， siip⁸/ship⁸ kieu²/kiau² kiu² su¹/shu¹ ，

《ㄧㄝㄨ²/《ㄧㄠ² ㄉㄨ² 《ㄧㄝㄨ²/《ㄧㄠ² ㄙㄣ⁸/ㄕㄣ⁸ 《ㄧㄝㄨ²/《ㄧㄠ² 《ㄧㄨ² ㄙㄨ¹/ㄕㄨ¹

繳 ， 賭 繳 ， 十 繳 九 輸 ，

su¹/shu¹ to³ mo³ mi² cu²/zu² 。

ㄙㄨ¹/ㄕㄨ¹ ㄉㄛ³ ㄇㄛ³ ㄇㄧ² ㄗㄨ²/ㄓㄨ²

輸 到 無 米 煮 。

hieu¹/hiau¹ ， sii² hieu¹/hiau¹ ， it⁴/jit⁴ thoi⁷ hieu¹/hiau¹ hiung⁵ ，

ㄏㄧㄝㄨ¹/ㄏㄧㄠ¹ ， ㄙ² ㄏㄧㄝㄨ¹/ㄏㄧㄠ¹ ㄧㄉ⁴/ㄖㄧㄉ⁴ ㄊㄛ⁷ ㄏㄧㄝㄨ¹/ㄏㄧㄠ¹ ㄏㄨㄥ⁵

梟 ， 使 梟 ， 一 代 梟 雄 ，

cho⁵ chau¹ he³ it⁴/jit⁴ thoi⁷ hieu¹/hiau¹ hiung⁵ 。

ㄘㄛ⁵ ㄘㄠ¹ ㄏㄝ³ ㄧㄉ⁴/ㄖㄧㄉ⁴ ㄊㄛ⁷ ㄏㄧㄝㄨ¹/ㄏㄧㄠ¹ ㄏㄨㄥ⁵

曹 操 係 一 代 梟 雄 。

ieu³/jau³ ， kin² ieu³/jau³ ， mo⁵ kin² mo⁵ ieu³/jau³ ，

ㄧㄝㄨ³/ㄖㄠ³ ， 《ㄧㄣ² ㄧㄝㄨ³/ㄖㄠ³ ， ㄇㄛ⁵ 《ㄧㄣ² ㄇㄛ⁵ ㄧㄝㄨ³/ㄖㄠ³

要 ， 緊 要 ， 無 緊 無 要 ，

mo⁵ kin² mo⁵ ieu³/jau³ co³ sii⁷ nan⁵ siin⁵/shin⁵ 。

ㄇㄛ⁵ 《ㄧㄣ² ㄇㄛ⁵ ㄧㄝㄨ³/ㄖㄠ³ ㄗㄛ³ ㄙ⁷ ㄋㄢ⁵ ㄙㄣ⁵/ㄕㄧㄣ⁵

無 緊 無 要 做 事 難 成 。

ieu⁵/jau⁵， thung⁷ ieu⁵/jau⁵， thi⁷ thung¹ san¹ ieu⁵/jau⁵。
ㄧㄝㄨ⁵/ㄖㄠ⁵ ㄊㄨㄥ⁷ ㄧㄝㄨ⁵/ㄖㄠ⁵ ㄊㄧ⁷ ㄊㄨㄥ¹ ㄙㄢ¹ ㄧㄝㄨ⁵/ㄖㄠ⁵
搖， 動 搖， 地 動 山 搖 。
ngiu⁵ ku² fan¹ siin¹/shin¹ thi⁷ thung¹ san¹ ieu⁵/jau⁵。
ㄫㄧㄨ⁵ ㄍㄨ² ㄈㄢ¹ ㄙㄣ¹/ㄕㄣ¹ ㄊㄧ⁷ ㄊㄨㄥ¹ ㄙㄢ¹ ㄧㄝㄨ⁵/ㄖㄠ⁵
牛 牯 翻 身 地 動 山 搖 。

三、音標介紹

i a n (i e n) ㄧㄢ (ㄧㄝㄣ) （鼻音尾韻母）
這是 **an** 加介音 i 合起來的韻母。如「天」的韻母部份，南部的發音是
〔**ian**〕，主要元音是(a)，北部的發音是（**ien**），主要元音是（e）。
u a n ㄨㄢ （鼻音尾韻母）
這是 **an** 加介音 u 合起來的韻母。如「關」（**kuan¹**）的韻母部份。
i u n ㄧㄨㄣ（鼻音尾韻母）
這是 **un** 加介音 i 合起來的韻母，如「訓」（**hiun³**）的韻母部份。
i a u ㄧㄠ （結合韻母）
這是 **au** 加介音 i 合起來的韻母，如「跳」（**thiau³**）的韻母部份。
i e u ㄧㄝㄨ（結合韻母）
這是 **eu** 加介音 i 合起來的韻母，如「狗」（**kieu²**）的韻母部份。國
語沒有此韻，練習時要特別留意。

四、對比練習

第一式　　　　　　　　　　　第二式

ian / ien	uan	iun	ㄧㄢ /	ㄧㄝㄣ	ㄨㄢ	ㄧㄨㄣ
pian / pien			ㄅㄧㄢ /	ㄅㄧㄝㄣ		
tian / tien			ㄉㄧㄢ /	ㄉㄧㄝㄣ		
kian / kien	kuan	kiun	ㄍㄧㄢ /	ㄍㄧㄝㄣ	ㄍㄨㄢ	ㄍㄧㄨㄣ
ngian / ngien	nguan	ngiun	ㄫㄧㄢ /	ㄫㄧㄝㄣ	ㄫㄨㄢ	ㄫㄧㄨㄣ
hian / hien		hiun	ㄏㄧㄢ /	ㄏㄧㄝㄣ		ㄏㄧㄨㄣ
cian / cien			ㄐㄧㄢ /	ㄐㄧㄝㄣ		
chian / chien			ㄑㄧㄢ /	ㄑㄧㄝㄣ		
lian / lien			ㄌㄧㄢ /	ㄌㄧㄝㄣ		

說明：國語 i a n（ㄧㄢ）都讀 i e n（ㄧㄝㄣ），沒有分別的必要。但在客語中，
　　　如天、年、前、獻、堅等字，則南北發音有區別，所以分別列出以供比較。

au	eu	iau	ieu		ㄠ	ㄝㄨ	ㄧㄠ	ㄧㄝㄨ
pau	peu	piau			ㄅㄠ	ㄅㄝㄨ	ㄅㄧㄠ	
tau	teu	tiau			ㄉㄠ	ㄉㄝㄨ	ㄉㄧㄠ	
cau	ceu	ciau			ㄗㄠ	ㄗㄝㄨ	ㄐㄧㄠ	
kau		kiau	kieu		ㄍㄠ		ㄍㄧㄠ	ㄍㄧㄝㄨ
hau	heu	hiau	hieu		ㄏㄠ	ㄏㄝㄨ	ㄏㄧㄠ	ㄏㄧㄝㄨ

五、拼音練習

（一）本課所習音標的基本拼音及例字

第一式	第二式	聲調及例字
p　　　　　　　ㄅ		1、編 2、扁　　3、變 5、　　7、
p h　　　　　　ㄆ		1、偏 2、片　　3、騙 5、便 7、便
t　　　　　　　ㄉ		1、顛 2、典　　3、占（～位）5、　7、
t h　ian　　ㄊ　ㄧㄢ		1、天 2、　　　3、　 5、田 7、電
k　（ien）　ㄍ		1、奸 2、捲　　3、見 5、捲 7、
k h　　　　　ㄎ		1、牽 2、犬　　3、勸 5、虔 7、件
c　　　　　　　ㄗ		1、煎 2、剪　　3、箭 5、　　7、
c h　　　　　ㄘ		1、千 2、淺　　3、　 5、錢 7、賤
k　uan　　《　ㄨㄢ		1、關 2、管　　3、慣 5、　　7、
k h　　　　ㄎ		1、寬(14)2、款　3、　 5、環 7、擐(15)
k　　　　　　《		1、君 2、謹　　3、　 5、　　7、
k h　iun　ㄎ　ㄧㄨㄣ		1、近 2、　　　3、　 5、裙 7、近（～來）
h　　　　　　ㄏ		1、勳 2、　　　3、訓 5、痕 7、
p　　　　　　ㄅ		★1、飆 2、表　　3、　 5、　　7、
p h　　　　　ㄆ		★1、漂 2、標　　3、票 5、嫖 7、
t　　　　　　ㄉ		1、刁 2、屌　　3、調 5、　　7、
t h　　　　　ㄊ		1、挑 2、　　　3、糶 5、調 7、調
k　iau(16)《　ㄧㄠ		★1、嬌 2、繳　　3、噭 5、　　7、
k h　　　　　ㄎ		★1、蹺 2、巧(17) 3、藃 5、橋 7、轎
h　　　　　　ㄏ		★1、梟 2、曉　　3、　 5、姣 7、
c　　　　　　ㄗ		★1、焦 2、　　　3、醮 5、　　7、
c h　　　　　ㄘ		★1、鍫 2、　　　3、俏 5、樵 7、嚼

k	《	1、鉤 2、狗 3、夠 5、勾 7、
kh ｜ieu ㄎ	｜ㄝㄨ(18)	1、箍 2、口 3、扣 5、橋 7、轎
h	ㄏ	1、梟 2、曉 3、　5、嬈 7、

（二）本課所習音標的各種拼音

pian	phian	min	tian	thian	lian	cian	chian	sian	kian	khian
ㄅㄧㄢ	ㄆㄧㄢ	ㄇㄧㄢ	ㄉㄧㄢ	ㄊㄧㄢ	ㄌㄧㄢ	ㄐㄧㄢ	ㄑㄧㄢ	ㄒㄧㄢ	ㄍㄧㄢ	ㄎㄧㄢ

ngian	hian	kuan	khuan	nguan	kiun	khiun	ngiun	hiun
ㄫㄧㄢ	ㄏㄧㄢ	ㄍㄨㄢ	ㄎㄨㄢ	ㄫㄨㄢ	ㄍㄧㄨㄣ	ㄎㄧㄨㄣ	ㄫㄧㄨㄣ	ㄏㄧㄨㄣ

piau	phiau	miau	tiau	thiau	niau	ciau	chiau	siau	kiau	khiau
ㄅㄧㄠ	ㄆㄧㄠ	ㄇㄧㄠ	ㄉㄧㄠ	ㄊㄧㄠ	ㄋㄧㄠ	ㄐㄧㄠ	ㄑㄧㄠ	ㄒㄧㄠ	ㄍㄧㄠ	ㄎㄧㄠ

ngiau	hiau	kieu	khieu	ngieu	hieu
ㄫㄧㄠ	ㄏㄧㄠ	ㄍㄧㄝㄨ	ㄎㄧㄝㄨ	ㄫㄧㄝㄨ	ㄏㄧㄝㄨ

（三）-ian(-ien)、-uan、-iun、-iau、-ieu 的常用詞

$siin^5$/$shin^5$	$sian^1$	su^7/$shiu^7$	$ngian^5$	$chiang^1$	$thian^1$	$chon^7$	$chian^5$
ㄙㄣ⁵/ㄕㄣ⁵	ㄒㄧㄢ¹	ㄙㄨ⁷/ㄕㄧㄨ⁷	ㄫㄧㄢ⁵	ㄑㄧㄤ¹	ㄊㄧㄢ¹	ㄑㄛㄣ⁷	ㄑㄧㄢ⁵
神	仙	壽	年	青	天	賺	錢

$thung^5$	$kuan^1$	ian^5/jan^5	$khuan^5$	$thui^3$	$khuan^2$	sip^8	$kuan^3$
ㄊㄨㄥ⁵	ㄍㄨㄢ¹	ㄧㄢ⁵/ㄖㄧㄢ⁵	ㄎㄨㄢ⁵	ㄊㄨ³	ㄎㄨㄢ²	ㄒㄧㄣ⁸	ㄍㄨㄢ³
潼	關	圓	環	退	款	習	慣

$liuk^8$	$kiun^1$	$kung^1$	$hiun^1$	kim^1	$ngiun^5$	ian^2/jan^2	$khiun^1$
ㄌㄧㄨㄍ⁸	ㄍㄧㄨㄣ¹	ㄍㄨㄥ¹	ㄏㄧㄨㄥ¹	ㄍㄧㄇ¹	ㄫㄧㄨㄣ⁵	ㄧㄢ²/ㄖㄧㄢ²	ㄎㄧㄨㄣ¹
陸	軍	功	勳	金	銀	遠	近

$siang^3$	$tiau^1$	$choi^5$	$thiau^7$	vu^1	$tiau^1$	$choi^5$	$liau^7$
ㄒㄧㄤ³	ㄉㄧㄠ¹	ㄑㄛㄧ⁵	ㄊㄧㄠ⁷	ㄨㄨ¹	ㄉㄧㄠ¹	ㄑㄛㄧ⁵	ㄌㄧㄠ⁷
姓	刁	才	調	烏	鳥	材	料

$thiet^4$	$kieu^1$	$ngin^5$	$khieu^2$	nen^5	$kieu^3$	cuk^4/zuk^4	$khieu^1$
ㄊㄧㄝㄉ⁴	ㄍㄧㄝㄨ¹	ㄫㄧㄣ⁵	ㄎㄧㄝㄨ²	ㄋㄝㄣ⁵	ㄍㄧㄝㄨ³	ㄗㄨㄍ⁴/ㄓㄨㄍ⁴	ㄎㄧㄝㄨ¹
鐵	鉤	人	口	能	夠	竹	箍

（四）-ian(-ien)、-uan、-iun、-iau、-ieu 的疊韻詞

thian[1]	pian[1]	chian[1]	ngian[5]	phian[1]	thian[7]	khian[1]	lian[5]
ㄊㄧㄢ[1]	ㄅㄧㄢ[1]	ㄑㄧㄢ[1]	ㄫㄧㄢ[5]	ㄆㄧㄢ[1]	ㄊㄧㄢ[7]	ㄎㄧㄢ[1]	ㄌㄧㄢ[5]
天	邊	千	年	偏	殿	牽	連

khuan[7]	khuan[2]	khuan[5]	kuan[1]	kuan[2]	kuan[1]	kuan[1]	khuan[2]
ㄎㄨㄢ[7]	ㄎㄨㄢ[2]	ㄎㄨㄢ[5]	ㄍㄨㄢ[1]	ㄍㄨㄢ[2]	ㄍㄨㄢ[1]	ㄍㄨㄢ[1]	ㄎㄨㄢ[2]
撤	款	環	關	管	關	官	款(19)

kiun[1]	hiun[3]	hiun[1]	ngiun[7]	khiun[7]	khiun[5]	kiun[1]	ngiun[5]
ㄍㄧㄨㄣ[1]	ㄏㄧㄨㄣ[3]	ㄏㄧㄨㄣ[1]	ㄫㄧㄨㄣ[7]	ㄎㄧㄨㄣ[7]	ㄎㄧㄨㄣ[5]	ㄍㄧㄨㄣ[1]	ㄫㄧㄨㄣ[5]
軍	訓	薰	韌	近	群	君	銀

seu[3]/siau[3]	liau[7]	seu[2]/siau[2]	thiau[3]	liau[3]	tiau[1]	liau[7]	thiau[3]
ㄙㄝㄨ[3]/ㄒㄧㄠ[3]	ㄌㄧㄠ[7]	ㄙㄝㄨ[2]/ㄒㄧㄠ[2]	ㄊㄧㄠ[3]	ㄌㄧㄠ[3]	ㄉㄧㄠ[1]	ㄌㄧㄠ[7]	ㄊㄧㄠ[3]
笑	料	小	調	撩	刁	料	跳(20)

khieu[1]	kieu[2]	kieu[3]	khieu[3]	khieu[7]	ieu[5]	kieu[1]	hieu[5]
ㄎㄧㄝㄨ[1]	ㄍㄧㄝㄨ[2]	ㄍㄧㄝㄨ[3]	ㄎㄧㄝㄨ[3]	ㄎㄧㄝㄨ[7]	ㄧㄝㄨ[5]	ㄍㄧㄝㄨ[1]	ㄏㄧㄝㄨ[5]
箍	狗	夠	扣	轎	搖	嬌	嬈

khiau[7]	jau[5]	kiau[1]	hiau[5]
ㄎㄧㄠ[7]	ㄖㄠ[5]	ㄍㄧㄠ[1]	ㄏㄧㄠ[5]
轎	搖	嬌	嬈

（五）-ian、(-ien)、-uan、-iun、-iau、-ieu 的生活用語

ian：vu[1]　iun[5]/jun[5]　mo[5]　kut[4]　chai[7]　pan[3]　thian[1]，
(ien) ㄨ[1]　ㄧㄨㄣ[5]/ㄖㄨㄣ[5]　ㄇㄛ[5]　ㄍㄨㄉ[4]　ㄘㄞ[7]　ㄅㄢ[3]　ㄊㄧㄢ[1]
　　　烏　　雲　　　　無　　骨　　在　　半　　天，

ngin[5]　iang[2]/jang[2]　mo[5]　kut[4]　chai[7]　siin[1]/shin[1]　pian[1]。
ㄫㄧㄣ[5]　ㄧㄤ[2]/ㄖㄤ[2]　ㄇㄛ[5]　ㄍㄨㄉ[4]　ㄘㄞ[7]　ㄙㄣ[1]/ㄕㄣ[1]　ㄅㄧㄢ[1]
　人　　影　　　　無　　骨　　在　　身　　　邊。

uan：vong[5]　ngiu[5]　ku[2]，kok[4]　van[1]　van[1]，coi[3]/cai[3]　lo[2]　ia[5]/ja[5]，
　　　ㄨㄛㄥ[5]　ㄫㄧㄨ[5]　ㄍㄨ[2]　ㄍㄛㄍ[4]　ㄨㄢ[1]　ㄨㄢ[1]　ㄗㄛ[3]/ㄗㄞ[3]　ㄌㄛ[2]　ㄧㄚ[5]/ㄖㄚ[5]
　　　黃　　牛　　牯，角　　彎　　彎，　載　　老　　爺，

ko³ sam¹ kuan¹，sam¹ kuan¹ con²/zon² loi⁵ phi⁵ nguan⁵ nguan⁵
ㄍㄛ³ ㄙㄚㄇ¹ ㄍㄨㄢ¹ ㄍㄨㄢ¹ ㄗㄛㄣ²/ㄓㄛㄣ² ㄌㄛㄧ⁵ ㄆㄧ⁵ ㄫㄨㄢ⁵ ㄫㄨㄢ⁵
過 三 關， 三 關 轉 來 皮 頑 頑。

iun：li² vun⁵ hiun³，hi³ chut⁴/zhut⁴ khiun⁵，pan³ lu⁷ tu⁵ to²
ㄌㄧ² ㄈㄨ⁵ ㄏㄧㄣ³ ㄏㄧ³ ㄑㄨㄉ⁴/ㄔㄨㄉ⁴ ㄎㄧㄨㄣ⁵ ㄅㄢ³ ㄌㄨ⁷ ㄉㄨ⁵ ㄉㄛ²
李 文 訓， 去 出 勤， 半 路 堵 到
ka¹ khin³ kiun¹。
ㄍㄚ¹ ㄎㄧㄣ³ ㄍㄧㄨㄣ¹
嘉 慶 君 。

iau：meu³/ngiau³ teu⁵ tiau¹，mien³ niau¹ niau¹，
ㄇㄝㄨ³/ㄫㄧㄠ³ ㄊㄝㄨ⁵ ㄅㄧㄠ¹ ㄇㄧㄢ³ ㄋㄧㄠ¹ ㄋㄧㄠ¹
貓 頭 鳥， 面 （藕）（藕），

ngit⁴ li⁵ tho² siit⁸/shit⁸ khon³ m⁵ to²，
ㄫㄧㄉ⁴ ㄌㄧ⁵ ㄊㄛ² ㄙㄉ⁸/ㄕㄉ⁸ ㄎㄛㄣ³ ㄇ⁵ ㄉㄛ²
日 裡 討 食 看 毋 到，
ia⁷/ja⁷ li⁵ tho² siit⁸/shit⁸ pok⁴ ngin⁵ nau¹。
ㄧㄚ⁷/ㄖㄚ⁷ ㄌㄧ⁵ ㄊㄛ² ㄙㄉ⁸/ㄕㄉ⁸ ㄅㄛㄍ⁴ ㄫㄧㄣ⁵ ㄋㄠ¹
夜 裡 討 食 博 人 惱 。

ieu：tho⁵ hok⁸ kieu²，man¹ san¹ ceu²，m⁵ thuk⁸ su¹/shu¹，
ㄊㄛ⁵ ㄏㄛㄍ⁸ ㄍㄧㄝㄨ² ㄇㄢ¹ ㄙㄢ¹ ㄗㄝㄨ² ㄇ⁵ ㄊㄨㄍ⁸ ㄙㄨ¹/ㄕㄨ¹
逃 學 狗， 滿 山 走， 毋 讀 書 ，
tet⁴ ngin⁵ seu⁵，a¹ me¹ ta²，nga² nga² kieu³/kiau³。
ㄉㄝㄉ⁸ ㄫㄧㄣ⁵ ㄙㄝㄨ⁵ ㄚ¹ ㄇㄝ¹ ㄉㄚ² ㄫㄚ² ㄫㄚ² ㄍㄧㄝㄨ³/ㄍㄧㄠ³
得 人 愁， 阿 姆 打， 哇 哇 叫 。

【注解】
(1)漢武爲君：漢武帝做了皇帝。
(2)石崇：晉朝人，字季倫，官至荊州刺史。於河陽築金谷園，爲當時有名的富
　　豪。
(3)嫦娥：傳說爲后羿之妻，因吃了不死之藥，飛到月球上廣寒宮去住。後世用
　　以比喻美女。
(4)彭祖：傳說爲古帝王顓頊的女孫。姓籛名鏗，或稱彭鏗，天帝賜他長壽，活
　　了八百多歲。後世因以彭祖爲長壽者的代稱。
(5)佢毋慣：他不習慣。

(6)嗶嗶跳：跳過來跳過去。嗶是跳躍的樣子。

(7)毋會飢：不會覺得餓。四縣話說餓為飢。

(8)毋知枵：不覺得餓。海陸話說餓為枵，如枵腹從公，就是餓著肚子辦公。

(9)過畜：又養了⋯⋯。過也說成又過。

(10)箍：圍在桶外圍的圓圈。

(11)使梟：使用不正常的手段。

(12)死無變：罵人死板板不知變通。俗諺：「死田螺無變。」

(13)大羅金仙：也稱大羅神仙。道教稱最高的天為大羅天，上面住的神仙就是大羅金仙。

(14)管（kuan²）、寬(kuan¹)為東勢音。

(15)擽，字或作擛，以手持物也，又音 kan⁷。

(16)上表 iau 韻中 p、ph、k、kh、h、c、ch 各行為海陸音，四縣音 p、ph、c、ch 四行的韻母為 eu，k、kh、h 三行的韻母為 ieu。但也有以為 iau 韻母的。

(17)巧字本音如同「考」，形容手藝好，悟性高則音 khieu²/khiau²，如「〜成」。

(18)本表中，橋、轎、梟、曉、蟯五字為四縣音，海陸音韻母為 iau。如橋（khiau）。

(19)管、官二字係東勢音。

(20)料跳，形容衣長拖地，一副悠閒的樣子，如「長衫料跳」，其本字待考。

第 十 課　　　上崎愛來上到嶺

學習重點：-ai　-ang　-iang　-uang

一、基本語料

se³ lo² thai¹ ， ngin⁵ choi⁵ put⁴ ko¹ put⁴ ai² ， sin¹ hok⁸
ㄙㄝ³ ㄌㄛ² ㄊㄞ¹ 　ㄇㄧㄣ⁵ ㄘㄛㄧ⁵ ㄅㄨㄍ⁴ ㄍㄛ¹ ㄅㄨㄍ⁴ ㄞ² 　ㄒㄧㄣ¹ ㄏㄛㄍ⁸
細 老 弟(1)， 人 才 不 高 不 矮 ， 新 學

co³ mai¹ mai⁷ ， kong¹ theu⁵ lok⁸ sok⁸/shok⁸　m⁵ kiang¹ sai³ ，
ㄗㄛ³ ㄇㄞ¹ ㄇㄞ⁷ 　ㄍㄛㄥ¹ ㄊㄝㄨ⁵ ㄌㄛㄍ⁸ ㄙㄛㄍ⁸/ㄕㄛㄍ⁸　ㄇ⁵ ㄍㄧㄤ¹ 　ㄙㄞ³
做 買 賣 ， 光 頭 落 ㄅ(2) 毋 驚 曬(3)，

tam⁷ kon¹ song¹ kian¹ theu⁵ chiu³ tai¹ ， khai¹ to³
ㄅㄚㄇ⁷ ㄍㄛㄣ¹ ㄙㄛㄥ¹ ㄍㄧㄢ¹ ㄊㄝㄨ⁵ ㄑㄧㄨ³ ㄅㄞ¹ 　ㄎㄞ¹ ㄅㄛ³
擔 竿 上 肩 頭 就 低 ， 挨 到

sat⁸/shat⁸　lai⁵ lai⁵ ， siit⁸/shit⁸ chai³ mo⁵ kian¹ nai⁷ 。
ㄙㄚㄅ⁸/ㄕㄚㄅ⁸　ㄌㄞ⁵ ㄌㄞ⁵ 　ㄙㄅ⁸/ㄕㄅ⁸ ㄔㄞ³ ㄇㄛ⁵ ㄍㄧㄢ¹ ㄋㄞ⁷
舌 犁 犁(4)， 實 在 無 堅 耐 。

nga¹ phen⁵ iu¹/jiu¹ siang³ phang⁵ ， miang⁵ on¹ to³ 　a¹ ang⁵/shang⁵ ，
ㄇㄚ¹ ㄆㄝㄣ⁵ ㄧㄨ¹/ㄖㄧㄨ¹ ㄒㄧㄤ³ ㄆㄤ⁵ 　ㄇㄧㄤ⁵ ㄛㄣ¹ ㄅㄛ³ 　ㄚ¹ 　ㄙㄤ⁵/ㄕㄤ⁵
吾(5) 朋 友 姓 彭 ， 名 安 到(6) 阿 城 ，

ki⁵ vuk⁴ ha¹ chai⁷ liung⁵ kong¹ tang² ， vuk⁴ mian³ chian⁵
ㄍㄧ⁵ ㄇㄨㄍ⁴ ㄏㄚ¹ ㄘㄞ⁷ ㄌㄧㄨㄥ⁵ ㄍㄛㄥ¹ ㄅㄤ² 　ㄇㄨㄍ⁴ ㄇㄧㄢ³ ㄑㄧㄢ⁵
佢 屋 下 在 龍 岡 頂 ， 屋 面 前

iu¹ thai⁷ vo⁵ thang⁵ 。
ㄧㄨ¹ 　ㄊㄞ⁷ 　ㄇㄛ⁵ 　ㄊㄤ⁵
有 大 禾 埕(7)。

song¹/shong¹ kia³ oi³ loi⁵ song¹/shong¹ to³ liang¹ ， ha¹ kia³
ㄙㄛㄥ¹/ㄕㄛㄥ¹ ㄍㄧㄚ³ ㄛㄧ³ ㄌㄛㄧ⁵ ㄙㄛㄥ¹/ㄕㄛㄥ¹ ㄅㄛ³ ㄌㄧㄤ¹ 　ㄏㄚ¹ ㄍㄧㄚ³
上 崎(8)愛 來 上 到 嶺 ， 下 崎

oi³ loi⁵ ha¹ to³ phiang⁵ ； soi⁷/shoi⁷ muk⁴ it⁴/jit⁴ kau³
ㄛ³ ㄌㄛㄧ⁵ ㄏㄚ¹ ㄅㄛ³ ㄆㄧㄤ⁵ 　ㄙㄛ⁷/ㄕㄛ⁷ ㄇㄨㄍ⁴ ㄧㄅ⁴/ㄖㄧㄅ⁴ ㄍㄠ³
愛 來 下 到 坪 ； 睡 目 一 覺

soi^{7}/shoi^{7}　to^{3}　kong^{1}，mok^{8}　loi^{5}　pan^{3}　kau^{3}　chiu^{7}　chok^{8}/zhok^{8}　kiang^{1}。
ㄙㄛㄧ^{7}/ㄕㄛㄧ^{7}　ㄉㄛ^{3}　ㄍㄛㄥ^{1}　ㄇㄛㄍ^{8}　ㄌㄛㄧ^{5}　ㄅㄢ^{3}　ㄍㄠ^{3}　ㄑㄧㄨ^{7}　ㄘㄛㄍ^{8}/ㄔㄛㄍ^{8}　ㄍㄧㄤ^{1}
睡　到　光(9)，莫　來　半　覺　就　著　驚(10)。

vo^{5}　song^{7}/shong^{7}　ngiam^{7}　kin^{1}　tin^{5}　tong^{5}　tiang^{5}，
ㄪㄛ^{5}　ㄙㄛㄥ^{7}/ㄕㄛㄥ^{7}　ㄫㄧㄚㄇ^{7}　ㄍㄧㄣ^{1}　ㄉㄧㄣ^{5}　ㄉㄛㄥ^{5}　ㄉㄧㄤ^{5}
和　尙　念　經　○　噹　○(11)，
chin^{1}　ka^{1}　ta^{2}　lo^{5}　khin^{5}　lin^{5}　kuang^{5}；
ㄑㄧㄣ^{1}　ㄍㄚ^{1}　ㄉㄚ^{2}　ㄌㄛ^{5}　ㄎㄧㄣ^{5}　ㄌㄧㄣ^{5}　ㄏㄨㄤ^{5}
親　家　打　鑼　○　○　○(12)；
pan^{3}　ia^{7}/ja^{7}　phong^{1}　mun^{5}　pin^{3}　piang^{3}　hiong^{2}，
ㄅㄢ^{3}　ㄧㄚ^{7}/ㄖㄚ^{7}　ㄆㄛㄥ^{1}　ㄇㄨㄣ^{5}　ㄅㄧㄣ^{3}　ㄅㄧㄤ^{3}　ㄏㄧㄛㄥ^{2}
半　夜　碰　門　並　柄　響(13)，
sam^{1}　ngiet^{8}　ta^{2}　lui^{5}　kin^{3}　lin^{3}　kuang^{3}。
ㄙㄚㄇ^{1}　ㄫㄧㄝㄉ^{8}　ㄉㄚ^{2}　ㄌㄨㄧ^{5}　ㄍㄧㄣ^{3}　ㄌㄧㄣ^{3}　ㄍㄨㄤ^{3}
三　月　打　雷　○　○　○(14)。

二、詞句舉例及發音練習

-ai：thai^{1}，lo^{2}　thai^{1}，se^{3}　lo^{2}　thai^{1}。
ㄊㄞ^{1}　ㄌㄛ^{2}　ㄊㄞ^{1}　ㄙㄝ^{3}　ㄌㄛ^{2}　ㄊㄞ^{1}
弟，老　弟，細　老　弟　。

ai^{2}，ko^{1}　ai^{2}，put^{4}　ko^{1}　put^{4}　ai^{2}。
ㄞ^{2}　ㄍ^{1}　ㄞ^{2}　ㄅㄨㄉ^{4}　ㄍ^{1}　ㄅㄨㄉ^{4}　ㄞ^{2}
矮，高　矮，不　高　不　矮。

mai^{3}，mai^{1}　mai^{3}，hok^{8}　co^{3}　mai^{1}　mai^{3}。
ㄇㄞ^{3}　ㄇㄞ^{1}　ㄇㄞ^{3}　ㄏㄛㄍ^{8}　ㄗㄛ^{3}　ㄇㄞ^{1}　ㄇㄞ^{3}
賣，買　賣，學　做　買　賣　。

sai^{3}，ngit^{4}　sai^{3}，m^{5}　kiang^{1}　ngit^{4}　sai^{3}。
ㄙㄞ^{3}　ㄫㄧㄉ^{4}　ㄙㄞ^{3}　ㄇ^{5}　ㄍㄧㄤ^{1}　ㄫㄧㄉ^{4}　ㄙㄞ^{3}
曬，日　曬，毋　驚　日　曬　。

tai^{1}，ko^{1}　tai^{1}，hang^{5}　lu^{7}　theu^{5}　na^{5}　tai^{1}。
ㄉㄞ^{1}　ㄍㄛ^{1}　ㄉㄞ^{1}　ㄏㄤ^{5}　ㄌㄨ^{7}　ㄊㄝㄨ^{5}　ㄋㄚ^{5}　ㄉㄞ^{1}
低，高　低，行　路　頭（那）低　。

khai¹，khiang¹ khai¹，tam³ theu⁵ chit⁴ ka¹ khai¹。

ㄎㄞ¹　ㄎㄧㄤ¹　ㄎㄞ¹　ㄅㄚㄇ³　ㄊㄝㄨ⁵　ㄑㄧㄅ⁴　ㄍㄚ¹　ㄎㄞ¹

挨，輕挨，擔頭自家(15)挨。

lai⁵，theu⁵ lai⁵ lai⁵，sat⁸/shat⁸ lai⁵ lai⁵。

ㄌㄞ⁵　ㄊㄝㄨ⁵　ㄌㄞ⁵　ㄌㄞ⁵　ㄙㄚㄅ⁸/ㄕㄚㄅ⁸　ㄌㄞ⁵　ㄌㄞ⁵

犁，頭犁犁，舌犁犁。

nai³，kian¹ nai³，siit⁸/shit⁸ chai³ mo⁵ kian¹ nai³。

ㄋㄞ³　ㄍㄧㄢ¹　ㄋㄞ³　ㄙㄅ⁸/ㄕㄅ⁸　ㄘㄞ³　ㄇㄛ⁵　ㄍㄧㄢ¹　ㄋㄞ³

耐，堅耐，實在無堅耐。

-ang：phang⁵，lo² phang⁵，nga¹ phen⁵ iu¹/jiu¹ siang³ phang⁵。

ㄆㄤ⁵　ㄌㄛ²　ㄆㄤ⁵　ㄫㄚ¹　ㄆㄝㄣ⁵　ㄧㄨ¹/ㆠㄧㄨ¹ㄒㄧㄤ³　ㄆㄤ⁵

彭，老彭，吾朋友姓彭。

sang⁵/shang⁵，a¹ sang⁵/shang⁵，van⁷ li¹ chong⁵/zhong⁵ sang⁵/shang⁵。

ㄙㄤ⁵/ㄕㄤ⁵　ㄚ¹　ㄙㄤ⁵/ㄕㄤ⁵　ㄇㄢ⁷　ㄌㄧ¹　ㄘㄛㄥ⁵/ㄔㄛㄥ⁵　ㄙㄤ⁵/ㄕㄤ⁵

城，阿城，萬里長城。

tang²，san¹ tang²，ko¹ san¹ tang²。

ㄅㄤ²　ㄙㄢ¹　ㄅㄤ²　ㄍㄛ¹　ㄙㄢ¹　ㄅㄤ²

頂，山頂，高山頂。

thang⁵，vo⁵ thang⁵，thai⁷ vo⁵ thang⁵。

ㄊㄤ⁵　ㄇㄛ⁵　ㄊㄤ⁵　ㄊㄞ⁷　ㄇㄛ⁵　ㄊㄤ⁵

埕，禾埕，大禾埕。

liang¹，san¹ liang¹，thai⁷ san¹ liang¹。

ㄌㄧㄤ¹　ㄙㄢ¹　ㄌㄧㄤ¹　ㄊㄞ⁷　ㄙㄢ¹　ㄌㄧㄤ¹

嶺，山嶺，大山嶺。

phiang⁵，thi⁷ phiang⁵，mai¹ thi⁷ phiang⁵。

ㄆㄧㄤ⁵　ㄊㄧ⁷　ㄆㄧㄤ⁵　ㄇㄞ¹　ㄊㄧ⁷　ㄆㄧㄤ⁵

坪，地坪，買地坪。

kiang¹，chok⁸/zhok⁸ kiang¹，m⁵ sii² kiang¹。

ㄍㄧㄤ¹　ㄘㄛㄍ⁸/ㄔㄛㄍ⁸　ㄍㄧㄤ¹　ㄇ⁵　ㄙ²　ㄍㄧㄤ¹

驚，著驚，毋使驚。

-iang：tiang⁵ ， tong⁵ tiang⁵ ， tin⁵ tong⁵ tiang⁵ 。

ㄅ|ㄤ⁵　ㄅㄛㄥ⁵　ㄅ|ㄤ⁵　ㄅ|ㄣ⁵　ㄅㄨㄥ⁵　ㄅ|ㄤ⁵

叮 ， 噹 叮 ， ○ 噹 ○ 。

piang³ ， pin³ piang³ hiong² ， pin³ pin³ piang³ piang³ 。

ㄅ|ㄤ³　ㄅ|ㄣ³　ㄅ|ㄤ³　ㄏ|ㄛㄥ²　ㄅ|ㄣ³　ㄅ|ㄣ³　ㄅ|ㄤ³　ㄅ|ㄤ³

柄 ， 並 柄 響 ， 並 並 柄 柄 。

-uang：kuang³ ， kin³ kuang³ ， kin³ lin³ kuang³ 。

ㄍㄨㄤ³　ㄍ|ㄣ³　ㄍㄨㄤ³　ㄍ|ㄣ³　ㄌ|ㄣ³　ㄍㄨㄤ³

○ ， ○ ○ ， ○ ○ ○ 。

khuang ， khin khung ， khin lin khung 。

ㄎㄨㄤ³　ㄎ|ㄣ³　ㄎㄨㄤ³　ㄎ|ㄣ³　lin³　ㄎㄨㄤ³

○ ， ○ ○ ， ○ ○ ○ 。

三、音標介紹

－a i 　ㄞ　（複韻母）
　發音時，從 a 拉長至 i，密切連成一個音，量由大變小，如挨（ai¹）。

－a n g 　ㄤ　（鼻音尾韻母）
　這是 a 和 **ng** 的合音。發音時，從〔a〕很快的延伸到舌根鼻音〔**ng**〕，連成一個音，音量由大變小，如「邦」（**pang**¹）的韻母。

－i a n g 　|ㄤ　（鼻音尾韻母）
　這是 **ang** 加介音 i 合成的韻母，如「餅」（**piang**²）的韻母部份。

－u a n g 　ㄨㄤ　（鼻音尾韻母）
　這是 **ang** 加介音 u 合成的韻母，如「莖」（**kuang**²）的韻母。

四、對比練習

第一式：　　　　　　　　　　第二式：

a i	a n g	i a n g	u a n g
p a i	p a n g	p i a n g	
t a i	t a n g	t i a n g	
c a i	c a n g	c i a n g	
k a i	k a n g	k i a n g	k u n g

ㄞ	ㄤ	|ㄤ	ㄨㄤ
ㄅㄞ	ㄅㄤ	ㄅ|ㄤ	
ㄉㄞ	ㄉㄤ	ㄉ|ㄤ	
ㄗㄞ	ㄗㄤ	ㄐ|ㄤ	
ㄍㄞ	ㄍㄤ	ㄍ|ㄤ	ㄍㄨㄤ

五、拼音練習

（一）本課所習音標的拼音及例字

ai（ㄞ）

聲母	注音	1	2	3	5	7
p	ㄅ	箅	攞	拜	排	
ph	ㄆ	披		派	排	稗
f	ㄈ				淮	壞
t	ㄉ	低	底	帶		
th	ㄊ	弟	睇	泰	蹄	大
k	ㄍ	雞	改	界	該	
kh	ㄎ	拔				
c	ㄗ	齋	宰	載	(16)	
ch	ㄘ	猜	採	蔡	裁	在

ang（ㄤ）

聲母	注音	1	2	3	5	7
p	ㄅ	邦		蹦	(17)	
ph	ㄆ	膨		冇	彭	
t	ㄉ	釘	頂	釘	噹	
th	ㄊ	廳		聽	埕	(18)
k	ㄍ	耕	哽	徑		
kh	ㄎ			控(19)		
c	ㄗ	爭	整	正(20)		
ch	ㄘ			撐	瞪	撐

iang（ㄧㄤ）

聲母	注音	1	2	3	5	7
p	ㄅ	抨	丙	拼		
ph	ㄆ	抨			平	病
t	ㄉ			(21)	(22)	
l	ㄌ	領			鈴	金
k	ㄍ	驚	頸	鏡		
kh	ㄎ	輕		慶	鏘	
c	ㄗ	靚	井			
ch	ㄘ	青	請			淨

uang（ㄨㄤ）

聲母	注音	1	2	3	5	7
k	ㄍ	桄	莖		(23)	
kh	ㄎ			(24)	(25)	

（二）-ai、-ang、-iang、-uang 的各種拼音

pai phai mai fai vai　tai thai nai lai　cai chai sai　kai khai ngai hai

ㄅㄞ ㄆㄞ ㄇㄞ ㄈㄞ 万ㄞ ㄉㄞ ㄊㄞ ㄋㄞ ㄌㄞ ㄗㄞ ㄑㄞ ㄙㄞ ㄍㄞ ㄎㄞ ㄫㄞ ㄏㄞ

pang phang mang fang vang tang thang nang lang cang chang

ㄅㄤ ㄆㄤ ㄇㄤ ㄈㄤ 万ㄤ ㄉㄤ ㄊㄤ ㄋㄤ ㄌㄤ ㄗㄤ ㄘㄤ

sang kang khang ngang hang

ㄙㄤ ㄍㄤ ㄎㄤ ㄫㄤ ㄏㄤ

piang phing miang tiang thiang liang ciang chiang siang kiang

ㄅㄧㄤ ㄆㄧㄤ ㄇㄧㄤ ㄉㄧㄤ ㄊㄧㄤ ㄌㄧㄤ ㄐㄧㄤ ㄑㄧㄤ ㄒㄧㄤ ㄍㄧㄤ

khiang ngiang　kuang khuang

ㄎㄧㄤ ㄫㄧㄤ　ㄍㄨㄤ ㄎㄨㄤ

（三）-ai、-ang、-iang、-uang 的常用詞

ai：cham^1 pai^3 ， phu^1 phai^5 ， lo^2 thai^1 ， miang^7 vai^1

ㄘㄚㄇ^1 ㄅㄞ^3 ㄆㄨ^1 ㄆㄞ^5 ㄌㄛ^2 ㄊㄞ^1 ㄇㄧㄤ^7 万ㄞ^1

參 拜 ， 鋪 排 ， 老 弟 ， 命 歪

chian^1 sai^2 ， si^1 sai^3 ， sin^1 hai^5 ， ngiun^1 nai^7

ㄑㄧㄢ^1 ㄙㄞ^2 ㄒㄧ^1 ㄙㄞ^3 ㄒㄧㄣ^1 ㄏㄞ^5 ㄫㄧㄨㄣ^1 ㄋㄞ^7

遷 徙 ， 西 曬 ， 新 鞋 ， 忍 耐

ang：hi^3 phang^5 ， ta^2 vang^5 ， thiet^4 tang^1 ， vo^5 thang^5

ㄏㄧ^3 ㄆㄤ^5 ㄉㄚ^2 万ㄤ^5 ㄊㄧㄝㄉ^4 ㄉㄤ^1 万ㄛ^5 ㄊㄤ^5

戲 棚 ， 打 橫 ， 鐵 釘 ， 禾 埕

liu^5 pang^1 ， vong^5 mang^2 ， kin^1 lang^5 ， vuk^4 tang^2

ㄌㄨ^5 ㄅㄤ^1 万ㄛㄥ^5 ㄇㄤ^2 ㄍㄧㄣ^1 ㄌㄤ^5 万ㄨㄍ^4 ㄉㄤ^2

劉 邦 ， 王 莽 ， 斤 零 ， 屋 頂

iang：thai^7 piang^2 ， thi^7 phiang^5 ， ho^2 miang^7 ， fun^1 siang^2

ㄊㄞ^7 ㄅㄧㄤ^2 ㄊㄧ^7 ㄆㄧㄤ^5 ㄏㄛ^2 ㄇㄧㄤ^7 ㄈㄨㄣ^1 ㄒㄧㄤ^2

大 餅 ， 地 坪 ， 好 命 ， 分 醒

sam¹　liang¹　，　m⁵　kiang¹　，　siong¹　chiang²　，　fon¹　ngiang⁵
ㄙㄚㄇ¹　ㄌㄧㄤ¹　　ㄇ⁵　ㄍㄧㄤ¹　　ㄒㄧㄛㄥ¹　ㄑㄧㄤ²　　ㄈㄛㄣ¹　ㄫㄧㄚㄥ⁵
衫　　領　　，　毋　　驚　　，　相　　請　　，　歡　　迎

uang：choi³　kuang²　，chung¹　mun⁵　kuang¹，khin³　khuang³，hi²　kuang⁵
　　　ㄘㄛ³　ㄍㄨㄤ²　　ㄘㄨㄥ¹　ㄇㄨㄣ⁵　ㄍㄨㄤ¹　ㄎㄧㄣ³　ㄎㄨㄤ³　ㄏㄧ²　ㄍㄨㄤ⁵
　　　菜　　莖　　，　窗　　門　　桄　　，　○　　○(26)，起　○(27)

（四）-ai、-ang、-iang 的疊韻詞

ai：mai¹　mai⁷　，　vai¹　kuai³　，　fai¹　thai⁵　，　nai⁷　sai³
　　ㄇㄞ¹　ㄇㄞ⁷　　ㄨㄞ¹　ㄍㄨㄞ³　　ㄈㄞ¹　ㄊㄞ⁵　　ㄋㄞ⁷　ㄙㄞ³
　　買　　賣　　，　歪　　怪　　，　壞　　蹄　，　耐　　曬

ang：lang⁵　sang¹　，　vang⁵　hang⁵　，　lang¹　ngang⁷，sang²　hang⁵
　　　ㄌㄤ⁵　ㄙㄤ¹　　ㄨㄤ⁵　ㄏㄤ⁵　　ㄌㄤ¹　ㄫㄤ⁷　　ㄙㄤ²　ㄏㄤ⁵
　　　零　　星　　，　橫　　行　　，　冷　　硬　，　省　　行

iang：chiang¹　kiang¹　，　piang³　miang⁷　，　phiang⁷　miang⁵　，　siang³　ciang²
　　　ㄑㄧㄤ¹　ㄍㄧㄤ¹　　ㄅㄧㄤ³　ㄇㄧㄤ⁷　　ㄆㄧㄤ⁷　ㄇㄧㄤ⁵　　ㄒㄧㄤ³　ㄐㄧㄤ²
　　　青　　驚　　，　拚　　命　　，　病　　名　　，　姓　　井

（五）-ai、-ang、-iang、-uang 的生活用語

ai：tam³　theu⁵　song¹/shong¹　kian¹　chiu⁷　oi³　khai¹
　　ㄉㄚㄇ³　ㄊㄝㄨ⁵　ㄙㄛㄥ¹/ㄕㄛㄥ¹　ㄍㄧㄢ¹　ㄘㄧㄨ⁷　ㄛㄧ³　ㄎㄞ¹
　　擔　　頭　　上　　　　肩　　就　　愛　　扴

m⁵　siit⁸/shit⁸　cu¹/zu¹　ngiuk⁴　chiu⁷　voi⁷　cai¹
ㄇ⁵　ㄙㄉ⁸/ㄕㄉ⁸　ㄗㄨ¹/ㄓㄨ¹　ㄫㄧㄨㄍ⁴　ㄘㄧㄨ⁷　ㄨㄛㄧ⁷　ㄗㄞ¹
無　　食　　豬　　肉　　就　　會　　齋

ho²　ciu²　m⁵　kam²　cham¹　sui²/shui²　mai⁷
ㄏㄛ²　ㄐㄧㄨ²　ㄇ⁵　ㄍㄚㄇ²　ㄘㄚㄇ¹　ㄙㄨㄧ²/ㄕㄨㄧ²　ㄇㄞ⁷
好　　酒　　毋　敢　　摻　　水　　　賣

cham¹ sui²/shui² ta² lan⁷ lo² ceu¹/zau¹ phai⁵

ㄔㄚㄇ¹ ㄙㄨㄧ²/ㄕㄨㄧ² ㄉㄚ² ㄌㄢ⁷ ㄌㄛ² ㄗㄝㄨ¹/ㄓㄠ¹ ㄆㄞ⁵

摻　水　打　爛　老　招　牌

ang：m⁵ siit⁴/shit⁴ cung³/zung³ kua¹ sain¹/sen¹ tap⁴ phang⁵

ㄇ⁵ ㄙㄣ⁴/ㄕㄧㄉ⁴ ㄗㄨㄥ³/ㄓㄨㄥ³ ㄍㄨㄚ¹ ㄙㄧㄢ¹/ㄙㄝㄣ¹ ㄉㄚㄣ⁴ ㄆㄤ⁵

毋　識　種　瓜　先　搭　棚

m⁵ siit⁴/shit⁴ kiung³ cii² sian¹/sen¹ on¹ miang⁵

ㄇ⁵ ㄙㄣ⁴/ㄕㄧㄉ⁴ ㄍㄧㄨㄥ³ ㄗ² ㄒㄧㄢ¹/ㄙㄝㄣ¹ ㄛㄣ¹ ㄇㄧㄤ⁵

毋　識　降　子　先　安　名

iang：tung¹ pian¹ lok⁸ i²/ji² si¹ pian¹ chiang⁵

ㄉㄨㄥ¹ ㄅㄧㄢ¹ ㄌㄛㄍ⁸ ㄧ²/ㄖㄧ² ㄒㄧ¹ ㄅㄧㄢ¹ ㄑㄧㄤ⁵

東　邊　落　雨　西　邊　晴

ka² chin⁵ ka² ngi⁷ thung⁵ ngai⁵ hang⁵

ㄍㄚ² ㄑㄧㄣ⁵ ㄍㄚ² ㄫㄧ⁷ ㄊㄨㄥ⁵ ㄫㄞ⁵ ㄏㄤ⁵

假　情　假　義　同　𠊎　行

m⁵ siit⁸/shit⁸ ham⁵ ng⁵ khieu² m⁵ siang¹

ㄇ⁵ ㄙㄣ⁸/ㄕㄧㄉ⁸ ㄏㄚㄇ⁵ ㄫ⁵ ㄎㄧㄝㄨ² ㄇ⁵ ㄒㄧㄤ¹

毋　食　鹹　魚　口　毋　腥

m⁵ co³ fai² sii⁷ sim¹ m⁵ kiang¹

ㄇ⁵ ㄗㄛ³ ㄈㄞ² ㄙ⁷ ㄒㄧㄇ¹ ㄇ⁵ ㄍㄧㄤ¹

毋　做　壞　事　心　毋　驚

uang：it⁴/jit⁴ ngin⁵ co³ sii⁷ chian¹ ngin⁵ khon³

ㄧㄉ⁴/ㄖㄧㄉ⁴ ㄫㄧㄣ⁵ ㄗㄛ³ ㄙ⁷ ㄑㄧㄢ¹ ㄫㄧㄣ⁵ ㄎㄛㄣ³

一　人　做　事　千　人　看

no⁵ theu⁵ sii⁷/shi⁷ loi⁵ kuang¹ ta² kuang¹

ㄋㄛ⁵ ㄊㄝㄨ⁵ ㄙ⁷/ㄕㄧ⁷ ㄌㄛㄧ⁵ ㄍㄨㄤ¹ ㄉㄚ² ㄍㄨㄤ¹

禾　頭　蒔　來　桄　打　桄

【注解】

(1)細老弟：小弟弟。弟、妹稱為老弟、老妹。

(2)光頭落勺：形容光頭不戴帽子，像個瓠勺。

(3)毋驚曬：不怕太陽曬。

(4)挮到舌犁犁：挑擔子挑到舌頭都伸出來。形容工作辛苦。挮，挑；犁犁，形容下垂的樣子。

(5)吾：我的。

(6)安到：叫做……。

(7)大禾埕：大的曬穀場。

(8)上崎：上坡。

(9)一覺睡到光：一覺睡到天亮。

(10)莫來半覺就著驚：不要睡到一半就驚醒。

(11)tin⁵噹tiang⁵：敲鈴聲。

(12)khin lin khuang：鑼聲。

(13)並柄聲：乒乒乓乓的響。

(14)kin³ lin³ kuang³：形容雷聲。

(15)自家：讀chit⁴ ka¹，「自」字音變。

(16)cai：砍也，如「～頭」。

(17)pang⁵：如「雄～～」。

(18)thang⁷：處所，如「無～尋」。

(19)khang³：用指甲挖，如「～字眼」。

(20)整、正二字，海陸音為zang。

(21)形容鈴聲。

(22)形容鈴聲。

(23)kuang⁵：鼓起來，如「～起來」。

(24)形容銅鑼聲。

(25)形容銅鑼聲。

(26)khin³khuang³為狀聲詞。

(27)hi²kuang⁵：隆起來或「起包」，是（ngiap⁴）(凹下去)的相反詞。

第 十 一 課　　　會算也會除

學習重點：v-　-uai　-ak　-ok

一、基本語料

vun¹　van⁷　lu⁵，voi⁷　son³　ia⁷　voi⁷　chu⁵/zhu⁵，
ㄇㄨㄣ¹　ㄇㄢ⁷　ㄌㄨ⁵　ㄇㄛㄧ⁷　ㄙㄛㄣ³　ㄧㄚ⁷　ㄇㄛㄧ⁷　ㄘㄨ⁵/ㄔㄨ⁵
溫　萬　爐，會　算　也　會　除　，
vu⁷　ue²/uo⁵　na¹　hi³　von⁷　fan¹　su⁵/shu⁵。
ㄇㄨ⁷　ㄨㄝ²/ㄨㄛ⁵　ㄋㄚ¹　ㄏㄧ³　ㄇㄛㄣ³　ㄈㄢ¹　ㄙㄨ⁵/ㄕㄨ⁵
芋　仔　拿　去　換　蕃　薯　。

vung¹　khian⁵　khu²，voi⁷　vun⁵　ia⁷/ja⁷　voi⁷　vu²，
ㄇㄨㄥ¹　ㄎㄧㄢ⁵　ㄍㄨ²　ㄇㄛㄧ⁷　ㄇㄨㄣ⁷　ㄧㄚ⁷/ㄖㄚ⁷　ㄇㄛㄧ⁷　ㄇㄨ²
翁　乾　古，會　文　也　會　武，
song⁵/shong⁵　hi³　vang⁵　san¹　ta²　lo³/²　fu²。
ㄙㄛㄥ⁵/ㄕㄛㄥ⁵　ㄏㄧ³　ㄇㄤ⁵　ㄙㄢ¹　ㄉㄚ²　ㄌㄛ³/²　ㄈㄨ²
常　去　橫　山　打　老　虎　。

se³　ngin⁵　ne²/no⁵　kuai¹　kuai¹，m⁵　kiang¹　siin⁵/shin⁵，m⁵　kiang¹　kuai³。
ㄙㄝ³　ㄫㄧㄣ⁵　ㄋㄝ²　ㄍㄨㄞ¹　ㄍㄨㄞ¹　ㄇ⁵　ㄍㄧㄤ¹　ㄙㄣ⁵/ㄕㄣ⁵　ㄇ⁵　ㄍㄧㄤ¹　ㄍㄨㄞ³
細　人　仔　乖　乖，毋　驚　神，毋　驚　怪　。
am³　cung²/zung²　am³　chai⁷，thian¹　kong¹　mo⁵　an²　khuai³。
ㄚㄇ³　ㄗㄨㄥ²/ㄓㄨㄥ²　ㄚㄇ³　ㄘㄞ⁷　ㄊㄧㄢ¹　ㄍㄛㄥ¹　ㄇㄛ⁵　ㄋ²　ㄎㄨㄞ³
暗　總　暗　在(1)，天　光　無　恁　快(2)。

phang⁵　lok⁸　pak⁴，hi³　cung¹/zung¹　lak⁴，
ㄆㄤ⁵　ㄌㄛㄍ⁸　ㄅㄚㄍ⁴　ㄏㄧ³　ㄗㄨㄥ¹/ㄓㄨㄥ¹　ㄌㄚㄍ⁴
彭　洛　伯，去　中　壢，
thiau³　phak⁸　mi²，that⁸　vu¹　mak⁸，
ㄊㄧㄛ³　ㄆㄚㄍ⁸　ㄇㄧ²　ㄊㄚㄉ⁴　ㄇㄨ¹　ㄇㄚㄍ⁸
糶　白　米，糴　烏　麥(3)，
it⁴/jit⁴　sak⁸/shak⁸　ko³　it⁴/jit⁴　sak⁸/shak⁸。
ㄧㄉ⁴/ㄖㄉ⁴　ㄙㄚㄍ⁸/ㄕㄚㄍ⁸　ㄍㄛ³　ㄧㄉ⁴/ㄖㄉ⁴　ㄙㄚㄍ⁸/ㄕㄚㄍ⁸
一　　　石　過　一　　　石(4)　。

iu¹/jiu¹ cak⁸/zak⁸ ngin⁵ siang³ ngok⁸ , chin⁷ ku² tok⁴ ,
ㄧㄨ¹/ㄖㄧㄨ¹ ㄗㄚㄍ⁸/ㄓㄚㄍ⁸ ㄫㄧㄣ⁵ ㄒㄧㄤ³ ㄫㄛㄍ⁸ ㄑㄧㄣ⁷ ㄍㄨ² ㄉㄛㄍ⁴
有 只 人 姓 岳 ， 盡 古 琢(5)，
sui¹ ien⁵/jan⁵ hiung¹ thi⁷ pun¹ ka¹ liau² hieu⁷ kok⁴ ku³ kok⁴ 。
ㄙㄨㄧ¹ ㄧㄝㄣ⁵/ㄖㄢ⁵ ㄏㄧㄨㄥ¹ ㄊㄧ⁷ ㄅㄨㄣ¹ ㄍㄚ¹ ㄌㄧㄠ² ㄏㄧㄝㄨ⁷ ㄍㄛㄍ⁴ ㄍㄨ³ ㄍㄛㄍ⁴
雖 然 兄 弟 分 家 了 後 各 顧 各。
m⁵ ko³ ki⁵ ngit⁴ ngit⁴ chong³/zhong³ san¹ ko¹ ,
ㄇ⁵ ㄍ?³ ㄍㄧ⁵ ㄫㄧㄉ⁴ ㄫㄧㄉ⁴ ㄘㄛㄥ³/ㄔㄛㄥ³ ㄙㄢ¹ ㄍㄛ¹
毋 過 佢 日 日 唱 山 歌，
m⁵ seu⁵ mo⁵ mi² ho² lok⁸ vok⁸ 。
ㄇ⁵ ㄙㄝㄨ⁵ ㄇㄛ⁵ ㄇㄧ² ㄏㄛ² ㄌㄛㄍ⁸ ㄪㄛㄍ⁸
毋 愁 無 米 好 落 鑊(6)。

二、詞句舉例及發音練習

v-：vun¹ ， thi² vun¹ ， liong⁵ thi² vun¹ 。
ㄪㄨㄣ¹ ㄊㄧ² ㄪㄨㄣ¹ ㄌㄧㄛㄥ⁵ ㄊㄧ² ㄪㄨㄣ¹
瘟 ，體 瘟 ，量 體 瘟 。

van⁷ ， i t⁴ /jit⁴ van⁷ ， chin¹ pak⁴ van⁷ 。
ㄪㄢ⁷ ㄧㄉ⁴/ㄖㄧㄉ⁴ ㄪㄢ⁷ ㄑㄧㄝㄣ¹ ㄅㄚㄍ⁴ ㄪㄢ⁷
萬 ， 一 萬 ，千 百 萬 。

voi⁷ ， an² voi⁷ ， an² voi⁷ co² 。
ㄪㄛㄧ⁷ ㄢ² ㄪㄛㄧ⁷ ㄢ² ㄪㄛㄧ⁷ ㄗㄛ²
會 ，恁 會 ，恁 會 早 。

vu⁷ ， vu⁷ theu⁵ ， vu⁷ fan¹ su⁵/shu⁵ 。
ㄪㄨ⁷ ㄪㄨ⁷ ㄊㄝㄨ⁵ ㄪㄨ⁷ ㄈㄢ¹ ㄙㄨ⁵/ㄕㄨ⁵
芋 ， 芋 頭 ，芋 蕃 藷 。

vung¹ ， lo² vung¹ ， cu²/zu² ngin⁵ vung¹ 。
ㄪㄨㄥ¹ ㄌㄛ² ㄪㄨㄥ¹ ㄗㄨ²/ㄓㄨ² ㄫㄧㄣ⁵ ㄪㄨㄥ¹
翁 ，老 翁 ， 主 人 翁 。

vun⁵ ， cok⁴ vun⁵ ， sii¹ vun⁵ ngin⁵ 。
ㄪㄨㄣ⁷ ㄗㄛㄍ⁴ ㄪㄨㄣ⁷ ㄙ¹ ㄪㄨㄣ⁷ ㄫㄧㄣ⁵
文 ， 作 文 ，斯 文 人 。

vu^{2} ，vun^{5} vu^{2} ，vun^{5} vu^{2} sung^{1} chion^{5} 。
ㄪㄨ^{2} ㄪㄨㄣ^{7} ㄪㄨ^{2} ㄪㄨㄣ^{7} ㄪㄨ^{2} ㄙㄨㄥ^{1} ㄑㄧㄛㄣ^{5}
武，文 武，文 武 雙 全 。

vang^{5} ，vang^{5} san^{1} ，i t^{4} /jit^{4} vang^{5} i t^{4} /jit^{4} chiit^{8}/zhit^{8} 。
ㄪㄤ^{5} ㄪㄤ^{5} ㄙㄢ^{1} ㄧㄉ^{4}/ㄖㄧㄉ^{4} ㄪㄤ^{5} ㄧㄉ^{4}/ㄖㄧㄉ^{4} ㄘㄉ^{8}/ㄔㄧㄉ^{8}
橫，橫 山，一 橫 一 直 。

-uai：kuai ，chin^{7} kuai^{1} ，se^{3} ngin^{5} ne^{2}/ne^{5} kuai^{1} kuai^{1}。
ㄍㄨㄞ ㄑㄧㄣ^{7} ㄍㄨㄞ^{1} ㄙㄝ^{3} ㄫㄧㄣ^{5} ㄋㄝ^{2}/ㄋㄜ^{5} ㄍㄨㄞ^{1} ㄍㄨㄞ^{1}
乖，盡 乖，細 人 仔 乖 乖。

kuai^{3} ，siin^{5}/shin^{5} kuai^{3} ，pian^{3} kui^{2} pian^{3} kuai^{3} 。
ㄍㄨㄞ^{3} ㄙㄣ^{5}/ㄕㄧㄣ^{5} ㄍㄨㄞ^{3} ㄅㄧㄢ^{3} ㄍㄨㄛ^{2} ㄅㄧㄢ^{3} ㄍㄨㄞ^{3}
怪，神 怪，變 鬼 變 怪 。

khuai^{3} ，kha^{3} khuai^{3} ，thian^{1} kong^{1} mo^{5} an^{2} khuai^{3}。
ㄎㄨㄞ^{3} ㄎㄚ^{3} ㄎㄨㄞ^{3} ㄊㄧㄢ^{1} ㄍㄛㄥ^{1} ㄇㄛ^{5} ㄢ^{2} ㄎㄨㄞ^{3}
快，較 快，天 光 無 恁 快 。

-ak： pak^{4} ，a^{1} pak^{4} ，phang^{5} lok^{8} pak^{4} 。
ㄅㄚㄍ^{4} ㄚ^{1} ㄅㄚㄍ^{4} ㄆㄤ^{5} ㄌㄛㄍ^{8} ㄅㄚㄍ^{4}
伯，阿 伯，彭 洛 伯 。

lak^{4} ，cung^{1}/zung^{1} lak^{4} ，cho^{1} cha^{1}/zha^{1} hi^{3} cung^{1}/zung^{1} lak^{4} 。
ㄌㄚㄍ^{4} ㄗㄨㄥ^{1}/ㄓㄨㄥ^{1} ㄌㄚㄍ^{4} ㄘㄛ^{1} ㄘㄚ^{1}/ㄔㄚ^{1} ㄏㄧ^{3} ㄗㄨㄥ^{1}/ㄓㄨㄥ^{1} ㄌㄚㄍ^{4}
壢，中 壢，坐 車 去 中 壢 。

that^{8} ，that^{8} mi^{2} ，that^{8} phak^{8} mi^{2} 。
ㄊㄚㄉ^{4} ㄊㄚㄉ^{4} ㄇㄧ^{2} ㄊㄚㄉ^{4} ㄆㄚㄍ^{8} ㄇㄧ^{2}
糴，糴 米，糴 白 米 。

phak^{8} ，vu^{1} phak^{8} ，thiau^{3} phak^{8} mi^{2} 。
ㄆㄚㄍ^{8} ㄪㄨ^{1} ㄆㄚㄍ^{8} ㄊㄧㄠ^{3} ㄆㄚㄍ^{8} ㄇㄧ^{2}
白，烏 白，糶 白 米 。

mak^{8} ，mak^{8} mi^{2} ，that^{8} vu^{1} mak^{8} 。
ㄇㄚㄍ^{8} ㄇㄚㄍ^{8} ㄇㄧ^{2} ㄊㄚㄉ^{4} ㄪㄨ^{1} ㄇㄚㄍ^{8}
麥，麥 米，糴 烏 麥 。

sak^8/shak^8 ， it^4/jit^4　　sak^8/shak^8， vu^1 mak^8　　it^4/jit^4　　sak^8/shak^8。

ㄙㄚㄍ^8/ㄕㄚㄍ^8 ㄧㄉ^4/ㄖㄧㄉ^4 ㄙㄚㄍ^8/ㄕㄚㄍ^8 万ㄨ^1 ㄇㄚㄍ^8 ㄧㄉ^4/ㄖㄧㄉ^4 ㄙㄚㄍ^8/ㄕㄚㄍ^8

石 ， 一 石 ，烏 麥 一 石 。

-ok：ngok^8 ， san^1 ngok^8, tung^1 ngok^8 thai^7 san^1。

ㄫㄛㄍ^8 ㄙㄢ^1 ㄫㄛㄍ^8 ㄉㄨㄥ^1 ㄫㄛㄍ^8 ㄊㄞ^7 ㄙㄢ^1

岳 ，山 岳 ，東 岳 泰 山 。

tok^4 ， ku^2 tok^4 ， a^1 lok^8 pak^4 chin^7 ku^2 tok^4。

ㄉㄛㄍ^4 《ㄨ^2 ㄉㄛㄍ^4 ㄚ^1 ㄌㄛㄍ^8 ㄅㄚㄍ^4 ㄑㄧㄣ^7 《ㄨ^2 ㄉㄛㄍ^4

琢 ， 古 琢 ，阿 洛 伯 盡 古 琢 。

kok^4 ， kok^4 kok^4 ta^2 son^3 ，

《ㄛ《^{4} 《ㄛ《^{4} 《ㄛ《^{4} ㄉㄚ^2 ㄙㄛㄣ^3

各 ， 各 各 打 算 ，

hiung^1 thi^7 pun^1 ka^1 kok^4 ku^3 kok^4。

ㄏㄧㄨㄥ^1 ㄊ^7 ㄅㄨㄣ^1 《ㄚ^1 《ㄛ《^{4} 《ㄨ^3 《ㄛ《^{4}

兄 弟 分 家 各 顧 各 。

lok^8 ， siit^4/shit^4 lok^8 ， mo^5 ha^7 lok^8 。

ㄌㄛ《^{8} ㄙㄉ^4/ㄕㄉ^4 ㄌㄛ《^{8} ㄇㄛ^5 ㄏㄚ^7 ㄌㄛ《^{8}

落 ， 失 落 ，無 下 落(7) 。

vok^8 ， fan^7/phon^7 vok^8 ， mo^5 mi^2 lok^8 vok^8。

万ㄛ《^{8} ㄈㄢ^7/ㄆㄛㄣ^7 万ㄛ《^{8} ㄇㄛ^5 ㄇㄧ^2 ㄌㄛ《^{8} 万ㄛ《^{8}

鑊 ， 飯 鑊 ，無 米 落 鑊 。

三、音標介紹

v— 万ㄧ（聲母）

　　唇齒濁音。下唇與上門齒靠攏，發音部位與 f 相同，聲帶震動，如「黃」(vong^5)的聲母。

—u a i —ㄨㄞ（結合韻母）

　　ai 和介音 u 合成的韻母。如「怪」(kuai^3)的韻母。

—a k —ㄚk（入聲韻母）

　　發音時，由低元音 a 急速移到舌根音 k 的位置，並立刻停住。如「百」(pak^4) 的韻母。

—o k —ㄛk（韻母）

發音時，由單韻母ㄛ急速移到舌根音k的位置，並立刻停住。
如「博」(pok⁴) 的韻母。

四、對比練習

（一）本課所習音標的基本拼音及例字

第一式　　　　　　　　　　　　第二式

v	va	ve	vo		万	万ㄚ	万ㄝ	万ㄛ
f	fa	fe	fo		ㄈ	ㄈㄚ	ㄈㄝ	ㄈㄛ

uai	iai		ioi		ㄨㄞ	ㄧㄞ		ㄧㄛㄧ
kuai	kiai				ㄍㄨㄞ	ㄍㄧㄞ		
khuai			khioi		ㄎㄨㄞ			ㄎㄧㄛㄧ

ak	ok	uk		ㄚㄍ	ㄛㄍ	ㄨㄍ
pak	pok	puk		ㄅㄚㄍ	ㄅㄛㄍ	ㄅㄨㄍ
tak	tok	tuk		ㄉㄚㄍ	ㄉㄛㄍ	ㄉㄨㄍ
cak	cok	cuk		ㄗㄚㄍ	ㄗㄛㄍ	ㄗㄨㄍ
kak	kok	kuk		ㄍㄚㄍ	ㄍㄛㄍ	ㄍㄨㄍ

五、拼音練習

（一）本課所習音標的基本拼音及例字

v	a	ㄚ	1、枒 2、 3、偎 5、華 7、
	o	ㄛ	1、窩 2、 3、 5、禾 7、
	ai	ㄞ	1、歪 2、 3、 5、 7、
	an	ㄢ	1、彎 2、挽 3、 5、完 7、萬
	ang	ㄤ	1、 2、 3、 5、橫 7、橫
	u　万	ㄨ	1、烏 2、舞 3、務 5、無 7、芋
	i／ui	ㄧ／ㄨㄧ	1、委 2、慰 3、畏 5、為 7、胃
	un	ㄨㄣ	1、溫 2、穩 3、搵 5、文 7、(8)
	et	ㄝㄉ	1、 2、 3、 4、域 7、
	at	ㄚㄉ	1、 2、 3、 4、 5、 7、 8、滑
	ak	ㄚㄍ	1、 2、 3、 4、 5、 7、 8、劃

k	u a i	ㄍ ㄨㄞ	1、乖 2、拐 3、怪 5、 7、
k h		ㄎ	1、 2、 3、快 5、儈(9) 7、

p		ㄅ	4、伯 8、
p h		ㄆ	4、魂 8、白
f		ㄈ	4、(10) 8、
t		ㄉ	4、逐 8、磧
t h		ㄊ	4、絹 8、笛
k	a k　ㄍ	ㄚㄍ	4、隔 8、
k h		ㄎ	4、客(11) 8、搭
h		ㄏ	4、嚇 8、賺
c		ㄗ	4、摘 8、
c h		ㄘ	4、拆 8、柵
s		ㄙ	4、析 8、石 (12)

p		ㄅ	4、駁 8、爆
p h		ㄆ	4、拍 8、薄
t		ㄉ	4、琢 8、剝
t h		ㄊ	4、托 8、擇
k		ㄍ	4、各 8、摑
k h	o k　ㄎ	ㄛㄍ	4、確 8、殼
h		ㄏ	4、殼 8、學
c		ㄗ	4、作 8、
c h		ㄘ	4、于(13) 8、鑿
s		ㄙ	4、索 8、
v		万	4、(14) 8、鑊

（二）本課所習音標的各種拼音

第一式	第二式
v：va ve vi vo vu	万ㄚ　万ㄝ　万ㄧ　万ㄛ　万ㄨ
van ven von vun	万ㄢ　万ㄝㄣ　万ㄛㄣ　万ㄨㄣ
vang vong vung	万ㄤ　万ㄛㄣ　万ㄨㄣ
vat vet vit vut	万ㄚㄉ　万ㄝㄉ　万ㄧㄉ　万ㄨㄣ
vak vok vuk	万ㄚㄍ　万ㄛㄍ　万ㄨㄍ
uai：kuai khai	ㄍㄨㄞ　ㄎㄨㄞ
ak：pak phak mak fak	ㄅㄚㄍ　ㄆㄚㄍ　ㄇㄚㄍ　ㄈㄚㄍ
tak thak nak lak	ㄉㄚㄍ　ㄊㄚㄍ　ㄋㄚㄍ　ㄌㄚㄍ

```
     cak    chak   sak              ㄗㄚㄍ  ㄎㄚㄍ  ㄙㄚㄍ
     kak    khak   hak              ㄍㄚㄍ  ㄎㄚㄍ  ㄏㄚㄍ
ok：pok    phol   mok    fok        ㄅㄛㄍ  ㄆㄛㄍ  ㄇㄛㄍ  ㄈㄛㄍ
     tok    thok   lok              ㄉㄛㄍ  ㄊㄛㄍ  ㄌㄛㄍ
     cok    chok   sok              ㄗㄛㄍ  ㄎㄛㄍ  ㄙㄛㄍ
     kok    khok   ngok   hok       ㄍㄛㄍ  ㄎㄛㄍ  ㄫㄛㄍ  ㄏㄛㄍ
```

（三）v-、-uai、-ak、-ok 的常用詞

v：vun^1 fo^5 ，　vun^3 thong^5 ，　vun^5 sii^7 ，　vo^5 kon^2 。

　　ㄨㄣ^1 ㄈㄛ^5　ㄨㄣ^3 ㄊㄛㄥ^5　ㄨㄣ^5 ㄙ^7　ㄛ^5 ㄍㄛㄣ^2

　　溫　和，　搵　糖　，文　字，禾　稈　。

　　vang^5 san^1 ，　vi^7/vui^7 san^2 ，vun^1 ku^1 ，van^3 fuk^4 。

　　ㄤ^5　ㄙㄢ^1　ㄞ^7/ㄨ^7　ㄙㄢ^2　ㄨㄥ^1 ㄍㄨ^1　ㄢ^7 ㄈㄨㄍ^4

　　橫　山，　胃　散　，翁　姑，萬　福　。

uai：khi^5 kuai^3 ，thit^8 khuai^3 ，vong^5 kuai^2 ，ciin^1/jin^1 khuai^5 。

　　ㄎㄧ^5　ㄍㄨㄞ^3　ㄊㄧㄉ^8　ㄎㄨㄞ^3　ㄛㄥ^5 ㄍㄨㄞ^2　ㄗㄣ^1/ㄓㄣ^1 ㄎㄨㄞ^5

　　奇　怪，　特　快　，黃　蛙　，真　贋　。

ak：lo^2 pak^4 ，　si^1 chak^4/zhak^4 ，cung^1/zung^1 lak^4 ，ngin^5 hak^4 ，

　　ㄌㄛ^2 ㄅㄚㄍ^4　ㄒㄧ^1　ㄎㄚㄍ^4/ㄔㄚㄍ^4　ㄗㄨㄥ^1/ㄓㄨㄥ^1　ㄌㄚㄍ^4　ㄫㄧㄣ^5 ㄏㄚㄍ^4

　　老　伯，　鬚　赤　，中　　壢　，人　客　，

　　ta^2 mak^4 ，sang^1 phak^8 ，sa^1 sak^8/shak^8 ，ngiet^8 lak^8 。

　　ㄉㄚ^2 ㄇㄚㄍ^4　ㄙㄤ^1　ㄆㄚㄍ^8　ㄙㄚ^1　ㄙㄚㄍ^8/ㄕㄚㄍ^8　ㄫㄧㄝㄉ^8 ㄌㄚㄍ^8

　　打　脈，生　白　，砂　石　，月　曆　。

ok：khuai^3 lok^8 ，liong^5 phok^8 ，kung^1 cok^4 ，ngiu^5 kok^4 ，

　　ㄎㄨㄞ^3 ㄌㄛㄍ^8　ㄌㄧㄛㄥ^5　ㄆㄛㄍ^8　ㄍㄨㄥ^1　ㄗㄛㄍ^4　ㄫㄧㄨ^5 ㄍㄛㄍ^4

　　快　樂，涼　薄　，工　作　，牛　角　，

　　ma^5 sok^4 ，sian^2 tok^8 ，san^1 ngok^8 ，ta^2 lok^8 。

　　ㄇㄚ^5 ㄙㄛㄍ^4　ㄒㄧㄢ^2　ㄊㄛㄍ^8　ㄙㄢ^1　ㄫㄛㄍ^8　ㄉㄚ^2 ㄌㄛㄍ^8

　　麻　索，選　擇　，山　岳　，打　落　。

（四）v-、-uai、-ak、-ok 的雙聲或疊韻詞

v： vun¹ vun⁵， vun⁵ vu²， von⁷ von²， van⁷ vut⁸。
ㄇㄨㄣ¹ ㄇㄨㄣ⁵ ㄇㄨㄣ⁵ ㄇㄨ² ㄇㄛㄣ⁷ ㄇㄛㄣ² ㄇㄢ⁷ ㄇㄨㄉ⁸
溫　文，文　武，換　碗，萬　物。

uai： kuai¹ kuai¹， khuai³ khuai³， kuai³ kuai³， ngoai⁷ ngoai⁷。
ㄍㄨㄞ¹ ㄍㄨㄞ¹ ㄎㄨㄞ³ ㄎㄨㄞ³ ㄍㄨㄞ³ ㄍㄨㄞ³ ㆭㄨㄞ⁷ ㆭㄨㄞ⁷
乖　乖，快　快，怪　怪，外　外(15)。

ak： pak⁴ sak⁴， phak⁸ sak⁸/shak⁸， thak⁸ mak⁸， chak⁴ kak⁴。
ㄅㄚㄍ⁴ ㄙㄚㄍ⁴ ㄆㄚㄍ⁸ ㄙㄚㄍ⁸/ㄕㄚㄍ⁸ ㄊㄚㄍ⁸ ㄇㄚㄍ⁸ ㄑㄚㄍ⁸ ㄍㄚㄍ⁸
擘　析，白　石，糴　麥，拆　隔。

ok： lok⁸ vok⁸， tok⁴ ngok⁴， cok⁴ lok⁸， kok⁴ chok⁸。
ㄌㄛㄍ⁸ ㄎㄛㄍ⁸ ㄅㄛㄍ⁴ ㆭㄛㄍ⁴ ㄗㄛㄍ⁴ ㄌㄛㄍ⁸ ㄍㄛㄍ⁴ ㄑㄛㄍ⁸
落　鑊，琢　愕，作　樂，角　鑿。

（五）v-、-uai、-ak、-ok 的生活用語

a¹ vu³ so²， hi³ pe⁴ vo¹， mai¹ nun⁷ kaong¹，
ㄚ¹ ㄇㄨ³ ㄙㄛ² ㄏㄧ³ ㄅㄝㄉ⁴ ㄇㄛ¹ ㄇㄞ¹ ㄋㄨㄣ⁷ ㄍㄧㄛㄥ¹
阿　戊　嫂，去　北　窩，買　嫩　薑，

chau² vu⁷ ho⁵， thian¹ kong ngit⁴ oi³ kot⁴ vo⁵。
ㄑㄠ² ㄇㄨ⁷ ㄏㄛ⁵ ㄊㄧㄢ¹ ㄍㄛㄥ¹ ㆭㄧㄉ⁴ ㄛㄧ³ ㄍㄛㄉ⁴ ㄇㄛ⁵
炒　芋　荷，天　光　日　愛　割　禾。

se³ ngin⁵ kuai¹ kuai¹， mang⁵ ngian⁵ ceu¹/zau¹ lo² thai¹。
ㄙㄝ³ ㆭㄧㄣ⁵ ㄍㄨㄞ¹ ㄍㄨㄞ¹ ㄇㄤ⁵ ㆭㄧㄢ⁵ ㄗㄝㄨ¹/ㄓㄠ¹ ㄌㄛ² ㄊㄞ¹
細　人　乖　乖，明　年　招　老　弟。

lo² thai³ pak⁴， hi³ cung¹/zung¹ lak⁴， mai¹ cu¹/zu¹ ngiuk⁴，
ㄌㄛ² ㄊㄞ³ ㄅㄚㄍ⁴ ㄏㄧ³ ㄗㄨㄥ¹/ㄓㄨㄥ¹ ㄌㄚㄍ⁴ ㄇㄞ¹ ㄗㄨ¹/ㄓㄨ¹ ㆭㄧㄨㄍ⁴
老　大　伯，去　中　壢，買　豬　肉，

chiang² ngin⁵ hak⁴， ngin⁵ hak⁴ siit⁸/shit⁸ to³ coi³/zoi³
ㄑㄧㄤ² ㆭㄧㄣ⁵ ㄏㄚㄍ⁴ ㆭㄧㄣ⁵ ㄏㄚㄍ⁴ ㄙㄉ⁸/ㄒㄧㄉ⁸ ㄊㄛ³ ㄗㄛㄧ³/ㄓㄛㄧ³
請　人　客，人　客　食　到　嘴

pak⁴　　pak⁴　。

ㄅㄚㄍ⁴　　ㄅㄚㄍ⁴

擘　　　擘　。

a¹　chu²/zhiu²　tok⁸　，coi³/zoi³　　sok⁸/shok⁸　　sok⁸/shok⁸　，

ㄚ¹　ㄘㄨ²/zhix²　ㄉㄛㄍ⁸　ㄗㄛ³/ㄐㄧ³　ㄙㄛㄍ⁸/ㄕㄛㄍ⁸　ㄙㄛㄍ⁸/ㄕㄛㄍ⁸

阿　丑　　琢　，　嘴　　　勾　　　　勾　，

song¹/shong¹　hi³　phang⁵　，khi¹　phang⁵　kok⁴　，ha³　phang⁵

ㄙㄛㄥ¹/ㄕㄛㄥ¹　ㄏㄧ³　ㄆㄤ⁵　ㄎㄧ¹　ㄆㄤ⁵　ㄍㄛㄍ⁴　ㄏㄚ³　ㄆㄤ⁵

　　上　　戲　棚　，　企　棚　角　，　下　　棚

ta²　chak⁴/zhak⁴　pok⁴　。

ㄅㄚ²　ㄎㄚㄍ⁴/ㄔㄚㄍ⁴　ㄅㄛㄍ⁴

打　　赤　　　膊　。

【注解】
(1)暗總暗在：天黑了總是黑了。
(2)天光無恁快：天亮沒那麼快。
(3)糴烏麥：買進黑麥。糴，買米糧；糶，賣米糧。
(4)一石過一石：一百斤為石，容量名。過，又。一石又一石的買。
(5)盡古琢：非常逗趣。
(6)落鑊：下鍋。
(7)無下落：漫不經心，漫無主張。也叫「無 tiok³」
(8)vun⁷，身體倒下去，如「～落去」。
(9)匱，貧乏也，今東勢音保留在口語中。
(10)fak⁴，瞬間彈出或豎起，如「～起來」。
(11)客，讀 khak⁴ 為東勢音。
(12)石，讀 sak⁸ 為四縣音。
(13)此係四縣音。海陸音 zhok⁴。
(14)vok⁴，以手掌摑人臉部。
(15)外（nguai⁷）為東勢音。

第十二課　　微毛末節

學習重點：m- n- ng- m n ng

一、基本語料

kim[1]　ngiun[5]　thung[5]　thiet[8]，mi[1]　mo[1]　mat[8]　ciet[4]，tin[1]　tong[1]
ㄍㄧㄇ[1]　ㄫㄧㄨㄣ[5]　ㄊㄨㄥ[5]　ㄊㄧㄝㄉ　ㄇㄧ[1]　ㄇㄛ[1]　ㄇㄚㄉ[8]　ㄐㄧㄝㄉ[4]　ㄅㄧㄣ[1]　ㄅㄛㄥ[1]
金　　銀　　銅　　鐵，微　毛　末　節(1)，叮　噹

tit[8]　tiak[8]，mo[5]　mi[2]　mai[1]　mak[8]。
ㄅㄧㄅ[8]　ㄅㄧㄚㄍ[8]　ㄇㄛ[5]　ㄇㄧ[2]　ㄇㄞ[1]　ㄇㄚㄍ[8]
嘀　　○(2)，無　米　買　麥　。

van[5]　liong[5]　nap[8]　cu[1]，no[7]　kuk[4]　mak[8]　fu[1]，kang[1]　thien[5]
ㄅㄢ[5]　ㄌㄧㄛㄥ[5]　ㄋㄚㄅ[8]　ㄗㄨ[1]　ㄋㄛ[7]　ㄍㄨㄍ[4]　ㄇㄚㄍ[8]　ㄈㄨ[1]　ㄍㄤ[1]　ㄊㄧㄝㄣ[5]
完　　糧　　納　租，糯　穀　麥　麩，耕　　田

tu[3]　cii[2]，nui[7]　ngoi[7]　kiam[1]　ku[3]。
ㄊㄨ[3]　ㄗ[2]　ㄋㄨㄧ[7]　ㄫㄛㄧ[7]　ㄍㄧㄚㄇ[1]　ㄍㄨ[3]
度　子(3)，內　外　兼　顧　。

ko[1]　san[1]　ngui[5]　ngo[5]，ngiu[5]　ngien[2]/ngan[2]　iong[5]/jong[5]　tho[5]；
ㄍㄛ[1]　ㄙㄢ[1]　ㄫㄨㄧ[5]　ㄫㄛ[5]　ㄫㄧㄨ[5]　ㄫㄧㄝㄣ[2]/ㄫㄢ[2]　ㄧㄛㄥ[5]/ㄖㄛㄥ[5]　ㄊㄛ[5]
高　山　巍　峨，牛　　眼　　楊　　桃　；

ngion[1]　chi[5]　ngang[7]　pan[2]，m[5]　siit[8]/shit[8]　chiu[7]　mo[5]。
ㄫㄧㄛㄣ[1]　ㄑㄧ[5]　ㄫㄤ[7]　ㄅㄢ[2]　ㄇㄛ[5]　ㄙㄧㄅ[8]/ㄕㄧㄅ[8]　ㄑㄨ[7]　ㄇㄛ[5]
軟　　糍　硬　粄，毋　食　　就　無　。

su[1]/shu[1]　m[5]　thuk[8]，m[5]　ki[3]　tet[4]，thai[7]　lu[7]　m[5]　hang[5]
ㄙㄨ[1]/ㄕㄨ[1]　ㄇ[5]　ㄊㄨㄍ[8]　ㄇ[5]　ㄍㄧ[3]　ㄅㄝㄉ[4]　ㄊㄞ[7]　ㄌㄨ[7]　ㄇ[5]　ㄏㄤ[5]
　書　　冊　讀，毋　記　得，大　路　毋　行

cho[2]　sang[1]　set[4]。
ㄘㄛ[2]　ㄙㄤ[1]　ㄙㄝㄉ[4]
草　　生　　塞(4)。

ngi[5]　sian[1]　loi[5]，ngai[5]　cang[3]/zang[3]　hi[3]，ngi[5]　na[7]　m[5]　loi[5]
ㄫㄧ[5]　ㄒㄧㄢ[1]　ㄌㄛ[5]　ㄫㄞ[5]　ㄗㄤ[3]/ㄓㄤ[3]　ㄏㄧ[3]　ㄫㄧ[5]　ㄋㄚ[7]　ㄇ[5]　ㄌㄛㄧ[5]
你　先　來，厓　正　　去(5)，你　若(6)毋　來

kon² tet⁴ ngi⁵。

ㄍㄛㄣ² ㄅㄝㄉ⁴ ㄫㄧ⁵

管　得　你(7)。

ng⁵ sin¹ sang¹，hi³ mai¹ ng⁵，hang⁵ ng² li¹ lu⁷

ㄥ⁵ ㄒㄧㄣ¹ ㄙㄤ¹ 　ㄏㄧ³ ㄇㄞ¹ ㄥ⁵ 　ㄏㄤ⁵ ㄥ² ㄌㄧ¹ ㄌㄨ⁷

吳　先　生　，去　買　魚，行　五　里　路

hi³ mai¹ ng⁵。

ㄏㄧ³ ㄇㄞ¹ ㄥ⁵

去　買　魚。

二、詞句舉例及發音練習

m-：mi¹，mi¹ mat⁸，mi¹ mo¹ mat⁸ ciet⁴ mok⁸ kong² an² to¹。

ㄇㄧ¹ 　ㄇㄧ¹ ㄇㄚㄅ⁸ 　ㄇㄧ¹ ㄇㄛ¹ ㄇㄚㄅ⁸ ㄐㄧㄝㄉ⁴ ㄇㄛㄍ⁸ ㄍㄛㄥ² ㄋ² ㄉㄛ¹

微，微　末，微　毛　末　節　莫　講　恁　多。

mo¹，kiok⁴ mo¹，fo² seu¹/shau¹ muk⁴ mi⁵ mo¹。

ㄇㄛ¹ 　ㄍㄧㄛㄍ⁴ ㄇㄛ¹ 　ㄈㄛ² ㄙㄝㄨ¹/ㄕㄠ¹ ㄇㄨㄍ⁴ ㄇㄧ⁵ ㄇㄛ¹

毛，腳　毛，火　燒　目　眉毛。

mo⁵，mo⁵ han⁵，ngi⁵ thian¹ kong¹ ngit⁴ iu¹/jiu¹ han⁵ mo⁵

ㄇㄛ⁵ 　ㄇㄛ⁵ ㄏㄢ⁵ 　ㄫㄧ⁵ ㄊㄧㄢ¹ ㄍㄛㄥ¹ ㄫㄧㄉ⁴ ㄧㄨ¹/ㄖㄧㄨ¹ ㄏㄢ⁵ ㄇㄛ⁵

無，無　閒，你　天　光　日　有　閒　無(8)？

mi²，phak⁸ mi²，khiung⁵ ngin⁵ m⁵ sii² to¹，it⁴/jit⁴ teu² mi²

ㄇㄧ² 　ㄅㄚㄍ⁸ ㄇㄧ² 　ㄎㄧㄨㄥ⁵ ㄫㄧㄣ⁵ ㄇ⁵ ㄙ² ㄉㄛ¹ 　ㄧㄉ⁴/ㄖㄧㄉ⁴ ㄉㄝㄨ² ㄇㄧ²

米，白　米，窮　人　毋　使　多，一　斗　米

voi⁷ chong³/zhong³ ko¹。

ㄅㄛㄧ⁷ ㄘㄛㄥ³/ㄔㄛㄥ³ ㄍㄛ¹

會　唱　歌。

mai¹，iung⁷/jung⁷ chian⁵ mai¹，iu¹/jiu chian⁵ mo⁵ fo³ mai¹

ㄇㄞ¹ 　ㄧㄨㄥ⁷/ㄖㄨㄥ⁷ ㄑㄧㄢ⁵ ㄇㄞ¹ 　ㄧㄨ¹/ㄖㄧㄨ¹ ㄑㄧㄢ⁵ ㄇㄛ⁵ ㄈㄛ³ ㄇㄞ¹

買，用　錢　買，有　錢　無　貨　買。

mak⁸，thai⁷ mak⁸，mo⁵ mi² siit⁸/shit⁸ mak⁸

ㄇㄚㄍ⁸ 　ㄊㄞ⁷ ㄇㄚㄍ⁸ 　ㄇㄛ⁵ ㄇㄧ² ㄙㄥㄉ⁸/ㄕㄧㄉ⁸ ㄇㄚㄍ⁸

麥，大　麥，無　米　食　麥。

n-：nap[8]，kieu[2]/kiau[2]　　nap[8]，hi[3]　hiong[1]　kung[1]　so[2]　kieu[2]/kiau[2]　　nap[8]

ㄋㄚㄅ[8]　ㄍㄧㄝㄨ[2]/ㄍㄧㄠ[2]　ㄋㄚㄅ[8]　ㄏㄧ[3]　ㄏㄛㄥ[1]　ㄍㄨㄥ[1]　ㄙㄛ[2]　ㄍㄧㄝㄨ[2]/ㄍㄧㄠ[2]　ㄋㄚㄅ[8]

納　，　繳　　納　，去　鄉　公　所　　繳　　　納

vuk[4]　soi[3]/shoi[3]。

ㄅㄨㄍ[4]　ㄙㄛㄧ[3]/ㄕㄛㄧ[3]

屋　　　稅　　。

no[7]，no[7]　mi[2]，kieu[2]　siit[8]/shit[8]　no[7]　mi[2]　──　mo[5]　pian[3]

ㄋㄛ[7]　ㄋㄛ[7]　ㄇㄧ[2]　ㄍㄧㄝㄨ[2]　Sㄉ[8]/ㄕㄉ[8]　ㄋㄛ[7]　ㄇㄧ[2]　──　ㄇㄛ[5]　ㄅㄧㄢ[3]

糯　，糯　米　，狗　　食　　糯　米　──　無　　變　。

nui[7]，nui[7]　ngoi[7]，nui[7]　ngoi[7]　kiam[1]　ku[3]

ㄋㄨㄧ[7]　ㄋㄨㄧ[7]　ㄫㄛㄧ[7]　ㄋㄨㄧ[7]　ㄫㄛㄧ[7]　ㄍㄧㄢㄇ[1]　ㄍㄨ[3]

內　，內　外　，內　外　兼　顧　。

ng-：ngo[5]，ngui[5]　ngo[5]，ko[1]　san[1]　ngui[5]　ngo[5]

ㄫㄛ[5]　ㄫㄨㄧ[5]　ㄫㄛ[5]　ㄍㄛ[1]　ㄙㄢ[1]　ㄫㄨㄧ[5]　ㄫㄛ[5]

峩　，　巍　　峩　，高　山　巍　　峩　。

ngoi[7]，nui[7]　ngoi[7]，put[4]　fun[1]　nui[7]　ngoi[7]

ㄫㄛㄧ[7]　ㄋㄨㄧ[7]　ㄫㄛㄧ[7]　ㄅㄨㄉ[4]　ㄈㄨㄣ[1]　ㄋㄨㄧ[7]　ㄫㄛㄧ[7]

外　，內　外　，不　分　內　外　。

ngang[7]，ngion[1]　ngang[7]，　ngion[1]　chi[5]　ngang[7]　pan[2]

ㄫㄤ[7]　ㄫㄧㄛㄣ[1]　ㄫㄤ[7]　　ㄫㄧㄛㄣ[1]　ㄑㄧ[5]　ㄫㄤ[7]　ㄅㄢ[2]

硬　，軟　　硬　，　軟　糍　硬　　粄　。

ngiun[5]，kim[1]　ngiun[5]，kim[1]　ngiun[5]　thung[5]　thiet[4]

ㄫㄧㄨㄣ[5]　ㄍㄧㄇ[1]　ㄫㄧㄨㄣ[5]　ㄍㄧㄇ[1]　ㄫㄧㄨㄣ[5]　ㄊㄨㄥ[5]　ㄊㄧㄝㄉ[4]

銀　，金　　銀　，金　銀　　銅　鐵　。

ngiu[5]，　sui[2]/shui[2]　ngiu[5]，sui[2]/shui[2]　ngiu[5]　kang[1]　thien[5]

ㄫㄧㄨ[5]　ㄙㄨㄧ[2]/ㄕㄨ[2]　ㄫㄧㄨ[5]　ㄙㄨㄧ[2]/ㄕㄨ[2]　ㄫㄧㄨ[5]　ㄍㄤ[1]　ㄊㄧㄝㄣ[5]

牛　，　水　　牛　，水　牛　耕　　田　。

ngien[2]/ngan[2]，ngiu[5]　ngien[2]/ngan[2]　，iong[5]/jong[5]　tho[5]　ngiu[5]　ngien[2]/ngan[2]

ㄫㄧㄝㄣ[2]/ㄫㄢ[2]　ㄫㄧㄨ[5]　ㄫㄧㄝㄣ[2]/ㄫㄢ[2]　ㄧㄛㄥ[5]/ㄖㄛㄥ[5]　ㄊㄛ[5]　ㄫㄧㄨ[5]　ㄫㄧㄝㄣ[2]/ㄫㄢ[2]

眼　，牛　　眼　，　楊　桃　牛　　眼　。

m：m⁵，m⁵　thuk⁸　su¹/shu¹，m⁵　ki³　tet⁴。
ㄇ⁵　ㄇ⁵　ㄊㄨㄍ⁸　ㄙㄨ¹/ㄕㄨ¹　ㄇㄛ⁵　ㄍㄧ³　ㄅㄝㄉ⁴
毋，毋　讀　　書，毋　記　得　。

n：n⁵，pun¹　n⁵，kon²　tet⁴　n⁵。
ㄋ⁵　ㄅㄨㄣ¹　ㄋ⁵　ㄍㄛㄣ²　ㄅㄝㄉ⁴　ㄋ⁵
你，分　你，管　　得　　你。

ng：ng⁵，siang³　ng⁵，mai¹　ng²　mi¹/mui⁵　ng⁵。
ㄥ⁵　ㄒㄧㄤ³　ㄥ⁵　ㄇㄞ¹　ㄥ²　ㄇㄧ¹/ㄇㄨ¹⁵　ㄥ⁵
吳，姓　吳，買　五　　尾　魚　　。

三、音標介紹

m　　ㄇ（聲母）

　　　發音部位：雙唇

　　　發音方法：鼻音、濁、如孟（men⁷）、母（mu¹）的聲母。

n　　ㄋ（聲母）

　　　發音部位：舌尖與上齒齦

　　　發音方法：鼻音、濁。如南（nam⁵）、奴（nu⁵）的聲母。

ng　　π（聲母）

　　　發音部位：舌根與軟顎

　　　發音方法：鼻音、濁。如牙（nga⁵）、咬（ngau¹）的聲母。又客語「人」、「牛」等字的聲母是舌面前鼻音(n̠ȵ)標作(n̠ȵ in)、(n̠ȵ u)，為減少聲母數量，本音標即以(ngi)表示，發音時自然會顎化為(n̠ȵ i)。

m̩　　ㄇ（成音節的雙唇鼻音）

　　　發音部位與聲母m相同，但不必與韻母相配，可獨立發音。如唔（m̩）。

n̩　　ㄋ（成音節的舌尖鼻音）

　　　發音部位與聲母n相同，但不必與韻母相配，可獨立發音，如四縣話你（n̩）。

ng̩　　π（成音節的舌根鼻音）

　　　發音部位與聲母ng 相同，但不必與韻母相配，可單獨發音，如吳、五（ng̩）。

以上m̩、n̩、ng̩三個音標，在記音時可省略底下的豎線，因為都不與韻母相配，

不會與做爲聲母的m、n、ng混淆。

四、對比練習

（一）第一式　　　　　　　　　　　第二式

m	ma	mi	mu
n	na	ni	nu
ng	nga	ngi	ngu

ㄇ	ㄇㄚ	ㄇㄧ	ㄇㄨ
ㄋ	ㄋㄚ	ㄋㄧ	ㄋㄨ
π	πㄚ	πㄧ	πㄨ

五、拼音練習

（一）本課所習音標的基本拼音及例字

m		ㄇ			
a	ㄚ	1、媽 2、	3、罵	5、麻	7、
o	ㄛ	1、毛 2、	3、	5、無	7、帽
i	ㄧ	1、瞇 2、米	3、	5、迷	7、覓
ai	ㄞ	1、買 2、	3、	5、埋	7、賣
au	ㄠ	1、卯 2、	3、	5、茅	7、貌
an	ㄢ	1、滿 2、	3、	5、鰻	7、慢
oi	ㄛㄧ	1、 2、	3、妹	5、梅	7、
in	ㄧㄣ	1、蚊（～帳）2、閔	3、	5、民	7、命
un	ㄨㄣ	1、燜 2、	3、問	5、門	7、
ang	ㄤ	1、猛 2、蜢	3、	5、莣	7、
at	ㄚㄉ	1、	4、抹		8、末
et	ㄝㄉ	1、	4、搣		8、篾
ak	ㄚㄍ	1、	4、脈		8、麥
ok	ㄛㄍ	1、	4、		8、莫

n		ㄋ			
a	ㄚ	1、拿 2、	3、	5、林	7、
o	ㄛ	1、 2、腦	3、	5、挼	7、糯
ai	ㄞ	1、乃 2、	3、	5、泥	7、耐
an	ㄢ	1、懶 2、	3、	5、難	7、難
ong	ㄛㄥ	1、瓟 2、蠹	3、妄	5、囊	7、
un	ㄨㄣ	1、 2、○	3、	5、	7、嫩
ang	ㄤ	1、 2、	3、躝	5、○	7、另
ui	ㄨㄧ	1、 2、	3、	5、	7、內
et	ㄝㄉ		4、笍		8、
ap	ㄚㄅ		4、		8、納

$$
ng\begin{cases} a \\ o \\ ang \\ iun \\ iu \\ ian／an \\ ia \end{cases} \qquad \pi\begin{cases} ㄚ \\ ㄛ \\ ㄤ \\ ｜ㄨㄣ \\ ｜ㄨ \\ ｜ㄢ/ㄢ \\ ｜ㄚ \end{cases}
$$

音	1	2	3	5	7
ㄚ	1、	2、雅	3、砑	5、牙	7、
ㄛ	1、我	2、	3、臥	5、	7、餓
ㄤ	1、	2、	3、	5、	7、硬
｜ㄨㄣ	1、忍	2、	3、	5、銀	7、韌
｜ㄨ	1、	2、扭	3、	5、牛	7、
｜ㄢ/ㄢ	1、研	2、眼	3、硯	5、顏	7、願
｜ㄚ	1、惹	2、	3、	5、若	7、

m	ㄇ	1、	5、毋
n	ㄋ	1、	5、你(爾)
ng	ㄥ	1、	5、吳

（二）本課所習音標的各種拼音

第一式　　　　　　　　　　第二式

ma	mi	mu	me	mo	ㄇㄚ	ㄇ｜	ㄇㄨ	ㄇㄝ	ㄇㄛ
man	min	mun	men		ㄇㄢ	ㄇ｜ㄣ	ㄇㄨㄣ	ㄇㄝㄣ	
mang		mung		mong	ㄇㄤ		ㄇㄨㄥ		ㄇㄛㄥ
mat	mit	mut	met		ㄇㄚㄉ	ㄇ｜ㄉ	ㄇㄨㄉ	ㄇㄝㄉ	
mak		muk		mok	ㄇㄚㄍ		ㄇㄨㄍ		ㄇㄛㄍ
mai		mui		moi	ㄇㄞ		ㄇㄨ｜		ㄇㄛ｜
mia					ㄇ｜ㄚ				

na	ni	nu	ne	no	ㄋㄚ	ㄋ｜	ㄋㄨ	ㄋㄝ	ㄋㄛ
nan	nin	nun	nen		ㄋㄢ	ㄋ｜ㄣ	ㄋㄨㄣ	ㄋㄝㄣ	
nam	nim		nem		ㄋㄚㄇ	ㄋ｜ㄇ		ㄋㄝㄇ	
nang		nung		nong	ㄋㄤ		ㄋㄨㄥ		ㄋㄛㄥ
nap	nip		nep		ㄋㄚㄅ	ㄋ｜ㄅ		ㄋㄝㄅ	
nat	nit		net		ㄋㄚㄉ	ㄋ｜ㄉ		ㄋㄝㄉ	
nak		nuk		nok	ㄋㄚㄍ		ㄋㄨㄍ		ㄋㄛㄍ
nai		nui		noi	ㄋㄞ		ㄋㄨ｜		ㄋㄛ｜
nau	niu		neu		ㄋㄠ	ㄋ｜ㄨ		ㄋㄝㄨ	

nga	ngi	ngu		ngo	πㄚ	π｜	πㄨ		πㄛ
ngam	ngim				πㄚㄇ	π｜ㄇ			

ngan	ngin				ㄗㄢ	ㄗㄧㄣ	
ngang			ngong	ㄗㄤ			ㄗㆲ
ngap	ngip			ㄗㄚㆴ	ㄗㄧㆴ		
ngat	ngit			ㄗㄚㆵ	ㄗㄧㆵ		
			ngok				ㄗㆦㆻ
ngai	ngui	ngoi		ㄗㄞ	ㄗㄨㄧ		ㄗㆦㄧ
	ngia	ngua			ㄗㄧㄚ ㄗㄨㄚ		
	ngiu				ㄗㄧㄨ		
	ngio				ㄗㄧㆦ		

（三）m-、n-、ng-的常用詞

man¹ ku¹ , mi² chi¹ , mun⁵ leu⁵ , mak⁸ kuk⁴ ,
ㄇㄢ¹ ㄍㄨ¹ ㄇㄧ² ㄑㄧ¹ ㄇㄨㄣ⁵ ㄌㄝㄨ⁵ ㄇㄚㆻ⁸ ㄍㄨㆻ⁴
滿　姑，米　篩，門　　樓，麥　　穀，

nan⁵ hang⁵ , nung⁵ ka¹ , nam⁵ fong¹ , nap⁸ liong⁵ ,
ㄋㄢ⁵ ㄏㄤ⁵ ㄋㄨㄥ⁵ ㄍㄚ¹ ㄋㄚㄇ⁵ ㆅㆲ¹ ㄋㄚㆴ⁸ ㄌㄧㆲ⁵
難　行，農　家，南　方，納　　糧，

nga⁵ mun⁵ , nga² vuk⁴ , ngim⁵ sii¹/shi¹ , ngiet⁸ kong¹ 。
ㄗㄚ⁵ ㄇㄨㄣ⁵ ㄗㄚ² ㄫㄨㆻ⁴ ㄗㄧㄇ⁵ ㄙ¹/ㄕ¹ ㄗㄧㆤㆵ⁸ ㄍㆲ¹
衙　門，瓦　屋，吟　詩，月　光。

（四）m-、n-、ng-的雙聲詞

mo⁷ mi² , mo⁵ mo¹ , men² mu¹ , muk⁴ mi⁵ 。
ㄇㆦ⁷ ㄇㄧ² ㄇㆦ⁵ ㄇㆦ¹ ㄇㆤㄣ³ ㄇㄨ¹ ㄇㄨㆻ⁴ ㄇㄧ⁵
磨　米，無　毛，孟　母，目　眉。

nam³ nai⁵ , nan⁵ nen⁵ , nui⁷ nen³ , nit⁸ nuk⁸ 。
ㄋㄚㄇ³ ㄋㄞ⁵ ㄋㄢ⁵ ㄋㆤㄣ⁵ ㄋㄨㄧ⁷ ㄋㆤㄣ³ ㄋㄧㆵ⁸ ㄋㄨㆻ⁸
湳　泥，難　能，內　奶(9)，○　忸。

ngiu⁵ ngiau³ , ngiun³ ngiuk⁴ , ngau¹ nga⁵ , ngon¹ ngang³ 。
ㄗㄧㄨ⁵ ㄗㄧㄠ³ ㄗㄧㄨㄣ³ ㄗㄧㄨㆻ⁴ ㄗㄠ¹ ㄗㄚ⁵ ㄗㆦㄣ¹ ㄗㄤ³
牛　尿，靭　肉，咬　牙，軟　硬。

（五）m-、n-、ng-的生活用語

m-：sang¹　sii⁵/shi⁵　san¹　tang²　khi¹ ，　si²　heu³　fut⁴　te²/te⁵　mai⁵ ，
ㄙㄤ¹　ㄙ⁵/ㄕ⁵　ㄙㄢ¹　ㄉㄤ²　ㄎㄧ¹　ㄒㄧ²　ㄏㄝㄨ³　ㄈㄨㄉ⁴　ㄅㄝ²/ㄉㄜ⁵　ㄇㄞ⁵
　生　　時　　山　　頂　　企　，　死　　後　　窟　　仔　　埋　，
fun⁵　phak⁴　song¹/shong¹　si¹　thian¹ ，　kut⁴　theu⁵　kie¹/kai¹
ㄈㄨㄣ⁵　ㄆㄚㄍ⁴　ㄙㄛㄥ¹/ㄕㄛㄥ¹　ㄒㄧ¹　ㄊㄧㄢ¹　ㄍㄨㄉ⁴　ㄊㄝㄨ⁵　ㄍㄧㄝ¹/ㄍㄞ¹
　魂　　魄　　　上　　西　　天　，　骨　　頭　　街
song³/shong³　mai⁷ 。
ㄙㄛㄥ³/ㄕㄛㄥ³　ㄇㄞ⁷
　上　　　賣　。

n-：ngiu⁵　ku²　tho¹　lai⁵ ，　ngie³　kung¹　khiam⁵　nai⁵ 。
兀ㄧㄨ⁵　ㄍㄨ²　ㄊㄛ¹　ㄌㄞ⁵　兀ㄧㄝ⁵　ㄍㄨㄥ¹　ㄎㄧㄚㄇ⁵　ㄋㄞ⁵
　牛　　牯　　拖　　犁　，　蟻　　公　　唧(10)　泥　。
put⁴　ngiun¹　put⁴　nai³ ，　seu²/siau²　sii⁷　siin⁵/shin⁵　thai⁷ 。
ㄅㄨㄉ⁴　兀ㄧㄨㄣ¹　ㄅㄨㄉ⁴　ㄋㄞ³　ㄙㄝㄨ²/ㄒㄧㄠ²　ㄙㄣ⁷　ㄙㄣ⁵/ㄕㄣ⁵　ㄊㄞ⁷
　不　　忍　　不　　耐　，　小　　事　　成　　大　。

ng-：song³/shong³　vuk⁴　keu²　ue²/ue⁵　phoi⁷　ngong¹　ngong¹ ，
ㄙㄛㄥ³/ㄕㄛㄥ³　万ㄨㄍ⁴　ㄍㄝㄨ²　ㄨㄝ²/ㄨㄛ⁵　ㄆㄛ⁷　兀ㄛㄥ¹　兀ㄛㄥ¹
　　上　　屋　　狗　　仔　　吠　　昂　　昂　，
phet⁸　sa⁵　m⁵　phoi⁷　phoi⁷　ngai⁵　long⁵ ；
ㄆㄝㄉ⁸　ㄙㄚ⁵　ㄇ⁵　ㄆㄛ⁷　ㄆㄛ⁷　兀ㄞ⁵　ㄌㄛㄥ⁵
　別　　儕　　毋　　吠　　吠　　𠊎　　郎　；
lau¹　ngai⁵　long⁵　ko¹　phoi⁷　ceu²　hi³ ，
ㄌㄠ¹　兀ㄞ⁵　ㄌㄛㄥ⁵　ㄍㄛ¹　ㄆㄛ⁷　ㄗㄝㄨ²　ㄏㄧ³
　捞　　𠊎　　郎　　哥　　吠　　走　　去　，
ko¹　mo¹　keu²　ue²/ue⁵　miang³　m⁵　chong⁵/zhong⁵ 。
ㄍㄛ¹　ㄇㄛ¹　ㄍㄝㄨ²　ㄨㄝ²/ㄨㄛ⁵　ㄇㄧㄤ³　ㄇ⁵　ㄔㄛㄥ⁵/ㄓㄛㄥ⁵
　孤　　盲　　狗　　仔　　命　　毋　　長　。

【注解】

(1)微毛末節：微末細節。

(2)叮噹滴 tiak[8]：形容打鐵聲。

(3)度子：帶小孩；養育子女。

(4)草生塞：長滿了草。

(5)𠊎正去：我才去。

(6)若：假如。

(7)管得你：（1）不管你。管得就是管不得、管不了。（2）隨你愛怎樣就怎樣。

(8)有閒無：有空閒嗎？

(9)內奶：車輪的內胎，因為是放在內部的「樹奶」（橡膠）故稱。

(10)喴：又音 ham[5]。

第十三課 河中洗菜井水盪

學習重點：s- h- l- -am -iam

一、基本語料

ho⁵ cung¹/zung¹ se² choi³ ciang² sui²/shui² thong³，thai⁷ vok⁸ cu²/zu²
ㄏㄛ⁵ ㄗㄨㄥ¹/ㄓㄨㄥ¹ ㄙㄝ² ㄘㄛ|³ ㄐ|ㄤ² ㄙㄨ|²/ㄕㄨ|² ㄊㄛㄥ³ ㄊㄞ⁷ ㄖㄛㄍ⁸ ㄗㄨ²/ㄓㄨ²
河 中 洗 菜 井 水 盪(1)，大 鑊 煮

loi⁵ se³ von² cong¹/zong¹ ;
ㄌㄛ|⁵ ㄙㄝ³ ㄖㄛㄣ² ㄗㄛㄥ¹/ㄓㄛㄥ¹
來 細 碗 裝 ；

vok⁸ chan² sii² to³ khian¹ khian¹ con²/zon²，ten² heu⁷ ngai⁵ long⁵
ㄖㄛㄍ⁸ ㄘㄢ² ㄙ² ㄉㄛ³ ㄎ|ㄢ¹ ㄎ|ㄢ¹ ㄗㄛㄣ²/ㄓㄛㄣ² ㄉㄝㄣ² ㄏㄝㄨ⁷ ㄫㄞ⁵ ㄌㄤ⁵
鑊 鏟(2)使 到 牽 牽 轉(3)，等 候 偃 郎(4)
con²/zon² ka¹ hiong¹ 。
ㄗㄛㄣ²/ㄓㄛㄣ² ㄍㄚ¹ ㄏ|ㄛㄥ¹
轉 家 鄉 。

tam² iu⁷/jiu⁷ thai⁷ loi⁵ sim¹ iu⁷/jiu⁷ tham¹，m⁵ to³ vong⁵ ho⁵
ㄉㄚㄇ² |ㄨ⁷/ㄖ|ㄨ⁷ ㄊㄞ⁷ ㄌㄛ|⁵ ㄒ|ㄇ¹ |ㄨ⁷/ㄖ|ㄨ⁷ ㄊㄚㄇ¹ ㄇ⁵ ㄉㄛ³ ㄎㄛㄥ⁵ ㄏㄛ⁵
膽 又 大 來 心 又 貪，毋 到 黃 河
sim¹ put⁴ kam¹ 。
ㄒ|ㄇ¹ ㄅㄨㄉ⁴ ㄍㄚㄇ¹
心 不 甘 。

kam² song¹ nan⁵ san¹ ta² men¹ fu²，kam² cok⁴/cuk⁴ kau¹ liung⁵
ㄍㄚㄇ² ㄙㄛㄥ¹ ㄋㄚㄣ⁵ ㄙㄢ¹ ㄉㄚ² ㄇㄝㄣ¹ ㄈㄨ² ㄍㄚㄇ² ㄗㄛㄍ⁴/ㄗㄨㄍ⁴ ㄍㄠ¹ ㄌ|ㄨㄥ⁵
敢 上 南 山 打 猛 虎，敢 捉 蛟 龍
lok⁸ liung⁵ tam⁵ 。
ㄌㄛㄍ⁸ ㄌ|ㄨㄥ⁵ ㄊㄚㄇ⁵
落 龍 潭 。

siit⁸/shit⁸ ham⁵ siit⁸/shit⁸ tiam⁵，chu³/zhu³ kiok⁴ liam⁵，put⁴ cha¹/zha¹
st⁸/ㄕ|ㄉ⁸ ㄏㄚㄇ⁵ ㄙㄉ⁸/ㄕ|ㄉ⁸ ㄊ|ㄚㄇ⁵ ㄘㄨ³/ㄔㄨ³ ㄍ|ㄛㄍ⁴ ㄌ|ㄚㄇ⁵ ㄅㄨㄉ⁴ ㄘㄚ¹/ㄔㄚ¹
食 鹹 食 甜，臭 腳 臁(5)，不 賒

put⁴ khiam³ , m⁵ su⁷/shix⁷ ngin⁵ hiam⁵ 。

ㄅㄨㄉ⁴ ㄎㄧㄚㄇ³ ㄇ⁵ ㄙㄨ⁷/ㄕㄨ⁷ ㄫㄧㄣ⁵ ㄏㄧㄚㄇ⁵

不 欠 ， 毋 受 人 嫌 。

二、詞句舉例及發音練習

s- ： se² ， iung⁷/jung⁷ sui²/shui² se² ，

ㄙㄝ² ㄧㄨㄥ⁷/ㄖㄨㄥ⁷ ㄙㄨㄧ²/ㄕㄨ² ㄙㄝ²

洗 ， 用 水 洗 ，

chiang¹ choi³ iung⁷/jung⁷ sui²/shui² se² 。

ㄑㄧㄤ¹ ㄘㄛㄧ³ ㄧㄨㄥ⁷/ㄖㄨㄥ⁷ ㄙㄨㄧ²/ㄕㄨ² ㄙㄝ²

青 菜 用 水 洗 。

se³ ， thai⁷ se³ ， mo⁵ thai⁷ mo⁵ se³ 。

ㄙㄝ³ ㄊㄞ⁷ ㄙㄝ³ ㄇㄛ⁵ ㄊㄞ⁷ ㄇㄛ⁵ ㄙㄝ³

細 ， 大 細(6) ， 無 大 無 細(7) 。

sii² ， mo⁵ chian⁵ sii² ， iu¹/jiu¹ chian⁵ mo⁵ thang⁷ sii² 。

ㄙ² ㄇㄛ⁵ ㄑㄧㄢ⁵ ㄙ² ㄧㄨ¹/ㄖㄧㄨ¹ ㄑㄧㄢ⁵ ㄇㄛ⁵ ㄊㄤ⁷ ㄙ²

使 ， 無 錢 使 ， 有 錢 無 ○ 使(8) 。

h- ： ho⁵ ， vong⁵ ho⁵ ， tham⁷ sui²/shui² ho⁵ 。

ㄏㄛ⁵ ㄎㄛㄥ⁵ ㄏㄛ⁵ ㄊㄚㄇ⁷ ㄙㄨㄧ²/ㄕㄨ² ㄏㄛ⁵

河 ， 黃 河 ， 淡 水 河 。

heu⁷ ， ten² heu⁷ ，chiang² ten² heu⁷ ki² fun¹ cung¹/zung¹ 。

ㄏㄝㄨ⁷ ㄅㄝㄣ² ㄏㄝㄨ⁷ ㄑㄧㄤ² ㄅㄝㄣ² ㄏㄝㄨ⁷ ㄍㄧ² ㄈㄨㄣ¹ ㄗㄨㄥ¹/ㄓㄨㄥ¹

候 ， 等 候 ， 請 等 候 幾 分 鐘 。

hiong¹ ，ka¹ hiong¹ ，ten² heu⁷ ngai⁵ long⁵ con²/zon² ka¹ hiong¹

ㄏㄧㄛㄥ¹ ㄍㄚ¹ ㄏㄧㄛㄥ¹ ㄅㄝㄣ² ㄏㄝㄨ⁷ ㄫㄞ⁵ ㄌㄤ⁵ ㄗㄛㄣ²/ㄓㄛㄣ² ㄚ¹ ㄏㄧㄛㄥ¹

鄉 ， 家 鄉 ， 等 候 𠊎 郎 轉 家 鄉 。

l- ： loi⁵ ，con²/zon² loi⁵ ， ngiu⁵ kian¹ con²/zon² loi⁵ lai⁵ thien⁵ 。

ㄌㄛ⁵ ㄗㄛㄣ²/ㄓㄛㄣ² ㄌㄛ⁵ ㄫㄧㄨ⁵ ㄎㄧㄢ¹ ㄗㄛㄣ²/ㄓㄛㄣ² ㄌㄛ⁵ ㄌㄞ⁵ ㄊㄧㄝㄣ⁵

來 ， 轉 來 ， 牛 牽 轉 來 犁 田 。

long^{5}，sin^{1} long^{5}，sin^{1} se^{3} long^{5}。
ㄌㄤ^{5} ㄒㄧㄣ^{1} ㄌㄛㄥ^{5} ㄒㄧㄣ^{1} ㄙㄝ^{3} ㄌㄛㄥ^{5}
郎，新郎，新婿郎(9)。

lok^{8}，lok^{8} loi^{5}，cu^{1}/zu^{1} ma^{5} lok^{8} choi^{3} ien^{5}/jan^{5}。
ㄌㄛㄍ^{8} ㄌㄛㄍ^{8} ㄌㄛㄧ^{5} ㄗㄨ^{1}/ㄓㄨ^{1} ㄇㄚ^{5} ㄌㄛㄍ^{8} ㄘㄛㄧ^{3} ㄧㄝㄣ^{5}/ㄖㄢ^{5}
落，落來，豬嫲落菜園(10)。

-am：tam^{2}，thai^{7} tam^{2}，ma^{2} ngin^{5} an^{2} thai^{7} tam^{2}。
ㄉㄚㄇ^{2} ㄊㄞ^{7} ㄉㄚㄇ^{2} ㄇㄚ^{2} ㄫㄧㄣ^{5} ㄢ^{2} ㄊㄞ^{7} ㄉㄚㄇ^{2}
膽，大膽，〇人恁大膽(11)。

tham^{1}，tham^{1} choi^{5}，put^{4} tham^{1} put^{4} chi^{2}。
ㄊㄚㄇ^{1} ㄊㄚㄇ^{1} ㄘㄛㄧ^{5} ㄅㄨㄉ^{4} ㄊㄚㄇ^{1} ㄅㄨㄉ^{4} ㄑㄧ^{2}
貪，貪財，不貪不取。

kam^{1}，sim^{1} kam^{1}，put^{4} to^{3} vong^{5} ho^{5} sim^{1} put^{4} kam^{1}。
ㄍㄚㄇ^{1} ㄒㄧㄇ^{1} ㄍㄚㄇ^{1} ㄅㄨㄉ^{4} ㄉㄛ^{3} ㄪㄛㄥ^{5} ㄏㄛ^{5} ㄒㄧㄇ^{1} ㄅㄨㄉ^{4} ㄍㄚㄇ^{1}
甘，心甘，不到黃河心不甘。

kam^{2}，iung^{2}/jung^{2} kam^{2}，co^{7} to^{7} hem^{1} m^{5} kam^{2}。
ㄍㄚㄇ^{2} ㄧㄨㄥ^{2}/ㄖㄨㄥ^{2} k ㄚㄇ^{2} ㄗㄛ^{7} ㄉㄛ^{7} ㄏㄝㄇ^{1} ㄇ^{5} ㄍㄚㄇ^{2}
敢，勇敢，做到喊毋敢(12)。

tham^{5}，liung^{5} tham^{5}，kuan^{1} si^{1} ko^{3} hi^{3} he^{5} liung^{5} tham^{5}。
ㄊㄚㄇ^{5} ㄌㄧㄨㄥ^{5} ㄊㄚㄇ^{5} ㄍㄨㄢ^{1} ㄒㄧ^{1} ㄍㄛ^{3} ㄏㄧ^{3} ㄏㄝ^{5} ㄌㄧㄨㄥ^{5} ㄊㄚㄇ^{5}
潭，龍潭，關西過去係龍潭。

-iam：thiam^{5}，son^{1} thiam^{5}，kam^{1} ca^{3}/za^{3} ho^{2} siit^{8}/shit^{8} muk^{4} muk^{4} thiam^{5}。
ㄊㄧㄚㄇ^{5} ㄙㄛㄣ^{1} ㄊㄧㄚㄇ^{5} ㄍㄚㄇ^{1} ㄗㄚ^{3}/ㄓㄚ^{3} ㄏㄛ^{2} st^{8}/ㄕㄧㄉ^{8} ㄇㄨㄍ^{4} ㄇㄨㄍ^{4} ㄊㄧㄚㄇ^{5}
甜，酸甜，甘蔗好食目目甜(13)。

liam^{5}，kiok^{4} liam^{5}，chu^{3}/zhu^{3} kiok^{4} liam^{5}。
ㄌㄧㄚㄇ^{5} ㄍㄧㄛㄍ^{4} ㄌㄧㄚㄇ^{5} ㄘㄨ^{3}/ㄔㄨ^{3} ㄍㄧㄛㄍ^{4} ㄌㄧㄚㄇ^{5}
臁，腳臁，臭腳臁。

khiam³ , cha¹/zha¹ khiam³ , hian⁷ kim¹ mai¹ mai⁷ put⁴ cha¹/zha¹ khiam³

ㄎㄧㄚㄇ³ ㄘㄚ¹/ㄐㄧㄚ¹ ㄎㄧㄚㄇ³ ㄏㄞ⁷ ㄍㄧㄇ¹ ㄇㄞ¹ ㄇㄞ⁷ ㄅㄨㄉ⁴ ㄘㄚ¹/ㄐㄧㄚ¹ ㄎㄧㄚㄇ³

欠 ， 賒 欠 ， 現 金 買 賣 不 賒 欠

hiam⁵ , hi³ hiam⁵ , chit⁴ ka¹ on¹ no² mo⁵ ngin⁵ kam² hiam⁵ 。

ㄏㄧㄚㄇ⁵ ㄏㄧ³ ㄏㄧㄚㄇ⁵ ㄑㄧㄉ⁴ ㄍㄚ¹ ㄛㄣ¹ ㄋㄛ² ㄇㄛ⁵ ㄫㄧㄣ⁵ ㄍㄚㄇ² ㄏㄧㄚㄇ⁵

嫌 ， 棄 嫌 ， 自 家 安 腦(14) 無 人 敢 嫌 。

三、音標介紹

s —　　　ㄙ（聲母）

　　　　發音部位：舌尖前與上下門齒背。

　　　　發音發法：擦音、清。如新（sin^1）的聲母。

h —　　　ㄏ（聲母）

　　　　發音部位：舌根與軟顎。

　　　　發音方法：塞音、清、不送氣。如「好」（ho^2）的聲母。

l —　　　ㄌ（聲母）

　　　　發音部位：舌尖與上齒齦

　　　　發音方法：邊音。發音時，舌尖抵住上齒齦，軟顎抬起，聲門合攏，氣流通過，聲帶顫動，氣流從舌頭兩邊出來。如蘭（lan^5）的聲母。

— a m　　ㄚㄇ（韻母）

　　　　舌面元音 a，與雙唇鼻音 m 結合而成的韻母。發音時，先發 a 的聲音，並急速緊閉雙唇，讓氣流從鼻腔出來，收 m 的鼻音。如甘（kam^1）的韻母。

— i a m　ㄧㄚㄇ（韻母）

　　　　介音 i 加韻母 am 合成的韻母。如點（$tiam^2$）的韻母。

四、對比練習

第一式

s	h	l
si	hi	li
su	hu	lu
sa	ha	la
so	ho	lo

第二式

ㄙ	ㄏ	ㄌ
ㄙㄧ	ㄏㄧ	ㄌㄧ
ㄙㄨ	ㄏㄨ	ㄌㄨ
ㄙㄚ	ㄏㄚ	ㄌㄚ
ㄙㄛ	ㄏㄛ	ㄌㄛ

am	iam	an	ian	ㄚㄇ	ㄧㄚㄇ	ㄢ	ㄧㄢ
tam	tiam	tan	tian	ㄉㄚㄇ	ㄉㄧㄚㄇ	ㄉㄢ	ㄉㄧㄢ
cam	ciam	can	cian	ㄗㄚㄇ	ㄗㄧㄚㄇ	ㄗㄢ	ㄐㄧㄢ
kam	kiam	kan	kian	ㄍㄚㄇ	ㄍㄧㄚㄇ	ㄍㄢ	ㄍㄧㄢ
lam	liam	lan	lian	ㄌㄚㄇ	ㄌㄧㄚㄇ	ㄌㄢ	ㄌㄧㄢ

五、拼音練習

（一）本課所習音標的基本拼音及例字

s {

i	ㄧ	1、西 2、死 3、四 5、○ 7、
u	ㄨ	1、酥 2、手 3、素 5、諸 7、樹(15)
a	ㄚ	1、沙 2、灑 3、○ 5、儕 7、
o	ㄛ	1、梭 2、嫂 3、掃 5、趖 7、
e	ㄝ	1、舐 2、洗 3、細 5、蛣 7、
ai	ㄞ	1、○ 2、徙 3、晒 5、豺 7、
oi	ㄛㄧ	1、衰 2、　 3、賽 5、　 7、
au (ㄙ)	ㄠ	1、捎 2、　 3、哨 5、巢 7、
eu	ㄝㄨ	1、搜 2、少(16)3、瘦(17)5、愁 7、
an	ㄢ	1、山 2、產 3、散 5、　 7、
ang	ㄤ	1、生 2、省 3、　 5、　 7、
am	ㄚㄇ	1、衫 2、糝 3、　 5、蟬(18)7、
ui	ㄨㄧ	1、雖 2、水(19)3、碎 5、隨 7、
ap	ㄚㄅ	4、圾　 8、煠
at	ㄚㄉ	4、煞　 8、
ak	ㄚㄍ	4、柝　 8、

h {

i	ㄧ	1、虛 2、喜 3、氣 5、嬉 7、
a	ㄚ	1、哈 2、○ 3、夏 5、蝦 7、下
o	ㄛ	1、耗 2、好 3、吼 5、何 7、號
e	ㄝ	1、　 2、　 3、係 5、　 7、
ai	ㄞ	1、溪 2、蟹 3、○ 5、鞋 7、
au (ㄏ)	ㄠ	1、昊 2、效 3、孝 5、看 7、
eu	ㄝㄨ	1、　 2、口 3、扣 5、猴 7、候
an	ㄢ	1、　 2、蜆 3、　 5、閒 7、罕
ang	ㄤ	1、坑 2、　 3、○ 5、行 7、
am	ㄚㄇ	1、憨 2、　 3、喊 5、含 7、○
iong	ㄧㄛㄥ	1、鄉 2、響 3、向 5、　 7、

聲母	韻母	注音	例字
l	i	ㄧ	1、理 2、李 3、濾 5、梨 7、利
	u	ㄨ	1、魯 2、 3、露 5、盧 7、路
	a	ㄚ	1、拉 2、 3、罅 5、蝲 7、○
	o	ㄛ	1、囉 2、老 3、老 5、羅 7、
	ong	ㄛㄥ	1、囪 2、朗 3、寶 5、郎 7、浪
	ai	ㄞ	1、拉 2、唻 3、癩 5、犁 7、賴
	au	ㄠ	1、邏 2、佬 3、落 5、潦 7、
	eu	ㄝㄨ	1、 2、 3、嘍 5、撈 7、漏
	an	ㄢ	1、涎 2、 3、 5、蘭 7、爛
	ang	ㄤ	1、冷 2、 3、○ 5、零 7、○
	am	ㄚㄇ	1、○ 2、欖 3、纜 5、籃 7、
	oi	ㄛㄧ	1、 2、誄 3、 5、來 7、

聲母	韻母	注音	例字
f	am	ㄚㄇ	1、犯 2、 3、 5、凡 7、犯
t			1、擔 2、膽 3、擔 5、○ 7、
th			1、貪 2、 3、探 5、談 7、淡
n			1、 2、攬 3、湳 5、南 7、
k			1、甘 2、敢 3、鑑 5、 7、
kh			1、堪 2、坎 3、崁 5、 7、
ng			1、頷 2、頷 3、 5、巖 7、
c			1、簪 2、斬 3、站 5、 7、
ch			1、參 2、慘 3、杉 5、蠶 7、鏨
s			1、衫 2、摻 3、 5、蟾 7、
z			1、詹 2、糝 3、站 5、 7、
sh			1、 2、閃 3、 5、蟾 7、

聲母	韻母	注音	例字
t	iam	ㄧㄚㄇ	1、恬 2、點 3、店 5、○ 7、
th			1、添 2、瘨 3、 5、甜 7、
l			1、 2、○ 3、澰 5、簾 7、斂
k			1、兼 2、揀 3、劍 5、○ 7、
kh			1、謙 2、 3、欠 5、鉗 7、儉
ng			1、拈 2、冉 3、 5、黏 7、念
h			1、醃 2、險 3、 5、嫌 7、
c			1、尖 2、蘸 3、佔 5、 7、
ch			1、籤 2、鐵 3、 5、○ 7、暫
s			1、纖 2、 3、 5、潛 7、

（二）本課所習音標的各種拼音

si	su	sa	so	se	sai
ㄙㄧ	ㄙㄨ	ㄙㄚ	ㄙㄛ	ㄙㄝ	ㄙㄞ
sau	seu	san	sang	sam	sui
ㄙㄠ	ㄙㄝㄨ	ㄙㄢ	ㄙㄤ	ㄙㄚㄇ	ㄙㄨㄧ
hi	ha	ho	he	hai	hau
ㄏㄧ	ㄏㄚ	ㄏㄛ	ㄏㄝ	ㄏㄞ	ㄏㄠ
heu	han	hang	ham	hiong	
ㄏㄝㄨ	ㄏㄢ	ㄏㄤ	ㄏㄚㄇ	ㄏㄧㄛㄥ	
li	lu	la	lo	long	lai
ㄌㄧ	ㄌㄨ	ㄌㄚ	ㄌㄛ	ㄌㄛㄥ	ㄌㄞ
lau	leu	lan	lang	lam	loi
ㄌㄠ	ㄌㄝㄨ	ㄌㄢ	ㄌㄤ	ㄌㄚㄇ	ㄌㄛㄧ
fam	tam	tham	ham	nam	
ㄈㄚㄇ	ㄉㄚㄇ	ㄊㄚㄇ	ㄏㄚㄇ	ㄋㄚㄇ	
kham	cam	cham	sam	tiam	
ㄎㄚㄇ	ㄗㄚㄇ	ㄘㄚㄇ	ㄙㄚㄇ	ㄉㄧㄚㄇ	
thiam	liam	kiam	khiam		
ㄊㄧㄚㄇ	ㄌㄧㄚㄇ	ㄍㄧㄚㄇ	ㄎㄧㄚㄇ		
ciam	chiam	siam			
ㄐㄧㄚㄇ	ㄑㄧㄚㄇ	ㄒㄧㄚㄇ			

（三）s-、h-、l-、-am、-iam 的常用詞

se² mian³、sa¹ hang¹、si³ sung¹、seu⁵ li⁷、
ㄙㄝ² ㄇㄧㄢ³ ㄙㄚ¹ ㄏㄤ¹ ㄒㄧ³ ㄙㄨㄥ¹ ㄙㄝㄨ⁵ ㄌㄧ⁷
洗　面、沙　坑　、四　雙　、愁　慮　、

ho⁵ pa³、hang⁵ lu⁷、hi² sii⁷、hiu¹ sit⁴、
ㄏㄛ⁵ ㄅㄚ³ ㄏㄤ⁵ ㄌㄨ⁷ ㄏㄧ² ㄙ⁷ ㄏㄧㄨ¹ ㄒㄧㄉ⁴
河　壩、行　路、喜　事、休　息　、

lo² nun⁷、leu⁵ thoi¹、lan⁵ fa¹、lung⁵ mi²、
ㄌㄛ² ㄋㄨㄣ⁷ ㄌㄝㄨ⁵ ㄊㄛ¹ ㄌㄢ⁵ ㄈㄚ¹ ㄌㄨㄥ⁵ ㄇㄧ²
老　嫩、樓　梯、蘭　花、礱　米、

pau³ tam²、liung⁵ tham⁵、fa¹ lam⁵、lang⁵ sam¹、
ㄅㄠ³ ㄉㄚㄇ² ㄌㄧㄨㄥ⁵ ㄊㄚㄇ⁵ ㄈㄚ¹ ㄌㄚㄇ⁵ ㄌㄤ⁵ ㄙㄚㄇ¹
豹　膽、龍　潭　、花　籃、晾　衫　、

chin¹ liam⁵、hi³ hiam⁵、ngui⁵ hiam²、kua³ ngiam⁷、
ㄑㄧㄣ¹ ㄌㄧㄚㄇ⁵ ㄏㄧ³ ㄏㄧㄚㄇ⁵ ㄫㄨㄧ⁵ ㄏㄧㄚㄇ² ㄍㄨㄚ³ ㄫㄧㄚㄇ⁷
清　廉、棄　嫌　、危　險　、掛　念　、

（四）s-、h-、l-的雙聲詞

se² sam¹、sii¹ sim¹、si³ se³/soi³、sia² sin³、
ㄙㄝ² ㄙㄚㄇ¹ ㄙ¹ ㄒㄧㄇ¹ ㄒㄧ³ ㄙㄝ³/ㄙㄛㄧ³ ㄒㄧㄚ² ㄒㄧㄣ³
洗　衫、私　心、四　歲　、寫　信　、

ho^5 hai^1 、ho^2 hai^5 、hong^3 heu^2 、hap^8 hin^1 、
ㄏㄛ^5 ㄏㄞ^1 ㄏㄛ^2 ㄏㄞ^5 ㄏㄛㄥ^3 ㄏㄝㄨ^2 ㄏㄚㄅ^8 ㄏㄧㄣ^1
河 溪 、好 鞋 、巷 口 、合 興 、

lam^5 lui^2 、li^1 lu^3 、lo^2 lai^5 、liu^5 lian^5 、
ㄌㄚㄇ^5 ㄌㄨㄧ^2 ㄌㄧ^1 ㄌㄨ^3 ㄌㄛ^2 ㄌㄞ^5 ㄌㄧㄨ^5 ㄌㄧㄢ^5
籃 篡 、理 路 、老 犁 、流 連 、

（五）-am、-iam 的生活用語

phak^8 phak^8 chiang^3 chiang^3 ngai^5 m^5 tham^1 ,
ㄆㄚㄍ^8 ㄆㄚㄍ^8 ㄑㄧㄤ^3 ㄑㄧㄤ^3 ㄫㄞ^5 ㄇ^5 ㄊㄚㄇ^1
白 白 淨 淨 偓 毋 貪 ,
vu^1 vu^1 chak^4/zhak^4 chak^4/zhak^4 ngai^5 m^5 hiam^5 ;
万ㄨ^1 万ㄨ^1 ㄘㄚㄍ^4/ㄔㄚㄍ^4 ㄘㄚㄍ^4/ㄔㄚㄍ^4 ㄫㄞ^5 ㄇ^5 ㄏㄧㄚㄇ^5
烏 烏 赤 赤 偓 毋 嫌 ;
a^1 ko^1 kho^2 pi^2 tong^1 li^5 iong^7/jong^7 ,
ㄚ^1 ㄍㄛ^1 ㄎㄛ^2 ㄅㄧ^2 ㄉㄛㄥ^1 ㄌㄧ^5 ㄧㄛㄥ^7/ㄖㄛㄥ^7
阿 哥 可 比 當 梨 樣 ,
iet^8/jet^8 vu^1 iet^8/jet^8 chak^4/zhak^4 sim^1 iet^8/jat^8 thiam^5 。
ㄧㄝㄅ^8/ㄖㄧㄝㄅ^8 万ㄨ^1 ㄧㄝㄅ^8/ㄖㄧㄝㄅ^8 ㄘㄚㄍ^4/ㄔㄚㄍ^4 ㄒㄧㄇ^1 一ㄝㄅ^8/ㄖㄚㄅ^8 ㄊㄧㄚㄇ^5
越 烏 越 赤 心 越 甜 。

then^5 sang^1 su^3/shu^3 si^2 chan^5/zhan^5 to^3 si^2 ,
ㄊㄝㄣ^5 ㄙㄤ^1 ㄙㄨ^3/ㄕㄨ^3 ㄒㄧ^2 ㄘㄢ^5/ㄓㄢ^5 ㄉㄛ^3 ㄒㄧ^2
藤 生 樹 死 纏 到 死 ,
then^5 si^2 su^3/shu^3 sang^1 si^2 ia^7/ja^7 chan^5/zhan^5 。
ㄊㄝㄣ^5 ㄒㄧ^2 ㄙㄨ^3/ㄕㄨ^3 ㄙㄤ^1 ㄒㄧ^2 ㄧㄚ^7/ㄖㄚ^7 ㄘㄢ^5/ㄓㄢ^5
藤 死 樹 生 死 也 纏 。

siit^8/shit^8 moi^3 se^3 cha^5 mok^8 hiam^5 tham^1 ,
ㄙㄧㄉ^8/ㄕㄉ^8 ㄇㄛㄧ^3 ㄙㄝ^3 ㄘㄚ^5 ㄇㄛㄍ^8 ㄏㄧㄚㄇ^5 ㄊㄚㄇ^1
食 妹 細 茶 莫 嫌 淡 ,
thun^1 lok^8 tu^2 li^5 cang^3/zang^3 ti^1 kam^1 。
ㄊㄨㄣ^1 ㄌㄛㄍ^8 ㄉㄨ^2 ㄌㄧ^5 ㄗㄤ^3/ㄓㄤ^3 ㄉㄧ^1 ㄍㄚㄇ^1
吞 落 肚 裡 正 知 甘 。

【注解】

(1)盪：清洗第二遍。

(2)鑊鏟：鍋鏟。

(3)牽牽轉：形容繁忙。

(4)㑥郎：我的郎君。

(5)臭腳臁：腳臁潰爛。「食鹹食甜，臭腳臁」是一句俗諺。腳臁，腳的膝蓋以下前面部份。

(6)大細：（1）大小；（2）子女；如「一群大細」即一群子女。

(7)無大無細：沒大沒小。一般指不懂對上待下的分寸。

(8)無 thang^7 使：無處使用。

(9)新婿郎：新女婿。

(10)豬嬤落菜園：母豬進菜園。諺語：「豬嬤落菜園，叫羊去逐。」意謂「無彩工」（無效），因為羊進了菜園也是不肯出來。

(11)ma^2 人恁大膽：誰那麼大膽。

(12)做到喊毋敢：工作累得大叫「不敢了！」形容非常辛苦。

(13)目目甜：每一節都甜。目：草莖蔗竹之類的節。

(14)自家安腦：自己誇讚自己。

(15)手、藷、樹三字 海陸的聲母是 sh。

(16)少：海陸音為 shau^3。

(17)瘦：又音 cheu^3。

(18)蟬：海陸音的聲母是 sh。

(19)水：海陸音的聲母是 sh。

第十四課　　紙灰飛在雲端過

學習重點：z- zh- sh- j- -em -iem

一、基本語料

tong¹　thien¹　seu¹/shau¹　cii²/zi²　mo⁵　siin⁵/shin⁵　tan⁵，thai⁷
ㄉㆦㄥ¹　ㄊㄧㆤㄣ¹　ㄙㆤㄨ¹/ㄕㄠ¹　ㄗ²/ㄓ²　ㄇㆦ⁵　ㄙㄣ⁵/ㄕㄣ⁵　ㄊㄢ⁵　ㄊㄞ⁷
當　天　燒　紙　無　神　壇　，大

fung¹　choi¹/zhui¹　ko³　phet⁸　chiung⁵/zhung⁵　san¹。
ㄈㄨㄥ¹　ㄘㆦㄧ¹/ㄔㄨㄧ¹　ㄍㆦ³　ㄆㆤㄉ⁸　ㄑㄧㄨㄥ⁵/ㄔㄨㄥ⁵　ㄙㄢ¹
風　吹　過　別　重　山。

cii²/zi²　foi¹　fi¹/pui¹　chai⁷　iun⁵　ton¹　ko³，khon³　thien¹
ㄗ²/ㄓ²　ㄈㆦㄧ¹　ㄈㄧ¹/ㄅㄨㄧ¹　ㄔㄞ⁷　ㄧㄨㄣ⁵　ㄉㆦㄣ¹　ㄍㆦ³　ㄎㆦㄣ³　ㄊㄧㆤㄣ¹
紙　灰　飛　在　雲　端　過，看　天

iung³/jung³　i³/ji³　khon³　ngi⁵　nan⁵。
ㄧㄨㄥ³/ㄖㄨㄥ³　ㄧ³/ㄖ³　ㄎㆦㄣ³　ㆭㄧ⁵　ㄋㄢ⁵
容　易　看　你　難　。

siit⁸/shit⁸　pi¹/pui¹　cha⁵　e²/⁵　van⁵　moi³　chin⁵，cha⁵　pi¹/pui¹
ㄙㄣㄉ⁸/ㄕㄉ⁸　ㄅㄧ¹/ㄅㄨㄧ¹　ㄔㄚ⁵　ㆤ²/ㆤ⁵　ㄪㄢ⁵　ㄇㆦㄧ³　ㄑㄧㄣ⁵　ㄔㄚ⁵　ㄅㄧ¹/ㄅㄨㄧ¹
食　杯　茶　仔　還　妹　情，茶　杯

ceu³/zau³　iang²/jang²　iang²/jang²　ceu³/zau³　ngin⁵；cha⁵　e²/⁵
ㄗㆤㄨ³/ㄓㄠ³　ㄧㄤ²/ㄖㄤ²　ㄧㄤ²/ㄖㄤ²　ㄗㆤㄨ³/ㄓㄠ³　ㆭㄧㄣ⁵　ㄔㄚ⁵　ㆤ²/ㆤ⁵
照　影　影　照　人；茶　仔

pin³　pi¹/pui¹　siit⁸/shit⁸　lok⁸　tu²，siip⁸/ship⁸　fun¹　nan⁵　sa²/sha²
ㄅㄧㄣ³　ㄅㄧ¹/ㄅㄨㄧ¹　ㄙㄣㄉ⁸/ㄕㄉ⁸　ㄌㆦㄍ⁸　ㄉㄨ²　ㄙㄣㄅ⁸/ㄕㄅ⁸　ㄈㄨㄣ¹　ㄋㄢ⁵　ㄙㄚ²/ㄕㄚ²
並　杯　食　落　肚，十　分　難　捨

iu¹/jiu¹　chin⁵　ngin⁵。
ㄧㄨ¹/ㄖㄧㄨ¹　ㄑㄧㄣ⁵　ㆭㄧㄣ⁵
有　情　人　。

iong¹/jong¹　piang²　sii⁷/shi⁷　chun¹/zhun¹　thien⁵　cung¹/zung¹　tem¹，
ㄧㆦㄥ¹/ㄖㆦㄥ¹　ㄅㄧㄤ²　ㄙ⁷/ㄕ⁷　ㄘㄨㄣ¹/ㄔㄨㄣ¹　ㄊㄧㆤㄣ⁵　ㄗㄨㄥ¹/ㄓㄨㄥ¹　ㄉㆤㄇ¹
秧　餅(1)　蒔　伸(2)　田　中　○(3)，

thong⁵　set⁴　khong³　lung⁵　iung⁷/jung⁷　su²/shiu²　lem⁵；
ㄊㆦㄥ⁵　ㄙㆤㄉ⁴　ㄎㆦㄥ³　ㄌㄨㄥ⁵　ㄧㄨㄥ⁷/ㄖㄨㄥ⁷　ㄙㄨ²/ㄕㄨ²　ㄌㆤㄇ⁵
塘　虱(4)　园　篓(5)　用　手　○(6)；

iu^{1} hiau^{3} sim^{1} khiu^{1} iong^{7}/jong^{7} iong^{7}/jong^{7} kau^{2}/kiau^{2} ，
ㄧㄨ^{1} ㄏㄧㄠ^{3} ㄒㄧㄇ^{1} ㄎㄧㄨ^{1} ㄧㄛㄥ^{7}/ㄖㄛㄥ^{7} ㄧㄛㄥ^{7}/ㄖㄛㄥ^{7} ㄎㄠ^{2}/ㄎㄧㄠ^{2}
有 孝 心 臼(7) 樣 樣 巧 ，
fan^{7}/phon^{7} choi^{3} cu^{2}/zu^{2} ho^{2} chiu^{7} loi^{5} hem^{1} 。
ㄈㄢ^{7}/ㄆㄛㄣ^{7} ㄘㄛㄧ^{3} ㄗㄨ^{2}/ㄓㄨ^{2} ㄏㄛ^{2} ㄑㄧㄨ^{7} ㄌㄛ^{5} ㄏㄝㄇ^{1}
飯 菜 煮 好 就 來 喊 。

fung^{5} ang^{1} nge/ng khiem^{5} vu^{1} koi^{3}，thai^{7} ngin^{5} na^{1} to^{2}
ㄈㄨㄥ^{5} ㄤ^{1} ㄫㄝ/ㄫ ㄎㄧㄝㄇ^{5} ㄪㄨ^{1} ㄍㄛㄧ^{3} ㄊㄞ^{7} ㄫㄧㄣ^{5} ㄋㄚ^{1} ㄉㄛ^{2}
紅 罌 仔 ⿷匚敢(8) 烏 蓋，大 人 拿 到
se^{3} ngin^{5} oi^{3} 。
ㄙㄝ^{3} ㄫㄧㄣ^{5} ㄛㄧ^{3}
細 人 愛 。

二、詞句舉例及發音練習

c/z-：cii^{2}/zi^{2} ， seu^{1}/shau^{1} cii^{2}/zi^{2} ，
ㄗ^{2}/ㄓㄧ^{2} ㄙㄝㄨ^{1}/ㄕㄠ^{1} ㄗ^{2}/ㄓㄧ^{2}
紙 ， 燒 紙 ，
tong^{1} thien^{1} seu^{1}/shau^{1} cii^{2}/zi^{2} mo^{5} siin^{5}/shin^{5} than^{5} 。
ㄉㄛㄥ^{1} ㄊㄧㄝㄣ^{1} ㄙㄝㄨ^{1}/ㄕㄠ^{1} ㄗ^{2}/ㄓㄧ^{2} ㄇㄛ^{5} ㄙㄣ^{5}/ㄕㄧㄣ^{5} ㄊㄢ^{5}
當 天 燒 紙 無 神 壇 。

ceu^{3}/zau^{3} ， ceu^{3}/zau^{3} iang^{2}/jang^{2} ，
ㄗㄝㄨ^{3}/ㄓㄠ^{3} ㄗㄝㄨ^{3}/ㄓㄠ^{3} ㄧㄤ^{2}/ㄖㄤ^{2}
照 ， 照 影 ，
cha^{5} pi^{1}/pui^{1} ceu^{3}/zau^{3} iang^{2}/jang^{2} iang^{2}/jang^{2} ceu^{3}/zau^{3} ngin^{5} 。
ㄘㄚ^{5} ㄅㄧ^{1}/ㄅㄨㄧ^{1} ㄗㄝㄨ^{3}/ㄓㄠ^{3} ㄧㄤ^{2}/ㄖㄤ^{2} ㄧㄤ^{2}/ㄖㄤ^{2} ㄗㄝㄨ^{3}/ㄓㄠ^{3} ㄫㄧㄣ^{5}
茶 杯 照 影 影 照 人 。

ch/zh-： choi^{1}/zhui^{1} ， fung^{1} choi^{1}/zhui^{1}，
ㄘㄛㄧ^{1}/ㄔㄨㄧ^{1} ㄈㄨㄥ^{1} ㄘㄛㄧ^{1}/ㄔㄨㄧ^{1}
吹 ，風 吹 ，
thai^{7} fung^{1} choi^{1}/zhui^{1} ko^{3} phet^{8} cung^{5}/zhung^{5} san^{1} 。
ㄊㄞ^{7} ㄈㄨㄥ^{1} ㄘㄛㄧ^{1}/ㄔㄨㄧ^{1} ㄍㄛ^{3} ㄆㄝㄉ^{8} ㄘㄨㄥ^{5}/ㄔㄨㄥ^{5} ㄙㄢ^{1}
大 風 吹 過 別 重 山 。

cung⁵/zhung⁵，sam¹ cung⁵/zhung⁵，
ㄘㄨㄥ⁵/ㄓㄨㄥ⁵ ㄙㄚㄇ¹ ㄘㄨㄥ⁵/ㄓㄨㄥ⁵
　重 ， 三 重 ，

thai⁷ fung¹ choi¹/zhui¹ ko³ sam¹ cung⁵/zhung⁵ thian¹。
ㄊㄞ⁷ ㄈㄨㄥ¹ ㄘㄛㄧ¹/ㄓㄨㄧ¹ ㄍㄛ³ ㄙㄚㄇ¹ ㄘㄨㄥ⁵/ㄓㄨㄥ⁵ ㄊㄧㄢ¹
　大 風 吹 過 三 重 天 。

s/sh-：siip⁸/ship⁸，siip⁸/ship⁸ fun¹；sa²/sha²，nan⁵ sa²/sha²，
ㄙㄅ⁸/ㄕㄅ⁸ ㄙㄅ⁸/ㄕㄅ⁸ ㄈㄨㄣ¹ ㄙㄚ²/ㄕㄚ² ㄋㄢ⁵ ㄙㄚ²/ㄕㄚ²
　十 ， 十 分 ；捨， 難 捨 ，

siip⁸/ship⁸ fun¹ nan⁵ sa²/sha² iu¹/jiu¹ chin⁵ ngin⁵。
ㄙㄅ⁸/ㄕㄅ⁸ ㄈㄨㄣ¹ ㄋㄢ⁵ ㄙㄚ²/ㄕㄚ² ㄧㄨ¹/ㄖㄨ¹ ㄑㄧㄣ⁵ ㄫㄧㄣ⁵
　十 分 難 捨 有 情 人 。

siin⁵/shin⁵，siin⁵/shin⁵ sian¹，cin¹ siin⁵/shin⁵，
ㄙㄇ⁵/ㄕㄅ⁵ ㄙㄇ⁵/ㄕㄅ⁵ ㄒㄧㄢ¹ ㄐㄧㄣ¹ ㄙㄇ⁵/ㄕㄅ⁵
　神 ， 神 仙 ， 精 神 ，

siin⁵/shin⁵ sian¹ ta² ku² fi³/fui³ cin¹ siin⁵/shin⁵。
ㄙㄇ⁵/ㄕㄅ⁵ ㄒㄧㄢ¹ ㄉㄚ² ㄍㄨ² ㄈ³/ㄈㄨ³ ㄐㄧㄣ¹ ㄙㄇ⁵/ㄕㄅ⁵
　神 仙 打 鼓 費 精 神 。

i/j-：iun⁵/jun⁵，iun⁵/jun⁵ ton¹，phak⁸ iun⁵/jun⁵，
ㄧㄨㄣ⁵/ㄖㄨㄣ⁵ ㄧㄨㄣ⁵/ㄖㄨㄣ⁵ ㄉㄛㄣ¹ ㄆㄚㄍ⁸ ㄧㄨㄣ⁵/ㄖㄨㄣ⁵
　雲 ， 雲 端 ，白 雲 ，

phak⁸ iun⁵/jun⁵ san¹ ha¹ iu¹/jiu¹ ngin⁵ ka¹。
ㄆㄚㄍ⁸ ㄧㄨㄣ⁵/ㄖㄨㄣ⁵ ㄙㄢ¹ ㄏㄚ¹ ㄧㄨ¹/ㄖㄨ¹ ㄫㄧㄣ⁵ ㄍㄚ¹
　白 雲 山 下 有 人 家 。

iung⁵/jung⁵，iung⁵/jung⁵ i⁷/ji⁷，mi¹ iung⁵/jung⁵，
ㄧㄨㄥ⁵/ㄖㄨㄥ⁵ ㄧㄨㄥ⁵/ㄖㄨㄥ⁵ ㄧ⁷/ㄖ⁷ ㄇㄧ¹ ㄧㄨㄥ⁵/ㄖㄨㄥ⁵
　容 ， 容 易 ，美 容 ，

it⁴ ngien⁵ iung⁵/jung⁵ i³/ji³ iu⁷/jiu⁷ chiu¹ fung¹。
ㄧㄉ⁴ ㄫㄧㄝㄣ⁵ ㄧㄨㄥ⁵/ㄖㄨㄥ⁵ ㄧ³/ㄖ³ ㄧㄨ⁷/ㄖㄨ⁷ ㄑㄧㄨ¹ ㄈㄨㄥ¹
　一 年 容 易 又 秋 風 。

-em：tem¹，tem¹ iong¹/jong¹ nge²/nge⁵，tem¹ lon²，tem¹ phun⁵。
ㄉㄝㄇ¹ ㄉㄝㄇ¹ ㄧㄛㄥ¹/ㄖㄛㄥ¹ ㄫㄝ²/ㄫㄝ⁵ ㄉㄝㄇ¹ ㄌㄛㄣ² ㄉㄝㄣ¹ ㄆㄨㄣ⁵
　沾，沾 秧 仔 ， 沾 卵 ，沾 盆 。

lem⁵ ， lem⁵　lung⁵ ， lem⁵　thong⁵　set⁴ ， lem⁵　ng⁵　nge²/ng⁵ 。

ㄌㄝㄇ⁵　ㄌㄝㄇ⁵　ㄌㄨㄥ⁵　ㄌㄝㄇ⁵　ㄊㄛㄥ⁵　ㄙㄝㄉ⁴　ㄌㄝㄇ⁵　ㄥ⁵　ㄫㄝ²/ㄫㄛ⁵

〇 ， 〇　窿 ， 〇　塘　虱 ， 〇　魚　仔　。

-iem：khiem⁵ ， khiem⁵　koi³ ， khiem⁵　vu¹　koi³ ，

ㄎㄧㄝㄇ⁵　ㄎㄧㄝㄇ⁵　ㄍㄛㄧ³　ㄎㄧㄝㄇ⁵　ㄇㄨ¹　ㄍㄛㄧ³

匼 ， 匼　蓋 ， 匼　烏　蓋 ，

fung⁵　ang¹　nge²/ng⁵　khiem⁵　vu¹　koi⁷ 。

ㄈㄨㄥ⁵　ㄤ¹　ㄫㄝ²/ㄫㄛ⁵　ㄎㄧㄝㄇ⁵　ㄇㄨ¹　ㄍㄛㄧ⁷

紅　罌　仔　匼　烏　蓋　。

三、音標介紹

z－　ㄓ（聲母）

　　發音部位：舌尖與前顎。

　　發音方法：塞音、清、不送氣。如主〔**zu²**〕的聲母。（四縣語無此音）。

z h－　ㄔ（聲母）

　　發音部位：舌尖與前顎。

　　發音方法：塞音、清、送氣。如除〔**zhu⁵**〕的聲母。（四縣語無此音）。

s h－　ㄕ（聲母）

　　發音部位：舌尖與前顎。

　　發音方法：擦音、清。如書〔**shu¹**〕的聲母。（四縣語無此音）。

j－　ㄖ（聲母）

　　發音部位：舌尖與前顎。

　　發音方法：擦音、濁。如榮〔**jung⁵**〕的聲母。（四縣語無此音）。

－e m　ㄝㄇ（韻母）

　　發音時，先發e，並且嘴唇速緊閉而發鼻音m，合之而爲**em**。如森〔**sem¹**〕的韻母。

－i e m　ㄧㄝㄇ（韻母）

　　介音i加雙唇鼻音尾韻母**em**合成的音。此韻僅與舌根音的聲母拼音。如〔**kiem⁵**〕〔**khiem⁵**〕（蓋）。

四、對比練習

（一）第一式　　　　　　　　第二式

z	za	ze	zi	zu	ㄓ	ㄓㄚ	ㄓㄝ	ㄓ丨	ㄓㄨ
zh	zha	zhe	zhi	zhu	ㄔ	ㄔㄚ	ㄔㄝ	ㄔ丨	ㄔㄨ
sh	sha	she	shi	shu	ㄕ	ㄕㄚ	ㄕㄝ	ㄕ丨	ㄕㄨ
j	ja	je	ji	ju	ㄖ	ㄖㄚ	ㄖㄝ	ㄖ丨	ㄖㄨ

em	iem	am	iam	ㄝㄇ	丨ㄝㄇ	ㄚㄇ	丨ㄚㄇ
tem		tam	tiam	ㄉㄝㄇ		ㄉㄚㄇ	ㄉ丨ㄚㄇ
	kiem	kam	kiam		ㄍ丨ㄝㄇ	ㄍㄚㄇ	ㄍ丨ㄚㄇ
cem		cam	ciam	ㄗㄝㄇ		ㄗㄚㄇ	ㄗ丨ㄚㄇ
			zam				ㄖㄚㄇ

五、拼音練習

（一）本課所習音標的基本拼音

z		ㄓ						
	i	丨	1、膣	2、紙	3、痣	5、	7、	
	u	ㄨ	1、豬	2、煮	3、注	5、	7、	
	a	ㄚ	1、遮	2、者	3、蔗	5、	7、	
	e	ㄝ	1、	2、	3、	5、○	7、	
	au	ㄠ	1、招	2、	3、照	5、	7、	
	am	ㄚㄇ	1、詹	2、	3、站	5、	7、	
	an	ㄢ	1、氈	2、展	3、碾	5、	7、	
	in	丨ㄣ	1、蒸	2、整	3、正	5、	7、	
	ang	ㄤ	1、正	2、整	3、正	5、	7、	
	ap	ㄚㄅ				4、摺	8、	
	at	ㄚㄉ				4、折	8、	
	ak	ㄚㄍ				4、炙	8、	

			1	2	3	5	7
	i	ㄧ	痴	齒	痔	池	治
	u	ㄨ	苧	鼠	處	除	箸
	a	ㄚ	車	扯			
	e	ㄝ	鲝		○		
	au	ㄠ	超			潮	趙
	an	ㄢ			碾	纏	
zh	in	ㄔ ㄧㄣ	稱	逞	秤	陳	陣
	ang	ㄤ				程	鄭
	im	ㄧㄇ	深			沉	沉
	oi	ㄛㄧ	炊				
	ung	ㄨㄥ	衝	塚	銃	蟲	

			4	8
	at	ㄚㄒ	徹	
	ak	ㄚㄍ	尺	

			1	2	3	5	7
	i	ㄧ	屍	屎	試	時	蒔
	u	ㄨ	書	署		藷	樹
	a	ㄚ		捨	廈	蛇	赦
	e	ㄝ	舐		勢		事
	au	ㄠ	燒	少	肇	○	
sh	an	ㄕ ㄢ	搧		扇		
	ang	ㄤ	聲		覡	城	
	in	ㄧㄣ	紳		聖	神	
	im	ㄧㄇ		審	甚		

			4	8
	ap	ㄚㄅ	眨	涉
	at	ㄚㄉ	設	舌
	ak	ㄚㄍ		石

	i	ㄧ	1、衣	2、椅	3、意	5、姨	7、	
	a	ㄚ	1、野	2、扡	3、	5、爺	7、夜	
	e	ㄝ	1、弛	2、○	3、○	5、蝓	7、○	
	ai	ㄞ	1、	2、	3、	5、椰	7、	
	au	ㄠ	1、夭	2、舀	3、要	5、搖	7、鷂	
	an	ㄢ	1、冤	2、遠	3、怨	5、圓	7、	
	ang	ㄤ	1、縈	2、影	3、映	5、嬴	7、	
	in	ㄧㄣ	1、英	2、	3、印	5、仁	7、	
j	im	ㄖ ㄧㄇ	1、陰	2、飲	3、任	5、淫	7、	
	un	ㄨㄣ	1、	2、永	3、熨	5、雲	7、運	
	ung	ㄨㄥ	1、雍	2、勇	3、	5、榮	7、用	
	ong	ㄛㄥ	1、秧	2、	3、漾	5、羊	7、樣	
	ap	ㄚㄅ				4、	8、葉	
	ip	ㄧㄅ				4、	8、邑	
	at	ㄚㄉ				4、	8、越	
	it	ㄧㄉ				4、壹	8、翼	
	ak	ㄚㄍ				4、	8、○	

t		ㄉ	1、沾	2、蹬	3、○	5、	7、
n		ㄋ	1、淰	2、	3、○	5、○	7、
l	em	ㄌ ㄝㄇ	1、○	2、	3、○	5、○	7、
c		ㄗ	1、砧	2、○	3、	5、	7、
ch		ㄘ	1、○	2、○	3、	5、岑	7、
s		ㄙ	1、森	2、	3、○	5、○	7、

ki em		ㄍ ㄧㄝㄇ	1、	2、	3、	5、歐	7、
kh		ㄎ	1、	2、	3、○	5、歐	7、

（二）本課所習音標的各種拼音

zi	zu	za	zau	zan		ㄓㄧ	ㄓㄨ	ㄓㄚ	ㄓㄠ ㄓㄢ
ze	zam	zin	zang	zhi		ㄓㄝ	ㄓㄚㄇ	ㄓㄧㄣ	ㄓㄤ ㄔㄧ
zhu	zha	zhe	zhau	zhan		ㄔㄨ	ㄔㄚ	ㄔㄝ	ㄔㄠ ㄔㄢ
zhang	zhin	zhim	zhoi	zhung		ㄔㄤ	ㄔㄧㄣ	ㄔㄧㄇ	ㄔㄛㄧ ㄔㄨㄥ
zhat	shin	shin	shim	shu	she	ㄔㄚㄅ	ㄕㄧㄣ	ㄕㄧㄇ	ㄕㄨ ㄕㄝ
ji	ja	je	jai	jau		ㄖㄧ	ㄖㄚ	ㄖㄝ	ㄖㄞ ㄖㄠ
jan	jang	jin	jim	jung		ㄖㄢ	ㄖㄤ	ㄖㄧㄣ	ㄖㄧㄇ ㄖㄨㄥ
jat	jong	tem	lem	kiem	khiem	ㄖㄚㄅ	ㄖㄛㄥ	ㄉㄝㄇ	ㄌㄝㄇ ㄍㄧㄇ ㄎㄧㄝㄇ

za ze zi zu zau　　　　　　ㄓㄚ　ㄓㄝ　ㄓㄧ　ㄓㄨ　ㄓㄠ

zeu ziu zoi zui zam　　　　ㄓㄝㄨ　ㄓㄧㄨ　ㄓㄛㄧ　ㄓㄨㄧ　ㄓㄚㄇ

zim zan zin zun zap　　　　ㄓㄧㄇ　ㄓㄢ　ㄓㄧㄣ　ㄓㄨㄣ　ㄓㄚㄅ

zip zat zit zon zang　　　　ㄓㄧㄅ　ㄓㄚㄉ　ㄓㄧㄉ　ㄓㄛㄣ　ㄓㄤ

zong zung zak zok zuk　　　ㄓㄛㄥ　ㄓㄨㄥ　ㄓㄚㄍ　ㄓㄛㄍ　ㄓㄨㄍ

zha zhe zhi zho zhu　　　　ㄔㄚ　ㄔㄝ　ㄔㄧ　ㄔㄛ　ㄔㄨ

zhau zheu zhiu zhoi zhui　　ㄔㄠ　ㄔㄝㄨ　ㄔㄧㄨ　ㄔㄛㄧ　ㄔㄨㄧ

zhim zhan zhin zhon zhun　　ㄔㄧㄇ　ㄔㄢ　ㄔㄧㄣ　ㄔㄛㄣ　ㄔㄨㄣ

zhang zhong zhung zhit zhat　ㄔㄤ　ㄔㄛㄥ　ㄔㄨㄥ　ㄔㄧㄉ　ㄔㄚㄉ

zhot zhut zhak zhok zhuk　　ㄔㄛㄉ　ㄔㄨㄉ　ㄔㄚㄍ　ㄔㄛㄍ　ㄔㄨㄍ

sha she shi shu shau　　　　ㄕㄚ　ㄕㄝ　ㄕㄧ　ㄕㄨ　ㄕㄠ

sheu shiu shoi shui sham　　ㄕㄝㄨ　ㄕㄧㄨ　ㄕㄛ　ㄕㄨㄧ　ㄕㄚㄇ

shim shin shang shong shap　ㄕㄧㄇ　ㄕㄧㄣ　ㄕㄤ　ㄕㄛㄥ　ㄕㄚㄅ

ship shit shot shak shok shuk　ㄕㄧㄅ　ㄕㄧㄉ　ㄕㄛㄉ　ㄕㄚㄍ　ㄕㄛㄍ　ㄕㄨㄍ

ja je ji jau jeu　　　　　　ㄖㄚ　ㄖㄝ　ㄖㄧ　ㄖㄠ　ㄖㄝㄨ

jiu jam jim jan jin　　　　ㄖㄧㄨ　ㄖㄚㄇ　ㄖㄧㄇ　ㄖㄢ　ㄖㄧㄣ

jang jong jung jap jip　　　ㄖㄤ　ㄖㄛㄥ　ㄖㄨㄥ　ㄖㄚㄅ　ㄖㄧㄅ

jat jit jak jok juk　　　　ㄖㄚㄉ　ㄖㄧㄉ　ㄖㄚㄍ　ㄖㄛㄍ　ㄖㄨㄍ

tem nem lem hem cem　　　　ㄉㄝㄇ　ㄋㄝㄇ　ㄌㄝㄇ　ㄏㄝㄇ　ㄗㄝㄇ

chem sem kiem khiem ngiem　ㄘㄝㄇ　ㄙㄝㄇ　ㄍㄧㄝㄇ　ㄎㄧㄝㄇ　ㄫㄧㄝㄇ

（三）z-、zh-、sh-、j-、-em、-iem 的常用詞

fung⁵ cii²/zi² ， cu¹/zu¹ fung⁵ ， kam¹ ca³/za³ ， cu²/zu² cha⁵ ，

ㄈㄨㄥ⁵ ㄗ²/ㄓㄧ² ㄗㄨ¹/ㄓㄨ¹ ㄈㄨㄥ⁵ ㄍㄚㄇ¹ ㄗㄚ³/ㄓㄚ³ ㄗㄨ²/ㄓㄨ² ㄘㄚ⁵

　紅　紙　，　豬　紅　，　甘　　蔗　，　煮　茶　，

cang¹/zang¹ ngiet⁸ ， cheu¹/zhau¹ ko³ ， choi¹/zhui¹ fung¹ ， choi¹/zhui¹ pan² ，

ㄗㄤ¹/ㄓㄤ¹ ㄫㄧㄝㄣ⁸ ㄘㄝㄨ¹/ㄔㄧㄠ¹ ㄍㄛ³ ㄘㄛ¹/ㄔㄨ¹ ㄈㄨㄥ¹ ㄘㄛ¹/ㄔㄨ¹ ㄅㄢ²

　正　　月　，　超　　過　，　吹　　風　，　炊　粄　，

chut⁴/zhut⁴ mun⁵ ， chong³/zhong³ khiuk⁴ ， seu¹/shau¹ fo² ， seu³/shau³ ngian⁵ ，

ㄘㄨㄉ⁴/ㄔㄨㄉ⁴ ㄇㄨㄣ⁵ ㄘㄛㄥ³/ㄔㄛㄥ³ ㄎㄧㄨㄍ⁴ ㄙㄝㄨ¹/ㄕㄠ¹ ㄈㄛ² ㄙㄝㄨ³/ㄕㄠ³ ㄫㄧㄢ⁵

　出　　門　，　唱　　曲　，　燒　火　，　少　　年　，

song^1/shong^1 liong^5 ， sak^8/shak^8 theu^5 ， siang^3 siim^2/shim^2 ，
ㄙㄛㄥ^1/ㄕㄛㄥ^1 ㄌㄧㄛㄥ^5 ㄙㄚㄍ^8/ㄕㄚㄍ^8 ㄊㄝㄨ^5 ㄒㄧㄤ^3 ㄙㄇ^2/ㄕㄇ^2
商 量 ， 石 頭 ， 姓 沈 ，

im^1/jim^1 iong^5/jong^5 ， iam^5/jam^5 song^1 ， iong^7/jong^7 siong^3
ㄧㄇ^1/ㄖㄧㄇ^1 ㄛㄥ^5/ㄖㄛㄥ^5 ㄧㄚㄇ^5/ㄖㄚㄇ^5 ㄙㄛㄥ^1 ㄧㄛㄥ^7/ㄖㄛㄥ^7 ㄒㄧㄛㄥ^3
陰 陽 ， 鹽 霜 ， 樣 相

ieu^2/jau^2 sui^2/shui^2 ， thian^7 iang^2/jang^2 ， tcm^1 lon^2 ， cem^1 piong^1 ，
ㄧㄝㄨ^2/ㄖㄠ^2 ㄙㄨㄧ^2/ㄕㄨㄧ^2 ㄊㄧㄢ^7 ㄧㄤ^2/ㄖㄤ^2 ㄊㄝㄇ^1 ㄌㄛㄣ^2 ㄗㄝㄇ^1 ㄅㄧㄛㄥ^1
舀 水 ， 電 影 ， 沾 卵 ， 砧 板 ，

nem^1 phun^5 ， ngin^5 sem^1 ， khiem^5 koi^3 。
ㄋㄝㄇ^1 ㄆㄨㄣ^5 ㄫㄧㄣ^5 ㄙㄝㄇ^1 ㄎㄧㄝㄇ^5 ㄍㄛㄧ^3
淰 溢 ， 人 蔘 ， 匼 蓋 。

（四）z-、zh-、sh-、j-的雙聲詞

cii^3/zi^3 zii^2/zi^2 ， cung^3/zung^3 ca^3/za^3 ， cu^2/zu^2 cu^3/ziu^3 ，
ㄗ^3/ㄓㄧ^3 ㄗ^2/ㄓㄧ^2 ㄗㄨㄥ^3/ㄓㄨㄥ^3 ㄗㄚ^3/ㄓㄚ^3 ㄗㄨ^2/ㄓㄨ^2 ㄗㄨ^3/ㄓㄧㄨ^3
製 紙 ， 種 蔗 ， 煮 晝 ，

cang^3/zang^3 con^2/zon^2 ， chat^4/zhut^4 cha^1/zha^1 ， chong^5/zhong^5 chung^5/zhung^5 ，
ㄗㄤ^3/ㄓㄤ^3 ㄗㄛㄣ^2/ㄓㄛㄣ^2 ㄘㄨㄉ^4/ㄔㄨㄉ^4 ㄘㄚ^1/ㄔㄚ^1 ㄘㄛㄥ^5/ㄔㄛㄥ^5 ㄘㄨㄥ^5/ㄔㄨㄥ^5
正 轉 ， 出 車 ， 長 蟲 ，

chut^4/zhut^4 cheu^1/zhau^1 ， chiin^3/zhin^3 chung^1/zhung^1 ， song^7/shong^7 su^2/shiu^2 ，
ㄘㄨㄉ^4/ㄔㄨㄉ^4 ㄘㄝㄨ^1/ㄔㄠ^1 ㄘㄣ^3/ㄔㄧㄣ^3 ㄘㄨㄥ^1/ㄔㄨㄥ^1 ㄙㄛㄥ^7/ㄕㄛㄥ^7 ㄙㄨ^2/ㄕㄧㄨ^2
出 超 ， 秤 重 ， 上 手 ，

seu^1/shau^1 sui^2/shui^2 ， song^1/shong^1 san^5/shon^5 ， song^5/shong^5 siit^4/shit^4 ，
ㄙㄝㄨ^1/ㄕㄠ^1 ㄙㄨ^2/ㄕㄨ^2 ㄙㄛㄥ^1/ㄕㄛㄥ^1 ㄙㄛㄣ^5/ㄕㄛㄣ^5 ㄙㄛㄥ^5/ㄕㄛㄥ^5 ㄙㄉ^4/ㄕㄉ^4
燒 水 ， 商 船 ， 常 識 ，

im^1/jim^1 iang^2/jang^2 ， ieu^2/jau^2 iu^5/jiu^5 ， iung^7/jung^7 iok^8/jok^8 ，
ㄧㄇ^1/ㄖㄧㄇ^1 ㄧㄤ^2/ㄖㄤ^2 ㄧㄝㄨ^2/ㄖㄠ^2 ㄨ^5/ㄖㄧㄨ^5 ㄧㄨㄥ^7/ㄖㄨㄥ^7 ㄛㄍ^8/ㄖㄛㄍ^8
陰 影 ， 舀 油 ， 用 藥 ，

in³/jin³　　　　iun²/jun²　。

ㄧㄣ³/ㄖㄧㄣ³　　ㄧㄨㄣ²/ㄖㄨㄣ²

應　　　　　允　。

（五）z-、zh-、sh-、j-的生活用語

ko¹　chai⁷　cung⁷　ngoi³　ta²　pi¹/pui¹　tiau¹，

ㄍㄛ¹　ㄘㄞ⁷　ㄘㄨㄥ⁷　ㄤㄛㄧ³　ㄉㄚ²　ㄅㄧ¹/ㄅㄨ¹　ㄉㄧㄠ¹

哥　在　窗　外　打　飛　鳥　，

moi³　chai⁷　fong⁵　cung¹/zung¹　khia⁵　su²/shiu²　ceu¹/zau¹，

ㄇㄛㄧ³　ㄘㄞ⁷　ㄈㄛㄥ⁵　ㄗㄨㄥ¹/ㄓㄨㄥ¹　ㄎㄧㄚ⁵　ㄙㄨ²/ㄕㄨ²　ㄗㄝㄨ¹/ㄓㄠ¹

妹　在　房　中　擎　手　招　，

a¹　me²　mun³　ngai⁵　ceu¹/zau¹　mak⁴　ke³/kai³，

ㄚ¹　ㄇㄝ²　ㄇㄨㄣ³　ㄤㄞ⁵　ㄗㄝㄨ¹/ㄓㄠ¹　ㄇㄚㄍ⁴　ㄍㄝ³/ㄍㄞ³

阿　姆　問　𠊎　招　脈　介　，

co³　thet⁴　ciim¹/zim¹　sian³　chun¹/zhun¹　nan¹　ieu¹/jau¹。

ㄗㄛ³　ㄊㄝㄉ⁴　ㄗㄇ¹/ㄓㄧㄇ¹　ㄒㄧㄢ³　ㄘㄨㄣ¹/ㄔㄨㄣ¹　ㄋㄢ¹　ㄧㄝㄨ¹/ㄖㄠ¹

做　恁　針　線　伸　懶　腰　。

sak⁸/shak⁸　piak⁴　cung³/zung³　choi³　ngai⁵　mo⁵　ian⁵/jan⁵，

ㄙㄚㄍ⁸/ㄕㄚㄍ⁸　ㄅㄧㄚㄍ⁴　ㄗㄨㄥ³/ㄓㄨㄥ³　ㄘㄛ³　ㄤㄞ⁵　ㄇㄛ⁵　ㄧㄢ⁵/ㄖㄢ⁵

石　壁　種　菜　𠊎　無　園　，

m⁵　tet⁴　khoi¹　fa¹　chut⁴/zhut⁴　theu⁵　thian¹。

ㄇ⁵　ㄅㄝㄉ⁴　ㄎㄛㄧ¹　ㄈㄚ¹　ㄘㄨㄉ⁴/ㄔㄨㄉ⁴　ㄊㄝㄨ⁵　ㄊㄧㄢ¹

毋　得　開　花　出　頭　天　。

ko³　ngiet⁸　kie¹/kai¹　chun¹/zhun¹　m⁵　ta²　cui²/cui²，

ㄍㄛ³　ㄤㄧㄝㄉ⁸　ㄍㄧㄝ¹/ㄍㄞ¹　ㄘㄨㄣ¹/ㄔㄨㄣ¹　ㄇ⁵　ㄉㄚ²　ㄗㄨㄧ²/ㄗㄨㄧ²

過　月　雞　春　毋　打　喙　，

khiut⁴　si²　ki²　to¹　nun⁷　keu¹/kiau¹　lian⁵。

ㄎㄧㄨㄉ⁴　ㄒㄧ²　ㄍㄧ²　ㄉㄛ¹　ㄋㄨㄣ⁷　ㄍㄝㄨ¹/ㄍㄧㄠ¹　ㄌㄧㄢ⁵

屈　死　幾　多　嫩　嬌　蓮　。

【注解】

(1)秧餅：鏟好一片片連根帶泥的秧苗。

(2)蒔伸：蒔，插秧；伸，膡餘的。

(3)tem^1：一部份浸在水中。如：～秧餅、～卵。

(4)塘虱：一種無鱗、頭上長有一對角的淡水魚。

(5)囥窿：躲藏在窟窿裡。

(6)lem^5：掏，伸手進去掏。

(7)心舅：兒媳婦。

(8)厾：蓋起來。

第十五課　　　無影無跡

學習重點：-iak　-uak　-iok

一、基本語料

mo⁵　iang²/jang²　mo⁵　ciak⁴，　m⁵　piak⁴　kak⁴　fai²　phiak⁴，
ㄇㆤ⁵　ㄧㆮ²/ㆠㆮ²　ㄇㆤ⁵　ㄐㄧㄚㄍ⁴　ㄇㄣ⁵　ㄅㄧㄚㄍ⁴　ㄍㄚㄍ⁴　ㄈㄞ²　ㄆㄧㄚㄍ⁴
無　　影　　無　　跡(1)，　毋　壁　合　壞　癖(2)，

se³/she³　te³　iu⁷　chiak⁴　ngiak⁴ 。
ㄙㆤ³/ㄕㆤ³　ㄉㆤ³　ㄧㄨ⁷　ㄑㄧㄚㄍ⁴　ㄫㄧㄚㄍ⁴
世　　〇(3)　又　刺　額(4) 。

lai⁵　ten³　pan²，　ngang⁷　kuak⁸　kuak⁸，　soi⁷/shoi⁷　min⁵　chong⁵，
ㄌㄞ⁵　ㄅㆤㄣ³　ㄅㄢ²　ㄫㄤ⁷　ㄍㄨㄚㄍ⁸　ㄍㄨㄚㄍ⁸　ㄙㆦㄧ⁷/ㄕㆦㄧ⁷　ㄇㄣ⁵　ㄘㆲ⁵
犁　凳　板(5)，　硬　　〇　　〇(6)，　　睡　　眠　床，

mo⁵　cho²　chiak⁸ 。
ㄇㆤ⁵　ㄘㆦ²　ㄑㄧㄚㄍ⁸
無　草　蓆 。

lan⁷　ciim²/zim²　theu⁵，chiuk⁴　no²　hok⁴，　lan⁷　mun¹　cong³/zong³，
ㄌㄢ⁷　ㄗㄇ²/ㄓㄇ²　ㄊㆤㄨ⁵　ㄑㄧㄨㄍ⁴　ㄋㆦ²　ㄏㆦㄍ⁴　ㄌㄢ⁷　ㄇㄨㄣ¹　ㄗㆲ³/ㄓㆲ³
爛　枕　頭，刺　腦　殼，爛　　蚊　　帳，

mun¹　tiau¹　kiok⁴ 。　lan⁷　cho²　chiak⁸，　an²　ngiok⁴　siok⁴ 。
ㄇㄨㄣ¹　ㄅㄧㄠ¹　ㄍㄧㆦㄍ⁴　ㄌㄢ⁷　ㄘㆦ²　ㄑㄧㄚㄍ⁸　ㄋ²　ㄫㄧㆦㄍ⁴　ㄒㄧㆦㄍ⁴
蚊　叼(7)　腳 。爛　草　蓆，　恁　虐　削(8)。

mo⁵　vong⁵　ma⁵，　iung⁷/jung⁷　kon²　phiok⁸ 。
ㄇㆤ⁵　ㄎㆲ⁵　ㄇㄚ⁵　ㄧㄨㄥ⁷/ㆠㄨㄥ⁷　ㄍㄨㄣ²　ㄆㄧㆦㄍ⁸
無　黃　麻，　用　　稈　　縛(9)。

二、詞句舉例及發音練習

-iak：　ciak⁴，　iang²/jang²　ciak⁴，
　　　　ㄐㄧㄚㄍ⁴　ㄧㆮ²/ㆠㆮ²　ㄗㄚㄍ⁴
　　　　跡，　影　跡，
　　　kui²　sai³　ngit⁴　theu⁵　mo⁵　iang²/jang²　mo⁵　ciak⁴ 。
　　　ㄍㄨㄧ²　ㄙㄞ³　ㄫㄧㄅ⁴　ㄊㆤㄨ⁵　ㄇㆤ⁵　ㄧㆮ²/ㆠㆮ²　ㄇㆤ⁵　ㄐㄧㄚㄍ⁴
　　　鬼　曬　日　頭　無　　影　　無　　跡 。

piak⁴ ， m⁵ piak⁴， co³ she⁷ m⁵ piak4⁴。

ㄅㄧㄚㄍ⁴ ㄇ⁵ ㄅㄧㄚㄍ⁴ ㄗㄜ³ ㄗㄝ⁷ ㄇ⁵ ㄅㄧㄚㄍ⁴

壁 ， 毋 壁， 做 事 毋 壁 。

phiak⁴ ，fai² phiak⁴，m⁵ piak⁴ kak⁴ fai² phiak⁴。

ㄆㄧㄚㄍ⁴ ㄈㄞ² ㄆㄧㄚㄍ⁴ ㄇ⁵ ㄅㄧㄚㄍ⁴ ㄍㄚㄍ⁴ ㄈㄞ² ㄆㄧㄚㄍ⁴

癖 ， 壞 癖，毋 壁 合 壞 癖 。

chiak⁴ ， chiak⁴ siu³ ， thiau¹ fa¹ chiak⁴ siu³ 。

ㄑㄧㄚㄍ⁴ ㄑㄧㄚㄍ⁴ ㄒㄧㄨ³ ㄊㄧㄠ¹ ㄈㄚ¹ ㄑㄧㄚㄍ⁴ ㄒㄧㄨ³

刺 ， 刺 繡 ， 挑 花(10) 刺 繡 。

ngiak⁴ ， chiak⁴ ngiak⁴ ， se³/she³ te³ iu⁷/jiu⁷ chiak⁴ ngiak⁴ 。

ㄫㄧㄚㄍ⁴ ㄑㄧㄚㄍ⁴ ㄫㄧㄚㄍ⁴ ㄙㄝ³/ㄗㄝ³ ㄉㄝ³ ㄨ⁷/ㄖㄨ⁷ ㄑㄧㄚㄍ⁴ ㄫㄧㄚㄍ⁴

額 ， 刺 額 ， 世 ○ 又 刺 額 。

chiak⁸ ，cho² chiak⁸，am³ pu¹ ia⁷/ja⁷ soi⁷/shoi⁷ sin¹ cho² chiak⁸。

ㄑㄧㄚㄍ⁴ ㄘㄜ² ㄑㄧㄚㄍ⁴ ㄚㄇ³ ㄅㄨ¹ ㄧㄚ⁷/ㄖㄚ⁷ ㄙㄛ⁷/ㄗㄛ⁷ ㄒㄧㄇ¹ ㄘㄜ² ㄑㄧㄚㄍ⁸

蓆 ， 草 蓆 ， 暗 晡 夜 睡 新 草 蓆。

-uak：kuak⁸， ngang⁷ kuak⁸，ngang⁷ kuak⁸ kuak⁸ 。

ㄍㄨㄚㄍ⁸ ㄫㄤ⁷ ㄍㄨㄚㄍ⁸ ㄫㄤ⁷ ㄍㄨㄚㄍ⁸ ㄍㄨㄚㄍ⁸

○ ， 硬 ○ ， 硬 ○ ○ 。

-iok：kiok⁴， su²/shiu² kiok⁴， lan¹/nan¹ su²/shiu² lan¹/nan¹ kiok⁴ 。

ㄍㄧㄛㄍ⁴ ㄙㄨ²/ㄕㄨ² ㄍㄧㄛㄍ⁴ ㄌㄢ¹/ㄋㄢ¹ ㄙㄨ²/ㄕㄨ² ㄌㄢ¹/ㄋㄢ¹ ㄍㄧㄛㄍ⁴

腳 ， 手 腳 ， 懶 手 懶 腳(11) 。

ngiok⁴， an² ngiok⁴， vo⁵ kon² an² ngiok⁴ ngin⁴ 。

ㄫㄧㄛㄍ⁴ ㄋ²ˇ ㄫㄧㄛㄍ⁴ ㄅㄛ⁵ ㄍㄛㄣ² ㄋ² ㄫㄧㄛㄍ⁴ ㄫㄧㄣ⁵

虐 ， 恁 虐 ， 禾 稈 恁 虐 人 。

siok⁴ ， ngiok⁴ siok⁴， lan⁷ cho² chiak⁸ an² ngiok⁴ siok⁴ 。

ㄒㄧㄛㄍ⁴ ㄫㄧㄛㄍ⁴ ㄒㄧㄛㄍ⁴ ㄌㄢ⁷ ㄘㄛ² ㄑㄧㄚㄍ⁸ ㄋ² ㄫㄧㄛㄍ⁴ ㄒㄧㄛㄍ⁴

削 ， 虐 削 ， 爛 草 蓆 恁 虐 削 。

phiok⁸， kon² phiok⁸，thak⁴ pu³ thoi⁷ iung⁷/zung⁷ kon² phiok⁸。

ㄆㄧㄛㄍ⁸ ㄍㄛㄣ² ㄆㄧㄛㄍ⁸ ㄊㄚㄍ⁴ ㄅㄨ³ ㄊㄛ⁷ ㄧㄨㄥ⁷/ㄖㄨㄥ⁷ ㄍㄛㄣ² ㄆㄧㄛㄍ⁸

縛 ， 稈 縛 ， 絹(12) 布 袋(13) 用 稈 縛 。

三、 音標介紹

－ｉａｋ　　｜Ｙ《（韻母）

　　　　　ak 加介音 i 合成的韻母。如遽（**kiak**⁴）的韻母部份。

－ｕａｋ　　ㄨㄚ《（韻母）

　　　　　ak 加介音 u 合成的韻母。此音僅與聲母 **k－**、**kh－** 拼音。

－ｊｏｋ　　｜ㄛ《（韻母）

　　　　　ok 加介音 i 合成的韻母。如腳（**kiok**⁴）的韻母。

四、 對比練習

第一式　　　　　　　　　　　　　　　　第二式

iak	iok	uak	uat	｜Ｙ《	｜ㄛ《	ㄨㄚ《	ㄨㄚㄅ
phiak	phiok			ㄆ｜Ｙ《	ㄆ｜ㄛ《		
tiak	tiok			ㄉ｜Ｙ《	ㄉ｜ㄛ《		
kiak	kiok	kuak	kuat	《｜Ｙ《	《｜ㄛ《	《ㄨㄚ《	《ㄨㄚㄅ
khiak	khiok	khuak	khuat	ㄎ｜Ｙ《	ㄎ｜ㄛ《	ㄎㄨㄚ《	ㄎㄨㄚㄅ
ciak	ciok			ㄐ｜Ｙ《	ㄐ｜ㄛ《		

五、拼音練習

（一）本課所習音標的基本拼音

p		ㄅ			4、壁	8、
ph		ㄆ			4、癖	8、
t		ㄉ			4、○	8、○
k		《			4、遽	8、
kh	iak	ㄎ		｜Ｙ《	4、劇	8、屐
h		ㄏ			4、○	8、
c		ㄗ（ㄐ）			4、跡	8、
ch		ㄘ（ㄑ）			4、刺	8、蓆
ng		π			4、額	8、逆
s		s（ㄒ）			4、惜	8、

k	uak	《	ㄨㄚ《	4、○	8、○
kh		ㄎ		4、○	8、○

k		《	4、腳	8、
n g		π	4、虐	8、
s	i o k	s (ㄒ)	ㄧㄛ《	4、削	8、
p h		ㄆ	4、	8、縛
c		ㄗ (ㄐ)	4、爵	8、○
c h		ㄘ (ㄑ)	4、躍	8、

（二）本課所習音標的各種拼音

piak phiak tiak kiak khiak　ㄅㄧㄚ《 ㄆㄧㄚ《 ㄉㄧㄚ《 《ㄧㄚ《 ㄎㄧㄚ《
ciak chiak ngiak siak hiak　ㄐㄧㄚ《 ㄑㄧㄚ《 πㄧㄚ《 ㄒㄧㄚ《 ㄏㄧㄚ《
kuak khuak kiok ngiok siok　《ㄨㄚ《 ㄎㄨㄚ《 《ㄧㄛ《 πㄧㄛ《 ㄒㄧㄛ《

（三）-i ak、-i ok 的常用詞

kiok⁴　ciak⁴　, chiak⁴　ngiak⁴　, thung⁵　siak⁴　, thiat⁴　piak⁴ ,
《ㄧㄛ《⁴ ㄐㄧㄚ《⁴ ㄑㄧㄚ《⁴ πㄧㄚ《⁴ ㄊㄨㄥ⁵ ㄒㄧㄚ《⁴ ㄊㄧㄝㄉ⁴ ㄅㄧㄚ《⁴
腳　　跡，刺　　額，銅　　錫，鐵　　壁，

ho²　iok⁸/jok⁸ , khoi²　liok⁸ , khiong⁵　ngiok⁸ , vo⁵　phiok⁸ 。
ㄏㄛ² ㄧㄛ《⁸/ㄖㄛ《⁸ ㄎㄛ² ㄌㄧㄛ《⁸ ㄎㄧㄛㄥ⁵ πㄧㄛ《⁸ ㄨㄛ⁵ ㄆㄧㄛ《⁸
好　　藥，概　　略，強　　弱，禾　　縛(14)。

（四）-i ak、-uak、-i ok 的生活用語

kui²　sai³　ngit⁴　theu⁵ , mo⁵　iang²/jang²　mo⁵　ciak⁴ 。
《ㄨㄧ² ㄙㄞ³ πㄧㄉ⁴ ㄊㄝㄨ⁵ ㄇㄛ⁵ ㄧㄤ²/ㄖㄤ² ㄇㄛ⁵ ㄐㄧㄚ《⁴
鬼　曬　日　頭，無　　影　　無　跡。

kie¹/kai¹　tho¹　tho¹　muk⁴　khiak⁸ , mong²　siit⁸/shit⁸　mong²　tiak⁸ 。
《ㄧㄝ¹/《ㄞ¹ 《ㄨㄥ¹ ㄊㄛ¹ ㄇㄨ《⁴ ㄎㄧㄚ《⁸ ㄇㄛㄥ² ㄙㄉ⁸/ㄕㄉ⁸ ㄇㄛㄥ²ㄉㄧㄚ《⁸
雞　公　拖　木　屐，妄　　食　　妄　○。

khi⁵　ma¹　ko³　kheu⁵/khiau⁵　kit⁸　kuak⁸　hiong² 。
ㄎㄧ⁵ ㄇㄚ¹ 《ㄛ³ ㄎㄝㄨ⁵/ㄎㄧㄠ⁵ 《ㄧㄉ⁸ 《ㄨㄚ《⁸ ㄏㄧㄛㄥ²
騎　馬　過　橋　　○　○　響　。

ciit⁴/zit⁴　pu³　a¹　moi³　mo⁵　sam¹　cok⁴/zok⁴　，

ㄗㆢˋ/ㄐㄧㄗˋ　ㄅㄨˇ　ㄚˉ　ㄇㆦˇ　ㄇㆦˊ　ㄙㄚㆬˉ　ㄗㆦㆼˋ/ㄐㆦㆼˋ

織　　　　布　　阿　　妹　　無　　衫　　著　　　，

co³　hai⁵　a¹　pho⁵　ta²　chak⁴/zhak⁴　kiok⁴　。

ㄗㆦˇ　ㄏㄞˊ　ㄚˉ　ㄆㆦˊ　ㄅㄚˊ　ㄑㄚㆼˋ/ㄐㄚㆼˋ　ㄍㄧㆦㆼˋ

做　　鞋　　阿　　婆　　打　　赤　　　腳　　　。

【注解】

(1)無影無跡：不是真的。也可以說是「無影」。

(2)冊壁合壞癖：能力差又兼脾氣壞。

(3)世 te3：言行幼稚，不合常理。

(4)刺額：愛表現。

(5)犁凳板：睡在長板凳上。這是夏天午休方式之一。犁，同音借用字，指暫時躺一躺。

(6)硬 kuak8 kuak8：硬邦邦。也可說「kuak8 硬」。

(7)叮：蚊蟲或蜂類螫咬。如「蚊仔叮牛角」。

(8)虐削：皮膚刺癢。動詞則單稱「虐」，如會虐人。

(9)稈縛：稈，稻草。縛，綁、稻草、麻皮等扭成股用來綁東西的也叫「縛」，如「禾稈縛」、「黃麻縛」，用來綁豬肉的稱「豬肉縛」。

(10)挑花：繡花。

(11)懶手懶腳：手腳不勤快。

(12)絹：綁巨物爲綁，綁小物爲絹，簡單纏好固定爲縛。

(13)布袋：麻袋。不是布做的袋子。

(14)禾縛，即禾稈縛，稻草扭成股，用來綁東西的。

第十六課　　一支甘蔗十八想(1)

學習重點 :-ong　-iong　-im　-iim

一、基本語料

it^4/jit^4　$cong^1$/$zong^1$　cok^4　ke^2/$k\partial^5$　si^3　si^3　$fong^1$，cii^2/zi^2　pit^4
ㄧㄅ⁴/ㄖㄧㄅ⁴　ㄗㄛㄥ¹/ㄓㄛㄥ¹　ㄗㄛㄍ⁴　ㄍㄝ²/ㄍㄜ⁵　ㄒㄧ³　ㄒㄧ³　ㄈㄛㄥ¹　ㄗ²/ㄓ²　ㄅㄧㄅ⁴
　一　　　　張　　　桌　仔　四　四　方，紙　筆

met^8　ien^3/jan^3　$chai^7$　$tung^1$　ong^1；it^4/jit^4　ke^3/kai^3　su^1/shu^1　sen^1
ㄇㄝㄉ⁸　ㄧㄝㄣ³/ㄖㄢ³　ㄘㄞ⁷　ㄅㄨㄥ¹　ㄛㄥ¹　ㄧㄅ⁴/ㄖㄧㄅ⁴　ㄍㄝ³/ㄍㄞ³　ㄙㄨ¹/ㄕㄨ¹　ㄙㄝㄣ¹
墨　　硯　　在　中　央(2)；一　　個　　書　生

mo^5　$thin^5$　sia^2，sia^2　$chut^4$/$zhut^4$　ki^2　to^1　ho^2　vun^5　$cong^1$/$zong^1$。
ㄇㄛ⁵　ㄊㄧㄣ⁵　ㄒㄧㄚ²　ㄒㄧㄚ²　ㄘㄨㄉ⁴/ㄕㄨㄉ⁴　ㄍㄧ²　ㄉㄛ¹　ㄏㄛ²　ㄅㄨㄣ⁵　ㄗㄛㄥ¹/ㄓㄛㄥ¹
無　停　寫，寫　　出　幾　多　好　文　　章　。

pat^4　$ngiet^8$　li^1　loi^5　kui^3　fa^1　$hiong^1$，it^4/jit^4　$chiin^3$/$zhin^3$　$chiu^1$
ㄅㄚㄅ⁴　ㄫㄧㄝㄉ⁸　ㄌㄧ¹　ㄌㄛ⁵　ㄍㄨㄧ¹　ㄈㄚ¹　ㄏㄛㄥ¹　ㄧㄅ⁴/ㄖㄧㄅ⁴　ㄘㄣ³/ㄔㄣ³　ㄑㄧㄨ¹
八　月　裡　來　桂　花　香，一　　陣　　秋

i^2/ji^2　it^4/jit^4　$chiin^3$/$zhin^3$　$liong^5$；it^4/$jit4^4$　ki^1　kam^5　ca^3/za^3
ㄧ²/ㄖㄧ²　ㄧㄅ⁴/ㄖㄧㄅ⁴　ㄘㄣ³/ㄔㄣ³　ㄌㄧㄛㄥ⁵　ㄧㄅ⁴/ㄖㄧㄅ⁴　ㄍㄧ¹　ㄍㄚㄇ⁵　ㄗㄚ³/ㄓㄚ³
雨　一　　陣　　涼；一　支　甘　蔗

$siip^8$/$ship^8$　pat^4　$siong^2$，$siong^2$　hi^3　$siong^2$　con^2/zon^2　tu^7　$siong^2$　$ngiong^5$
ㄙㄣ⁸/ㄕㄣ⁸　ㄅㄚㄅ⁴　ㄒㄧㄛㄥ²　ㄒㄧㄛㄥ²　ㄏㄧ³　ㄒㄧㄛㄥ²　ㄗㄛㄣ²/ㄓㄛㄣ²　ㄅㄨ⁷　ㄒㄧㄛㄥ²　ㄫㄧㄛㄥ⁵
十　八　想，想　去　想　轉　都　想　娘(3)

put^4　su^7/$shiu^7$　$chiin^5$/$zhin^5$　ai^1　pan^3　$tiam^2$　$chim^2$，cuk^4/zuk^4　li^5
ㄅㄨㄅ⁴　ㄙㄨ⁷/ㄕㄨ⁷　ㄘㄣ⁵/ㄔㄣ⁵　ㄞ¹　ㄅㄢ³　ㄉㄧㄚㄇ²　ㄑㄧㄇ²　ㄗㄨㄍ⁴/ㄓㄨㄍ⁴　ㄌㄧ⁵
不　受　塵　埃　半　點　侵，竹　籬

mau^5　sa^3/sha^3　$chii^7$　kam^1　sim^1；cii^2/zi^2　in^1/jin^1　ngu^7　$siit^4$/$shit^4$
ㄇㄠ⁵　ㄙㄚ³/ㄕㄚ³　ㄘ⁷　ㄍㄚㄇ¹　ㄒㄧㄇ¹　ㄗ²/ㄓ²　ㄧㄣ¹/ㄖㄧㄣ¹　ㄫㄨ⁷　ㄙㄉ⁴/ㄕㄉ⁴
茅　舍　自　甘　心；只　因　誤　識

lim^{5} fo^{5} chin^{7}， ngia^{1} tet^{4} sii^{1}/shi^{1} ngin^{5} sot^{4}/shot^{4} to^{3} kim^{1}。
ㄌㄧㄇ^{5} ㄈㄛ^{5} ㄑㄧㄣ^{7} ㄫㄧㄚ^{1} ㄉㄝㄉ^{4} ㄙ^{1}/ㄕ^{1} ㄫㄧㄣ^{5} ㄙㄛㄉ^{4}/ㄕㄛㄉ^{4} ㄉㄛ^{3} ㄍㄧㄇ^{1}
林 和 靖(4)，惹 得 詩 人 說 到 今（王淇、梅）

iun^{5}/jun^{5} mu^{1} phin^{5} fung^{1} cuk^{4}/zuk^{4} iang^{2}/jang^{2} chiim^{1}/zhim^{1}，
ㄧㄨㄣ^{5}/ㄖㄨㄣ^{5} ㄇㄨ^{1} ㄆㄧㄣ^{5} ㄈㄨㄥ^{1} ㄗㄨㄍ^{4}/ㄓㄨㄍ^{4} ㄧㄤ^{2}/ㄖㄤ^{2} ㄘㄇ^{1}/ㄔㄧㄇ^{1}
雲 母 屏 風(5) 燭 影 深(6) ，

chong^{5}/zong^{5} ho^{5} chiam^{7} lok^{8} hiau^{2} sen^{1}/siang^{1} chiim^{5}/zhim^{5}；
ㄘㄛㄥ^{5}/ㄔㄛㄥ^{5} ㄏㄛ^{5} ㄑㄧㄚㄇ^{7} ㄌㄛㄍ^{8} ㄏㄧㄠ^{2} ㄙㄝㄣ^{1}/ㄒㄧㄤ^{1} ㄘㄇ^{5}/ㄔㄧㄇ^{5}
長 河(7) 漸 落 曉 星 沉 ；

song^{5}/shong^{5} ngo^{5} in^{3}/jin^{3} fl^{2}/ful^{2} theu^{1} lin^{5} iok^{8}/jok^{8}，
ㄙㄛㄥ^{5}/ㄕㄛㄥ^{5} ㄫㄛ^{5} ㄧㄣ^{3}/ㄖㄧㄣ^{3} ㄈㄧ^{2}/ㄈㄨㄧ^{2} ㄊㄝㄨ^{1} ㄌㄧㄣ^{5} ㄧㄛㄍ^{8}/ㄖㄛㄍ^{8}
嫦 娥 應 悔 偷 靈 藥 ，

pit^{4} hoi^{2} chiang^{1} thien^{1} ia^{7}/ja^{7} ia^{7}/ja^{7} sim^{1}。
ㄅㄧㄉ^{4} ㄏㄛㄧ^{2} ㄑㄧㄤ^{1} ㄊㄧㄝㄣ^{1} ㄧㄚ^{7}/ㄖㄚ^{7} ㄧㄚ^{7}/ㄖㄚ^{7} ㄒㄧㄇ^{1}
碧 海 青 天 夜 夜 心。（李商隱、嫦娥）

二、詞句舉例及發音練習

-ong： cong^{1}/zong^{1}， it^{4}/jit^{4} cong^{1}/zong^{1}，
ㄗㄛㄥ^{1}/ㄓㄛㄥ^{1} ㄧㄉ^{4}/ㄖㄧㄉ^{4} ㄗㄛㄥ^{1}/ㄓㄛㄥ^{1}
張 ， 一 張 ，

cok^{4} ke^{2}/ke^{5} it^{4}/jit^{4} cong^{1}/zong^{1}。
ㄗㄛㄍ^{4} ㄫㄝ^{2}/ㄫㄜ5 ㄧㄉ^{4}/ㄖㄧㄉ^{4} ㄗㄛㄥ^{1}/ㄓㄛㄥ^{1}
桌 仔 一 張 。

fong^{1}， si^{3} fong^{1}， cok^{4} ke^{2}/ke^{5} si^{3} si^{3} fong^{1}。
ㄈㄛㄥ^{1} ㄒㄧ^{3} ㄈㄛㄥ^{1} ㄗㄛㄍ^{4} ㄫㄝ^{2}/ㄫㄜ^{5} ㄒㄧ^{3} ㄒㄧ^{3} ㄈㄛㄥ^{1}
方，四 方，桌 仔 四 四 方 。

ong^{1}， tung^{1} ong^{1}，pan^{3} tung^{1} ong^{1}。
ㄛㄥ^{1} ㄉㄨㄥ^{1} ㄛㄥ^{1} ㄅㄢ^{3} ㄉㄨㄥ^{1} ㄛㄥ^{1}
央 ，中 央，半 中 央。

臺灣客家話記音訓練教材

cong¹/zong¹ , vun⁵ cong¹/zong¹ ,
ㄗㆦㄥ¹/ㄓㆦㄥ¹ ㄅㄨㄣ⁵ ㄗㆦㄥ¹/ㄓㆦㄥ¹
章 , 文 章 ,

cia² chut⁴/zhut⁴ ki² to¹ ho² vun⁵ cong¹/zong¹。
ㄒㄧㄚ² ㄘㄨㄉ⁴/ㄐㄨㄉ⁴ ㄍㄧ² ㄉㆦ¹ ㄏㆦ² ㄅㄨㄣ⁵ ㄗㆦㄥ¹/ㄓㆦㄥ¹
寫 出 幾 多 好 文 章 。

-iong：hiong¹ , fa¹ hiong¹ , kui³ fa¹ hiong¹。
ㄏㄧㆦㄥ¹ ㄈㄚ¹ ㄏㄧㆦㄥ¹ ㄍㄨㄧ³ ㄈㄚ¹ ㄏㄧㆦㄥ¹
香 , 花 香 , 桂 花 香 。

liong⁵ , chin¹ liong⁵ , it⁴/jit⁴ chiin⁷/zhin⁷ chiu¹ i²/ji² it⁴/jit⁴
ㄌㄧㆦㄥ⁵ ㄑㄧㄣ¹ ㄌㄧㆦㄥ⁵ ㄧㄉ⁴/ㄖㄧㄉ⁴ ㄘㄣ⁷/ㄔㄧㄣ⁷ ㄑㄧㄨ¹ ㄧ²/ㄖㄧ² ㄧㄉ⁴/ㄖㄧㄉ⁴
涼 , 清 涼 , 一 陣 秋 雨 一
chiin⁷/zhin⁷ liong⁵
ㄘㄣ⁷/ㄔㄧㄣ⁷ ㄌㄧㆦㄥ⁵
陣 涼。

siong² , it⁴/jit⁴ siong² , kam¹ ca³/za³ it⁴/jit⁴ ki¹ siip⁸/ship⁸
ㄒㄧㆦㄥ² ㄧㄉ⁴/ㄖㄧㄉ⁴ ㄒㄧㆦㄥ² ㄍㄚㆬ¹ ㄗㄚ³/ㄓㄚ³ ㄧㄉ⁴/ㄖㄧㄉ⁴ ㄍㄧ¹ ㄙㄣ⁸/ㄕㄣ⁸
想 , 一 想 , 甘 蔗 一 支 十
ko³ siong²。
ㄍㆦ³ ㄒㄧㆦㄥ²
過 想 。

siong² , sii¹ siong² , siong² hi³ siong² con²/zon² tu¹ siong²
ㄒㄧㆦㄥ² ㄙ¹ ㄒㄧㆦㄥ² ㄒㄧㆦㄥ² ㄏㄧ³ ㄒㄧㆦㄥ² ㄗㆦㄣ²/ㄓㆦㄣ² ㄉㄨ¹ ㄒㄧㆦㄥ²
想 , 思 想 , 想 去 想 轉 都 想
m⁵ kie²/kai²。
ㄇ⁵ ㄍㄧㆤ²/ㄍㄞ²
毋 解 。

-im：chim¹ , ciam² chim¹ , put⁴ su⁷/shiu⁷ chiin⁵/zhin⁵ ai¹ pan³ tiam² chim¹
ㄑㄧㆬ¹ ㄐㄧㄚㆬ² ㄑㄧㆬ¹ ㄅㄨㄉ⁴ ㄙㄨ⁷/ㄕㄧㄨ⁷ ㄘㄣ⁵/ㄔㄧㄣ⁵ ㄞ¹ ㄅㄢ³ ㄉㄧㄚㆬ² ㄑㄧㆬ¹
侵 , 佔 侵 , 不 受 塵 埃 半 點 侵。

- 138 -

sim¹，kam¹　sim¹，　cuk⁴/zuk⁴　li⁵　mau⁵　sa³/sha³　chii⁷　kam¹　sim¹
ㄒㄧㄇ¹　《ㄚㄇ¹　ㄒㄧㄇ¹　ㄗㄨ《⁴/ㄓㄨ《⁴　ㄌㄧ⁵　ㄇㄠ⁵　ㄙㄚ³/ㄕㄚ³　ㄘ⁷　《ㄚㄇ¹　ㄒㄧㄇ¹
心，甘　心，　竹　籬　茅　舍　自　甘　心。

ngim⁵，ngim⁵　sii1/shi¹，　ngim⁵　sii1/shi¹　cok⁴　tui³。
ㄫㄧㄇ⁵　ㄫㄧㄇ⁵　ㄙㄧ/ㄕ¹　ㄫㄧㄇ⁵　ㄙㄧ/ㄕ¹　ㄗㄛ《⁴　ㄉㄨㄧ³
吟，吟　詩，　吟　詩　作　對。

kim¹，to³　kim¹，　ngia¹　tet⁴　sii¹/shi¹　ngin⁵　sot⁴/shot⁴　to³　kim¹
《ㄧㄇ¹　ㄉㄛ³　《ㄧㄇ¹　ㄫㄧㄚ¹　ㄉㄝㄉ⁴　ㄙㄧ/ㄕ¹　ㄫㄧㄣ⁵　ㄙㄛㄉ⁴/ㄕㄛㄉ⁴　ㄉㄛ³　《ㄧㄇ¹
今，到　今，　惹　得　詩　人　說　到　今。

-iim/im：chiim¹/zhim¹，　chian²　chiim¹/zhim¹，　m⁵　ko³　vun⁵　sui²/shui²
　ㄘㄇ/ㄐㄧㄇ¹　ㄑㄧㄢ²　ㄘㄇ/ㄐㄧㄇ¹　ㄇ⁵　《ㄛ³　ㄎㄨㄣ⁵　ㄙㄨㄧ/ㄕㄨㄧ²
　　深　，　淺　深　，　毋　過　汝　水

m⁵　ti¹　chiim¹/zhim¹。
ㄇ⁵　ㄉㄧ¹　ㄘㄇ/ㄐㄧㄇ¹
毋　知　深　。

chiim⁵/zhim⁵，　ha¹　chiim⁵/zhim⁵，　sak⁸/shak⁸　theu⁵　chiim⁵/zhim⁵
ㄘㄇ/ㄐㄧㄇ⁵　ㄏㄚ¹　ㄘㄇ/ㄐㄧㄇ⁵　ㄙㄚ《⁸/ㄕㄚ《⁸　ㄊㄝㄨ⁵　ㄘㄇ/ㄐㄧㄇ⁵
　　沉　，　下　沉　，　石　頭　沉

lok⁸　ho⁵。
ㄌㄛ《⁸　ㄏㄛ⁵
落　河　。

三、音標介紹

－ｏｎｇ　　ㄛㄥ（韻母）
　　　ｏ加 **ng** 的合音。發音時，先發 ｏ，緊接著發舌根鼻音 **ng**，
　　　如光（**kong¹**）的韻母。
－ｉｏｎｇ　｜ㄛㄥ（韻母）
　　　ong 之前加介音 i 形成的合音，如將（**ciong¹**）的韻母。
－ｉｍ　　｜ㄇ（韻母）
　　　舌面元音 i 和雙唇鼻音 m 的合音。如心（**sim¹**）的韻母。
－ｉｉｍ　　ㄩㄇ（韻母）
　　　舌尖元音（空韻）**ii** 和雙唇鼻音 m 的合音。空韻發音時的舌位是
　　　隨聲母而有不同。聲母為 ｃ－（ㄗ）時，其舌位就是發 ｃ－的位置

，客家話屬於這種，因為客家話 ii 原來只與 c－、ch－、s－
、拼，但現在也有與 z－、zh－、sh－拼音的。那舌位就是發
z－、zh－、sh－的位置了。如針（ciim¹）的韻母部份。

四、對比練習

第一式   第二式

ong	iong	im	iim
pong	piong		
tong	tiong	tim	
kong	kiong	kim	
cong	ciong	cim	ciim
zong	ziong	zim	ziim

ㄛㄥ	ㄧㄛㄥ	ㄧㄇ	ㄩㄇ
ㄅㄛㄥ	ㄅㄧㄛㄥ		
ㄅㄛㄥ	ㄉㄧㄛㄥ	ㄉㄧㄇ	
ㄍㄛㄥ	ㄍㄧㄛㄥ	ㄍㄧㄇ	
ㄗㄛㄥ	ㄐㄧㄛㄥ	ㄐㄧㄇ	ㄗㄩㄇ
ㄓㄛㄥ	ㄓㄧㄛㄥ	ㄓㄧㄇ	ㄓㄩㄇ

五、拼音練習

（一）本課所習音標的基本拼音及例字

音標		注音		例字
p		ㄅ		1、幫 2、榜 3、磅 5、○ 7、
ph		ㄆ		1、碰 2、　 3、膨 5、旁 7、
m		ㄇ		1、　 2、罔 3、　 5、茫 7、望
f		ㄈ		1、芳 2、仿 3、放 5、房 7、
t		ㄉ		1、當 2、擋 3、當 5、○ 7、
t h		ㄊ		1、湯 2、倘 3、盪 5、糖 7、宕
n		ㄋ		1、瓤 2、曩 3、妄 5、囊 7、
l		ㄌ		1、○ 2、朗 3、○ 5、郎 7、浪
k		ㄍ		1、扛 2、講 3、槓 5、摃 7、
k h	ong	ㄎ	ㄛㄥ	1、康 2、況 3、園 5、狂 7、
n g		ㄫ		1、昂 2、仰 3、戀 5、○ 7、
h		ㄏ		1、糠 2、　 3、跄 5、降 7、巷
c／z		ㄗ／ㄓ		1、張 2、掌 3、漲 5、　 7、
ch／zh		ㄘ／ㄔ		1、丈 2、杖 3、唱 5、長 7、丈
s／sh		ㄙ／ㄕ		1、上 2、賞 3、　 5、常 7、上
i／j		ㄧ／ㄖ		1、養 2、　 3、漾 5、羊 7、樣
c		ㄗ		1、裝 2、（掌）3、壯 5、　 7、
c h		ㄘ		1、倉 2、（杖）3、（唱）5、藏 7、狀
s		ㄙ		1、喪 2、爽 3、喪 5、（常）7、（上）(8)

p	ㄅ	1、枋 2、 3、放 5、 7、
p h	ㄆ	1、 2、紡 3、 5、 7、
m	ㄇ	1、 2、網 3、 5、 7、
t	ㄉ	1、○ 2、 3、 5、○ 7、
t h	ㄊ	1、 2、○ 3、暢 5、 7、
k　　i o n g	ㄍ　｜ㄛㄥ	1、薑 2、 3、 5、 7、
k h	ㄎ	1、框 2、 3、 5、強 7、
n g	ㄫ	1、仰 2、恙 3、讓 5、娘 7、
h	ㄏ	1、香 2、響 3、向 5、 7、
c	ㄗ/ㄐ	1、將 2、獎 3、醬 5、 7、
c h	ㄘ/ㄑ	1、槍 2、搶 3、像 5、牆 7、
s	ㄙ/ㄒ	1、箱 2、想 3、相 5、祥 7、象

l	ㄌ	1、啉 2、稟 3、 5、林 7、○
k	ㄍ	1、金 2、錦 3、禁 5、 7
k h	ㄎ	1、欽 2、 3、 5、禽 7、撳
h　　i m	ㄏ　｜ㄇ	1、歆 2、 3、○ 5、瞷 7、
c	ㄗ/ㄐ	1、唚 2、 3、浸 5、蟳 7、
c h	ㄘ/ㄑ	1、侵 2、○ 3、 5、尋 7、○
s	ㄙ/ㄒ	1、心 2、 3、○ 5、 7、
i／j	｜/ㄖ	1、陰 2、飲 3、任 5、淫 7、

c／z	ㄗ/ㄓ	1、針 2、枕 3、揕 5、 7、
ch／zh　i im	ㄘ/ㄔ　㇀ㄇ	1、深 2、 3、 5、沉 7、沉
s／sh	ㄙ/ㄕ	1、 2、審 3、甚 5、 7、(9)

（二）本課所習音標的各種拼音

第一式	第二式
pong　phong　mong　fong　vong	ㄅㄛㄥ　ㄆㄛㄥ　ㄇㄛㄥ　ㄈㄛㄥ　万ㄛㄥ
tong　thong　nong　long　kong	ㄉㄛㄥ　ㄊㄛㄥ　ㄋㄛㄥ　ㄌㄛㄥ　ㄍㄛㄥ
khong　ngong　hong　cong　chong	ㄎㄛㄥ　ㄫㄛㄥ　ㄏㄛㄥ　ㄗㄛㄥ　ㄘㄛㄥ
song　zong　zhong　shong　jong	ㄙㄛㄥ　ㄓㄛㄥ　ㄔㄛㄥ　ㄖㄛㄥ　ㄖㄛㄥ
piong　phiong　miong　tiong　thiong	ㄅ｜ㄛㄥ　ㄆ｜ㄛㄥ　ㄇ｜ㄛㄥ　ㄉ｜ㄛㄥ　ㄊ｜ㄛㄥ
liong　kiong　khiong　ngiong　hiong	ㄌ｜ㄛㄥ　ㄍ｜ㄛㄥ　万｜ㄛㄥ　ㄫ｜ㄛㄥ　ㄏ｜ㄛㄥ
ciong　chiong　siong	ㄐ｜ㄛㄥ　ㄑ｜ㄛㄥ　ㄒ｜ㄛㄥ
tim　nim　lim　kim　khim	ㄉ｜ㄇ　ㄋ｜ㄇ　ㄌ｜ㄇ　ㄍ｜ㄇ　ㄎ｜ㄇ
ngim　him　cim　chim　sim	ㄫ｜ㄇ　ㄏ｜ㄇ　ㄐ｜ㄇ　ㄑ｜ㄇ　ㄒ｜ㄇ

zim zhim shim jim　　ㄓㄧㄇ ㄔㄧㄇ ㄕㄧㄇ ㄖㄧㄇ

ciim chiim siim　　ㄗㆨㄇ（ㄗㄇ） ㄘㆨㄇ（ㄘㄇ） ㄙㆨㄇ（ㄙㄇ）

（三）-ong、-iong、-im、-iim 的常用詞

pong^{1} mong^{5} kim^{1} pong^{2} pong^{3} chiim^{3}/zhin^{3} phong^{3} kam^{1} fun^{1} fong^{1}
ㄅㄛㄥ^{1} ㄇㄛㄥ^{5} ㄍㄧㄇ^{1} ㄅㄛㄥ^{2} ㄅㄛㄥ^{3} ㄘㄣ^{3}/ㄔㄧㄣ^{3} ㄆㄛㄥ^{3} ㄍㄚㄇ^{1} ㄈㄨㄣ^{1} ㄈㄛㄥ^{1}
幫忙、金榜、磅秤、椪柑、芬芳、

piong^{1} liau^{5} kiong^{1} ma^{5} chiong^{2} kiap^{4} hiong^{1} fa^{1} theu^{7} ciong^{1}
ㄅㄧㄛㄥ^{1} ㄌㄧㄠ^{5} ㄍㄧㄛㄥ^{1} ㄇㄚ^{5} ㄑㄧㄛㄥ^{2} ㄌㄧㄚㄅ^{4} ㄏㄧㄛㄥ^{1} ㄈㄚ^{1} ㄊㄝㄨ^{7} ㄐㄧㄛㄥ^{1}
枋寮、薑嫲、搶劫、香花、豆漿、

kon^{1} im^{1}/jim^{1} siang^{3} lim^{5} vong^{5} kim^{1} than^{5} khim^{5} sam^{1} cim^{5}
ㄍㄛㄣ^{1} ㄧㄇ^{1}/ㄖㄧㄇ^{1} ㄒㄧㄤ^{3} ㄌㄧㄇ^{5} ㄪㄛㄥ^{5} ㄍㄧㄇ^{1} ㄊㄚㄣ^{5} ㄎㄧㄇ^{5} ㄙㄚㄇ^{1} ㄐㄧㄇ^{5}
觀音、姓林、黃金、彈琴、三嬸。

chian^{2} chiim^{1}/zhim^{1} siim^{2}/shim^{2} cha^{5} siu^{3} fa^{1} ciim^{1}/zim^{1}
ㄑㄧㄢ^{2} ㄘㄇ^{1}/ㄔㄧㄇ^{1} ㄙㄇ^{2}/ㄕㄧㄇ^{2} ㄘㄚ^{5} ㄒㄧㄨ^{3} ㄈㄚ^{1} ㄗㄇ^{1}/ㄓㄧㄇ^{1}
淺深、審查、繡花針、

chiim^{5}/zhim^{5} son^{5}/shon^{5} chiim^{7}zhim^{7} hoi^{2}
ㄘㄇ^{5}/ㄔㄧㄇ^{5} ㄙㄛㄣ^{5}/ㄕㄛㄣ^{5} ㄘㄇ^{7}/ㄔㄧㄇ^{7} ㄏㄛㄧ^{2}
沈船、沉海。

（四）-ong、-iong、-im、-iim 的疊韻詞

pong^{1} mong^{5} kong^{2} thong^{5} hong^{3} chong^{5} cong^{1} fong^{5} thong^{5} song^{1}
ㄅㄛㄥ^{1} ㄇㄛㄥ^{5} ㄍㄛㄥ^{2} ㄊㄛㄥ^{5} ㄏㄛㄥ^{3} ㄘㄛㄥ^{5} ㄗㄛㄥ^{1} ㄈㄛㄥ^{5} ㄊㄛㄥ^{5} ㄙㄛㄥ^{1}
幫忙、講堂、趼床、裝簧、糖霜、

siong^{3} khiong^{1} siong^{1} chiong^{2} ciong^{3} kiong^{1} khiong^{5} liong^{5}
ㄒㄧㄛㄥ^{3} ㄎㄧㄛㄥ^{1} ㄒㄧㄛㄥ^{1} ㄑㄧㄛㄥ^{2} ㄐㄧㄛㄥ^{3} ㄍㄧㄛㄥ^{1} ㄎㄧㄛㄥ^{5} ㄌㄧㄛㄥ^{5}
相框、相搶、醬薑、強梁、

cim^{3} sim^{1} chim^{5} kim^{1} ciim^{2}/zim^{2} ciim^{1}/zim^{1}
ㄐㄧㄇ^{3} ㄒㄧㄇ^{1} ㄑㄧㄇ^{5} ㄍㄧㄇ^{1} ㄗㄇ^{2}/ㄓㄧㄇ^{2} ㄗㄇ^{1}/ㄓㄧㄇ^{1}
浸心、尋金、枕針。

（五）-ong、-iong、-im、-iim 的生活用語

ngit4 theu5 lok8 san1 it4/jit4 tiam2 vong5

ㄫㄧㄉ4 ㄊㄝㄨ5 ㄌㄛㄍ8 ㄙㄢ1 ㄧㄉ4/ㄖㄧㄉ4 ㄉㄧㄚㄇ2 ㄪㄛㄥ5

日頭落山一點黃，

ngiu5 ma5 tai3 cii2 lok8 pi1 thong5

ㄫㄧㄨ5 ㄇㄚ5 ㄉㄞ3 ㄗ2 ㄌㄛㄍ8 ㄅㄧ1 ㄊㄛㄥ5

牛嫲帶子落埤塘，

nai3 iu1/jiu1 ngiu5 ma5 m5 siak4 cii2

ㄋㄞ3 ㄧㄨ1/ㄖㄧㄨ1 ㄫㄧㄨ5 ㄇㄚ5 ㄇ5 ㄒㄧㄚㄍ4 ㄗ2

那有牛嫲毋惜子，

nai3 iu1/jiu1 a1 moi3 m5 lian5 long5

ㄋㄞ3 ㄧㄨ1/ㄖㄧㄨ1 ㄚ1 ㄇㄛㄧ3 ㄇ5 ㄌㄧㄢ5 ㄌㄛㄥ5

那有阿妹毋連郎。

fa1 khoi1 man1 ian5/jan5 chii7 ian5/jan5 hiong1

ㄈㄚ1 ㄎㄛㄧ1 ㄇㄢ1 ㄧㄢ5/ㄖㄢ5 ㄘ7 ㄧㄢ5/ㄖㄢ5 ㄏㄧㄛㄥ1

花開滿園自然香，

pat4 ngiet8 chiu1 fung1 chii7 ian5/jan5 liong5

ㄅㄚㄉ4 ㄫㄧㄝㄉ8 ㄑㄧㄨ1 ㄈㄨㄥ1 ㄘ7 ㄧㄢ5/ㄖㄢ5 ㄌㄧㄛㄥ5

八月秋風自然涼；

chu1 it4/jit4 chii5/zhi5 cu1/zu1 siip8/ship8 ng2 mai7

ㄘㄨ1 ㄧㄉ4/ㄖㄧㄉ4 ㄘ5/ㄔㄧ5 ㄗㄨ1/ㄓㄨ1 ㄙㄅ8/ㄕㄧㄅ8 ㄫ2 ㄇㄞ7

初一刣豬十五賣，

chu3/zhu3 ngiuk4 cian1 iu5/jiu5 ka2 chin1 hiong1

ㄘㄨ3/ㄔㄨ3 ㄫㄧㄨㄍ4 ㄐㄧㄢ1 ㄧㄨ5/ㄖㄧㄨ5 ㄍㄚ2 ㄑㄧㄣ1 ㄏㄧㄛㄥ1

臭肉煎油假清香。

hang5 lu7 oi3 hang5 lu7 tung1 sim1

ㄏㄤ5 ㄌㄨ7 ㄛㄧ3 ㄏㄤ5 ㄌㄨ7 ㄉㄨㄥ1 ㄒㄧㄇ1

行路愛行路中心，

liong2 phian2 su7/shu7 cii2 ho2 ca1/za1 im1/jim1

ㄌㄧㄛㄥ2 ㄆㄧㄢ2 ㄙㄨ7/ㄕㄨ7 ㄗ2 ㄏㄛ2 ㄗㄚ1/ㄓㄚ1 ㄧㄇ1/ㄖㄧㄇ1

兩片樹仔好遮陰；

lian5 moi3 oi3 lian5 ngin5 ka1 ng2

ㄌㄧㄢ5 ㄇㄛㄧ3 ㄛㄧ3 ㄌㄧㄢ5 ㄫㄧㄣ5 ㄍㄚ1 ㄫ2

連妹愛連人家女，

chian¹	li¹	lu⁷	ieu⁵/jau⁵	voi⁷	loi⁵	chim⁵
ㄑㄧㄢ¹	ㄌㄧ¹	ㄌㄨ⁷	ㄧㄝㄨ⁵/ㄖㄠ⁵	ㄇㄛ⁷	ㄌㄛ⁵	ㄑㄧㄇ⁵
千	里	路	遙	會	來	尋。

【注解】

(1)想：蔗、竹的一個節目稱一想。想，借音字。

(2)娘：娘子；妻。

(3)林和靖：宋人林逋，字君復。隱居西湖孤山，不娶無子，嗜植梅養鶴，人
　　　稱「梅妻鶴子」，卒謚和靖先生。

(4)雲母屏風：雲母片製成的屏風。

(5)燭影深：在燭光下映出幽深的景象。

(6)長河：星河。

(7)想去想轉：想來想去。

(8)掌、丈、長等括號內的字，海陸音聲母分別為 z、zh、sh。

(9)上列 iim 韻與 z－、zh－、sh－拼音的是「四海腔」。

第十七課　人貴自立

學習重點：-ip　-iip　-it　-iit

一、基本語料

ngin5　kui3　chii7　lip8，hang5　sii7　mok8　kip4，
ㄫㄧㄣ5　ㄍㄨㄧ3　ㄘ7　ㄌㄧㄅ8　ㄏㄤ5　ㄙ7　ㄇㄛㄍ8　ㄍㄧㄅ4
人　貴　自　立，行　事　莫　急，
kian3　ok4　i5/ji5　tham1　thong1，kian3　san3/shan3　i5/ji5　put4　khip8。
ㄍㄧㄢ7　ㄛㄍ4　ㄧ5/ㄖㄧ5　ㄊㄚㄇ1　ㄊㄛㄥ1　ㄍㄧㄢ3　ㄙㄢ3/ㄕㄢ3　ㄧ5/ㄖㄧ5　ㄅㄨㄉ4　ㄎㄧㄅ8
見　惡　如　探　湯(1)，見　善　如　不　及(2)。

iu1/jiu1　cau1　iu1/jiu1　siip4/ship4，kua1　cii2　kok2　ciip4/zhip4，
ㄧㄨ1/ㄖㄧㄨ1　ㄗㄠ1　ㄧㄨ1/ㄖㄧㄨ1　ㄙㄅ4/ㄕㄧㄅ4　ㄍㄨㄚ1　ㄗ2　ㄍㄛㄍ2　ㄗㄅ4/ㄓㄧㄅ4
有　燥(3)　有　濕，瓜　子　果　汁，
kok4　chi2　so2　si1，it4/jit4　fun7　sam1　siip8/ship8。
ㄍㄛㄍ4　ㄑㄧ2　ㄙㄛ2　ㄒㄧ1　ㄧㄉ4/ㄖㄧㄉ4　ㄈㄨㄣ7　ㄙㄚㄇ1　ㄙㄅ8/ㄕㄧㄅ8
各　取　所　需，一　份　三　十。

it4/jit4　tiam2　it4/jit4　tit4，sak8/shak8　foi1　iu5/jiu5　chit4，
ㄧㄉ4/ㄖㄧㄉ4　ㄉㄧㄚㄇ2　ㄧㄉ4/ㄖㄧㄉ4　ㄉㄧㄉ4　ㄙㄚㄍ8/ㄕㄚㄍ8　ㄈㄛㄧ1　ㄧㄨ5/ㄖㄧㄨ5　ㄑㄧㄉ4
一　點　一　滴，石　灰　油　漆，
it8/jit8　kin1　pat4　kua3，thai7　li7　thai7　kit4。
ㄧㄉ8/ㄖㄧㄉ8　ㄍㄧㄣ1　ㄅㄚㄉ4　ㄍㄨㄚ3　ㄊㄞ7　ㄌㄧ7　ㄊㄞ7　ㄍㄧㄉ4
易　經　八　卦，大　利　大　吉。

sam1　fang5　liuk4　chiit8/zhit8，it4/jit4　kon1　pan3　ciit4/zit4，
ㄙㄚㄇ1　ㄪㄤ5　ㄌㄧㄨㄍ4　ㄘㄉ8/ㄔㄧㄉ8　ㄧㄉ4/ㄖㄧㄉ4　ㄍㄛㄣ1　ㄅㄢ3　ㄗㄉ4/ㄓㄧㄉ4
三　橫　六　直，一　官　半　職，
cut4/zhut4　ngoi7　to1　ngian5，mo5　ngin5　siong1　siit4/shit4。
ㄘㄨㄉ4/ㄔㄨㄉ4　ㄫㄛㄧ7　ㄉㄛ1　ㄫㄧㄢ5　ㄇㄛ5　ㄫㄧㄣ5　ㄒㄧㄛㄥ1　ㄙㄉ4/ㄕㄧㄉ4
出　外　多　年，無　人　相　識。

二、詞句舉例及發音練習

-ip：lip^8 ， chii^7 lip^8 ，chii^7 lip^8 chii^7 khiong^5

ㄌㄧㄅ^8 ㄘ^7 ㄌㄧㄅ^8 ㄘ^7 ㄌㄧㄅ^8 ㄘ^7 ㄎㄧㄛㄥ^5

立， 自 立， 自 立 自 強。

kip^4， kin^2 kip^4， hang^5 sii^7 mok^8 kip^4

ㄍㄧㄅ^4 ㄍㄧㄣ^2 ㄍㄧㄅ^4 ㄏㄤ^5 ㄙ^7 ㄇㄛㄍ^8 ㄍㄧㄅ^4

急， 緊 急， 行 事 莫 急。

khip^8， put^4 khip^8，khau^2 sii^3/shi^3 mo^5 khip^8 kiet^4

ㄎㄧㄅ^8 ㄅㄨㄉ^4 ㄎㄧㄅ^8 ㄎㄠ^2 ㄙ^3/ㄕ^3 ㄇㄛ^5 ㄎㄧㄅ^8 ㄍㄧㄝㄉ^4

及， 不 及， 考 試 無 及 格。

siip^4/ship^4， cau^1 siip^4/ship^4， iu^1/jiu^1 cau^1 iu^1/jiu^1 siip^4/ship^4

ㄙㄅ^4/ㄕㄅ^4 ㄗㄠ^1 ㄙㄅ^4/ㄕㄅ^4 ㄧㄨ^1/ㄖㄧㄨ^1 ㄗㄠ^1 ㄧㄨ^1/ㄖㄧㄨ^1 ㄙㄅ^4/ㄕㄅ^4

濕 ， 燥 濕 ， 有 燥 有 濕 。

-iip/-ip：ciip^4/zip^4， ko^2 ciip^4/zip^4， nen^5 mung^5 ko^2 ciip^4/zip^4

ㄗㄅ^4/ㄓㄧㄅ^4 ㄍㄛ^2 ㄗㄅ^4/ㄓㄧㄅ^4 ㄋㄝㄣ^5 ㄇㄨㄥ^5 ㄍㄛ^2 ㄗㄅ^4/ㄓㄧㄅ^4

汁 ， 果 汁 ， 檸 檬 果 汁。

siip^8/ship^8 ， sam^1 siip^8/ship^8， ngien^5 ki^2 sam^1 siip^8/ship^8

ㄙㄅ^8/ㄕㄅ^8 ㄙㄚㄇ^1 ㄙㄅ^8/ㄕㄅ^8 ㄫㄧㄝㄣ^5 ㄍㄧ^2 ㄙㄚㄇ^1 ㄙㄅ^8/ㄕㄅ^8

十 ， 三 十 ， 年 紀 三 十 。

it：tit^4， it^4/jit^4 tit^4， it^4/jit^4 tiam^2 it^4/jit^4 tit^4

ㄉㄧㄉ^4 ㄧㄉ^4/ㄖㄧㄉ^4 ㄉㄧㄉ^4 ㄧㄉ^4/ㄖㄧㄉ^4 ㄉㄧㄚㄇ^2 ㄧㄉ^4/ㄖㄧㄉ^4 ㄉㄧㄉ^4

滴， 一 滴， 一 點 一 滴。

chit^4， iu^5/jiu^5 chit^4， sak^8/shak^8 foi^1 iu^5/jiu^5 chit^4

ㄑㄧㄉ^4 ㄧㄨ^5/ㄖㄧㄨ^5 ㄑㄧㄉ^4 ㄙㄚㄍ^8/ㄕㄚㄍ^8 ㄈㄛ^1 ㄧㄨ^5/ㄖㄧㄨ^5 ㄑㄧㄉ^4

漆， 油 漆， 石 灰 油 漆。

it^8/jit^8 ， it^8/jit^8 kin^1， ngien^1/ngan^1 kiu^3 it^8/jit^8 kin^1

ㄧㄉ^8/ㄖㄧㄉ^8 ㄧㄉ^8/ㄖㄧㄉ^8 ㄍㄧㄣ^1 ㄫㄧㄝㄣ^1/ㄫㄢ^1 ㄍㄧㄨ^3 ㄧㄉ^8/ㄖㄧㄉ^8 ㄍㄧㄣ^1

易 ， 易 經， 研 究 易 經 。

kit⁴ ， thai⁷ kit⁴ ， thai⁷ li⁷ thai⁷ kit⁴

《丨ㄉ⁴ ㄊㄞ⁷ 《丨ㄉ⁴ ㄊㄞ⁷ ㄌ丨⁷ ㄊㄞ⁷ 《丨ㄉ⁴

吉 ， 大 吉 ， 大 利 大 吉。

-iit/-it：chiit⁸/zhit⁸ ， vang⁵ chiit⁸/zhit⁸ ， sam¹ vang⁵ liuk⁴ chiit⁸/zhit⁸

ㄘㄉ⁸/ㄔ丨ㄉ⁸ 万ㄤ⁵ ㄘㄉ⁸/ㄔ丨ㄉ⁸ ㄙㄚㄇ¹ 万ㄤ⁵ ㄌ丨ㄨ《⁴ ㄘㄉ⁸/ㄔ丨ㄉ⁸

直 ， 橫 直 ， 三 橫 六 直。

ciit⁴/zit⁴ ， kon¹ ciit⁴/zit⁴ ， it⁴/jit⁴ kon¹ pan³ ciit⁴/zit⁴

ㄗㄉ⁴/ㄓ丨ㄉ⁴ 《ㄛㄣ¹ ㄗㄉ⁴/ㄓ丨ㄉ⁴ 丨ㄉ⁴/ㄖ丨ㄉ⁴ 《ㄛㄣ¹ ㄅㄢ³ ㄗㄉ⁴/ㄓ丨ㄉ⁴

職 ， 官 職 ， 一 官 半 職。

siit⁴/shit⁴ ， siong¹ siit⁴/shit⁴ ， mo⁵ ngin⁵ siong¹ siit⁴/shit⁴

ㄙㄉ⁴/ㄕ丨ㄉ⁴ ㄒ丨ㄛㄥ¹ ㄙㄉ⁴/ㄕ丨ㄉ⁴ ㄇㄛ⁵ ㄫ丨ㄣ⁵ ㄒ丨ㄛㄥ¹ ㄙㄉ⁴/ㄕ丨ㄉ⁴

識 ， 相 識 ， 無 人 相 識。

三、音標介紹

－ip 丨ㄅ(入聲韻母)

發音時，由 i 的發音方法將氣急速的送出，接著雙唇急速緊閉，連成一氣而為 ip。如急（kip⁴）及（khip⁸）的韻母部份。

－iip ㄥㄅ(入聲韻母)

發音時，舌位放在 c、ch、s 的位置，先發空韻，接著雙唇緊閉。如四縣腔汁（ciip⁴）、十（siip⁸）的韻母部份。

－it 丨ㄉ(入聲韻母)

發音時，先發 i，緊接著把舌尖抵住上齒齦準備發 t 的位置，氣流立刻止住。如吉（kit⁴）、力（lit⁸）的韻母部份。

－iit ㄥㄉ(入聲韻母)

發音時，舌位放在 c、ch、s 的位置，緊接著舌尖移到發 t 的位置，氣流立刻止住。如四縣腔質（ciit⁴）、食（siit⁸）的韻母部份。

四、對比練習

| （一）第一式 | 第二式 | | | |

ip	iip	it	iit	｜ㄅ	ㄥㄅ	｜ㄅ	ㄥㄅ
		pit				ㄅ｜ㄅ	
tip		tit		ㄅ｜ㄅ		ㄅ｜ㄅ	
kip		kit		ㄍ｜ㄅ		ㄍ｜ㄅ	
cip	ciip	cit	ciit	ㄐ｜ㄅ	ㄗㄥㄅ（ㄗㄅ）	ㄐ｜ㄅ	ㄗㄥㄅ（ㄗㄅ）
zip	ziip	zit	ziit	ㄓ｜ㄅ	ㄓㄥㄅ（ㄓㄅ）	ㄓ｜ㄅ	ㄓㄥㄅ（ㄓㄅ）

五、拼音練習

（一）本課所習音標的基本拼音及例字

l		ㄌ		4、笠	8、立
k		ㄍ		4、急	8、
kh		ㄎ		4、	8、及
ng	ip	π	｜ㄅ	4、	8、入
h		ㄏ		4、歙	8、
c		ㄗ（ㄐ）		4、○	8、
ch		ㄘ（ㄑ）		4、	8、○
s		ㄙ（ㄒ）		4、	8、習

z		ㄗ		4、汁	8、
sh	ip	ㄕ	｜ㄅ	4、濕	8、十
j	(iip)	ㄖ	(ㄥㄅ)	4、	8、邑

c		ㄓ		4、汁	8、
ch	iip	ㄔ	ㄥㄅ	4、	8、
s		ㄙ		4、濕	8、十(4)

			4、	8、
p		ㄅ	筆	
p h		ㄆ	避	
f		ㄈ	○	
v		万	○	
t		ㄉ	滴	
t h		ㄊ		敵
l	i t	ㄌ　ㄧㄉ	○	力
c		ㄐ	責	
c h		ㄑ	七	
s		ㄒ	息	
k		ㄍ	激	
k h		ㄎ	極	
n g		π	日	
z		ㄓ	質	
z h	i t	ㄔ　ㄧㄉ		直
s h	(i i t)	ㄕ （ㄥㄉ）	識	食
j		ㄖ	壹	翼
c		ㄗ	質	
c h	i i t	ㄘ　ㄥㄉ		直
s		ㄙ	識	食(5)

（二）本課所習音標的各種拼音

tip nip lip kip khip　　ㄅㄧㄉ ㄋㄧㄉ ㄌㄧㄉ ㄍㄧㄉ ㄎㄧㄉ
ngip hip cip chip sip　　πㄧㄉ ㄏㄧㄉ ㄐㄧㄉ ㄑㄧㄉ ㄒㄧㄉ
zip ship jip　　ㄓㄧㄉ ㄕㄧㄉ ㄖㄧㄉ

pit phit mit fit vit　　ㄅㄧㄉ ㄆㄧㄉ ㄇㄧㄉ ㄈㄧㄉ 万ㄧㄉ
tit thit nit lit kit　　ㄉㄧㄉ ㄊㄧㄉ ㄋㄧㄉ ㄌㄧㄉ ㄍㄧㄉ
khit ngit cit chit sit　　ㄎㄧㄉ πㄧㄉ ㄐㄧㄉ ㄑㄧㄉ ㄒㄧㄉ
zit zhit shit jit　　ㄓㄧㄉ ㄔㄧㄉ ㄕㄧㄉ ㄖㄧㄉ

ciip siip ziip shiip　　ㄗㄥㄉ ㄙㄥㄉ ㄓㄥㄉ ㄕㄥㄉ
ciit chiit siit　　ㄗㄥㄉ ㄘㄥㄉ ㄙㄥㄉ
ziit zhiit shiit jiit　　ㄓㄥㄉ ㄔㄥㄉ ㄕㄥㄉ ㄖㄥㄉ(6)

（三）-ip、-iip、-it、-iit 的常用詞

lian³　sip⁸、chut⁴/zhut⁴　ngip⁸、cho²　lip⁴、mok⁴　sip⁸、ngiet⁸　kip⁴、
ㄌㄧㄢ³　ㄒㄧㄅ⁸　ㄘㄨㄉ⁴/ㄔㄨㄉ⁴　ㄫㄧㄅ⁸　ㄘㄜ²　ㄌㄧㄅ⁴　ㄇㄛㄍ⁴　ㄒㄧㄅ⁸　ㄫㄧㄝㄉ⁸　ㄍㄧㄅ⁴
練　習　　出　　　入　、草　笠、募　集　、月　給　、

pet⁴　khit⁸、sam¹　ngit⁴、hiu¹　sit⁴、sang¹　it⁸/jit⁸、ma¹　lit⁸、
ㄅㄝㄉ⁴　ㄎㄧㄉ⁸　ㄙㄚㄇ¹　ㄫㄧㄉ⁴　ㄏㄧㄨ¹　ㄒㄧㄉ⁴　ㄙㄤ¹　ㄧㄉ⁸/ㄖㄧㄉ⁸　ㄇㄚ¹　ㄌㄧㄉ⁸
北　極　、三　日、休　息　、生　翼　、馬　力、

ku³　ciip⁴/zip⁴、su¹/shu¹　siip⁸/ship⁸、fong¹　siit⁴/shit⁴、
ㄍㄨ³　ㄗㄣ⁴/ㄓㄧㄅ⁴　ㄙㄨ¹/ㄕㄨ¹　ㄙㄣ⁸/ㄕㄧㄅ⁸　ㄈㄛㄥ¹　ㄙㄣ⁴/ㄕㄧㄉ⁴
固　執　　、收　拾　　、方　式　、

ciin²/zin²　chiit⁸/zhit⁸、fo²　siit⁸/shit⁸。
ㄗㄣ²/ㄓㄧㄣ²　ㄘㄣ⁸/ㄔㄧㄉ⁸　ㄈㄜ²　ㄙㄣ⁸/ㄕㄧㄉ⁸
整　飭　、伙　食　。

（四）-ip、-iip、-it、-iit 的生活用語

lim⁵　sii⁵/shi⁵　lim⁵　khip⁸、hang⁵　chut⁴/zhut⁴　hang⁵　ngip⁸、
ㄌㄧㄇ⁵　ㄙ⁵/ㄕㄧ⁵　ㄌㄧㄇ⁵　ㄎㄧㄅ⁸　ㄏㄤ⁵　ㄘㄨㄉ⁴/ㄔㄨㄉ⁴　ㄏㄤ⁵　ㄫㄧㄅ⁸
臨　時　臨　及、行　出　　行　入　、

theu¹　theu¹　nip⁸　nip⁸、seu¹/shau¹　seu¹/shau¹　hip⁴　hip⁴。
ㄊㄝㄨ¹　ㄊㄝㄨ¹　ㄋㄧㄅ⁸　ㄋㄧㄅ⁸　ㄙㄝㄨ¹/ㄕㄠ¹　ㄙㄝㄨ¹/ㄕㄠ¹　ㄏㄧㄅ⁴　ㄏㄧㄅ⁴
偷　偷　図　図、燒　燒　爔　爔。

cit⁴　cit⁴　fuk⁸　cit⁴　cit⁴，muk⁴　lan⁵　tong¹　fu³　ciit⁴/zit⁴，
ㄐㄧㄉ⁴　ㄐㄧㄉ⁴　ㄈㄨㄍ⁸　ㄐㄧㄉ⁴　ㄐㄧㄉ⁴　ㄇㄨㄍ⁴　ㄌㄢ⁵　ㄉㄛㄥ¹　ㄈㄨ³　ㄗㄣ⁴/ㄓㄧㄉ⁴
唧　唧　復　唧　唧，木　蘭　當　戶　織　，

put⁴　vun⁵　ki¹　cu³/zu³　sang¹/shang¹，vi⁵　vun⁵　ng²　than³　cit⁴。
ㄅㄨㄉ⁴　ㄫㄨㄣ⁵　ㄍㄧ¹　ㄗㄨ¹/ㄓㄨ¹　ㄙㄤ¹/ㄕㄤ¹　ㄫㄧ⁵　ㄫㄨㄣ⁵　ㄫ²　ㄊㄢ³　ㄒㄧㄉ⁴
不　聞　機　杼　聲　，惟　聞　女　嘆　息。

lo² lo² siit⁸/shit⁸ siit⁸/shit⁸ ， mo⁵ chap⁴ vang⁵ ，mo⁵ chap⁴ chiit⁸/zhit⁸

ㄌㄛ² ㄌㄛ² ㄙㄉ⁸/ㄕㄉ⁸ ㄙㄉ⁸/ㄕㄉ⁸ ㄇㄛ⁵ ㄘㄚㄅ⁴ ㄤ⁵ ㄇㄛ⁵ ㄘㄚㄅ⁴ ㄘㄉ⁸/ㄔㄉ⁸

老老　　實　　　實　，　無　插　橫　，　無　插　　直　。

【注解】

(1)探湯：試開水的溫度。

(2)不及：趕不上，含有急忙去做的意思。

(3)燥：乾。

(4)韻母 iip 只與聲母 c-、s-拼音，且只限於四縣語系統，同樣的汁、濕、十等字，海陸話的聲母是 z-、sh-，韻母是 ip，這是很明顯的分別。目前也有發 ziip(汁)、shiip(濕)的現象，則是四縣海陸的混合音。

(5)以上 z-、zh-、sh-、j- 四行為海陸音，c-、ch-、s 三行為四縣音。

(6)第二式空韻符號可以省略。

第十八課　　能算能斷

學習重點：　-en　-uen　-on　-ion

一、基本語料

hiung¹　thi⁷　thung⁵　men⁵，　ceu¹/zau¹　mok⁸　chin¹　phen⁵，
ㄏㄧㄨㄥ¹　ㄊ⁷　ㄊㄨㄥ⁵　ㄇㄝㄣ⁵　ㄗㄝㄨ¹/ㄓㄠ¹　ㄇㆦㄍ⁸　ㄑㄧㄣ¹　ㄆㄝㄣ⁵
兄　　弟　　同　　盟，　招　　募　　親　　朋，

nam²　cii²　chii⁷/chi⁷　nen³，　phen⁷　piak⁴　cho¹　ten³。
ㄋㄚㄇ²　ㄗ²　ㄘ⁷/ㄑㄧ⁷　ㄋㄝㄣ⁷　ㄆㄝㄣ⁷　ㄅㄧㄚㄍ⁴　ㄘㆦ¹　ㄅㄝㄣ³
攬　　子　　飼　　乳(1)，　氼　　壁(2)　坐　　凳。

thian¹　sen¹　sin³　kuen²，　m⁵　sii²　ngin⁵　then³，　ha¹　kia³　then²　tu²，
ㄊㄧㄢ¹　ㄙㄝㄣ¹　ㄒㄧㄣ³　ㄍㄨㄝㄣ²　ㄇ⁵　ㄙ²　ㆭㄧㄣ⁵　ㄊㄝㄣ³　ㄏㄚ¹　ㄍㄧㄚ³　ㄊㄝㄣ²ㄅㄨ²
天　　生　　性　　耿，毋　使　人　　搥(3)，下　崎　　挺　　肚(4)，
song¹/shong¹　kia³　pang¹　then⁵。
ㄙㆦㄥ¹/ㄕㆦㄥ¹　ㄍㄧㄚ³　ㄅㄤ¹　ㄊㄝㄣ⁵
上　　　崎　　挷　　藤(5)。

nen⁵　son³　nen⁵　ton³，　sim¹　con¹/zon¹　sak⁸/shak⁸　chon¹/zhon¹，
ㄋㄝㄣ⁵　ㄙㆦㄣ³　ㄋㄝㄣ⁵　ㄅㆦㄣ³　ㄒㄧㄇ¹　ㄗㆦㄣ¹/ㄓㆦㄣ¹　ㄙㄚㄍ⁸/ㄕㄚㄍ⁸　ㄑㆦㄣ²/ㄔㆦㄣ²
能　　算　　能　　斷(6)，　心　　專　　　石　　　穿，
ceu²　ma¹　hang⁵　son⁵/shon⁵，　in¹/jin¹　hiung⁵　ho²　hon³。
ㄗㄝㄨ²　ㄇㄚ¹　ㄏㄤ⁵　ㄙㆦㄣ⁵/ㄕㆦㄣ⁵　ㄧㄣ¹/ㄖㄧㄣ¹　ㄏㄧㄨㄥ⁵　ㄏㆦ²　ㄏㆦㄣ³
走　　馬　　行　　船　　，英　　雄　　好　　漢。

theu⁵　thang²　sung¹　chion⁷，　sin³　kuen²　sim¹　ngion¹，
ㄊㄝㄨ⁵　ㄅㄤ²　ㄙㄨㄥ¹　ㄑㄧㆦㄣ⁷　ㄒㄧㄣ³　ㄍㄨㄝㄣ²　ㄒㄧㄇ¹　ㆭㄧㆦㄣ¹
頭　　頂　　雙　　旋(7)，性　　耿　　心　　軟，
kie¹/kai¹　tuk⁴　ap⁴　chion²，　vun⁵　vu²　sung¹　chion⁵。
ㄍㄧㄝ¹/ㄍㄞ¹　ㄅㄨㄍ⁴　ㄚㄅ⁴　ㄑㄧㆦㄣ²　ㄇㄨㄣ⁵　ㄇㄨ²　ㄙㄨㄥ¹　ㄑㄧㆦㄣ⁵
雞　　啄　　鴨　chion²(8)，文　　武　　雙　　全　。

二、詞句舉例及發音練習

-en：men^{5}，thung^{5} men^{5}，hiung^{1} thi^{7} thung^{5} men^{5}。
ㄇㄝㄣ^{5} ㄊㄨㄥ^{5} ㄇㄝㄣ^{5} ㄏㄧㄨㄥ^{1} ㄊㄧ^{7} ㄊㄨㄥ^{5} ㄇㄝㄣ^{5}
盟，同盟，兄弟同盟。

phen^{5}，phen^{5} iu^{1}/jiu^{1}，ceu^{1}/zau^{1} mok^{4} chin^{1} phen^{5}。
ㄆㄝㄣ^{5} ㄆㄝㄣ^{5} ㄧㄨ^{1}/ㄖㄧㄨ^{1} ㄗㄝㄨ^{1}/ㄓㄠ^{1} ㄇㄛㄍ^{4} ㄑㄧㄣ^{1} ㄆㄝㄣ^{5}
朋，朋友，招募親朋。

nen^{3}，chii^{7}/chi^{7} nen^{3}，nam^{2} cii^{2} chii^{7}/chi^{7} nen^{3}。
ㄋㄝㄣ^{3} ㄘ^{7}/ㄘㄧ^{7} ㄋㄝㄣ^{3} ㄋㄚㄇ^{2} ㄗ^{2} ㄘ^{7}/ㄘㄧ^{7} ㄋㄝㄣ^{3}
乳，飼乳，攬子飼乳。

phen^{7}，va^{2} phen^{7}，va^{2} li^{5} phen^{7} piak^{4}。
ㄆㄝㄣ^{7} ㄪㄚ^{2} ㄆㄝㄣ^{7} ㄪㄚ^{2} ㄌㄧ^{5} ㄆㄝㄣ^{7} ㄅㄧㄚㄍ^{4}
凴，偎凴，偎籬凴壁。

ten^{3}，cho^{1} ten^{3}，phen^{7} piak^{4} cho^{1} ten^{3}。
ㄉㄝㄣ^{3} ㄘㄛ^{1} ㄉㄝㄣ^{7} ㄆㄝㄣ^{7} ㄅㄧㄚㄍ^{4} ㄘㄛ^{1} ㄉㄝㄣ^{3}
凳，坐凳，凴壁坐凳。

then^{3}，then^{3} su^{2}/shiu^{2}，m^{5} sii^{2} ngin^{5} then^{3} (su^{2}/shiu^{2})。
ㄊㄝㄣ^{3} ㄊㄝㄣ^{3} ㄙㄨ^{2}/ㄕㄧㄨ^{2} ㄇ^{5} ㄙ^{2} ㄫㄧㄣ^{5} ㄊㄝㄣ^{3} ㄙㄨ^{2}/ㄕㄧㄨ^{2}
⿰扌希，⿰扌希手，毋使人⿰扌希（手）。

then^{2}，tu^{2} then^{2}，ha^{1} kia^{3} tu^{2} then^{2} then^{2}。
ㄊㄝㄣ^{2} ㄉㄨ^{2} ㄊㄝㄣ^{2} ㄏㄚ^{1} ㄍㄧㄚ^{3} ㄉㄨ^{2} ㄊㄝㄣ^{2} ㄊㄝㄣ^{2}
挺，肚挺，下崎肚挺挺。

then^{5}，cho^{2} then^{5}，song^{1}/shong^{1} kia^{3} pang^{2} (cho^{2}) then^{5}。
ㄊㄝㄣ^{5} ㄘㄛ^{2} ㄊㄝㄣ^{5} ㄙㄛㄥ^{1}/ㄕㄛㄥ^{1} ㄍㄧㄚ^{3} ㄅㄤ^{2} （ㄘㄛ^{2}） ㄊㄝㄣ^{5}
藤，草藤，上崎挷（草）藤。

-uen：kuen^{2}，kuen^{2} sin^{3}，sin^{3} thi^{2} chin^{7} kuen^{2}。
ㄍㄨㄝㄣ^{2} ㄍㄨㄝㄣ^{2} ㄒㄧㄣ^{3} ㄒㄧㄣ^{3} ㄊㄧ^{2} ㄑㄧㄣ^{7} ㄍㄨㄝㄣ^{2}
耿，耿性，性體盡耿。

-on：son^{3} ， kie^{3} son^{3} ， voi^{7} chu^{5}/zhu^{5} m^{5} voi^{7} son^{3} 。
ㄙㄛㄣ^{3} ㄍㄧㄝ^{3} ㄙㄛㄣ^{3} ㄪㄛㄧ^{7} ㄘㄨ^{5}/ㄔㄨ^{5} ㄇ^{5} ㄪㄛㄧ^{7} ㄙㄛㄣ^{3}
算 ，計 算 ，會 除 毋 會 算。

ton^{3} ， phan^{7} ton^{3} ， nen^{5} son^{3} nen^{5} ton^{3} 。
ㄉㄛㄣ^{3} ㄆㄢ^{7} ㄉㄛㄣ^{3} ㄋㄝㄣ^{5} ㄙㄛㄣ^{3} ㄋㄝㄣ^{5} ㄉㄛㄣ^{3}
斷 ，判 斷 ，能 算 能 斷 。

con^{1}/zon^{1} ， con^{1}/zon^{1} mun^{5} ， con^{1}/zon^{1} mun^{5} vi^{1}/vui^{1} ien^{5}/jan^{5} 。
ㄗㄛㄣ^{1}/ㄓㄛㄣ^{1} ㄗㄛㄣ^{1}/ㄓㄛㄣ^{1} ㄇㄨㄣ^{5} ㄗㄛㄣ^{1}/ㄓㄛㄣ^{1} ㄇㄨㄣ^{5} ㄪㄧ^{1}/ㄪㄨㄧ^{1} ㄧㄝㄣ^{5}/ㄖㄢ^{5}
專 ， 專 門 ， 專 門 委 員 。

chon^{1}/zhon^{1} ，ta^{2} chon^{1}/zhon^{1} ，sim^{1} con^{1}/zon^{1} sak^{8}/shak^{8} chon^{1}/zhon^{1}
ㄘㄛㄣ^{1}/ㄔㄛㄣ^{1} ㄉㄚ^{2} ㄘㄛㄣ^{1}/ㄔㄛㄣ^{1} ㄒㄧㄇ^{1} ㄗㄛㄣ^{1}/ㄓㄛㄣ^{1} ㄙㄚㄍ^{8}/ㄕㄚㄍ^{8} ㄘㄛㄣ^{1}/ㄔㄛㄣ^{1}
穿 ，打 穿 ，心 專 石 穿 。

son^{5}/shon^{5} ， hang^{5} son^{5}/shon^{5} ，ceu^{2} ma^{1} hang^{5} son^{5}/shon^{5} sam^{1} fun^{1} hiam^{2}
ㄙㄛㄣ^{5}/ㄕㄛㄣ^{5} ㄏㄤ^{5} ㄙㄛㄣ^{5}/ㄕㄛㄣ^{5} ㄗㄝㄨ^{2} ㄇㄚ^{1} ㄏㄤ^{5} ㄙㄛㄣ^{5}/ㄕㄛㄣ^{5} ㄙㄚㄇ^{1} ㄈㄨㄣ^{1} ㄏㄧㄚㄇ^{2}
船 ，行 船 ，走 馬 行 船 三 分 險。

hon^{3} ，ho^{2} hon^{3} ， in^{1}/jin^{1} hiung^{5} ho^{2} hon^{3} siet^{4} in^{5}/jin^{5} kui^{3}
ㄏㄛㄣ^{3} ㄏㄛ^{2} ㄏㄛㄣ^{3} ㄧㄣ^{1}/ㄖㄧㄣ^{1} ㄏㄧㄨㄥ^{5} ㄏㄛ^{2} ㄏㄛㄣ^{3} ㄒㄧㄝㄉ^{4} ㄧㄣ^{5}/ㄖㄧㄣ^{5} ㄍㄨㄧ^{3}
漢 ，好 漢 ， 英 雄 好 漢 薛 仁 貴。

-ion：chion^{7} ，mo^{1} chion^{7} ， sung^{1} chion^{7} ku^{2} ok^{4} ko^{3} lo^{7} fu^{2} 。
ㄑㄧㄛㄣ^{7} ㄇㄛ^{1} ㄑㄧㄛㄣ^{7} ㄙㄨㄥ^{1} ㄑㄧㄛㄣ^{7} ㄍㄨ^{2} ㄛㄍ^{4} ㄍㄛ^{3} ㄌㄛ^{7} ㄈㄨ^{2}
旋 ，毛 旋 ，雙 旋 牯 惡 過 老 虎(9)。

ngion^{1} ， sim^{1} ngion^{1} ， sin^{3} kuen^{2} sim^{1} ngion^{1} 。
ㄫㄧㄛㄣ^{1} ㄒㄧㄇ^{1} ㄫㄧㄛㄣ^{1} ㄒㄧㄣ^{3} ㄍㄨㄝㄣ^{2} ㄒㄧㄇ^{1} ㄫㄧㄛㄣ^{1}
軟 ， 心 軟 ，性 耿 心 軟 。

chion^{2} ， ap^{4} chion^{2} ， ke^{1}/kai^{1} tuk^{4} ap^{4} chion^{2} 。
ㄑㄧㄛㄣ^{2} ㄚㄅ^{4} ㄑㄧㄛㄣ^{2} ㄍㄝ^{1}/ㄍㄞ^{1} ㄉㄨㄍ^{4} ㄚㄅ^{4} ㄑㄧㄛㄣ^{2}
chion^{2} ，鴨 chion^{2} ，雞 啄 鴨 chion^{2}。

chion^{5}，van^{5}　chion^{5}，vun^{5}　vu^{2}　sung^{1}　chion^{5}。
ㄑㄧㄛㄣ^{5}　ㄎㄢ^{5}　ㄑㄧㄛㄣ^{5}　ㄪㄨㄣ^{5}　ㄪㄨ^{2}　ㄙㄨㄥ^{1}　ㄑㄧㄛㄣ^{5}
全，完　全，文　武　雙　全。

三、音標介紹

—en　ㄝㄣ（韻母）

舌面元音 e 與舌尖鼻音結合而成的音，如籐（**then^{5}**）的韻母。

—uen　ㄨㄝㄣ（韻母）

en 之前加介音 u 合成的音，如耿（**kuen^{2}**）的韻母。

—on　ㄛㄣ（韻母）

後元音 o 與舌尖鼻音 n 合成的音，如肝（**kon^{1}**）的韻母。

—ion　ㄧㄛㄣ（韻母）

on 之前加介音 i 合成的音，如軟（**ngion^{1}**）的韻母。

四、對比練習

第一式　　　　　　第二式

en	uen	on	ion	ㄝㄣ	ㄨㄝㄣ	ㄛㄣ	ㄧㄛㄣ
fen		fon		ㄈㄝㄣ		ㄈㄛㄣ	
len		lon	iion	ㄌㄝㄣ		ㄌㄛㄣ	ㄌㄧㄛㄣ
	kuen	kon			ㄍㄨㄝㄣ	ㄍㄛㄣ	
hen		hon		ㄏㄝㄣ		ㄏㄛㄣ	
chen		chon	chion	ㄘㄝㄣ		ㄘㄛㄣ	ㄑㄧㄛㄣ
		zon				ㄓㄛㄣ	

五、拼音練習

（一）本課所習音標的基本拼音及例字

p	ㄅ		1、冰	2、	3、○	5、	7、
p h	ㄆ		1、	2、	3、	5、朋	7、憑
m	ㄇ		1、	2、銘	3、	5、盟	7、孟
f	ㄈ		1、○	2、	3、	5、弘	7、
v	万		1、彎	2、○	3、	5、	7、
t	ㄉ		1、登	2、等	3、凳	5、墱	7、
t h	en	ㄊ ㄝㄣ	1、聽	2、挺	3、捵	5、藤	7、鄧
n	ㄋ		1、○	2、	3、奶	5、能	7、
l	ㄌ		1、冷	2、	3、	5、稜	7、
c	ㄗ		1、曾	2、	3、贈	5、	7、
c h	ㄘ		1、呻	2、	3、	5、層	7、襯
s	ㄙ		1、生	2、省	3、擤	5、○	7、
h	ㄏ		1、痕	2、肯	3、	5、絚	7、杏
∅	∅		1、恩	2、	3、應	5、	7、
k	uen	ㄍ ㄨㄝㄣ	1、	2、耿	3、	5、	7、
p h	ㄆ		1、翻	2、	3、	5、	7、飯
f	ㄈ		1、歡	2、	3、煥	5、	7、
v	万		1、	2、碗	3、	5、完	7、換
t	ㄉ		1、端	2、短	3、斷	5、	7、
t h	ㄊ		1、斷	2、	3、	5、揣	7、段
n	ㄋ		1、暖	2、	3、	5、	7、
l	ㄌ		1、○	2、卵	3、○	5、	7、亂
c	on	ㄗ ㄛㄣ	1、鑽	2、	3、鑽	5、鑽	7、
c h	ㄘ		1、閂	2、	3、(串)5、(傳)7、賺(10)		
s	ㄙ		1、酸	2、	3、蒜	5、	7、
n g	π		1、軟	2、	3、	5、	7、
c／z	ㄓ		1、專	2、轉	3、○	5、	7、
ch／zh	ㄔ		1、穿	2、	3、串	5、傳	7、
k	ㄍ		1、乾	2、稈	3、幹	5、乾	7、
k h	ㄎ		1、寬	2、	3、看	5、	7、
h	ㄏ		1、旱	2、	3、漢	5、寒	7、汗

ch　i o n　ち（く）　ㄧㆰㄣ　1、吮2、○3、　5、全7、旋
n g　　　　　ㄥ　　　　　1、軟2、　3、　5、　7、

（二）本課所習音標的各種拼音

第一式　　　　　　　　　第二式

pen　phen　men　fen　ven　ㄅㄝㄣ　ㄆㄝㄣ　ㄇㄝㄣ　ㄈㄝㄣ　ㄌㄝㄣ
ten　then　nen　len　hen　ㄉㄝㄣ　ㄊㄝㄣ　ㄋㄝㄣ　ㄌㄝㄣ　ㄏㄝㄣ
cen　chen　sen　kuen　　ㄗㄝㄣ　ㄑㄝㄣ　ㄙㄝㄣ　ㄍㄨㄝㄣ

phon　fon　von　ton　thon　ㄆㆦㄣ　ㄈㆦㄣ　ㄌㆦㄣ　ㄉㆦㄣ　ㄊㆦㄣ
non　lon　kon　khon　hon　ㄋㆦㄣ　ㄌㆦㄣ　ㄍㆦㄣ　ㄎㆦㄣ　ㄏㆦㄣ
con　chon　son　zon　zhon　ㄗㆦㄣ　ㄑㆦㄣ　ㄙㆦㄣ　ㄓㆦㄣ　ㄔㆦㄣ
ngion　chion　　　　　　　ㄥㄧㆦㄣ　ㄑㄧㆦㄣ

（三）-en、-uen、-on、-ion 的常用詞

ki^1　pen^1、men^7　$chun^1/zhun^1$、　$theu^5$　ten^2、cen^3　$sung^3$、$ngin^5$　sen^1、
$ㄍㄧ^1$　$ㄅㄝㄣ^1$　$ㄇㄝㄣ^7$　$ㄑㄨㄣ^1/ㄔㄨㄣ^1$　$ㄊㄝㄨ^5$　$ㄉㄣ^2$　$ㄗㄝㄣ^3$　$ㄙㄨㄥ^3$　$ㄥㄧㄣ^5$　$ㄙㄝㄣ^1$
枝　冰、孟　　春　　、頭　　等、贈　　送、人　　生、

sim^1　kon^1、hi^2　fon^1、$theu^2$　von^7、$phin^5$　on^1、$thian^1$　hon^1、
$ㄒㄧㆬ^1$　$ㄍㆦㄣ^1$　$ㄏㄧ^2$　$ㄈㆦㄣ^1$　$ㄅㄝㄨ^2$　$ㄌㆦㄣ^7$　$ㄆㄧㄣ^5$　$ㆦㄣ^1$　$ㄊㄧㄢ^1$　$ㄏㆦㄣ^1$
心　肝、喜　歡、斗　　換　、平　安、天　旱、

$ngion^1$　$ngang^7$、$chion^5$　phu^7、$chion^1$　nen^3、mo^1　$chion^7$。
$ㄥㄧㆦㄣ^1$　$ㄥㄤ^7$　$ㄑㄧㆦㄣ^5$　$ㄆㄨ^7$　$ㄑㄧㆦㄣ^1$　$ㄋㄝㄣ^3$　$ㄇㆦ^1$　$ㄑㄧㆦㄣ^7$
軟　　硬、全　部、吮　奶、毛　旋。

（四）-en、-uen、-on、-ion 的生活用語

$ngip^8$　san^1　$khon^3$　$kian^3$　$then^5$　$chan^5/zhan^5$　su^7/shu^7，
$ㄥㄧㄣ^8$　$ㄙㄢ^1$　$ㄎㆦㄣ^3$　$ㄍㄧㄢ^3$　$ㄊㄝㄣ^5$　$ㄔㄢ^5/ㄔㄢ^5$　$ㄙㄨ^7/ㄕㄨ^7$
入　　山　看　見　藤　　纏　　　樹，
$chut^4/zhut^4$　san^1　$khon^3$　$kian^3$　su^7/shu^7　$chan^5/zhan^5$　$then^5$。
$ㄘㄨㄉ^4/ㄔㄨㄉ^4$　$ㄙㄢ^1$　$ㄎㆦㄣ^3$　$ㄍㄧㄢ^3$　$ㄙㄨ^7/ㄕㄨ^7$　$ㄔㄢ^5/ㄔㄢ^5$　$ㄊㄝㄣ^5$
出　　山　看　見　樹　　纏　藤。

ngit^{4} ngit^{4} khon^{3} moi^{3} ngit^{4} ngit^{4} on^{1}，
ㄫㄧㄉ^{4} ㄫㄧㄉ^{4} ㄎㄛㄣ^{3} ㄇㄛㄧ^{3} ㄫㄧㄉ^{4} ㄫㄧㄉ^{4} ㄛㄣ^{1}
日 日 看 妹 日 日 安，
sam^{1} ngit^{4} mo^{5} khon^{3} lut^{4} sim^{1} kon^{1}。
ㄙㄚㄇ^{1} ㄫㄧㄉ^{4} ㄇㄛ^{5} ㄎㄛㄣ^{3} ㄌㄨㄉ^{4} ㄒㄧㄇ^{1} ㄍㄛㄣ^{1}
三 日 無 看 㖇 心 肝。

liong^{5} ngian^{5} it^{4}/jit^{4} ki^{3} sam^{1} tung^{1} non^{1}，
ㄌㄧㄛㄣ^{5} ㄫㄧㄢ^{5} ㄧㄉ^{4}/ㄖㄧㄉ^{4} ㄍㄧ^{3} ㄙㄚㄇ^{1} ㄉㄨㄥ^{1} ㄋㄛㄣ^{1}
良 言 一 句 三 冬 暖，
ok^{4} ngi^{1} song^{1}/shong^{1} ngin^{5} liuk^{4} ngiet^{8} hon^{5} 。
ㄛㄍ^{4} ㄫㄧ^{1} ㄙㄛㄥ^{1}/ㄕㄛㄥ^{1} ㄫㄧㄣ^{5} ㄌㄧㄨㄍ^{4} ㄫㄧㄝㄉ^{8} ㄏㄛㄣ^{5}
惡 語 傷 人 六 月 寒 。

hang^{5} son^{5}/shon^{5} ceu^{2} ma^{1} sam^{1} fun^{1} hiam^{2}，
ㄏㄤ^{5} ㄙㄛㄣ^{5}/ㄕㄛㄣ^{5} ㄗㄝㄨ^{2} ㄇㄚ^{1} ㄙㄚㄇ^{1} ㄈㄨㄣ^{1} ㄏㄧㄚㄇ^{2}
行 船 走 馬 三 分 險，
put^{4} i^{5}/ji^{5} chai^{3} ka^{1} kha^{3} on^{1} chion^{5}。
ㄅㄨㄉ^{4} ㄧ^{5}/ㄖㄧ^{5} ㄘㄞ^{3} ㄍㄚ^{1} ㄎㄚ^{3} ㄛㄣ^{1} ㄑㄧㄛㄣ^{5}
不 如 在 家 較 安 全 。

【注解】

(1)攬子飼乳：抱著兒子餵奶。

(2)凴壁：靠著牆壁。

(3)搲：幫忙。

(4)挺肚：肚子向前頂。下坡時保持身體平衡。

(5)揶藤：手抓草藤或樹幹。上陡坡時便於攀爬。

(6)斷：判斷。

(7)雙旋：頭髮根紋路的中心叫旋。兩個旋。

(8)鴨 chion^{2}：鴨子咬食。鴨鵝等扁嘴動物咬食的動作叫 chion^{2}，雞鳥等尖嘴的叫啄。

(9)惡過老虎：比老虎還要兇惡。注意「過」字的特殊用法，如：甜過糖、軟過棉、大過天。

(10)串、傳兩字的海陸音聲母爲 zh。

第十九課　　嘴燥肚渴

學習重點：-ot　-iot　-ep　-iep

一、基本語料

coi³/zoi³　　cau¹　tu²　hot⁴，siit⁸/shit⁸　cha⁵　iung⁷/jung⁷　ciot⁸，
ㄗㄛ|³/ㄓㄛ|³　ㄗㄠ¹　ㄉㄨ²　ㄏㄛㄉ⁴　ㄙㄣ⁸/ㄏ|ㄉ⁸　ㄘㄚ⁵　|ㄨㄥ⁷/ㄖㄨㄥ⁷　ㄐ|ㄛㄉ⁸
　嘴　　燥　肚　渴(1)，　食　　茶　　用　　　嗽(2)，

ta²　sii⁷　in³/jin³　sot⁴，fam⁷　ngin⁵　ceu²　thot⁴。
ㄉㄚ²　ㄙ⁷　|ㄣ³/ㄖ|ㄣ³　ㄙㄛㄉ⁴　ㄈㄚㄇ⁷　ㄤ|ㄣ⁵　ㄗㄝㄨ²　ㄊㄛㄉ⁴
打　字　印　　刷，　犯　人　　走　　脫　。

sui²/shui²　　mo¹　sap⁴　sap⁴，ko²　cii²　son¹　sep⁴，san¹　heu⁵　ue²/ue⁵
ㄙㄨ|²/ㄕㄨ|²　ㄇㄛ¹　ㄙㄚㄅ⁴　ㄙㄚㄅ⁴　ㄍㄛ²　ㄗ²　ㄙㄛㄣ¹　ㄙㄝㄅ⁴　ㄙㄢ¹　ㄏㄝㄨ⁵　ㄨㄝ²/ㄨㄛ⁵
　水　毛　雪　雪(3)，果　子　酸　澀，山　猴　仔

cak⁴　loi⁵　tep⁸　。
ㄗㄚㄍ⁴　ㄌㄛ|⁵　ㄉㄝㄅ⁸
摘　　來　　（擲）(4)。

ciip⁴/zip⁴　sui²/shui²　pan³　thung²，chu¹　hong¹　it⁴/jit⁴　　cep⁴，
ㄗㄣ⁴/ㄓ|ㄣ⁴　ㄙㄨ|²/ㄕㄨ|²　ㄅㄢ³　ㄊㄨㄥ²　　ㄘㄨ¹　ㄏㄛㄥ¹　|ㄉ⁴/ㄖ|ㄉ⁴　ㄗㄝㄅ⁴
汁　　　水(5)　半　桶，　粗　糠　一　　　撮(6)，

sian¹　lo⁵　lep⁸　kiep⁸　cu¹/zu¹　cii²　loi⁵　lep⁸。
ㄒ|ㄢ¹　ㄌㄛ⁵　ㄌㄝㄅ⁸　ㄍ|ㄝㄅ⁸　ㄗㄨ¹/ㄓㄨ¹　ㄗ²　ㄌㄛ|⁵　ㄌㄝㄅ⁸
鮮　羅　○　（激）(7)　豬　子　來　○(8)。

it⁴/jit⁴　　tiam²　it⁴/jit⁴　phiet⁴，cung¹/zung¹　mi²　ta²　thiet⁴，
|ㄉ⁴/ㄖ|ㄉ⁴　ㄉ|ㄚㄇ²　|ㄉ⁴/ㄖ|ㄉ⁴　ㄆ|ㄝㄉ⁴　ㄗㄨㄥ¹/ㄓㄨㄥ¹　ㄇ|²　ㄉㄚ²　ㄊ|ㄝㄉ⁴
一　　點　一　　撇，　舂　米　打　　鐵，

it⁴/jit⁴　　hon⁵　it⁴/jit⁴　ngiet⁸，cu³/ziu³　ko¹　ma³　chiet⁸。
|ㄉ⁴/ㄖ|ㄉ⁴　ㄏㄛㄣ⁵　|ㄉ⁴/ㄖ|ㄉ⁴　π|ㄝㄉ⁸　ㄗㄨ³/ㄓ|ㄨ³　ㄍㄛ¹　ㄇㄚ³　ㄑ|ㄝㄉ⁸
一　　寒　一　　熱，　咒　孤　罵絕。

二、詞句舉例及發音練習

-ot：hot^{4}，tu^{2} hot^{4}，coi^{3}/zoi^{3} cau^{1} tu^{2} hot^{4}。
ㄏㄛㆵ^{4} ㄉㄨ^{2} ㄏㄛㆵ^{4} ㄗㄛㄧ^{3}/ㄓㄛㄧ^{3} ㄗㄠ^{1} ㄉㄨ^{2} ㄏㄛㆵ^{4}
渴，肚 渴，嘴 燥 肚 渴。

sot^{4}，in^{3}/jin^{3} sot^{4}，ta^{2} sii^{3} in^{3}/jin^{3} sot^{4}。
ㄙㄛㆵ^{4} ㄧㄣ^{3}/ㄖㄧㄣ^{3} ㄙㄛㆵ^{4} ㄉㄚ^{2} ㄙ ㄧㄣ^{3}/ㄖㄧㄣ^{3} ㄙㄛㆵ^{4}
刷，印 刷，打 字 印 刷。

thot^{4}，ceu^{2} thot^{4}，fam^{7} ngin^{5} ceu^{2} thot^{4}。
ㄊㄛㆵ^{4} ㄗㄝㄨ^{2} ㄊㄛㆵ^{4} ㄈㄚㄇ^{7} ㄫㄧㄣ^{5} ㄗㄝㄨ^{2} ㄊㄛㆵ^{4}
脫，走 脫，犯 人 走 脫。

-iot：ciot^{8}，ciot^{8} nen^{3}，siit^{8}/shit^{8} cha^{5} iung^{7}/jung^{7} ciot^{8}。
ㄐㄧㄛㆵ^{8} ㄐㄧㄛㆵ^{8} ㄋㄝㄣ^{3} Sㆵ^{8}/ㄕㄧㆵ^{8} ㄘㄚ^{5} ㄧㄨㄥ^{7}/ㄖㄨㄥ^{7} ㄐㄧㄛㆵ^{8}
啜，啜 乳，食 茶 用 啜。

-ep： sep^{4}，son^{1} sep^{4}，ko^{2} cii^{2} son^{1} sep^{4}。
ㄙㄝㆴ^{4} ㄙㄛㄣ^{1} ㄙㄝㆴ^{4} ㄍㄛ^{2} ㄗ^{2} ㄙㄛㄣ^{1} ㄙㄝㆴ^{4}
澀，酸 澀，果 子 酸 澀。

tep^{8}，tep^{8} khiu^{5} ue^{2}/uə^{5}，san^{1} keu^{2} ue^{2}/ue^{5} cak^{4} loi^{5} tep^{8}。
ㄉㄝㆴ^{8} ㄉㄝㆴ^{8} ㄎㄧㄨ^{5} ㄨㄝ^{2}/ㄨㄜ^{5} ㄙㄢ^{1} ㄍㄝㄨ^{2} ㄨㄝ^{2}/ㄨㄜ^{5} ㄗㄚㆶ^{4} ㄌㄛㄧ^{5} ㄉㄝㆴ^{8}
(擲)，(擲) 球 仔，山 猴 仔 摘 來 (擲)。

cep^{4}，it^{4}/jit^{4} cep^{4}，chu^{1} hong^{1} it^{4}/jit^{4} cep^{4}。
ㄗㄝㆴ^{4} ㄧㆵ^{4}/ㄖㄧㆵ^{4} ㄗㄝㆴ^{4} ㄘㄨ^{1} ㄏㄛㄥ^{1} ㄧㆵ^{4}/ㄖㄧㆵ^{4} ㄗㄝㆴ^{4}
撮，一 撮，粗 糠 一 撮。

lep^{8}，lep^{8} ciip^{7}/zip^{4}，cu^{1}/zu^{1} cii^{2} loi^{5} lep^{8}。
ㄌㄝㆴ^{8} ㄌㄝㆴ^{8} ㄗㆴ^{4}/ㄓㄧㆴ^{4} ㄗㄨ^{1}/ㄓㄨ^{1} ㄗ^{2} ㄌㄛㄧ^{5} ㄌㄝㆴ^{8}
○，○ 汁，豬 子 來 啦。

-iep：kiep^{8}，lep^{8} kiep^{8}，sian^{1} lo^{5} lep^{8} kiep^{8}。
ㄍㄧㄝㆴ^{8} ㄌㄝㆴ^{8} ㄍㄧㄝㆴ^{8} ㄒㄧㄢ^{1} ㄌㄛ^{5} ㄌㄝㆴ^{8} ㄍㄧㄝㆴ^{8}
（激），（啦 激），鮮 羅 （啦 激）。

三、音標介紹

－o t　　ㄛㄅ（韻母）
　　　　後元音 o 與塞音韻尾 t 的合音。如脫（**thot**[4]）的韻母。
－i o t　　ㄧㄛㄅ（韻母）
　　　　ot 之前加介音 i 的合音。僅與 c 拼音。〔**ciot**[8]〕是吸吮之意。
－e p　　ㄝㄅ（韻母）
　　　　元音 e 與雙唇塞音 p 的合音，如撮（**cep**[4]）的韻母，國語無此音。
－i e p　　ㄧㄝㄅ（韻母）
　　　　ep 前加介音 i 的合音。僅與 **k**－、**kh**－拼音，如〔**kiep**[8]〕
　　　　（水激盪）的韻母。國語無此音。

四、對比練習

第一式			第二式		
o t	i o t	o n	ㄛㄅ	ㄧㄛㄅ	ㄛㄣ
p o t			ㄅㄛㄅ		
t o t		t o n	ㄉㄛㄅ		ㄉㄛㄣ
k o t		k o n	ㄍㄛㄅ		ㄍㄛㄣ
l o t		l o n	ㄌㄛㄅ		ㄌㄛㄣ
c o t	c i o t	c o n	ㄗㄛㄅ	ㄐㄧㄛㄅ	ㄗㄛㄣ
s o t		s o n	ㄙㄛㄅ		ㄙㄛㄣ

e p	i e p	e m	ㄝㄅ	ㄧㄝㄅ	ㄝㄇ
t e p		t e m	ㄉㄝㄅ		ㄉㄝㄇ
	k i e p	k i e m		ㄍㄧㄝㄅ	ㄍㄧㄝㄇ
	k h i e p	k h i e m		ㄎㄧㄝㄅ	ㄎㄧㄝㄇ
c e p		c e m	ㄗㄝㄅ		ㄗㄝㄇ
s e p		s e m	ㄙㄝㄅ		ㄙㄝㄇ

五、拼音練習

（一）本課所習音標的基本拼音及例字

p		ㄅ	4、發	8、
t		ㄉ	4、咄	8、
t h		ㄊ	4、脫	8、
l		ㄌ	4、	8、捋
c		ㄗ	4、	8、嘬
c h	o t	ㄘ	ㄛㄅ	4、撮	8、
s		ㄙ	4、刷	8、
c h／z h		ㄘ／ㄔ	4、啜	8、
s／s h		ㄕ	4、說	8、
k		ㄍ	4、割	8、
h		ㄏ	4、渴	8、

c—i o t	ㄗ—ㄧㄛㄅ	4、	8、嘬

t		ㄉ		4、	8、(擲)
l	e p	ㄌ	ㄝㄅ	4、	8、○
c		ㄗ		4、撮	8、
s		ㄙ		4、坶	8、

k	i e p	ㄍ	ㄧㄝㄅ	4、	8、（激）
k h		ㄎ		4、○	8、

（二）本課所習音標的各種拼音

第一式

pot tot thot lot kot
hot cot chot sot ciot
tep nep lep hep cep
sep zep kiep khiep

第二式

ㄅㄛㄅ ㄉㄛㄅ ㄊㄛㄅ ㄌㄛㄅ ㄍㄛㄅ
ㄏㄛㄅ ㄗㄛㄅ ㄘㄛㄅ ㄙㄛㄅ ㄐㄧㄛㄅ
ㄅㄝㄅ ㄋㄝㄅ ㄌㄝㄅ ㄏㄝㄅ ㄗㄝㄅ
ㄙㄝㄅ ㄓㄝㄅ ㄍㄧㄝㄅ ㄎㄧㄝㄅ

（三）-ot、-iot、-ep、iep 的常用詞

pot^{4} thai^{3} fung^{1}、theu^{5} ka^{1} tong^{1} pot^{4}、kot^{4} cho^{2}、
ㄅㄛㄉ^{4} ㄊㄞ^{3} ㄈㄨㄥ^{1} ㄊㄝㄨ^{5} ㄍㄚ^{1} ㄉㄛㄥ^{1} ㄅㄛㄉ^{4} ㄍㄛㄉ^{4} ㄘㄛ^{2}
發 大 風、頭 家 當 發、割 草、
li^{3} i^{5}/ji^{5} to^{1} kot^{4}、tot^{4} keu^{2}、ho^{1} ho^{1} tot^{4} tot^{4}。
ㄌㄧ^{3} ㄧ^{5}/ㄖㄧ^{5} ㄉㄛ^{1} ㄍㄛㄉ^{4} ㄉㄛㄉ^{4} ㄍㄝㄨ^{2} ㄏㄛ^{1} ㄏㄛ^{1} ㄉㄛㄉ^{4} ㄉㄛㄉ^{4}
利 如 刀 割、咄 狗、呵 呵 咄 咄。

siit^{8}/shit^{8} cuk^{4}/moi^{5} iung^{7}/jung^{7} chot^{4}/zhot^{4}，
ㄙㄉ^{8}/ㄕㄧㄉ^{8} ㄗㄨㄍ^{4}/ㄇㄛㄧ^{5} ㄧㄨㄥ^{7}/ㄖㄨㄥ^{7} ㄘㄛㄉ^{4}/ㄔㄛㄉ^{4}
食 粥/糜 用 啜，
siit^{8}/shit^{8} sui^{2}/shui^{2} iung^{7}/jung^{7} ciot^{8}。
ㄙㄉ^{8}/ㄕㄧㄉ^{8} ㄙㄨㄧ^{2}/ㄕㄨㄧ^{2} ㄧㄨㄥ^{7}/ㄖㄨㄥ^{7} ㄐㄧㄛㄉ^{8}
食 水 用 嘬。

nai^{5} sa^{1} it^{4}/jit^{4} cep^{4}、lin^{2} sep^{4}、ka^{3} sep^{4}。
ㄋㄞ^{5} ㄙㄚ^{1} ㄧㄉ^{4}/ㄖㄧㄉ^{4} ㄗㄝㄅ^{4} ㄌㄧㄣ^{2} ㄙㄝㄅ^{4} ㄍㄚ^{3} ㄙㄝㄅ^{4}
泥 沙 一 撮、吝 嗇、稼 穡(9)。

kiep^{8} chut^{4}/zhut^{4} loi^{5}，khiep^{4} lok^{8} hi^{3}。
ㄍㄧㄝㄅ^{8} ㄘㄨㄉ^{4}/ㄔㄨㄉ^{4} ㄌㄛㄧ^{5} ㄎㄧㄝㄅ^{4} ㄌㄛㄍ^{8} ㄏㄧ^{3}
（激）出 來，匧 落 去。

（四）-ot、-iot、-ep、-iep 的生活用語

siit^{8}/shit^{8} tet^{4} vong^{5} lian^{5} ti^{2} tet^{4} fu^{2}，
ㄙㄉ^{8}/ㄕㄧㄉ^{8} ㄉㄝㄉ^{4} ㄪㄛㄥ^{5} ㄌㄧㄢ^{5} ㄉㄧ^{2} ㄉㄝㄉ^{4} ㄈㄨ^{2}
食 得 黃 蓮 抵 得 苦，
siit^{8}/shit^{8} tet^{4} ham^{5} ng^{5} ti^{2} tet^{4} hot^{4}。
ㄙㄉ^{8}/ㄕㄧㄉ^{8} ㄉㄝㄉ^{4} ㄏㄚㄇ^{5} ㄫ^{5} ㄉㄧ^{2} ㄉㄝㄉ^{4} ㄏㄛㄉ^{4}
食 得 鹹 魚 抵 得 渴。

su^{2}/shiu^{2} cung^{1}/zung^{1} iu^{1}/jiu^{1} thiau^{5} khun^{2} sian^{1} sok^{4}，
ㄙㄨ^{2}/ㄕㄧㄨ^{2} ㄗㄨㄥ^{1}/ㄓㄨㄥ^{1} ㄧㄨ^{1}/ㄖㄧㄨ^{1} ㄊㄧㄠ^{5} ㄎㄨㄣ^{2} ㄒㄧㄢ^{1} ㄙㄛㄍ^{4}
手 中 有 條 綑 仙 索，

im^7/jim^7 ngi^5 heu^5 vong^5 ia^7/ja^7 nan^5 thot^4。

ㄧㄇ^7/ㄖㄧㄇ^7 ㄫㄧ^5 ㄏㄝㄨ^5 ㄪㄛㄥ^5 ㄧㄚ^7/ㄖㄚ^7 ㄋㄢ^5 ㄊㄛㄉ^4

任 你 猴 王 也 難 脫。

a^1 pak^4 mun^3 ngiong^5 oi^3 mak^4 ke^3/kai^3，

ㄚ^1 ㄅㄚㄍ^4 ㄇㄨㄣ^3 ㄫㄧㄛㄥ^5 ㄛㄧ^3 ㄇㄚㄍ^4 ㄍㄝ^3/ㄍㄞ^3

阿 伯 問 娘 愛 脈 介，

siong^2 siit^8/shit^8 son^1 son^1 sep^4 sep^4 fu^2 theu^5 kam^1。

ㄒㄧㄛㄥ^2 ㄙㄉ^8/ㄕㄧㄉ^8 ㄙㄛㄣ^1 ㄙㄛㄣ^1 ㄙㄝㄅ^4 ㄙㄝㄅ^4 ㄈㄨ^2 ㄊㄝㄨ^5 ㄍㄚㄇ^1

想 食 酸 酸 澀 澀 虎 頭 柑。

sui^2/shui^2 nem^1 m^5 voi^7 kiep^8， thung^2 koi^3 m^5 sii^2 khiep^4。

ㄙㄨㄧ^2/ㄕㄨㄧ^2 ㄋㄝㄇ^1 ㄇ^5 ㄪㄛㄧ^7 ㄍㄧㄝㄅ^8 ㄊㄨㄥ^2 ㄍㄛㄧ^3 ㄇ^5 ㄙ^2 ㄎㄧㄝㄅ^4

水 淰 毋 會 (激)，桶 蓋 毋 使 匧 。

【注解】

(1)嘴燥肚渴：嘴燥，口渴；肚渴，口渴。兩者意思相同，嘴燥是四縣話，肚渴或嘴渴是海陸話。

(2)嘬：吸吮。也說〔cot^8/zot^8〕。

(3)水毛霫霫：細雨濛濛。水毛，毛毛雨。

(4)擲：投擲。

(5)汁水：洗米水。

(6)一撮：用手指抓取少量的東西。

(7)鮮羅 lep^8 kiep^8：形容非常的稀。鮮，稀也。

(8)lep^8：原爲狀聲詞，指豬狗吃米汁的聲音，引伸爲動詞「吃」。

(9)穡，又音 sit^4。

第二十課　　高山頂上一頭梅

學習重點 :-oi　-iu　-ui

一、基本語料

ko^{1} san^{1} tang^{2} song^{7}/shong^{7} it^{4}/jit^{4} theu^{5} moi^{5}， su^{2}/shiu^{2} pan^{1}
ㄍㄛ^{1} ㄙㄢ^{1} ㄉㄤ^{2} ㄙㄛㄥ^{7}/ㄕㄛㄥ^{7} ㄧㄉ^{4}/ㄖㄧt^{4} ㄊㄝㄨ^{5} ㄇㄛㄧ^{5} ㄙㄨ^{2}/ㄕㄧㄨ^{2} ㄅㄢ^{1}
高 山 頂 上 一 頭 梅 ， 手 攀(1)
fa^{1} ki^{1} mong^{3} long^{5} loi^{5} ； chin^{1} niong^{5} mun^{7} ki^{5} mong^{3}
ㄈㄚ^{1} ㄍㄧ^{1} ㄇㄛㄥ^{3} ㄌㄛㄥ^{5} ㄌㄛㄧ^{5} ㄑㄧㄣ^{1} ㄫㄧㄛㄥ^{5} ㄇㄨㄣ^{7} ㄍㄧ^{5} ㄇㄛㄥ^{3}
花 枝 望 郎 來 ； 親 娘 問 佢 望
mak^{4} ke^{3}/kai^{3} ，ngai^{5} khon^{3} moi^{5} fa^{1} ki^{2} sii^{5}/shi^{5} khoi^{1}。
ㄇㄚㄍ^{4} ㄍㄝ^{3}/ㄍㄞ^{3} ㄫㄞ^{5} ㄎㄛㄣ^{3} ㄇㄛㄧ^{5} ㄈㄚ^{1} ㄍㄧ^{2} ㄙ^{5}/ㄕㄧ^{5} ㄎㄛㄧ^{1}
脈 個(2) ，偓 看 梅 花 幾 時 開 。

san^{1} ko^{1} m^{5} chong^{3}/zhong^{3} m^{5} fung^{1} liu^{5}， cu^{1}/zu^{1} iu^{5}/jiu^{5} m^{5}
ㄙㄢ^{1} ㄍㄛ^{1} ㄇ^{5} ㄘㄛㄥ^{3}/ㄔㄛㄥ^{3} ㄇ^{5} ㄈㄨㄥ^{1} ㄌㄧㄨ^{5} ㄗㄨ^{1}/ㄓㄨ^{1} ㄧㄨ^{5}/ㄖㄧㄨ^{5} ㄇ^{5}
山 歌 毋 唱 毋 風 流 ， 豬 油 毋
cian^{1} m^{5} chut^{4}/zhut^{4} iu^{5}/jiu^{5} ；ng^{5} thung^{5} lok^{8} iap^{8}/jap^{8} sim^{1} m^{5} si^{2}，
ㄐㄧㄢ^{1} ㄇ^{5} ㄘㄨㄉ^{4}/ㄔㄨㄉ^{4} ㄧㄨ^{5}/ㄖㄧㄨ^{5} ㄥ^{5} ㄊㄨㄥ^{5} ㄌㄛㄍ^{8} ㄧㄚㄅ^{8}/ㄖㄚㄅ^{8} ㄒㄧㄇ ㄇ5 ㄒㄧ^{2}
煎 毋 出 油 ；梧 桐 落 葉 心 毋 死，
m^{5} thung^{5} ko^{1} liau^{7} sim^{1} m^{5} hiu^{1}。
ㄇ^{5} ㄊㄨㄥ^{5} ㄍㄛ^{1} ㄌㄧㄠ^{7} ㄒㄧㄇ^{1} ㄇ^{5} ㄏㄧㄨ^{1}
毋 同 哥 料(3) 心 毋 休 。

song^{1}/shong^{1} su^{7}/shu^{7} cak^{4} fa^{1} fa^{1} lok^{8} sui^{2}/shui^{2} ，ha^{1} sui^{2}/shui^{2}
ㄙㄛㄥ^{1}/ㄕㄛㄥ^{1} ㄙㄨ^{7}/ㄕㄨ^{7} ㄗㄚㄍ^{4} ㄈㄚ^{1} ㄈㄚ1 ㄌㄛㄍ^{8} ㄙㄨㄧ^{2}/ㄕㄨㄧ^{2} ㄏㄚ1 ㄙㄨㄧ^{2}/ㄕㄨㄧ^{2}
上 樹 摘 花 花 落 水 ，下 水
leu^{5} fa^{1} sui^{2}/shui^{2} iu^{7}/ju^{7} thui^{1}； maing^{7} cung^{1}/zung^{1} mo^{5} tai^{3}
ㄌㄝㄨ^{5} ㄈㄚ^{1} ㄙㄨㄧ^{2}/ㄕㄨㄧ^{2} ㄧㄨ^{7}/ㄖㄨ^{7} ㄊㄨㄧ^{1} ㄇㄧㄤ^{7} ㄗㄨㄥ^{1}/ㄓㄨㄥ^{1} ㄇㄛ^{5} ㄉㄞ^{3}
撈 花 水 又 推(4)； 命 中 無 帶
tho^{5} fa^{1} miang^{7}， ceu^{2} ngip^{8} fa^{1} ien^{5}/jan^{5} khung^{1} su^{2}/shiu^{2} kui^{1}。
ㄊㄛ^{5} ㄈㄚ^{1} ㄇㄧㄤ^{7} ㄗㄝㄨ^{2} ㄫㄧㄅ^{8} ㄈㄚ^{1} ㄧㄝㄣ^{5}/ㄖㄢ^{5} ㄎㄨㄥ^{1} ㄙㄨ^{2}/ㄕㄧㄨ^{2} ㄍㄨㄧ^{1}
桃 花 命 ，走 入 花 園 空 手 歸。

phu⁵ tho⁵ mi¹ ciu² ia⁷/ja⁷ kong¹ pi¹/pui¹ ， iuk⁸/jiuk⁸ im²/jim²
ㄆㄨ⁵ ㄊㄛ⁵ ㄇㄧ¹ ㄐㄨ² ㄧㄚ⁷/ㆠㄧㄚ⁷ ㄍㆲ¹ ㄅㄧ¹/ㄅㄨㄧ¹ ㄧㄨㄍ⁸/ㆠㄧㄨㄍ⁸ ㄧㆬ²/ㆠㄧㆬ²
葡 萄 美 酒 夜 光 杯 ， 欲 飲

phi⁵ pha⁵ ma¹ song⁷/shong⁷ chui¹ ； cui³ ngo³ sa¹ chong⁵/zhong⁵
ㄆㄧ⁵ ㄆㄚ⁵ ㄇㄚ¹ ㄙㆲ⁷/ㄕㆲ⁷ ㄘㄨㄧ¹ ㄘㄨㄧ³ ㄫㄛ³ ㄙㄚ¹ ㄘㆲ⁵/ㄐㆲ⁵
琵 琶 馬 上 催 ； 醉 臥 沙 場

kiun¹ mok⁸ seu³/ciau³ ，ku² loi⁵ ciin¹/zin¹ can³/zan³ ki² ngin⁵ fi⁵/fui⁵ 。
ㄍㄧㄨㄣ¹ ㄇㄛㄍ⁸ ㄙㄝㄨ³/ㄒㄧㄠ³ ㄍㄨ² ㄌㄛㄧ⁵ ㄗㄣ¹/ㄓㄣ¹ ㄗㄢ³/ㄓㄢ³ ㄍㄧ² ㄫㄧㄣ⁵ ㄈㄧ⁵/ㄈㄨㄧ⁵
君 莫 笑 ，古 來 征 戰 幾 人 回 。

（王瀚、涼州詞）

二、詞句舉例及發音練習

-oi：moi⁵，fung⁵ moi⁵，ko¹ san¹ tang² song⁷/shong⁷ it⁴/jit⁴ chung⁵ moi⁵ 。
ㄇㄛㄧ⁵ ㄈㄨㄥ⁵ ㄇㄛㄧ⁵ ㄍㄛ¹ ㄙㄢ¹ ㄉㄤ² ㄙㆲ⁷/ㄕㆲ⁷ ㄧㄉ⁴/ㆠㄧㄉ⁴ ㄘㄨㄥ⁵ ㄇㄛㄧ⁵
梅 ， 紅 梅 ，高 山 頂 上 一 叢 梅(5)。

loi⁵，lok⁸ loi⁵，su²/shiu² pan¹ fa¹ ki¹ mong⁷ long⁵ loi⁵ 。
ㄌㄛㄧ⁵ ㄌㄛㄍ⁸ ㄌㄛㄧ⁵ ㄙㄨ²/ㄕㄨ² ㄅㄢ¹ ㄈㄚ¹ ㄍㄧ¹ ㄇㆲ⁷ ㄌㄤ⁵ ㄌㄛㄧ⁵
來 ，落 來 ，手 攀 花 枝 望 郎 來 。

khoi¹，fa¹ khoi¹，ngai⁵ khon³ moi⁵ fa¹ ki² sii⁵/shi⁵ khoi¹？
ㄎㄛㄧ¹ ㄈㄚ¹ ㄎㄛㄧ¹ ㄫㄞ⁵ ㄎㄛㄣ³ ㄇㄛㄧ⁵ ㄈㄚ¹ ㄍㄧ² ㄙ⁵/ㄕ⁵ ㄎㄛㄧ¹
開 ，花 開 ，偓 看 梅 花 幾 時 開 ？

-iu：liu⁵，fung¹ liu⁵，san¹ ko¹ m⁵ chong³/zhong³ m⁵ fung¹ liu⁵ 。
ㄌㄧㄨ⁵ ㄈㄨㄥ¹ ㄌㄧㄨ⁵ ㄙㄢ¹ ㄍㄛ¹ ㄇ⁵ ㄘㆲ³/ㄐㆲ³ ㄇ⁵ ㄈㄨㄥ¹ ㄌㄧㄨ⁵
流 ，風 流 ，山 歌 毋 唱 毋 風 流 。

iu⁵/jiu⁵ ， cu¹/zu¹ iu⁵/jiu⁵ ， cu¹/zu¹ iu⁵/jiu⁵ m⁵ cian¹ m⁵
ㄧㄨ⁵/ㆠㄧㄨ⁵ ㄗㄨ¹/ㄓㄨ¹ ㄧㄨ⁵/ㆠㄧㄨ⁵ ㄗㄨ¹/ㄓㄨ¹ ㄧㄨ⁵/ㆠㄧㄨ⁵ ㄇ⁵ ㄐㄧㄢ¹ ㄇ⁵
油 ， 豬 油 ， 豬 油 毋 煎 毋

chut⁴/zhut⁴ iu⁵/jiu⁵ 。
ㄘㄨㄉ⁴/ㄐㄨㄉ⁴ ㄧㄨ⁵/ㆠㄧㄨ⁵
出 油 。

hiu¹，hiu¹ sit⁴，m⁵ thung⁵ ko¹ liau³ sim¹ m⁵ hiu¹ 。
ㄏㄧㄨ¹ ㄏㄧㄨ¹ ㄒㄧㄉ⁴ ㄇ⁵ ㄊㄨㄥ⁵ ㄍㄛ¹ ㄌㄧㄠ³ ㄒㄧㆬ¹ ㄇ⁵ ㄏㄧㄨ¹
休 ，休 息 ，毋 同 哥 料 心 毋 休 。

-ui： sui²/shui² ， lok⁸　　 sui²/shui² ， song¹/shong¹　su³/shu³　cak⁴　fa¹

ㄙㄨㄧ²/ㄕㄨㄧ²　ㄌㄛㄍ⁸　ㄙㄨㄧ²/ㄕㄨㄧ²　ㄙㄛㄥ¹/ㄕㄛㄥ¹　ㄙㄨ³/ㄕㄨ³　ㄗㄚㄍ⁴　ㄈㄚ¹

水 ， 落 水 ， 上 樹 摘 花

fa¹　lok⁸　sui²/shui²。

ㄈㄚ¹　ㄌㄛㄍ⁸　ㄙㄨㄧ²/ㄕㄨㄧ²

花 落 水 。

thui¹ ， thui¹ khoi ， ha¹ sui²/shui² leu⁵ fa¹ sui²/shui²

ㄊㄨㄧ¹　ㄊㄨㄧ¹　ㄎㄛㄧ¹　ㄏㄚ¹　ㄙㄨㄧ²/ㄕㄨㄧ²　ㄌㄝㄨ⁵　ㄈㄚ¹　ㄙㄨㄧ²/ㄕㄨㄧ²

推 ， 推 開 ， 下 水 撈 花 水

iu⁷/ju⁷　thui¹。

ㄧㄨ⁷/ㄖㄨ⁷　ㄊㄨㄧ¹

又 推 。

kui¹ ， jui¹ hi³ ， ceu² ngip⁸ fa¹ ien⁵/jan⁵ khung¹ su²/shiu² kui¹。

ㄍㄨㄧ¹　ㄍㄨㄧ¹　ㄏㄧ³　ㄗㄝㄨ²　ㄫㄧㄅ⁸　ㄈㄚ¹　ㄧㄝㄣ⁵/ㄖㄢ⁵　ㄎㄨㄥ¹　ㄙㄨ²/ㄕㄧㄨ²　ㄍㄨㄧ¹

歸 ， 歸 去 ， 走 入 花 園 空 手 歸 。

chui¹ ， chui¹ hang⁵ ， iuk⁸/jiuk⁸ im²/jim² phi⁵ pha⁵ ma¹

ㄘㄨㄧ¹　ㄘㄨㄧ¹　ㄏㄤ⁵　ㄧㄨㄍ⁸/ㄖㄨㄍ⁸　ㄧㄇ²/ㄖㄧㄇ²　ㄆㄧ⁵　ㄆㄚ⁵　ㄇㄚ¹

催 ， 催 行 ， 欲 飲 琵 琶 馬

song⁷/shong⁷ chui¹。

ㄙㄛㄥ⁷/ㄕㄛㄥ⁷　ㄘㄨㄧ¹

上 催 。

cui³ ， ciu² cui³ ， cui³ ngo³ sa¹ chong⁵/zhong⁵ kiun¹ mok⁸

ㄗㄨㄧ³　ㄐㄧㄨ²　ㄗㄨㄧ³　ㄗㄨㄧ³　ㄫㄛ³　ㄙㄚ¹　ㄘㄛㄥ⁵/ㄓㄛㄥ⁵　ㄍㄧㄨㄣ¹　ㄇㄛㄍ⁸

醉 ， 酒 醉 ， 醉 臥 沙 場 君 莫

seu³/ciau³。

ㄙㄝㄨ³/ㄒㄧㄠ³

笑 。

-i/-ui： pi¹/pui¹ ， ciu² pi¹/pui¹ ， phu⁵ tho⁵ mi¹ ciu² ia⁷/ja⁷ kong¹

ㄅㄧ¹/ㄅㄨㄧ¹　ㄐㄧㄨ²　ㄅㄧ¹/ㄅㄨㄧ¹　ㄆㄨ⁵　ㄊㄛ⁵　ㄇㄧ¹　ㄐㄧㄨ²　ㄧㄚ⁷/ㄖㄚ⁷　ㄍㄛㄥ¹

杯 ， 酒 杯 ， 葡 萄 美 酒 夜 光

pi¹/pui¹。

ㄅㄧ¹/ㄅㄨㄧ¹

杯 。

fi⁵/fui⁵ ， fi⁵/fui⁵ ka¹ ， ku² loi⁵ ciin¹/zin¹ can³/zan³ ki²

ㄈㄧ⁵/ㄈㄨㄧ⁵ ㄈㄧ⁵/ㄈㄨㄧ⁵ ㄍㄚ¹ ㄍㄨ² ㄌㄛㄧ⁵ ㄗㄣ¹/ㄓㄣ¹ ㄗㄢ³/ㄓㄢ³ ㄍㄧ²

回 ， 回 家，古 來 征 戰 幾

ngin⁵ fi⁵/fui⁵。

ㄫㄧㄣ⁵ ㄈㄧ⁵/ㄈㄨㄧ⁵

人 回。

三、音標介紹

一 o i ㄛㄧ（韻母）

o 與 i 的合音，爲複韻母，如來（l o i⁵）的韻母，國語無此音。

一 i u ㄧㄨ（韻母）

i 與 u 的合音，爲結合韻母，如流（l i u⁵）的韻母，國語無此音。

一 u i ㄨㄧ（韻母）

u 與 i 的合音，爲結合韻母，如貴（k u i³）的韻母，國語無此音。

四、對比練習

第一式　　　　　　　　　第二式

o i	u i	i o	i u	ㄛㄧ	ㄨㄧ	ㄧㄛ	ㄧㄨ
p o i	p u i		p i u	ㄅㄛㄧ	ㄅㄨㄧ		ㄅㄧㄨ
t o i	t u i	t i o	t i u	ㄉㄛㄧ	ㄉㄨㄧ	ㄉㄧㄛ	ㄉㄧㄨ
k o i	k u i	k i o	k i u	ㄍㄛㄧ	ㄍㄨㄧ	ㄍㄧㄛ	ㄍㄧㄨ
c o i	c u i	c i o	c i u	ㄗㄛㄧ	ㄗㄨㄧ	ㄐㄧㄛ	ㄐㄧㄨ
z o i	z u i		z i u	ㄓㄛㄧ	ㄓㄨㄧ		ㄓㄧㄨ

五、拼音練習

（一）本課所習音標的基本拼音及例字

拼音	音標	例字
p	ㄅ	1、○ 2、○ 3、背 5、○ 7、
p h	ㄆ	1、胚 2、 3、配 5、賠 7、背
m	ㄇ	1、○ 2、○ 3、妹 5、梅 7、
f	ㄈ	1、灰 2、 3、 5、回 7、
v	万	1、煨 2、 3、 5、 7、會
t	ㄉ	1、堆 2、○ 3、碓 5、○ 7、
t h	ㄊ	1、推 2、 3、替 5、臺 7、代
l	ㄌ	1、 2、誄 3、 5、來 7、
k	ㄍ	1、該 2、改 3、蓋 5、醢 7、
k h	ㄎ	1、開 2、慨 3、○ 5、 7、
h	ㄏ	1、 2、海 3、 5、○ 7、害
n g	π	1、我 2、 3、 5、呆 7、外

（中間：o i　ㄛ丨）

拼音	音標	例字
c／z	ㄗ／ㄓ	1、 2、 3、嘴 5、 7、
ch／zh	ㄘ／ㄔ	1、炊 2、 3、 5、○ 7、
s／sh	ㄙ／ㄕ	1、 2、 3、稅 5、 7、睡
c	ㄗ	1、腿 2、 3、 5、 7、
ch	ㄘ	1、在 2、采 3、菜 5、才 7、○
s	ㄙ	1、衰 2、 3、賽 5、 7、
∅	∅	1、哀 2、 3、愛 5、 7、

（中間：o i　ㄛ丨）

聲母	注音	韻	1、	2、	3、	5、	7、
p	ㄅ					澎	
ph	ㄆ				○		
t	ㄉ		丟				
th	ㄊ				○		
l	ㄌ		溜	○	溜	留	
c	ㄗ		啾	酒	皺	啾	
ch	ㄘ		秋			泅	就
s	ㄙ	iu(6) 丨ㄨ	羞		秀	筱	
z	ㄓ		週		晝		
zh	ㄔ		抽	丑	臭	綢	
sh	ㄕ		收	手		仇	壽
∅／j	ㄖ		有		幼	油	柚
k	ㄍ			九	救	龜	
kh	ㄎ		舅	揪		球	舊
ng	ㄫ			扭	○	牛	
h	ㄏ		休			咻	

聲母	注音	韻	1、	2、	3、	5、	7、
p	ㄅ		飛		輩(8)		
ph	ㄆ				呸	肥	
m	ㄇ		美				味
f	ㄈ		非	毀	費	回	會
t	ㄉ		追	○	對		
th	ㄊ		推	腿	退	穨	
l	ㄌ	ui(7) ㄨㄧ	○	壘		雷	類
k	ㄍ		歸	鬼	貴		
kh	ㄎ		虧	跪	潰	奎	櫃
ng	ㄫ					巍	魏
c	ㄗ		錐	嘴	醉	錐	
ch	ㄘ		催		翠		罪
s	ㄙ		雖	水	碎	隨	

聲母	注音	韻	1、	2、	3、	5、	7、
c／z	ㄓ		追		綴		
ch／zh	ㄔ	ui ㄨㄧ	吹			錘	隊
s／sh	ㄙ/ㄕ			水			

（二）本課所習音標的各種拼音

第一式

poi　phoi　moi　foi　toi

thoi　noi　loi　koi　khoi

hoi　ngoi　zoi　zhoi　shoi

coi　choi　soi

piu　phiu　tiu　thiu　niu

liu　ciu　chiu　siu

ziu　zhiu　shiu　jiu　kiu

khiu　ngiu　hiu

pui　phui　mui　fui

tui　thui　nui　lui

kui　khui　ngui　cui

chui　sui　zui　zhui

第二式

ㄅㄛ丨　ㄆㄛ丨　ㄇㄛ丨　ㄈㄛ丨　ㄉㄛ丨

ㄊㄛ丨　ㄋㄛ丨　ㄌㄛ丨　ㄍㄛ丨　ㄎㄛ丨

ㄏㄛ丨　ㄫㄛ丨　ㄓㄛ丨　ㄔㄛ丨　ㄕㄛ丨

ㄗㄛ丨　ㄘㄛ丨　ㄙㄛ丨

ㄅ丨ㄨ　ㄆ丨ㄨ　ㄉ丨ㄨ　ㄊ丨ㄨ　ㄋ丨ㄨ

ㄌ丨ㄨ　ㄐ丨ㄨ　ㄑ丨ㄨ　ㄒ丨ㄨ

ㄓ丨ㄨ　ㄔ丨ㄨ　ㄕ丨ㄨ　ㄖ丨ㄨ　ㄍ丨ㄨ

ㄎ丨ㄨ　ㄫ丨ㄨ　ㄏ丨ㄨ

ㄅㄨ丨　ㄆㄨ丨　ㄇㄨ丨　ㄈㄨ丨

ㄉㄨ丨　ㄊㄨ丨　ㄋㄨ丨　ㄌㄨ丨

ㄍㄨ丨　ㄎㄨ丨　ㄫㄨ丨　ㄗㄨ丨

ㄘㄨ丨　ㄙㄨ丨　ㄓㄨ丨　ㄔㄨ丨

（三）-oi、-iu、-ui 的常用詞

heu^7　poi^3、lo^2　moi^3、im^3/jim^3　koi^1、ia^5/ja^5　oi^1、thai^7　hoi^2、

ㄏㄜㄨ^7　ㄅㄛ丨^3　ㄌㄛ^2　ㄇㄛ丨^3　丨ㄇ^3/ㄖㄇ^3　ㄍㄛ丨^1　丨ㄚ^5/ㄖㄚ^5　ㄛ丨^1　ㄊㄞ^7　ㄏㄛ丨^2

後　背、老　妹、應　該、爺　哀、大　海、

li^7　hoi^7、lian^7　oi^3。

ㄌ丨^7　ㄏㄛ丨^7　ㄌ丨ㄢ^7　ㄛ丨^3

厲　害、戀　愛。

lip^8　chiu^1、ciong^1　chiu^7、a^1　khiu^1、thiet^4　ngiu^5、lo^2　ciu^2、

ㄌ丨ㄅ^8　ㄑ丨ㄨ^1　ㄐ丨ㄛㄥ^1　ㄑ丨ㄨ^7　ㄚ^1　ㄎ丨ㄨ^1　ㄊ丨ㄝㄉ^4　ㄫ丨ㄨ^5　ㄌㄛ^2　ㄐ丨ㄨ^2

立　秋、將　就、阿　舅、鐵　牛、老　酒、

siong^1　kiu^3、pian^1　siu^1。

ㄒ丨ㄛㄥ^1　ㄍ丨ㄨ^3　ㄅ丨ㄢ^1　ㄒ丨ㄨ^1

相　救、編　修。

ciu^2　cui^3、ngin^5　lui^7、sung^1　tui^3、chat^4/zhat^4　thui^3、ngip^4　nui^7、

ㄐ丨ㄨ^2　ㄗㄨ丨^3　ㄫ丨ㄣ^5　ㄌㄨ丨^7　ㄙㄨㄥ^1　ㄉㄨ丨^3　ㄘㄚㄉ^4/ㄔㄚㄉ^4　ㄊㄨ丨^3　ㄫ丨ㄅ^4　ㄋㄨ丨^7

酒　醉、人　類、雙　對、撤　退、入　內、

ko^1　kui^3、fa^1　khui^5。

ㄍㄛ^1　ㄍㄨ丨^3　ㄈㄚ^1　ㄎㄨ丨^5

高　貴、花　魁。

po²   pi³/pui³、 keu²   mi¹/mui¹、 khoi¹   fi⁷/fui⁷ 、ham⁵   mi⁷/mui⁷、
ㄅㄛ² ㄅㄧ³/ㄅㄨㄧ³ 《ㄝㄨ² ㄇㄧ¹/ㄇㄨㄧ¹ ㄎㄛㄧ¹ ㄈㄧ⁷/ㄈㄨㄧ⁷ ㄏㄚㄇ⁵ ㄇㄧ⁷/ㄇㄨㄧ⁷
寶   貝 、狗   尾 、開   會 、鹹   味 、

kho²   vi³/vui³、 ciu³   vi⁷/vui⁷、 kon¹   fi³/fui³。
ㄎㄛ² ㄇㄧ³/ㄇㄨㄧ³ ㄑㄨ³ ㄇㄧ³/ㄇㄨㄧ³ 《ㄛh¹ ㄈㄧ³/ㄈㄨㄧ³
可   畏 、就   位 、肝   肺。

（四）-oi、-iu、-ui 的生活用語

long⁵   khi⁵   cuk⁴/zuk⁴   ma¹   loi⁵, ngieu²/ngiau² chong⁵ nung³ chiang¹ moi⁵。
ㄌㄛㄥ⁵ ㄎㄨ⁵ ㄚㄨ《⁴/ㄓㄨ《⁴ ㄇㄚ¹ ㄌㄛ⁵ ㄤㄧㄝㄨ²/ㄤㄧㄠ² ㄘㄛㄥ⁵ ㄋㄨㄥ³ ㄑㄧㄤ¹ ㄇㄛ⁵
郎   騎   竹   馬   來, 繞   床   弄   青   梅。

ho⁵   pian¹   se²   sam¹   liu⁵   sam¹   moi³, chiang² mun³ ko¹ ko¹
ㄏㄛ⁵ ㄅㄧㄢ¹ ㄙㄝ² ㄙㄚㄇ¹ ㄌㄨ⁵ ㄙㄚㄇ¹ ㄇㄛ³ ㄑㄧㄤ² ㄇㄨㄣ³ 《ㄛ¹ 《ㄛ¹
河   邊   洗   衫   劉   三   妹, 請   問   哥   哥

na²   li¹   loi⁵ ?
ㄋㄚ² ㄌㄧ¹ ㄌㄛ⁵
那   裡   來 ?

ho⁵   li¹   sa²   miong²   chin⁷   lit⁸   tiu¹, iu¹/jiu¹   ng⁵ mo⁵ ng⁵
ㄏㄛ⁵ ㄌㄧ¹ ㄙㄚ² ㄇㄛㄥ² ㄑㄣ⁷ ㄌㄧㄉ⁸ ㄉㄧㄨ¹ ㄧㄨ¹/ㄖㄧㄨ¹ ㄥ⁵ ㄇㄛ⁵ ㄥ⁵
河   裡   撒   網   盡   力   丟, 有   魚   無   魚

man⁷   man⁷   su¹/shiu¹ ; a¹   ko¹   siong²   moi³   sim¹   mok⁸   kip⁴,
ㄇㄢ⁷ ㄇㄢ⁷ ㄙㄨ¹/ㄕㄨ¹ ㄚ¹ 《ㄛ¹ ㄒㄛㄥ² ㄇㄛ³ ㄒㄧㄇ¹ ㄇㄛ《⁸ 《ㄧㄅ⁴
慢   慢   收 ; 阿   哥   想   妹   心   莫   急,

thon⁵   ian⁵/jan⁵   ngit⁴   cii²   chii⁷   ien⁵/jan⁵   iu¹/jiu¹。
ㄊㄛㄣ⁵ ㄧㄢ⁵/ㄖㄢ⁵ ㄥㄧㄉ⁴ ㄗ² ㄘ⁷ ㄧㄝㄣ⁵/ㄖㄢ⁵ ㄧㄨ¹/ㄨㄧ¹
團   圓   日   子   自   然   有 。

vong⁵   kim¹   mi⁷/mui⁷   vi⁵   kui³, chian⁵ ton¹ ngia¹ sii³/shi³ fi¹/fui¹。
ㄇㄛㄥ⁵ 《ㄧㄇ¹ ㄇㄧ⁷/ㄇㄨㄧ⁷ ㄇ⁵ 《ㄨ³ ㄑㄧㄢ⁵ ㄉㄛ¹ ㄤㄧㄚ¹ ㄙ³/ㄕ³ ㄈㄧ¹/ㄈㄨㄧ¹
黃   金   未   為   貴, 錢   多   惹   是   非。

siip⁸/ship⁸   it⁴/jit⁴   ngiet⁸   loi⁵   siet⁴   fi¹/fui¹   fi¹/fui¹,
ㄙㄣ⁸/ㄕㄧ⁸ ㄧㄉ⁴/ㄖㄧㄉ⁴ ㄤㄧㄝㄉ⁸ ㄌㄛㄧ⁵ ㄒㄧㄝㄉ⁴ ㄈㄧ¹/ㄈㄨㄧ¹ ㄈㄧ¹/ㄈㄨㄧ¹
十   一   月   來   雪   飛   飛,

a¹ ko¹ chut⁴/zhut⁴ ngoi³ ki² sii⁵/shi⁵ fi⁵/fui⁵ ? sim¹ siong² a¹ ko¹

ㄚ¹ ㄍㄛ¹ ㄘㄨㄉ⁴/ㄔㄨㄉ⁴ ㄤㄛ¹³ ㄍㄧ² ㄙㄧ⁵/ㄕㄧ⁵ ㄈㄧ⁵/ㄈㄨㄧ⁵ ㄒㄧㄇ¹ ㄒㄧㄛㄥ² ㄚ¹ ㄍㄛ¹

阿　哥　　出　　外　幾　時　　回？　心　　想　阿　哥

m⁵ ti¹ lang¹，sam¹ chong¹ siit⁸/shit⁸ fan⁷ m⁵ ti¹ mi⁷/mui⁷。

ㄇ⁵ ㄉㄧ¹ ㄌㄤ¹ ，ㄙㄚㄇ¹ ㄘㄛㄥ¹ ㄙㄧㄉ⁸/ㄕㄧㄉ⁸ ㄈㄢ⁷/ㄆㄛㄥ⁷ ㄇ⁵ ㄉㄧ¹ ㄇㄧ⁷/ㄇㄨㄧ⁷

毋　知　冷，三　　餐　　食　　飯　毋　知　味　。

【注解】

(1)攀：攀扶。

(2)脈個：什麼？

(3)料：休息、玩耍、遊憩。

(4)推：移動。

(5)一叢梅：一棵梅，也說一頭梅。

(6)本韻逢 z、zh、sh 聲母時，四縣音為 c、ch、s，且韻母變為 u。

(7)本韻逢唇音 p、ph、m、f 聲母時，四縣話韻母變成 i。

(8)輩字四縣音聲母為 ph 一。

第二十一課　　早起三朝當一工

學習重點：-iai　-ioi　-ung　-iung

一、基本語料

kai¹　lu⁷　ciu⁷　he³　kie¹　lu⁷，iu¹/jiu¹　ngin⁵　kong²　kiai¹　lu⁷
ㄍㄞ¹　ㄌㄨ⁷　ㄑㄧㄨ⁷　ㄏㄝ³　ㄍㄧㄝ¹　ㄌㄨ⁷　ㄧㄨ¹/ㄖㄨ¹　ㄫㄧㄣ⁵　ㄍㄛㄥ²　ㄍㄧㄞ¹　ㄌㄨ⁷
街(kai¹)　路　就　係　街(kie¹)　路，　有　人　講　街(kiai)　路。

kong²　kai²　ciu³　he⁷　kong²　kie²，iu¹/jiu¹　ngin⁵　siong²　m⁵　kiai²
ㄍㄛㄥ²　ㄍㄞ²　ㄑㄧㄨ³　ㄏㄝ⁷　ㄍㄛㄥ²　ㄍㄧㄝ²　ㄧㄨ¹/ㄖㄨ¹　ㄫㄧㄣ⁵　ㄒㄧㄛㄥ²　ㄇ⁵　ㄍㄧㄞ¹
講　解(kai²)就　係　講　解(kie²)，　有　人　想　毋解(kiai²)(1)

co³　se⁷/she⁷　m⁵　ti¹　khioi³，cho¹　ha¹　loi⁵　chiu⁷　soing²　soi⁷/shoi⁷。
ㄗㄛ³　ㄙㄝ⁷/ㄕㄝ⁷　ㄇ⁵　ㄉㄧ¹　ㄎㄛㄧ³　ㄘㄛ¹　ㄏㄚ¹　ㄌㄛㄧ⁵　ㄑㄧㄨ⁷　ㄒㄧㄛㄥ²　ㄙㄛㄧ⁷/ㄕㄛㄧ⁷
做　事　毋　知　瘰(2)，坐　下　來　就　想　睡　。

co²　hi²　sam¹　ceu¹/zau¹　tong³　it⁴/jit⁴　kung¹，nan¹　ngin⁵
ㄗㄛ²　ㄏㄧ²　ㄙㄚㄇ¹　ㄗㄝㄨ¹/ㄓㄠ¹　ㄉㄛㄥ³　ㄧㄉ⁴/ㄖㄧㄉ⁴　ㄍㄛㄥ¹　ㄋㄢ¹　ㄫㄧㄣ⁵
早　起　三　朝　當　一　工，懶　人
soi⁷/shoi⁷　to³　ngit⁴　theu⁵　fung⁵；mok⁸　kong²　phet⁸　ngin⁵
ㄙㄛㄧ⁷/ㄕㄛㄧ⁷　ㄉㄛ³　ㄫㄧㄉ⁴　ㄊㄝㄨ⁵　ㄈㄨㄥ⁵　ㄇㄛㄍ⁸　ㄍㄛㄥ²　ㄆㄝㄉ⁸　ㄫㄧㄣ⁵
睡　到　日　頭　紅；莫　講　別　人
oi³　co²　hi²，mian¹　tet⁴　thung¹　ha¹　lok⁸　siet⁴　fung¹。
ㄛㄧ³　ㄗㄛ²　ㄏㄧ²　ㄇㄧㄢ¹　ㄉㄝㄉ⁴　ㄊㄨㄥ¹　ㄏㄚ¹　ㄌㄛㄍ⁸　ㄒㄧㄝㄉ⁴　ㄈㄨㄥ¹
愛　早　起，免　得　多　下(3)落　雪　風。

ka¹　iu¹/jiu¹　sam¹　tiau⁵　liung⁵，im⁷/jim⁷　sitt⁴/shit⁴　tu⁷　m⁵　khiung⁵。
ㄍㄚ¹　ㄧㄨ¹/ㄖㄨ¹　ㄙㄚㄇ¹　ㄊㄧㄠ⁵　ㄌㄧㄨㄥ⁵　ㄧㄇ⁷/ㄖㄧㄇ⁷　ㄙㄉ⁴/ㄕㄉ⁴　ㄉㄨ⁷　ㄇ⁵　ㄎㄧㄨㄥ⁵
家　有　三　條　龍，任　食　都　毋　窮。

cii²/zii²　ieu⁷/jau⁷　kua³　hiong²　kiung¹，thon¹　sian³　ceu²　mo⁵　ciung¹
ㄗ²/ㄓ²　ㄧㄝㄨ⁷/ㄖㄠ⁷　ㄍㄨㄚ³　ㄏㄧㄛㄥ²　ㄍㄧㄨㄥ¹　ㄊㄛㄣ¹　ㄒㄧㄢ³　ㄗㄝㄨ²　ㄇㄛ⁵　ㄗㄧㄨㄥ¹
紙　鷂(4)　掛　響　弓(5)，斷　線　走　無　蹤。

二、詞句舉例及發音練習

-iai：kiai^1，　　　song^1　　kiai^1，　siit^8/shit^8　pau^2　song^1/shong^1　kiai^1。
ㄍ丨ㄞ^1　　ㄙㄛㄥ^1/ㄕㄛㄥ^1　ㄍ丨ㄞ^1　　ㄙㄉ^8/ㄕ丨ㄉ^8　ㄅㄠ^2　ㄙㄛㄥ^1/ㄕㄛㄥ^1　ㄍ丨ㄞ^1

街，　　上　　街，　食　飽　　上　　　街。

kiai^2，　kong^2　kiai^2，　siong^2　m^5　tet^4　kiai^2。
ㄍ丨ㄞ^2　ㄍㄛㄥ^2　ㄍ丨ㄞ^2　ㄒ丨ㄛㄥ^2　ㄇ^5　ㄅㄝㄉ^4　ㄍ丨ㄞ^2

解　，講　解，　想　不　得　解　。

-ioi：khioi^3，　an^2　khioi^3，　co^3　se^7/she^7　m^5　ti^1　khioi^3。
ㄎ丨ㄛ^3　ㄋ^2　ㄎ丨ㄛ^3　ㄗㄛ^3　ㄙㄝ^7/ㄕㄝ^7　ㄇ^5　ㄉ丨^1　ㄎ丨ㄛ^3

瘰　，恁　瘰，　做　　事　　毋　知　瘰　。

-ung：kung^1，co^7　kung^1，　co^2　hi^2　sam^1　ceu^1/zau^1　tong^3　it^4/jit^4　kung^1。
ㄍㄨㄥ^1　ㄗㄛ^7　ㄍㄨㄥ^1　ㄗㄛ^2　ㄏ丨^2　ㄙㄚㄇ^1　ㄗㄝㄨ^1/ㄓㄠ^1　ㄉㄛㄥ^3　丨ㄉ^4/ㄖ丨ㄉ^4　ㄍㄨㄥ^1

工　，做　工，　早　起　三　　朝　　當　一　工。

fung^5，　fa^1　fung^5，nan^1　ngin^5　soi^7/shoi^7　to^3　ngiet^4　theu^5　fung^5。
ㄈㄨㄥ^5　ㄈㄚ^1　ㄈㄨㄥ^5　ㄋㄢ^1　ㄇ丨ㄣ^5　ㄙㄛ丨^7/ㄕㄛ丨^7　ㄉㄛ^3　ㄇ丨ㄝㄉ^4　ㄊㄝㄨ^5　ㄈㄨㄥ^5

紅　，花　紅，　懶　人　　睡　　　到　日　頭　紅　。

tung^1，chiu^1　tung^1，　si^3　kui^3　chin^1/zhun^1　ha^7　pin^3　chiu^1　tung^1。
ㄉㄨㄥ^1　ㄑ丨ㄨ^1　ㄉㄨㄥ^1　ㄒ丨^3　ㄍㄨ^3　ㄘㄨㄣ^1/ㄔㄨㄣ^1　ㄏㄚ^7　ㄅ丨ㄣ^3　ㄑ丨ㄨ^1　ㄉㄨㄥ^1

冬　，秋　冬，　四　季　　春　　　夏　並　秋　冬。

-iung：liung^5，　liung^5　fu^2，　thien^1　tang^2　it^4/jit^4　　thiau^5　liung^5。
ㄌ丨ㄨㄥ^5　ㄌ丨ㄨㄥ^5　ㄈㄨ^2　ㄊ丨ㄝㄣ^1　ㄉㄤ^2　丨ㄉ^4/ㄖ丨ㄉ^4　ㄊ丨ㄠ^5　ㄌ丨ㄨㄥ^5

龍　，　龍　虎，　天　頂　　一　　條　龍　。

khiung^5，　phin^5　khiung^5，　ngin^5　khiung^5　cii^3/zi^3　put^4　khiung^5。
ㄎ丨ㄨㄥ^5　ㄆ丨ㄥ^5　ㄎ丨ㄨㄥ^5　ㄇ丨ㄣ^5　ㄎ丨ㄨㄥ^5　ㄗ^3/ㄓ^3　ㄅㄨㄉ^4　ㄎ丨ㄨㄥ^5

窮　，貧　窮，　人　　窮　志　不　　窮　。

kiung^1，　hiong^2　kiung^1，　pat^4　kok^4　cii^2/zi^2　ieu^7/jau^7　kua^3
ㄍ丨ㄨㄥ^1　ㄏㄛㄥ^2　ㄍ丨ㄨㄥ^1　ㄅㄚㄉ^4　ㄍㄛㄍ^4　ㄗ^2/ㄓ^2　丨ㄝㄨ^7/ㄖㄠ^7　ㄍㄨㄚ^3

弓　，響　　弓　，八　角　紙　　鷂　　掛

hiong² kiung¹。

ㄏㄧㄛㄥ² ㄍㄧㄨㄥ¹

響　弓　。

ciung¹， iang²/jang² ciung¹， cii²/zi² ieu⁷/jau⁷ ton¹ sian³ ceu²

ㄗㄧㄨㄥ¹ ㄧㄤ²/ㄖㄤ² ㄗㄧㄨㄥ¹ ㄗ²/ㄓㄧ² ㄧㄝㄨ⁷/ㄖㄠ⁷ ㄊㄛㄣ¹ ㄒㄧㄢ³ ㄗㄝㄨ²

蹤　，影　　蹤　，紙　　鷂　　斷　線　走

mo⁵ ciung¹。

ㄇㄛ⁵ ㄗㄧㄨㄥ¹

無　蹤　。

三、音標介紹

—i a i　　ㄧㄞ（韻母）
　　　　　i 與 ai 結合成的韻母。如街（kiai¹）的韻母部位，國語無此音。
—i o i　　ㄧㄛㄧ（韻母）
　　　　　i 與 oi 的合音，為結合韻母，如瘰（khioi³）的韻母，國語無此音。
—u n g　　ㄨㄥ（韻母）.
　　　　　u 與 ng 的合音，為結合韻母，如東（tung¹）的韻母。
—i u n g　ㄧㄨㄥ（韻母）
　　　　　i 與 ung 的合音，為結合韻母，如龍（liung⁵）的韻母，國
　　　　　語無此音。

四、對比練習

第一式　　　　　　　　　　　　　第二式

ie	io	iai	ioi		ㄧㄝ	ㄧㄛ	ㄧㄞ	ㄧㄛㄧ
kie	kio	kiai			ㄍㄧㄝ	ㄍㄧㄛ	ㄍㄧㄞ	
khie	khio		khioi		ㄎㄧㄝ	ㄎㄧㄛ		ㄎㄧㄛㄧ
ngie	ngio	ngiai			ㄫㄧㄝ	ㄫㄧㄛ	ㄫㄧㄞ	
	cio					ㄐㄧㄛ		

ung	iung		ㄨㄥ	ㄧㄨㄥ
pung			ㄅㄨㄥ	
tung			ㄉㄨㄥ	
lung	liung		ㄌㄨㄥ	ㄌㄧㄨㄥ
kung	kiung		ㄍㄨㄥ	ㄍㄧㄨㄥ
cung	ciung		ㄗㄨㄥ	ㄐㄧㄨㄥ
zung	ziung		ㄓㄨㄥ	ㄓㄧㄨㄥ

五、拼音練習

（一）

k－i a i　《—ㄧㄞ　　　1、街2、解3、介5、　7、

ch } i o i　ㄑ } ㄧㆦㄧ　　1、　2、　3、脆5、　7、
kh }　　　ㄎ }　　　　　1、　2、　3、瘈5、　7、

p			ㄅ			1、 2、捧 3、 5、 7、
ph			ㄆ			1、蜂 2、 3、 5、蓬 7、縫
m			ㄇ			1、 2、 3、 5、矇 7、夢
f			ㄈ			1、風 2、哄 3、 5、紅 7、奉
t			ㄉ			1、東 2、董 3、凍 5、咚 7、
th			ㄊ			1、通 2、統 3、痛 5、同 7、洞
n			ㄋ			1、 2、挵 3、弄 5、農 7、弄
l	ung	ㄌ	ㄨㄥ			1、聾 2、籠 3、○ 5、隆 7、
k			ㄍ			1、工 2、○ 3、貢 5、○ 7、
kh			ㄎ			1、空 2、孔 3、控 5、 7、
c			ㄗ			1、棕 2、總 3、粽 5、 7、
ch			ㄘ			1、蔥 2、 3、 5、叢 7、
s			ㄙ			1、鬆 2、搓 3、送 5、 7、
c／z			ㄓ			1、中 2、腫 3、種 5、 7、
ch／zh			ㄔ			1、重 2、冢 3、銃 5、蟲 7、重
j			㆚			1、雍 2、勇 3、 5、融 7、用

				1、	2、	3、	5、	7、
l		ㄌ		壟	隴	○	龍	○
c		ㄗ		蹤	縱			
ch		ㄘ					松	
s	iung(6) ㄥ		｜ㄨㄥ					誦
k		ㄍ		弓	鞏	隆	拱	
kh		ㄎ			恐		窮	共
∅／j		∅／ㄖ		雍	勇		榮	用

（二）本課所習音標的各種拼音

第一式	第二式
kiai khioi chioi	ㄍㄧㄞ ㄎㄧㄛㄧ ㄘㄧㄛㄧ
pung phung mung fung vung	ㄅㄨㄥ ㄆㄨㄥ ㄇㄨㄥ ㄈㄨㄥ ㄖㄨㄥ
tung thung nung lung	ㄉㄨㄥ ㄊㄨㄥ ㄋㄨㄥ ㄌㄨㄥ
kung khung cung chung	ㄍㄨㄥ ㄎㄨㄥ ㄗㄨㄥ ㄘㄨㄥ
sung zung zhung jung	ㄙㄨㄥ ㄓㄨㄥ ㄔㄨㄥ ㄖㄨㄥ
liung ciung chiung siung	ㄌㄧㄨㄥ ㄐㄧㄨㄥ ㄑㄧㄨㄥ ㄒㄧㄨㄥ
kiung khiung jiung iung	ㄍㄧㄨㄥ ㄎㄧㄨㄥ ㄖㄧㄨㄥ ㄧㄨㄥ

（三）-iai、-ioi、-ung、-iung 的常用詞

sin¹ kie¹、sin¹ kai¹、sin¹ kiai¹、liau² kie²、liau² kai²、
ㄒㄧㄣ¹ ㄍㄧㄝ¹ ㄒㄧㄣ¹ ㄍㄞ¹ ㄒㄧㄣ¹ ㄍㄞ¹ ㄌㄧㄠ² ㄍㄧㄝ² ㄌㄧㄠ² ㄍㄞ²
新 街 、新 街、新 街、了 解 、了 解 、

liau² kiai²、seu³/shau³ kie³、seu³/shau³ kai³、seu³/shau³ kiai³。
ㄌㄧㄠ² ㄍㄞ² ㄙㄝㄨ³/ㄕㄠ³ ㄍㄧㄝ³ ㄙㄝㄨ³/ㄕㄠ³ ㄍㄞ³ ㄙㄝㄨ³/ㄕㄠ³ ㄍㄞ³
了 解 、紹 介 、紹 介 、 紹 介 。

che³ miang³、chioi³ miang³、tong¹ khioi³、tong¹ thiam²、
ㄘㄝ³ ㄇㄧㄤ³ ㄘㄛㄧ³ ㄇㄧㄤ³ ㄉㄛㄥ¹ ㄎㄧㄛ³ ㄉㄛㄥ¹ ㄊㄧㄚㄇ²
脆 命 、脆 命 、當 療 、當 痻 、

lui⁵ kung¹、fa¹ fung⁵、kie¹/kai¹ lung¹、hi³ lung²、
ㄌㄨ⁵ ㄍㄨㄥ¹ ㄈㄚ¹ ㄈㄨㄥ⁵ ㄍㄧㄝ¹/ㄍㄞ¹ ㄌㄨㄥ¹ ㄏㄧ³ ㄌㄨㄥ²
雷 公 、花 紅 、雞 籠 、戲 籠 、

it⁴/jit⁴　　chung⁵　、　thai³　　thung⁵　、　ku²　tung²　、　siong¹　sung³。
ㄧㄅ⁴/ㄖㄧㄅ⁴　ㄔㄨㄥ⁵　　ㄊㄞ³　　ㄊㄨㄥ⁵　　ㄍㄨ²　ㄅㄨㄥ²　　ㄒㄧㄛㄥ¹　ㄙㄨㄥ³
一　　　　　叢　、　大　　同　、　古　董　、　相　　送　。

thian¹　kiung¹　、　chut⁴/zhut⁴　khiung⁷　、　thi⁷　hiung¹　、　hian⁷　kiung³、
ㄊㄧㄢ¹　ㄍㄧㄨㄥ¹　　ㄘㄨㄅ⁴/ㄔㄨㄅ⁴　ㄎㄧㄨㄥ⁷　　ㄊㄧ⁷　ㄏㄧㄨㄥ¹　　ㄏㄧㄢ⁷　ㄍㄧㄨㄥ³
天　　弓　、　出　　　虹　、　弟　兄　、　獻　供　、

chiang¹　chiung⁵、　kian¹　ciung¹　、　ciung²　cii²　、khi⁵　liung⁵。
ㄑㄧㄤ¹　ㄑㄧㄨㄥ⁵　　ㄍㄧㄢ¹　ㄗㄧㄨㄥ¹　　ㄐㄧㄨㄥ²　ㄗ²　ㄎㄧ⁵　ㄌㄧㄨㄥ⁵
青　　松　、　跟　　蹤　、　縱　子　、　騎　龍　。

（四）-iai、-ioi、-ung、-iung 的生活用語

hi³　kiai¹　lu⁷　chiang²　ngin⁵　kiai²　chiam¹　sii¹/shi¹，chiam¹　　sii¹/shi¹
ㄏㄧ³　ㄍㄧㄞ¹　ㄌㄨ⁷　ㄑㄧㄤ²　ㄫㄧㄣ⁵　ㄍㄧㄞ²　ㄑㄧㄚㄇ¹　ㄙ¹/ㄕ¹　ㄑㄧㄚㄇ¹　ㄙ¹/ㄕ¹
去　街　路　請　人　解　籤　詩，籤　詩
siong²　m⁵　kiai²。
ㄒㄧㄛㄥ²　ㄇ⁵　ㄍㄧㄞ²
想　冊　解　。

ngi⁵　kong²　tong¹　thiam²　ngai⁵　kong²　an²　khioi³，ngi⁵　kong²　an²　che³
ㄫㄧ⁵　ㄍㄛㄥ²　ㄉㄛㄥ¹　ㄊㄧㄚㄇ²　ㄫㄞ⁵　ㄍㄛㄥ²　ㄢ²　ㄎㄛㄧ³　ㄫㄧ⁵　ㄍㄛㄥ²　ㄢ²　ㄘㄝ³
你　講　當　痶　𠊎　講　恁　瘐，你　講　恁　脆
ngai⁵　kong²　an²　chioi³。
ㄫㄞ⁵　ㄍㄛㄥ²　ㄢ²　ㄘㄧㄛ³
𠊎　講　恁　脆　。

choi³　lam⁵　khai¹　sui²/shui²　mo⁵　chai²　kung¹，to¹　chiet⁴　vung³　choi³
ㄘㄛㄧ³　ㄌㄚㄇ⁵　ㄎㄞ¹　ㄙㄨ²/ㄕㄨ²　ㄇㄛ⁵　ㄔㄞ²　ㄍㄨㄥ¹　ㄉㄛ¹　ㄑㄧㄝㄉ⁴　ㄪㄨㄥ³　ㄘㄛㄧ³
菜　籃　挼　水　無　彩　工，刀　切　蕹　菜
liong²　theu⁵　khung¹。
ㄌㄧㄛㄥ²　ㄊㄝㄨ⁵　ㄎㄨㄥ¹
兩　頭　空　。

lui⁵　ta²　tung¹，siip⁸/ship⁸　ke³/kai³　ngiu⁵　lan⁵　kiu²　ke³/kai³　khung¹。
ㄌㄨㄧ⁵　ㄉㄚ²　ㄉㄨㄥ¹　ㄙㄧㄅ⁸/ㄕㄧㄅ⁸　ㄍㄝ³/ㄍㄞ³　ㄫㄧㄨ⁵　ㄌㄢ⁵　ㄍㄧㄨ²　ㄍㄝ³/ㄍㄞ³　ㄎㄨㄥ¹
雷　打　冬，十　　個　牛　欄　九　個　空　。

liong² ngin⁵ thung⁵ sim¹ m⁵ pha³ khiung⁵，nam⁵ sa⁵/sha⁵
ㄌㄧㄛㄥ² ㄫㄧㄣ⁵ ㄊㄨㄥ⁵ ㄒㄧㄇ¹ ㄇ⁵ ㄆㄚ³ ㄎㄧㄨㄥ⁵ ㄋㄚㄇ⁵ ㄙㄚ⁵/ㄕㄚ⁵
兩 人 同 心 毋 怕 窮， 南 蛇
thot⁴ hok⁴ pian³ siin⁵/shin⁵ liung⁵，ngiu⁵ ku² siong¹ teu³
ㄊㄛㄉ⁴ ㄏㄛㄍ⁴ ㄅㄧㄢ³ ㄙㄣ⁵/ㄕㄧㄣ⁵ ㄌㄨㄥ⁵ ㄫㄧㄨ⁵ ㄍㄨ² ㄒㄧㄛㄥ¹ ㄅㄝㄨ³
脫 殼 變 成 龍， 牛 牯 相 鬥
kung¹ tui³ kung¹，kie¹/kai¹ kung¹ siong¹ ta² hiung⁵ tui³ hiung⁵。
ㄍㄨㄥ¹ ㄅㄨ³ ㄍㄨㄥ¹ ㄍㄧㄝ¹/ㄍㄞ¹ ㄍㄨㄥ¹ ㄒㄧㄛㄥ¹ ㄅㄚ² ㄏㄧㄨㄥ⁵ ㄅㄨ³ ㄏㄧㄨㄥ⁵
公 對 公， 雞 公 相 打 雄 對 雄 。

【注解】
(1)想毋解：想不通。
(2)毋知癆：不覺得疲倦。
(3)冬下：也說「冬下時」，即冬天。
(4)紙鷂：風箏。
(5)響弓：風箏上所安置會發聲的弓弦，風吹即響。
(6)海陸話 z、zh、sh、j 原與 iung 拼音，目前 i 有逐漸消失現象，但東勢腔保有這種特色。

第二十二課　　食卒打卒(1)

學習重點 :-ut　-iut　-uk　-iuk

一、基本語料

him³　cii³/zi³　phut⁸　phut⁸，sung¹　su²/shiu²　pai³　fut⁸，siit⁸/shit⁸　cut⁴

ㄏㄧㄇ³　ㄗ³/ㄓ³　ㄆㄨㄉ⁸　ㄆㄨㄉ⁸　ㄙㄨㄥ¹　ㄙㄨ²/ㄕㄧㄨ²　ㄅㄞ³　ㄈㄨㄉ⁸　ㄙㄧㄉ⁸/ㄕㄧㄉ⁸　ㄗㄨㄉ⁴

興　　致　　勃　　勃，雙　　手　　拜　　佛，食　　卒

ta²　cut⁴，iu¹/jiu¹　ki¹　m⁵　chut⁴/zhut⁴。

ㄉㄚ²　ㄗㄨㄉ⁴　ㄧㄨ¹/ㄖㄧㄨ¹　ㄍㄧ¹　ㄇ⁵　ㄘㄨㄉ⁴/ㄔㄨㄉ⁴

打　　卒，　有　　車　　毋　　出　　。

mut⁸　mut⁸　sut⁸　sut⁸，cau²　cau²　khut⁸　khut⁸，thien¹　sen¹

ㄇㄨㄉ⁸　ㄇㄨㄉ⁸　ㄙㄨㄉ⁸　ㄙㄨㄉ⁸　ㄗㄠ²　ㄗㄠ²　ㄎㄨㄉ⁸　ㄎㄨㄉ⁸　ㄊㄧㄝㄣ¹　ㄙㄝㄣ¹

沒　　沒　　術　　術(2)，爪　　爪　　掘　　掘(3)，天　　生

ngang⁷　kut⁴，put⁴　su⁷/shiu⁷　vi¹　khiut⁴。

ㄫㄤ⁷　ㄍㄨㄉ⁴　ㄅㄨㄉ⁴　ㄙㄨ⁷/ㄕㄧㄨ⁷　ㄇㄧ¹　ㄎㄧㄨㄉ⁴

硬　　骨，不　　受　　委　　屈。

song⁷/shong⁷　vuk⁴　a¹　suk⁴/shuk⁴，siin¹/shin¹　cok⁴/zok⁴　iong⁵/jong⁵　fuk⁸，

ㄙㄛㄥ⁷/ㄕㄛㄥ⁷　ㄇㄨㄍ⁴　ㄚ¹　ㄙㄨㄍ⁴/ㄕㄨㄍ⁴　ㄙㄣ¹/ㄕㄧㄣ¹　ㄗㄛㄍ⁴/ㄓㄛㄍ⁴　ㄧㄛㄥ⁵/ㄖㄛㄥ⁵　ㄈㄨㄍ⁸

上　　屋(4) 阿　　叔，　身　　著　　洋　　服，

oi³　hi³　nai⁷　vi⁷，oi³　hi³　sin¹　cuk⁴/zuk⁴。

ㄛㄧ³　hi³　ㄋㄞ⁷　ㄇㄧ⁷　oi³　ㄏㄧ³　ㄒㄧㄣ¹　ㄗㄨㄍ⁴/ㄓㄨㄍ⁴

愛　　去　　那　　位(5)，愛　　去　　新　　竹　　。

leu⁵　ha¹　mai⁷　ngiuk⁴，phang⁵　tang²　chong³/zhong³　khiuk⁴，

ㄌㄝㄨ⁵　ㄏㄚ¹　ㄇㄞ⁷　ㄫㄧㄨㄍ⁴　ㄆㄤ⁵　ㄉㄤ²　ㄘㄛㄥ³/ㄔㄛㄥ³　ㄎㄧㄨㄍ⁴

樓　　下　　賣　　肉，棚　　頂(6)　唱　　曲，

chon¹/zhon¹　fung⁵　tai³　liuk⁸，ngip⁸　cong¹　mun³　siuk⁸。

ㄘㄛㄣ¹/ㄔㄛㄣ¹　ㄈㄨㄥ⁵　ㄉㄞ³　ㄌㄧㄨㄍ⁸　ㄫㄧㄣ⁸　ㄗㄛㄣ¹　ㄇㄨㄣ³　ㄙㄧㄨㄍ⁸

穿　　紅　　戴　　綠，入　　莊　　問　　俗。

二、詞句舉例及發音練習

-ut：phut⁸，hau³ phut⁸ phut⁸，him³ cii³/zi³ phut⁸ phut⁸。
ㄆㄨㄅ⁸ ㄏㄠ³ ㄆㄨㄅ⁸ ㄆㄨㄅ⁸ ㄏㄇ³ ㄗㄧ³/ㄓ³ ㄆㄨㄅ⁸ ㄆㄨㄅ⁸
勃， 好 勃 勃(7)， 興 致 勃 勃 。

fut⁸ ， fut⁸ cu² ，sung¹ su²/shiu² pai³ fut⁸ 。
ㄈㄨㄅ⁸ ㄈㄨㄅ⁸ ㄗㄨ² ㄙㄨㄥ¹ ㄙㄨ²/ㄕㄨ² ㄅㄞ³ ㄈㄨㄅ⁸
佛 ， 佛 祖 ， 雙 手 拜 佛 。

cut⁴ ， pin¹ cut⁴ ， siit⁸/shit⁸ cut⁴ ta² cut⁴ 。
ㄗㄨㄅ⁴ ㄅㄧㄣ¹ ㄗㄨㄅ⁴ ㄙㄅ⁸/ㄕㄧㄅ⁸ ㄗㄨㄅ⁴ ㄅㄚ² ㄗㄨㄅ⁴
卒 ， 兵 卒 ， 食 卒 打 卒 。

chut⁴/zhut⁴ ， ngit⁴ chut⁴/zhut⁴ ， iu¹/jiu¹ ki¹ m⁵ chut⁴/zhut⁴ 。
ㄘㄨㄅ⁴/ㄔㄨㄅ⁴ ㄫㄧㄅ⁴ ㄘㄨㄅ⁴/ㄔㄨㄅ⁴ ㄧㄨ¹/ㄖㄨ¹ ㄍㄧ¹ ㄇ⁵ ㄘㄨㄅ⁴/ㄔㄨㄅ⁴
出 ， 日 出 ， 有 車 毋 出 。

mut⁸ ， mut⁸ sui²/shui² ，chion⁵ kiun¹ fuk⁸ mut⁸ 。
ㄇㄨㄅ⁸ ㄇㄨㄅ⁸ ㄙㄨㄧ²/ㄕㄨㄧ² ㄑㄧㄛㄣ⁵ ㄍㄧㄨㄣ¹ ㄈㄨㄍ⁸ ㄇㄨㄅ⁸
沒 ， 沒 水 ， 全 軍 覆 沒 。

sut⁸ ， mut⁸ sut⁸ ， mut⁸ mut⁸ sut⁸ sut⁸ 。
ㄙㄨㄅ⁸ ㄇㄨㄅ⁸ ㄙㄨㄅ⁸ ㄇㄨㄅ⁸ ㄇㄨㄅ⁸ ㄙㄨㄅ⁸ ㄙㄨㄅ⁸
術 ， 沒 術 ， 沒 沒 術 術 。

khut⁸ ， khut⁸ nai⁵ ， cau² cau² khut⁸ khut⁸ 。
ㄎㄨㄅ⁸ ㄎㄨㄅ⁸ ㄋㄞ⁵ ㄗㄠ² ㄗㄠ² ㄎㄨㄅ⁸ ㄎㄨㄅ⁸
掘 ， 掘 泥 ， 爪 爪 掘 掘 。

kut⁴ ， ngang⁷ kut⁴ ， thien¹ sen¹ ngang⁷ kut⁴ 。
ㄍㄨㄅ⁴ ㄫㄤ⁷ ㄍㄨㄅ⁴ ㄊㄧㄢ¹ ㄙㄝㄣ¹ ㄫㄤ⁷ ㄍㄨㄅ⁴
骨 ， 硬 骨 ， 天 生 硬 骨 。

khut⁸ ， ciam¹ khut⁸ ，put⁴ ciam¹ put⁴ khut⁸ 。
ㄎㄨㄅ⁸ ㄐㄧㄚㄇ¹ ㄎㄨㄅ⁸ ㄅㄨㄅ⁴ ㄐㄧㄚㄇ¹ ㄅㄨㄅ⁴ ㄎㄨㄅ⁸
屈(8)， 尖 屈 ， 不 尖 不 屈 。

-iut： khiut⁴ ， vi¹/vui¹ khiut⁴ ， put⁴ su⁷/shiu⁷ vi¹/vui¹ khiut⁴ 。

ㄎ｜ㄨㄉ⁴ ㄎ｜¹/ㄅㄨ｜¹ ㄎ｜ㄨㄉ⁴ ㄅㄨㄉ⁴ ㄙㄨ⁷/ㄕ｜ㄨ⁷ ㄎ｜¹/ㄅㄨ｜¹ ㄎ｜ㄨㄉ⁴

屈 ， 委 屈 ， 不 受 委 屈 。

-uk： vuk⁴ ， song⁷/shong⁷ vuk⁴ ， song⁷/shong⁷ vuk⁴ hang⁵ to³ ha¹ vuk⁴ 。

ㄅㄨㄍ⁴ ㄙㄛㄥ⁷/ㄕㄛㄥ⁷ ㄅㄨㄍ⁴ ㄙㄛㄥ⁷/ㄕㄛㄥ⁷ ㄅㄨㄍ⁴ ㄏㄤ⁵ ㄉㄛ³ ㄏㄚ¹ ㄅㄨㄍ⁴

屋 ， 上 屋 ， 上 屋 行 到 下 屋。

suk⁴/shuk⁴ ， a¹ suk⁴/shuk⁴ ， song⁷/shong⁷ vuk⁴ a¹ suk⁴/shuk⁴ 。

ㄙㄨㄍ⁴/ㄕㄨㄍ⁴ ㄚ¹ ㄙㄨㄍ⁴/ㄕㄨㄍ⁴ ㄙㄛㄥ⁷/ㄕㄛㄥ⁷ ㄅㄨㄍ⁴ ㄚ¹ ㄙㄨㄍ⁴/ㄕㄨㄍ⁴

叔 ， 阿 叔 ， 上 屋 阿 叔 。

fuk⁸ ， iong⁵/jong⁵ fuk⁸ ， siin¹/shin¹ cok⁴/zok⁴ iong⁵/jong⁵ fuk⁸ 。

ㄈㄨㄍ⁸ ｜ㄛㄥ⁵/ㄖㄛㄥ⁵ ㄈㄨㄍ⁸ ㄙㄣ¹/ㄕㄣ¹ ㄗㄛㄍ⁴/ㄓㄛㄍ⁴ ｜ㄛㄥ⁵/ㄖㄛㄥ⁵ ㄈㄨㄍ⁸

服 ， 洋 服 ， 身 著 洋 服。

cuk⁴/zuk⁴ ， sin¹ cuk⁴/zuk⁴ ， oi³ hi³ sin¹ cuk⁴/zuk⁴ 。

ㄗㄨㄍ⁴/ㄓㄨㄍ⁴ ㄒ｜ㄣ¹ ㄗㄨㄍ⁴/ㄓㄨㄍ⁴ ㄛ³ ㄏ³ ㄒ｜ㄣ¹ ㄗㄨㄍ⁴/ㄓㄨㄍ⁴

竹 ， 新 竹 ， 愛 去 新 竹 。

-iuk： ngiuk⁴ ， mai⁷ ngiuk⁴ ， leu⁵ ha¹ mai⁷ ngiuk⁴ 。

ㄫ｜ㄨㄍ⁴ ㄇㄞ⁷ ㄫ｜ㄨㄍ⁴ ㄌㄝㄨ⁵ ㄏㄚ¹ ㄇㄞ⁷ ㄫ｜ㄨㄍ⁴

肉 ， 賣 肉 ， 樓 下 賣 肉。

khiuk⁴ ， chong³/zhong³ khiuk⁴ ， phang⁵ tang² chong³/zhong³ khiuk⁴ 。

ㄎ｜ㄨㄍ⁴ ㄘㄛㄥ³/ㄔㄛㄥ³ ㄎ｜ㄨㄍ⁴ ㄆㄤ⁵ ㄉㄤ² ㄘㄛㄥ³/ㄔㄛㄥ³ ㄎ｜ㄨㄍ⁴

曲 ， 唱 曲 ， 棚 頂 唱 曲。

liuk⁸ ， liuk⁸ set⁴ ， chon¹/zhon¹ fung⁵ tai³ liuk⁸ 。

ㄌ｜ㄨㄍ⁸ ㄌ｜ㄨㄍ⁸ ㄙㄝㄉ⁴ ㄘㄛㄣ¹/ㄔㄛㄣ¹ ㄈㄨㄥ⁵ ㄉㄞ³ ㄌ｜ㄨㄍ⁸

綠 ， 綠 色 ， 穿 紅 戴 綠。

siuk⁸ ， fung¹ siuk⁸ ， ngip⁸ cong¹ mun³ siuk⁸ 。

ㄙ｜ㄨㄍ⁸ ㄈㄨㄥ¹ ㄙ｜ㄨㄍ⁸ ㄫ｜ㄅ⁸ ㄗㄛㄥ¹ ㄇㄨㄣ³ ㄒ｜ㄨㄍ⁸

俗 ， 風 俗 ， 入 莊 問 俗 。

三、音標介紹

—ut　　ㄨㄉ（韻母）
　　　　u加塞音韻尾 t 的合音，如不（put^4）的韻母，國語無此音。
—iut　　｜ㄨㄉ（韻母）
　　　　i 與 ut 的合音，如屈（$khiut^4$）的韻母，國語無此音。
--uk　　ㄨㄍ（韻母）
　　　　u 與塞音韻尾 k 的合音，如谷（kuk^4）的韻母，國語無此音。
—iuk　　｜ㄨㄍ（韻母）
　　　　i 與 uk 的合音，如局（$khiuk^8$）的韻母，國語無此音。

四、對比練習

第一式　　　　　　　　　　　　　　　　　第二式

ut	uk	iut	iuk	ㄨㄉ	ㄨㄍ	｜ㄨㄉ	｜ㄨㄍ
put	puk			ㄅㄨㄉ	ㄅㄨㄍ		
tut	tuk			ㄉㄨㄉ	ㄉㄨㄍ		
khut	khuk	khiut	khiuk	ㄎㄨㄉ	ㄎㄨㄍ	ㄎ｜ㄨㄉ	ㄎ｜ㄨㄍ
ngut	nguk		ngiuk	ㄤㄨㄉ	ㄤㄨㄍ		ㄤ｜ㄨㄍ
cut	cuk		ciuk	ㄗㄨㄉ	ㄗㄨㄍ		ㄐ｜ㄨㄍ

五、拼音練習

（一）本課所習音標的基本拼音及例字

	ut		ㄨㄉ	4、	8、
p		ㄅ		4、不	8、
ph		ㄆ		4、勃	8、
m		ㄇ		4、歿	8、沒
f		ㄈ		4、窟	8、佛
v		ㄪ		4、朏	8、物
t		ㄉ		4、○	8、○
th		ㄊ		4、	8、禿
l		ㄌ		4、殿	8、律
c		ㄗ		4、卒	8、捽
ch		ㄘ		4、出	8、<u>擦</u>
s		ㄙ		4、些	8、術
zh		ㄔ		4、出	8、
k		ㄍ		4、骨	8、
kh		ㄎ		4、	8、掘

	uk		ㄨㄍ	4、	8、
kh─iut		ㄎ─ㄧ　ㄨㄉ		4、屈	8、
p		ㄅ		4、卜	8、
ph		ㄆ		4、仆	8、○
m		ㄇ		4、目	8、睦
f		ㄈ		4、福	8、服
v		ㄪ		4、屋	8、
t		ㄉ		4、督	8、
th		ㄊ		4、	8、毒
n		ㄋ		4、懦	8、忸
l		ㄌ		4、祿	8、鹿
c		ㄗ		4、捉	8、
ch		ㄘ		4、嗽	8、族
s		ㄙ		4、束	8、
c／z		ㄗ／ㄓ		4、竹	8、
ch／zh		ㄘ／ㄔ		4、	8、觸
s／sh		ㄙ／ㄕ		4、叔	8、熟
i／j		ㄧ／ㄖ		4、溽	8、浴
k		ㄍ		4、穀	8、
kh		ㄎ		4、哭	8、

l		ㄌ		4、六	8、綠
c		ㄗ		4、足	8、
c h		ㄘ		4、刺	8、
n g	iuk	ㄫ	ㄧㄨㄍ	4、肉	8、玉
s		ㄙ		4、粟	8、俗
k		ㄍ		4、驅	8、
k h		ㄎ		4、曲	8、局
h		ㄏ		4、畜	8、

（二）本課所習音標的各種拼音

第一式　　　　　　　　　　　　　第二式

put　phut　mut　fut　vut　　　ㄅㄨㄉ　ㄆㄨㄉ　ㄇㄨㄉ　ㄈㄨㄉ　ㄛㄨㄉ

tut　thut　lut　cut　chut　　　ㄅㄨㄉ　ㄊㄨㄉ　ㄌㄨㄉ　ㄗㄨㄉ　ㄘㄨㄉ

sut　zhut　kut　khut　khiut　　ㄙㄨㄉ　ㄔㄨㄉ　ㄍㄨㄉ　ㄎㄨㄉ　ㄎㄧㄨㄉ

puk　phuk　muk　fuk　vuk　　　ㄅㄨㄍ　ㄆㄨㄍ　ㄇㄨㄍ　ㄈㄨㄍ　ㄛㄨㄍ

tuk　thuk　nuk　luk　cuk　　　ㄅㄨㄍ　ㄊㄨㄍ　ㄋㄨㄍ　ㄌㄨㄍ　ㄗㄨㄍ

chuk　suk　zuk　zhuk　shuk　　ㄘㄨㄍ　ㄙㄨㄍ　ㄓㄨㄍ　ㄔㄨㄍ　ㄕㄨㄍ

juk　kuk　khuk　liuk　ciuk　　ㄖㄨㄍ　ㄍㄨㄍ　ㄎㄨㄍ　ㄌㄧㄨㄍ　ㄐㄧㄨㄍ

chiuk　ngiuk　siuk　kiuk　khiuk　ㄘㄧㄨㄍ　ㄫㄧㄨㄍ　ㄒㄧㄨㄍ　ㄍㄧㄨㄍ　ㄎㄧㄨㄍ

hiuk　　　　　　　　　　　　　ㄏㄧㄨㄍ

（三）-ut、-iut、-uk、-iuk 的常用法

fap[4]　lut[8]、ngin[5]　vut[8]、sui[2]/shui[2]　fut[4]、pai[3]　fut[8]、kiam[2]　kut[4]、

ㄈㄚㄅ[4]　ㄌㄨㄉ[8]　ㄫㄧㄣ[5]　ㄛㄨㄉ[8]　ㄙㄨㄧ[2]/ㄕㄨㄧ[2]　ㄈㄨㄉ[4]　ㄅㄞ[3]　ㄈㄨㄉ[8]　ㄍㄧㄚㄇ[2]　ㄍㄨㄉ[4]

法　　律 、人　　物 、水　　　窟 、拜　　佛 、撿　　　骨 、

thong[5]　thut[8]、pin[1]　chut[4]、fap[4]　sut[8]。

ㄊㄛㄥ[5]　ㄊㄨㄉ[8]　ㄅㄧㄣ[1]　ㄗㄨㄉ[4]　ㄈㄚㄅ[4]　ㄙㄨㄉ[8]

唐　　突 、兵　　卒 、法　　術 。

chin[1]　fuk[4]、mi[2]　kuk[4]、sin[1]　vuk[4]、cung[2]　tuk[4]、min[5]　chuk[8]、

ㄑㄧㄣ[1]　ㄈㄨㄍ[4]　ㄇㄧ[2]　ㄍㄨㄍ[4]　ㄒㄧㄣ[1]　ㄛㄨㄍ[4]　ㄗㄨㄥ[2]　ㄅㄨㄍ[4]　ㄇㄧㄣ[5]　ㄘㄨㄍ[8]

清　　福 、米　　穀 、新　　屋 、總　　督 、民　　　族 、

hip⁴ suk⁸/shuk⁸ 、 phak⁸ luk⁸ 、 se² iuk⁸/jiuk⁸ 。

ㄏㄧㄅ⁴ ㄙㄨㄍ⁸/ㄕㄨㄍ⁸ 、ㄆㄚㄍ⁸ ㄌㄨㄍ⁸ 、ㄙㄝ² ㄧㄨㄍ⁸/ㆢㄧㄨㄍ⁸

爝　　熟　　、白　鹿　、洗　　浴　。

man¹ ciuk⁴ 、 si³ liuk⁴ 、 fung⁵ liuk⁸ 、 ap⁴ ngiuk⁴ 。

ㄇㄢ¹ ㄐㄧㄨㄍ⁴ 、ㄒㄧ³ ㄌㄧㄨㄍ⁴ 、ㄈㄨㄥ⁵ ㄌㄧㄨㄍ⁸ 、ㄚㄅ⁴ ㆣㄧㄨㄍ⁴

滿　足　、四　六　、紅　綠　、鴨　肉　。

chong³/zhong³ khiuk⁴ 、 chu¹ siuk⁸ 、 kim¹ ngiuk⁸ 、 pau¹ siuk⁴ 。

ㄘㆦㄥ³/ㄐㆦㄥ³ ㄎㄧㄨㄍ⁴ 、ㄘㄨ¹ ㄒㄧㄨㄍ⁸ 、ㄍㄧㄇ¹ ㆣㄧㄨㄍ⁸ 、ㄅㄠ¹ ㄒㄧㄨㄍ⁴

唱　　　曲　、粗　俗　、金　玉　、包　粟　。

（四）ut 與 uk 及 iut 的比較

son³ sut⁸	it⁴/jit⁴ chut⁴/zhut⁴	fu² kut⁴	pin¹ cut⁴
算 術	一 斸	虎 骨	兵 卒
fa¹ suk⁴	luk⁸ chuk⁸/zhuk⁸	ng² kuk⁴	khim⁵ cok⁴/cuk⁴
花 束	碌 磚	五 穀	擒 捉

cho² it⁴/jit⁴ put⁴	sung¹ su²/shiu² pai³ fut⁸
草 一 抔	雙 手 拜 佛
fa⁷ it⁴/jit⁴ puk⁴	chiang² siin⁵/shin⁵ hi² fuk⁴
畫 一 幅	請 神 祈 福

su³/shiu³ chin⁷ vi¹/vui¹ khiut⁴	iu¹/jiu¹ phi⁵ mo⁵ kut⁴,
受 盡 委 屈	有 皮 無 骨,
put⁴ ciam¹ put⁴ khut⁸	iu¹/jiu¹ coi³/zoi³ mo⁵ tuk⁴,
不 尖 不 屈	有 嘴 無 督,

iu^{1}/jiu^{1} siit^{8}/shit^{8} mo^{5} chut^{4}/zhut^{4}。
ㄧㄨ^{1}/ㄖㄧㄨ^{1} ㄙㄉ^{8}/ㄕㄧㄉ^{8} ㄇㄛ^{5} ㄘㄨㄉ^{4}/ㄔㄨㄉ^{4}
有 食 無 出。
iu^{1}/jiu^{1} thian^{5} mo^{5} vuk^{4}。
ㄧㄨ^{1}/ㄖㄧㄨ^{1} ㄊㄧㄢ^{5} ㄇㄛ^{5} ㄪㄨㄍ^{4}
有 田 無 屋。

man^{1} suk^{4}/shuk^{4}
ㄇㄢ^{1} ㄙㄨㄍ^{4}/ㄕㄨㄍ^{4}
滿 叔
man^{1} ciuk^{4}
ㄇㄢ^{1} ㄐㄧㄨㄍ^{4}
滿 足

cu^{2}/zu^{2} suk^{8}/shuk^{8}
ㄗㄨ^{2}/ㄓㄨ^{2} ㄙㄨㄍ^{8}/ㄕㄨㄍ^{8}
煮 熟
ki^{3} siuk^{8}
ㄍㄧ^{3} ㄒㄧㄨㄍ^{8}
繼 續

pit^{4} muk^{4}
ㄅㄧㄉ^{4} ㄇㄨㄍ^{4}
必 目
kot^{4} ngiuk^{4}
ㄍㄛㄉ^{4} ㄫㄧㄨㄍ^{4}
割 肉

siit^{8}/shit^{8} cuk^{4}/zuk^{4}
ㄙㄉ^{8}/ㄕㄧㄉ^{8} ㄗㄨㄍ^{4}/ㄓㄨㄍ^{4}
食 粥
pa^{1} siuk^{4}
ㄅㄠ^{1} ㄒㄧㄨㄍ^{4}
包 粟

fuk^{4} luk^{4}
ㄈㄨㄍ^{4} ㄌㄨㄍ^{4}
福 祿
chak^{4}/zhak^{4} liuk^{4}
ㄘㄚㄍ^{4}/ㄔㄚㄍ^{4} ㄌㄧㄨㄍ^{4}
尺 六

chu^{1}/zhiu^{1} chiam^{1} mun^{3} puk^{4}
ㄘㄨ^{1}/ㄔㄧㄨ^{1} ㄑㄧㄚㄇ^{1} ㄇㄨㄣ^{3} ㄅㄨㄍ^{4}
抽 籤 問 卜
tham^{5} khim^{5} chong^{3}/zhong^{3} khiuk^{4}
ㄊㄚㄇ^{5} ㄎㄧㄇ^{5} ㄘㄛㄥ^{3}/ㄔㄛㄥ^{3} ㄎㄧㄨㄍ^{4}
彈 琴 唱 曲

fa^{1} thon^{5} kim^{2} chuk^{8}
ㄈㄚ^{1} ㄊㄛㄣ^{5} ㄍㄧㄇ^{2} ㄘㄨㄍ^{8}
花 團 錦 簇
man^{1} thong^{5} kim^{1} ngiuk^{8}
ㄇㄢ^{1} ㄊㄛㄥ^{5} ㄍㄧㄇ^{1} ㄫㄧㄨㄍ^{8}
滿 堂 金 玉

ko^{1} leu^{5} thai^{7} vuk^{4}
ㄍㄛ^{1} ㄌㄝㄨ^{5} ㄊㄞ^{7} ㄪㄨㄍ^{4}
高 樓 大 屋
ngip^{4} cong^{1} mun^{3} ciuk^{8}
ㄫㄧㄅ^{4} ㄗㄛㄥ^{1} ㄇㄨㄣ^{3} ㄒㄧㄨㄍ^{8}
入 莊 問 俗

(五)生活用語

iu^{1}/jiu^{1} ngin^{5} han^{3} a^{1} ko^{1},mo^{5} ngin^{5} ham^{3} a^{1} suk^{4}/shuk^{4},
ㄧㄨ^{1}/ㄖㄧㄨ^{1} ㄫㄧㄣ^{5} ㄏㄚㄇ^{3} ㄚ^{1} ㄍㄛ^{1} ㄇㄛ^{5} ㄫㄧㄣ^{5} ㄏㄚㄇ^{3} ㄚ^{1} ㄙㄨㄍ^{4}/ㄕㄨㄍ^{4}
有 人 喊 阿 哥,無 人 喊 阿 叔,
cii^{2} sun^{1} man^{1} thian^{1} ha^{3},si^{2} liau^{2} mo^{5} ngin^{5} khuk^{4}。
ㄗ^{2} ㄙㄨㄣ^{1} ㄇㄢ^{1} ㄊㄧㄢ^{1} ㄏㄚ^{3} ㄒㄧ^{2} ㄌㄧㄠ^{2} ㄇㄛ^{5} ㄫㄧㄣ^{5} ㄎㄨㄍ^{4}
子 孫 滿 天 下,死 了 無 人 哭。

【注解】

(1)食足打卒：打棋子或紙牌的術語，吃了卒又打了卒。

(2)沒沒術術：鬼鬼祟祟。

(3)掘：用力抓。

(4)上屋：上家鄰居。

(5)那位：什么地方？

(6)棚頂：樓上。

(7)好勃勃：即「興致勃勃」。

(8)屈：尖長的東西變成鈍或短，如「屈尾」。

nen⁵　　mai⁷　　cu²　　cung¹　　thien⁵

ㄋㄝㄣ⁵　　ㄇㄞ⁷　　ㄗㄨ²　　ㄗㄨㄥ¹　　ㄊㄧㄢ⁵

寧　　賣　　祖　　宗　　田

　　　mok⁸　　mong⁷　　cu²　　cung¹　　ngien⁵

　　　ㄇㄛㄍ⁸　　ㄇㄛㄥ⁷　　ㄗㄨ²　　ㄗㄨㄥ¹　　ㄫㄧㄢ⁵

　　　莫　　忘　　祖　　宗　　言

nen⁵　　mai⁷　　cu²　　cung¹　　hang¹

ㄋㄝㄣ⁵　　ㄇㄞ⁷　　ㄗㄨ²　　ㄗㄨㄥ¹　　ㄏㄤ¹

寧　　賣　　祖　　宗　　坑

　　　mok⁸　　mong⁷　　cu²　　cung¹　　sang¹/shang¹

　　　ㄇㄛㄍ⁸　　ㄇㄛㄥ⁷　　ㄗㄨ²　　ㄗㄨㄥ¹　　ㄙㄤ¹/ㄕㄤ¹

　　　莫　　忘　　祖　　宗　　聲

臺灣客家話記音訓練教材　下編

第一課　變調（一）　四縣話

　　語言在使用的時候，常會因情境的需要，而改變了原來的聲調，這又有兩種情形：

　　一是口氣變調，即因口氣不同、感情的不同而發生的變調。例如你告訴對方，這些糖果「我吃了兩個」，這是直述的口氣。但假如實際上你沒有吃而對方硬說你吃了的時候，也可能說「我吃了兩個？」，但這一定是反詰的口氣，兩者的語調顯然不同。

　　二是連音變調，即在平淡的口氣下，因前後音節環境不同，而使句中的字音發生聲調變化。連音變調通常發生在雙音節的前一音節，或多音節的前幾個音節。如「通」這個字，四縣話在「交通」一詞中，用的是本調（第一聲），但「通過」一詞中，就變爲低平的調子，重疊詞「通通」的前一個字，變化情形也相同。這是語言的一種異化作用，可使人聽的更清楚。

　　本課介紹的變調，指的是連音變調。

　　四縣話的連音變調比較單純，僅發生在以陰平調爲詞首的詞語中，且都是由低升調（24）變爲低平調（22），茲列表並舉例說明如下：

$$
陰平\,24（低升）+
\begin{bmatrix}
陰平\,24（低\ \ 升）\\
去聲\,55（高\ \ 平）\\
陽入\,\underline{55}（高平短）
\end{bmatrix}
\rightarrow 變調\,22（低平）+
\begin{bmatrix}
陰平\\
去聲\\
陽入
\end{bmatrix}
$$

一、陰平接陰平（1+1→0+1）

　　陰平在本教材所用音標是第 1 聲，調値是 24。當第 1 聲接下去還是第 1 聲時，前面的字就變化爲 22 的調値，我們用阿拉伯數字的 0 代表（下同），於是：1+1 就變成了 0+1。例如：

　　通（thung^1）→通通（thung^0　thung^1）

可記錄爲：

　　通通（thung$^{1-0}$　thung^1）

又如：張張（cong$^{1-0}$　cong^1）也是重疊詞。非重疊詞，甚至多音節詞，居前的音節也是同樣的變調。例如：

青山（chiang$^{1-0}$ san^1）、風光（fung$^{1-0}$ kong^1）、秋分（chiu$^{1-0}$ fun^1）
擔當（tam$^{1-0}$ tong^1）、張三豐（cong$^{1-0}$ sam$^{1-0}$ fung^1）、
通街通莊（thung$^{1-0}$ kie$^{1-0}$ thung$^{1-0}$ cong^1）

二、陰平接去聲（1＋3/7→0＋3/7）

四縣話去聲不分陰去（第 3 聲）和陽去（第 7 聲），調值都是 55，如透和豆、富與腐調值相同，但在海陸話則分得很清楚，故以 3/7 代表四縣的去聲。去聲前的陰平，也會變調。如：

通過（thung$^{1-0}$ ko^3）、開路（khoi$^{1-0}$ lu^7）、開山路（khoi$^{1-0}$ san$^{1-0}$ lu^7）、
清蒸蕃豆（chin$^{1-0}$ ciin$^{1-0}$ fan$^{1-0}$ theu^7）

三、陰平接陽入（1＋8→0＋8）

陰平調後面接陽入調，陰平也會變調。如：

三月（sam$^{1-0}$ ngiat^8）、消毒（seu$^{1-0}$ thuk^8）、
花邊葉（fa$^{1-0}$ pian$^{1-0}$ iap^8）、花開花落（fa$^{1-0}$ khoi$^{1-0}$ fa$^{1-0}$ lok^8）

四縣話變調的結果只有一種現象，那就是由低升調變成半低平調：24→22

四縣話連音變調練習：

1、陰平連陰平

kau^1	thung^1	thung^0	thian^1	ta^2	khoi^1	khoi^0	cong^1
交	通	→ 通	天	打	開	→ 開	張

tui^3	tung^1	tung^0	ong^1	fo^2	cha^1	cha^0	siong^1
對	中	→ 中	央	火	車	→ 車	箱

nai^5	sa^1	sa^0	hang^1	hok^4	sang^1	sang^0	si^1
泥	沙	→ 沙	坑	學	生	→ 生	鬚

vong^5	kim^1	kim^0	siin^1	lip^8	chiu^1	chiu^0	fun^1
黃	金	→ 金	身	立	秋	→ 秋	分

2、陰平連去聲

ngiet⁸ thian¹　　thian⁰ hi³　　　　kau¹ thung¹　　thung⁰ ko³
熱　　天　→　天　氣　　　　交　通　→　通　過

kung¹ khoi¹　　khoi⁰ fong³　　　thian¹ khung¹　　khung⁰ kong³
公　　開　→　開　放　　　　天　空　→　空　降

fa¹　hiong¹　　hiong⁰ chu³　　　mi⁵ chii¹　　chii⁰ hon³
花　香　→　香　臭　　　　迷　癡　→　癡　漢

phak⁸ sam¹　　sam⁰ chiu³　　　fo² san¹　san⁰ lu³　khoi⁰ san⁰ lu³
白　衫　→　衫　袖　　　　火　山 → 山　路 → 開　山　路

sui² chin¹　　chin⁰ chong¹　　chin⁰ chong⁰ khu³
水　清　→　清　倉　→　清　倉　庫

sui² chin¹　chin⁰ thong¹　chin⁰ thong⁰ mian³　chin⁰ hiong⁰ thong⁰ mian³
水　清　→　清　湯　→　清　湯　麵　→　清　香　湯　麵

3、陰平連陽入（低升＋高平短→中平＋高平短）

cong¹ sam¹　　sam⁰ ngiet⁸　　iok⁸ ko¹　　ko⁰ iok⁸
張　三　→　三　月　　　　藥　膏　→　膏　藥

siin⁵ thung¹　　thung⁰ siuk⁸　　thai³ khung¹　　khung⁰ sip⁸
神　通　→　通　俗　　　　太　空　→　空　襲

long⁵ cung¹　　cung⁰ iok⁸　　thung¹ si¹　　si⁰ ngok⁸
郎　中　→　中　藥　　　　東　西　→　西　樂

chok⁸ kiang¹　　kiang⁰ san¹　　kiang⁰ san⁰ chet⁸
著　驚　→　驚　山　→　驚　山　賊

chong⁵ kong¹　kong⁰ ngiet⁸　si⁰ kong⁰ ngiet⁸　si⁰ thian⁰ kong⁰ ngiet⁸
長　江　→　江　月　→　西　江　月　→　西　天　江　月

　　此外，陽聲調的三疊詞，其首字也會變調，便成陰平調，即：陽平＋陽平＋陽平→陰平＋陽平＋陽平。如：紅紅紅（fung$^{5-1}$　fung^{5}　fung^{5}），黃黃黃（vong$^{5-1}$　vong^{5}　vong^{5}），但這種三疊詞究竟少數，而且客家話並不常用三疊詞，茲不多舉，謹附說於此。

第二課　變調（二）　海陸話

海陸話的連音變調與四縣話不同，可分成三方面來說：一是上聲變調，二是陰入聲變調，三是同聲調重疊的變調。與四縣話變調相同的是，都發生在雙音節起頭的音節，或多音節的前幾個音節。以下先列表，並分別舉例說明如下：

一、上聲變調：都變為 33，如同陽去（第七調）

$$上聲 24（低升）+ \begin{cases} 陰平 53（高\quad降） \\ 上聲 24（低\quad升） \\ 陰去 31（中\quad降） \\ 陰入 \underline{55}（高平短） \\ 陽平 55（高\quad平） \\ 陽去 33（中\quad平） \\ 陽入 \underline{32}（中降短） \end{cases} →變調 22（低平）+ \begin{cases} 陰平 \\ 上聲 \\ 陰去 \\ 陰入 \\ 陽平 \\ 陽去 \\ 陽入 \end{cases}$$

（一）上聲接陰平（2＋1→7＋1）

上聲之後接陰平調的雙音節詞，這個上聲就變為 22 的調值，與第 7 聲相同。若是多音節的詞，其前面的幾個音節也是同樣的變化。其例如下：

點心（tiam$^{2\text{-}7}$　sim^1）、寶山（po$^{2\text{-}7}$　san^1）、酒杯（ciu$^{2\text{-}7}$　pui^1）
請坐（chiang$^{2\text{-}7}$ choi^1）、老虎哥（lo$^{2\text{-}7}$　fu$^{2\text{-}7}$ ko^1）、
請老管家（chiang$^{2\text{-}7}$　lo$^{2\text{-}7}$　kon$^{2\text{-}7}$　ka^1）

但強調性的詞則不變調，如「兩工」一詞，若是不定數，「請成兩工」（chiang$^{2\text{-}7}$ shang^5　liong$^{2\text{-}7}$　kung^1），意思是請人做一兩天，這個「兩」字就要變調；如果是確指請人作「兩」工，那麼就強調只是兩，不是一也不是三，這時「兩」字就讀本調，所以確指的數詞都讀本調。其他如「頂高」（tang^2　ko^1）、「穩坐」（vun^2　cho^1）→總經理介位仔，因為是強調「頂」和「穩」，故可不變。（下文相同處不另說明）

（二）上聲接上聲（2＋2→7＋2）

老狗（　lo$^{2\text{-}7}$　kieu^2）、　保險（po$^{2\text{-}7}$　hiam^2）、　雨水（ji$^{2\text{-}7}$ shui^2）
講解（kong$^{2\text{-}7}$　kai^2）、　老老（lo$^{2\text{-}7}$　lo^2　）、　早早（co$^{2\text{-}7}$　co^2）
洗碗水（se$^{2\text{-}7}$ von$^{2\text{-}7}$　shui^2）、老蔣總統（lo$^{2\text{-}7}$ ciong$^{2\text{-}7}$　cung$^{2\text{-}7}$ thung^2）

在「老老嫩嫩全部裝起來」和「天光日早早來！」兩句中，前句指無論老的、嫩的（菜）全……，後句指明天早點兒來，都是普通語氣，故「老老」、「早早」的前一字都要變調，假如是指很老、很早，就不變調。

（三）上聲接陰去（ 2＋3→7＋3）

老旦（lo$^{2-7}$　tan^3）、轉向（zon$^{2-7}$　hiong^3）、走唱（ceu$^{2-7}$　zhong^3）、繳庫（kiau$^{2-7}$　ku^3）、想妙計（siong$^{2-7}$　miau$^{2-7}$　kie^3）、想好妙計（siong$^{2-7}$　ho$^{2-7}$　miau$^{2-7}$　kie^3）

不變的如：五歲（ng^2　soi^3）、早去早轉（co^2　hi^3 co^2　zon^2）（早去早回）的五和早都有強調的意味。

（四）上聲接陰入（ 2＋4→7＋4）

小雪（siau$^{2-7}$　siet^4）、所得（so$^{2-7}$　tet^4）、 米國（mi$^{2-7}$　kuet^4）、解決（kai$^{2-7}$　kiet^4）、老子叔（lo$^{2-7}$　cii$^{2-7}$　shuk^4）、走轉米國（ceu$^{2-7}$　zon$^{2-7}$　mi$^{2-7}$　kuet^4）（跑回美國去）

強調語意而不變調的如：五節（ng^2　ciet^4）、險忒（hiam^2　thet^4）（差點完蛋）二詞中的五和險。

（五）上聲接陽平（ 2＋5→7＋5）

枕頭（zim$^{2-7}$　theu^5）、本來（pun$^{2-7}$　loi^5）、小寒（siau$^{2-7}$　hon^5）、講求（chiang$^{2-7}$　khiu^5）、好口才（ho$^{2-7}$　khieu$^{2-7}$　choi^5）、請老產婆（chiang$^{2-7}$　lo$^{2-7}$　san$^{2-7}$　pho^5）

強調語意而不變調的如：穩贏（vun^2 jang^5）、（井水）緊打水緊來（kin^2　ta^2　shui^2 kim^2　loi^5）等。

（六）上聲接陽去（ 2＋7→7＋7）

等路（ten$^{2-7}$　lu^7）、止步（zi$^{2-7}$　phu^7）（極限）、子弟（cii$^{2-7}$　thi^7）、遠路（jan$^{2-7}$　lu^7）、好子弟（ho$^{2-7}$　cii$^{2-7}$　thi^7）、展老手路（tian$^{2-7}$　lo$^{2-7}$　shiu$^{2-7}$　lu^7）（展露老手藝）

不變的如：五樣（ng^2　jong^7）、兩件（liong^2　khian^7）等。

（七）上聲接陽入（ 2＋8→7＋8）

伙食（fo$^{2-7}$ shit^8）、好藥（ho$^{2-7}$ jok^8）、打合（ta$^{2-7}$ hap^8）（商議）、
老葉（lo$^{2-7}$ jap^8）、採好藥（chai$^{2-7}$ ho$^{2-7}$ jok^8）、水打寶石（shui$^{2-7}$ ta$^{2-7}$
po$^{2-7}$ shak^8）（水沖寶石）

不變的如：兩石（liong^2 shak^8）（兩百斤谷或米）、火著（fo^2 zhok^8）等。

二、陰入聲變調：都變為陽入（第8調）

陰入55（高平短）＋
$\begin{cases} 陰平 53（高\quad 降）\\ 上聲 24（低\quad 升）\\ 陰去 31（中\quad 降）\\ 陰入 \underline{55}（高平短）\\ 陽平 55（高\quad 平）\\ 陽去 22（低\quad 平）\\ 陽入 \underline{32}（中\quad 降）\end{cases}$ →變調 $\underline{32}$（中降）＋ $\begin{cases} 陰平\\ 上聲\\ 陰去\\ 陰入\\ 陽平\\ 陽去\\ 陽入\end{cases}$

（一）陰入接陰平（ 4＋1→8＋1）

菊花（khiuk$^{4-8}$ fa^1 ）、發燒（fat$^{4-8}$ shau^1）、伯公（pak$^{4-8}$ kung）
割香（ kot$^{4-8}$ hiong^1）、鐵骨生（thiet$^{4-8}$ kut$^{4-8}$ sang^1）、 福德伯公
（fuk$^{4-8}$ tet$^{4-8}$ pak$^{4-8}$ kung^1）

至如七星、八仙等詞，已經是專有名詞，七與八並不是強調數字，故七與八照樣
變調，說成 chit$^{4-8}$ sen^1、pat$^{4-8}$ sian^1，七星劍、八仙桌等詞也一樣變。但如指七
張紙、八尊神，則七與八都不變調。

（二）陰入接上聲（ 4＋2→8＋2）

織女（zit$^{4-8}$ ng^2）、捉鬼（cuk$^{4-8}$ kui^2）、穀雨（kuk$^{4-8}$ ji^2）、
國寶（kuet$^{4-8}$ kui^2）、齧察鬼（ngat$^{4-8}$ chat$^{4-8}$ kui）、接腳女（ciap$^{4-8}$
kiok$^{4-8}$ ng^2）

如果指比賽得第七等，則七字讀原調不變。至如「跌倒」一詞，若僅指「好好走
不要跌倒」，則跌字要變調，若強調因跌倒受傷或弄髒衣服等，則不變調。

（三）陰入接陰去（ 4＋3→8＋3）

竹凳（zuk$^{4-8}$　ten^3）、桌布（cok$^{4-8}$　pu^3）、鐵蓋（thiet$^{4-8}$　koi^3）、
缺貨（khiet$^{4-8}$　fo^3）、溼桌布（ship$^{4-8}$　cok$^{4-8}$　pu^3）、十七八個人
（shit$^{4-8}$　chit$^{4-8}$　pat$^{4-8}$　kai^3　ngin^5）

強調性的詞則不變調，如八對（新人）、發過（發酵過了）、著過（穿過的）等。

（四）陰入接陰入（ 4＋4→8＋4）

各國（kok$^{4-8}$　kuet^4）、發覺（fat$^{4-8}$　kok^4）、約束（jok$^{4-8}$　suk^4）、
鐵尺（thiet$^{4-8}$　zhak^4）、八角桌（pat$^{4-8}$　kok$^{4-8}$　cok^4）、 發赤目（pot$^{4-8}$
zhak$^{4-8}$　muk^4）、各各（kok$^{4-8}$　kok^4）、闊闊（fat$^{4-8}$　fat^8）

胡椒八角和八角桌的八角，是普通名詞，所以要變調，但如果強調八，就不變調，
例如八毛錢就說 pat^4　kok^4。

（五）陰入接陽平（ 4＋5→8＋5）

出行（zhut$^{4-8}$　hang^5）、腳盆（kiok$^{4-8}$　phun^5）、竹簾（zhuk$^{4-8}$　liam^5）、
雪梅（siat$^{4-8}$ moi^5）、七八儕（chit$^{4-8}$ pat$^{4-8}$ sa^5）、八角樓（pat$^{4-8}$ kok$^{4-8}$ leu^5）

七八儕就是七八個人，因為是不確定數，所以要變調，但八角樓如果要強調樓是
「八」角形的，就不變調。如果不強調「八」， 就要變調了。

（六）陰入接陽去（ 4＋7→8＋7）

各樣（kok$^{4-8}$ jong^7）、出事（zhut$^{4-8}$　sii^7）、法度（fap$^{4-8}$　thu^7）、
出路（zhut$^{4-8}$　lu^7）、福德路（fuk$^{4-8}$ tet$^{4-8}$ lu^7）、七八樣（chit$^{4-8}$ pat$^{4-8}$ jong^7）

但如確指「七」樣或「八」樣，則此二字不變調。又形容冰冷如雪為「雪樣」，
這個雪字也不變調，因為是強調的所在。

（七）陰入接陽入（ 4＋8→8＋8）

篤實（tuk$^{4-8}$　shit^8）、出入（zhut$^{4-8}$　ngip^8）、筆墨（pit$^{4-8}$　met^8）、
國樂（kuet$^{4-8}$　ngok^8）、接骨藥（ciap$^{4-8}$ kut$^{4-8}$ jok^8）、六七勺（lik$^{4-8}$
chit$^{4-8}$　shok^8）、落日條款（lok$^{4-8}$　ngit$^{4-8}$　thiau^5　khuan^2）

強調性的詞也不變調，如七勺（chit^4　shok^8）、福薄（fuk^4　phok^8）等。

三、重疊變調

同聲調的重疊，在一般狀況下，僅有上聲重疊（上聲接上聲）和陰入重疊（陰入接陰入）會起變化，已見於上述。以下四種形容詞或副詞的聲調重疊，在平淡口氣下不變，但在強調語意時則起變化，且都變為24，如同上聲（第2調）：

陰平53（高　降）重疊
陰去31（中　降）重疊　→上聲24（低升）+　陰平
陽去22（低　平）重疊　　　　　　　　　　　陰去
陽入32（中降短）重疊　　　　　　　　　　　陽去
　　　　　　　　　　　　　　　　　　　　　陽入

（一）陰平重疊（ 1+1→2+1）

如曬到烏烏、拭到金金、剃到光光，平淡口氣下重疊詞不變調，但強調語意時，則分別變成 vu^{1-2}　vu^1、kim^{1-2}　kim^1、$kong^{1-2}$　$kong^1$，三疊音時，也只有第一音節變調，如烏（vu^{1-2}）烏烏、金（kim^{1-2}）金金、光（$kong^{1-2}$）光光。複音詞重疊時，則先出現的後音節變調，如烏金烏金（vu^1　kim^{1-2}　vu^1　kim^1）。

（二）陰去重疊（ 3+3→2+3）

強調語意時第一音節改變，如戇戇（$ngong^{3-2}$　$ngong^3$）、分人看透透（$theu^{3-2}$　$theu^3$）。複音詞重疊時，也是先出現的後音節變調，如生趣生趣（sen^1　chi^{3-2}　sen^1　chi^3）。

（三）陽去重疊（ 7+7→2+7）

加強語意時第一音節變調，如：扯到爛爛（lan^{7-2}　lan^7）、飯煮便便（$phian^{7-2}$　$phian^7$），曬到硬硬（$ngang^{7-2}$　$ngang^7$）。複音詞重疊時也是先出現的後音節變調，如塞鼻塞鼻（set^{4-8}　phi^{7-2}　set^{4-8}　phi^7）。這裡「塞」的變調是因「塞鼻」（陰入接陽去）的自然變調。

（四）陽入重疊（ 8+8→2+8）

變調情形同上，如：（雜草）除到絕絕（$chiet^{8-2}$　$hiet^8$）、衫洗到白白（$phak^{8-2}$　$phak^8$）。複音詞的重疊，情形也與上面的相同，如：生白生白（霉霉的樣子。生白，發霉。）說成（$sang^1$　$phak^{8-2}$　$sang^1$　$phak^8$）。

海陸話的連音變調有三類，第一類是上聲的變調，變的結果是上聲變陽去

(2→7)，也就是由低升調變為低平調：24→22，與四縣話的變調，其絕對調值相同。第二類是陰入聲的變調，變的結果是陰入變陽入(4→8)，也就是由高平短變為中降短調：55→32。第三類是重疊音的變調，變的結果，不論陰平、陰去、陽去、陽入，都變為上聲：53／31／22／32→24（1／3／7／8→2），至於上聲和陰入的重疊，則與自然變調無異第二、三類是四縣話沒有的。

　　三類之中，有兩種不同的情形：1、第一、二類是泛指或平常時要變，強調語意的時候反而不變，如「八角」，說成 pat$^{4\text{-}8}$　kok^4（變）時指的是香料，說成 pat^4　kok^4(不變)時，指的是八個角或八角錢。2、第三類中四個聲調的重疊，則是平常時不變，強調語意的時候才變，而且不用在問話的句子中，這是不同的地方。

海陸話連音變調練習

一、上聲的變調

1、上聲接陰平

kuet^4　pau^2　　pau^7　san^1　　　　　　chin^1　cho^2　　cho^7　san^1
國　　寶　→　寶　　山　　　　　　青　　草　→　莩　山

thai^3　von^2　　von^7　kung^1　　　　　　sgau^1　fo^2　　fo^7　chung^1
大　　碗　→碗　　公　　　　　　燒　　火　→　火　　窗

phak^4　mi^2　　mi^7　ko^1　　　　　　　ka^3　chi^2　cji^7　chin^1
白　　米　→　米　糕　　　　　　嫁　　娶　→　娶　親

ngang^3　kiang^2　kiang^{7}kin^1　　　　　siong^1　ho^2　　ho^7　thian^1
硬　　頸　→　頸　根　　　　　　相　　好　→　好　天

phak^8　fu^2　　fu^7　san^1　　lo^7　fu^7　san^1
白　　虎　→　虎　山　→　老　虎　山

phang^5　cu^2　　cu^7　kung^1　　lo^7　cu^7　kung^1
彭　　祖　→　祖　公　→　老　祖　公

tam^1　po^2　　po^7　piau^1　　lo^7　po^7　piau^1　　hi^7　lo^7　po^7　piau^1
擔　保　→　保　鑣　→　老　保　鑣　→　許　老　保　鑣

2、上聲接上聲

zung³ ciong² ciong⁷ shong²　　ciang² shui² shui⁷ thung²
中　獎　→　獎　賞　　　　井　水　→　水　桶

vong⁵ leu² keu⁷ ceu²　　liong⁵ mi² mi⁷ teu²
黃　狗　→　狗　爪　　　量　米　→　米　斗

theu⁵ shiu² shiu⁷ von²　　chin¹ ciu² ciu⁷ shui²
頭　手　→　手　腕　　　清　酒　→　酒　水

ten¹ fo² fo⁷ pa²　　hau³ tu² tu⁷ kiau²
燈　火　→　火　把　　　好　賭　→　賭　繳

ngien⁵ lo² lo⁷ keu² lo⁷ keu⁷ ku² ta⁷ lo⁷ keu⁷ ju²
年　老→　老　狗　→　老　狗　牯　→　打　老　狗　牯

cian¹ chau² chau⁷ mi² chau⁷ mi⁷ fun² ho⁷ chau⁷ mi⁷ fun²
煎　炒　→　炒　米　→　炒　米　粉　→　好　炒　米　粉

jit⁴ pai² pai⁷ tan²　　an² co² co⁷ co² loi⁵
一　擺　→　擺　擺　　　恁　早　→　早　早　來

chi⁷ cung² cung⁷ thung² cung⁷ thung⁷ fu² lo⁷ cung⁷ thung⁷ fu²
聚　總　→　總　統　→　總　統　府　→　老　總　統　府

theu⁵ po² po⁷ hiam² po⁷ fo⁷ hiam² po⁷ shui⁷ fo⁷ hiam²
投　保　→　保　險　→　保　火　險　→　保　水　火　險

3、上聲接陰去

vong⁵ keu² keu⁷ teu³　　shu¹ kiau² kiau⁷ khu³
黃　狗　→　狗　竇　　　輸　繳　→　繳　庫

khi⁵ miau² miau⁷ ki³　　to¹ shau² shau⁷ son³
奇　妙　→　妙　計　　　多　少　→　少　算

ngian⁵ lo² lo⁷ mou³   thong⁵ ko² ko⁷ ciong³
年　老　→　老　妹   糖　果　→　果　醬

chim⁵ pau² pau⁷ pui³   tho⁵ ceu² ceu⁷ zhong³
尋　寶　→　寶　貝   逃　走　→　走　唱

thit⁸ ho² ho⁷ fo³ sian⁷ ho⁷ fo³ siong⁷ sian⁷ ho⁷ fo³
特　好　→　好　貨　→　選　好　貨　→　想　選　好　貨

hang¹ shui² shui⁷ toi³ zin⁴ shui⁷ toi³ chiang⁷ zin⁷ shui⁷ tou³
坑　水　→　水　碓　→整　水　碓　→　請　整　水　碓

4、上聲接陰入

kua¹ ko² ko⁷ zok⁴   chiang¹ cho² cho⁷ kiet⁴
瓜　果　→　果　酌   青　草　→　萆　結

ten¹ fo² fo⁷ zuk⁴   phak⁸ keu² keu⁷ set⁴
燈　火　→　火　燭   白　狗　→　狗　蝨

fu³ teu² teu⁷ liuk⁴   siap⁴ leu³ leu⁷ thet⁴/phet⁴
戽　斗　→　斗　六   洩　漏　→　漏　忒／碧

thin³ zun² zun⁷ khok⁴   ngin⁵ khieu² khieu⁷ kiet⁴
定　準　→　準　確   人　口　→　口　訣

siong¹ ho² ho⁷ ngit⁴ chi⁷ ngit⁴ chi⁷ ho⁷ ngit⁴
相　好　→　好　日　→　取　日　→　取　好　日

siong¹ ta² ta⁷ kiet⁴ si⁷ kiet⁴ ta² si² kiet⁴
相　打　→　打　結　→　死　結　→打　死　結

5、上聲接陽平

ka¹ fo² fo⁷ fong⁵   khoi¹ so² so⁷ theu⁵
家　伙　→　伙　房   開　鎖　→　鎖　頭

ku^1　lo^2　　lo^7　$phang^5$　　　　jan^1　$kong^2$　　$kong^7$　$chin^5$
孤　老　→　老　彭　　　　演　講　→　講　情

fui^5　zon^2　　zon^7　$theu^5$　　　　to^1　$shau^2$　　$shau^7$　$ngun^5$
回　轉　→　轉　頭　　　　多　少　→　少　人

$khung^2$　cii^2　　cii^7　sun^1　　　　$tung^3$　zi^2　　zi^7　nam^5
孔　子　→　子　孫　　　　棟　指　→　指　南

$khon^3$　$shiu^2$　　$shiu^7$　mun^5　$shiu^7$　$cung^7$　mun^5　　pa^7　$shiu^7$　$cung^7$　mun^5
看　守　→　守　門　→　守　總　門　→　把　守　總　門

muk^4　zim^2　　zim^7　$theu^5$　lo^7　zim^7　$theu^5$　　pu^7　lo^7　zim^7　$theu^5$
木　枕　→　枕　頭　→　老　枕　頭　→　補　老　枕　頭

6、上聲接陽去

$thin^3$　zun^2　　zun^7　phi^7　　　　$zung^1$　ten^2　　ten^7　lu^7
定　準　→　準　備　　　　中　等　→　等　路

$zung$　zi^2　　zi^7　phu^7　　　　khi^5　$miau^2$　　$miau^7$　$jung^7$
終　止　→　止　步　　　　奇　妙　→　妙　用

san^1　$shui^2$　　$shui^7$　li^7　　　　$sian^1$　se^2　　se^7　$chiang^7$
山　水　→　水　利　　　　先　洗　→　洗　淨

$tham^1$　chi^2　　chi^7　$jong^7$　　　　kon^1　tam^2　　tam^7　$liong^7$
貪　取　→　取　樣　　　　肝　膽　→　膽　量

$shin^1$　$chiang^2$　$chiang^7$　$khian^7$　ho^7　$chiang^7$　$khiau^7$　$ngiong^7$　ho^7　$chiang^7$　$khiau^7$
申　請　→　請　轎　→　好　請　轎　→　仰　好　請　轎

7、上聲接陽入

$thiau^7$　kai^2　　kai^7　$thuk^8$　　　　zin^1　po^2　　po^7　$shak^8$
調　解　→　解　讀　　　　珍　寶　→　寶　石

m^5　san^2　　san^7 $ngiap^8$　　　　$siong^1$ ta^2　　ta^7 lok^8
毋　　敢　→　敢　食　　　　　　相　　打 →　打　落

$choi^5$ po^2　　po^7 $shak^8$　　　　$zhok^8$ fo^2　　fo^7 $shak^8$
財　　產 →　產　業　　　　　　著　　火 →　火　石

$ngin^5$ lo^2　　lo^7 $shit^8$　　　　an^2　co^2　　co^7 mak^8
人　　老 →　老　實　　　　　　恁　　早 →　呈　麥

mi^2 ciu^2　ciu^7 vok^8　zu^7 ciu^7 vok　　lo^7 zu^7 $ciu^7 vok^8$
米　酒 →　酒　鑊 →　煮　酒　鑊 →　老　煮　酒　鑊

$cian^1$ zu^2　zu^7 $shit^8$　zu^7 ho^7 $shit^8$　kam^7 zu^7 ho^7 $shit^8$
煎　煮 →　煮　食 →　煮　好　食 →　敢　煮　好　食

二、陰入聲的變調

1、陰入接陰平

$shit^8$　zok^4　zok^8 sam^1　　　　$thung^3$ $thiet^4$　$thiet^8$ ki^1
食　　著 →著　衫　　　　　　鋼　　鐵 →　鐵　基

si^3　muk^4　muk^8 zu^1　　　　$ngiu^5$ kok^4　kok^8 to^1
四　　目 →目　珠　　　　　　牛　　角 →　角　刀

$thoi^5$ pet^4　pet^8 sii^1　　　　on^1　$chap^4$　$chap^8$ $hiong^1$
臺　　北 →北　師　　　　　　安　　插 →　插　香

zu　$ngiuk^4$　$ngiuk^8$ fu^1　　　　ngo^3 kuk^4　kuk^8 $chon^1$
豬　　肉 →　肉　脯　　　　　　糯　　穀 →　穀　倉

fu^3 $kuet^4$　$kuet^8$ sii^1　　kok^8 $kuet^8$ sii^1
護　國 →　國　師 →　郭　國　師

jit^4 $chiet^4$　$chiet^8$ $kiet^4$　$chiet^8$ $kiet^8$ shu^1
一　切 →　切　結 →　切　結　書

2、陰入接上聲

theu⁵ muk⁴ muk⁸ shui²　　　　cu¹ zit⁴ zit⁸ ng²
頭　目　→ 目　水　　　　　　組　織　→ 織　女

kong³ thiet⁴ thiet⁸ pan²　　　khoi¹ khiet⁴ khiet⁸ von²
鋼　鐵　→ 鐵　板　　　　　　開　缺　→ 缺　碗

cim³ ship⁴ ship⁸ cho²　　　　mo¹ pit⁴ pit⁸ kon²
浸　溼　→ 溼　草　　　　　　毛　筆　→ 筆　管

ngiet⁸ zhut⁴ zhut⁸ fo²　　　　ngian⁵ ciet⁴ ciet⁸ sang²
月　出　→ 出　火　　　　　　年　節　→ 節　省

kok⁸ pit⁴　　pit⁸ von²　　pit⁸ lak⁸ von²
搉　必　→ 必　碗　→ 必　壢　碗

sang¹ thiet⁴ thiet⁸ kon²　chit⁸ thiet⁸ kon²
生　鐵　→ 鐵　管　→ 漆　鐵　管

3、陰入接陰去

shit⁸ zok⁴ zok⁸ fu³　　　　　khing³ khiet⁴ khiet⁸ fo³
食　著　→ 蒫　褲　　　　　　空　缺　→ 缺　貨

ngian⁵ ciet⁴ ciet⁸ khin³　　　mian⁵ zit⁴ zit⁸ pu³
年　節　→ 節　慶　　　　　　棉　織　→ 織　布

shong⁵ shit⁴ shit⁸ fo³　　　　ko³ shit⁴ shit⁸ ki³
常　識　→ 識　貨　　　　　　過　失　→ 失　禁

kam¹ kit⁴ kit⁸ ciong³　　　　ten³ cok⁴ cok⁸ ten³
柑　橘　→ 橘　醬　　　　　　凳　桌　→ 桌　凳

zung¹ kuet⁴ kuet⁸ fu³　　　　tung³ kiet⁴ kiet⁸ tung³
中　國　→ 國　父　　　　　　凍　結　→ 結　凍

zu¹ ngiuk⁴　ngiuk⁸ sui³　　chiet⁸ ngiuk⁸ sui³
豬　肉　→ 肉　碎　→ 切　肉　碎

4、陰入接陰入

kui³ zuk⁴ zuk⁸ ciet⁴　　　　sam¹ zhat⁴ zhat⁸ pat⁴
桂　竹 → 竹　節　　　　三　尺 → 尺　八

ngi³ pat⁴ pat⁸ tet⁴　　　　ngian⁵ ciet⁴ ciet⁸ muk⁴
二　八 → 八　德　　　　年　節 → 節　目

kham¹ tet⁴ tet⁸ shit⁴　　　　zung¹ keut⁴ kuet⁸ chit⁴
堪　得 → 得　失　　　　中　國 → 國　戚

shiu² kiok⁴ kiok⁸ muk⁴　　　　sam¹ kok⁴ kok⁸ liut⁴
手　腳 → 腳　目　　　　三　角 → 角　六

chit⁴ pat⁴ chit⁸ chit⁸ pat⁸ pat⁴
七　八 → 七　七　八　八

pat⁴ kiok⁴ pat⁸ kiok⁸ min⁵ chong⁵
八　角 → 八　角　眠　床

shu³ muk⁴ muk⁸ muk⁴ kam¹ za³ ho⁷ shit⁸ muk⁸ muk⁴ thiam⁵
樹　目 → 目　目 → 甘　蔗　好　食　目　目　甜

ngiu⁵ kok⁴ kok⁸ kok⁴ sam¹ ship⁸ liuk⁴ kok⁴ kok⁸ kok⁴ shong¹ ngin⁵
牛　角 → 角　角 → 三　十　六　角　角　角　傷　人

5、陰入接陽平

sin¹ zuk⁴ zuk⁸ liam⁵　　　　shu¹ cok⁴ cok⁸ vui⁵
新　竹 → 竹　簾　　　　書　桌 → 桌　圍

ngit⁴ zhut⁴ zhut⁸ mun⁵　　　　kung¹ cok⁴ cok⁸ vun⁵
日　出 → 出　門　　　　工　作 → 作　文

man¹ shuk⁴ shuk⁸ pho⁵　　　　sam¹ kok⁴ kok⁸ teu⁵
滿　叔 → 叔　婆　　　　三　角 → 角　頭

shin⁵ thok⁴ thok⁸ phan⁵　　　phak⁸ thiet⁴ thiet⁸ ngiu⁵
承　　托　→　托　盤　　　　白　　鐵　→　鐵　牛

fung⁵ ngit⁴ ngit⁸ theu⁵ zhut⁸ ngit⁸ theu⁵
紅　　日　→　日　頭　→　出　日　頭

ca¹ cuk⁴ cuk⁸ sha⁵ cuk⁸ piak⁸ sha⁵
抓　捉　→　捉　蛇　→　捉　壁　蛇

6、陰入接陽去

kam² kok⁴ kok⁸ ngu⁷　　　　sang¹ thiet⁴ thiet⁸ lu⁷
感　　覺　→　覺　悟　　　　生　　鐵　→　鐵　路

ko³ shit⁴ shit⁸ lian⁷　　　　shiu⁴ kiok⁴ kiok⁸ phu⁷
過　失　→　失　戀　　　　手　　腳　→　腳　步

siong¹ shit⁴ shit⁸ sii⁷　　　tu² chet⁴ chet⁸ phi⁷
相　　識　→　識　字　　　堵　塞　→　塞　鼻

piong³ zhut⁴ zhut⁸ zhin⁷　　　fu³ cit⁴ cit⁸ phi⁷
放　　出　→　出　陣　　　　負　責　→　責　備

fong¹ fap⁴ fap⁸ tu⁷ jiu¹ fap⁸ tu⁷ jiu¹ ho⁷ fap⁸ tu⁷
方　法　→　法　度　→　有　法　度　→　有　好　法　度

shiu² kiok⁴ kiok⁸ sii⁷ ten⁵ kiok⁸ sii⁷ lam² kiok⁸ sii⁷
手　腳　→　腳　事　→　蹬　腳　(事)　→　濫　腳　(事)

7、陰入接陽入

li¹ ciet⁴ ciet⁸ liok⁸　　　jan¹ shok⁴ shok⁸ phak⁸
禮　節　→　節　略　　　演　說　→　說　白

pau³ fap⁴ fat⁸ tuk⁸　　　mi⁵ muk⁴ muk⁸ liuk⁸
爆　發　→　發　毒　　　眉　目　→　目　錄

mo^1　　pit^4　　pit^8　　met^8　　　　sun^2　　$shit^4$　　$shit^8$　　hok^8
毛　　　筆　→　筆　　墨　　　　損　　　失　→　失　　學

si^2　　pet^4　　pet^8　　$khit^8$　　　　$shit^8$　　zok^4　　zok^8　　fuk^8
西　　　北　→　北　　極　　　　食　　　著　→　著　　服

$kung^1$　　cok^4　　cok^8　　lok^8　　　jim^7　　ciu^2　　cok^8　　lok^8
工　　　作　→　作　　樂　→　飲　　酒　　作　　樂

$khau^3$　　pit^4　　pit^8　　$liet^8$　　　pit^8　　von^2　　$liet^8$　　$shok^8$
敲　　　必　→　必　　裂　→　必　　碗　　裂　　勺

四、重疊詞的變調

1、陰平重疊

東西搬到空空（$khung^{1-2}$　　$khung^1$）
飯攪到鬆鬆（$sung^{1-2}$　　$sung^1$）
耳公聾聾（$lung^{1-2}$　　$lung^1$）
衫著到烏烏　（vu^{1-2}　　vu^1）
皮鞋拭到金金金（kim^{1-2}　　kim^1　　kim^1）
荣分人揶到光光光　（$kong^{1-2}$　　$kong^1$　　$kong^1$）

2、陰去重疊

食恁大人還戇戇（$ngong^{3-2}$　　$ngong^3$）
發只粒仔痛痛（$thung^{3-2}$　　$thung^3$）
領到獎金暢暢（$thiong^{3-2}$　　$thiong^3$）
食人食到夠夠（$kieu^{3-2}$　　$kieu^3$）
拆到散散散（san^{3-2}　　san^3　　san^3）
衫熨到□□□（$lang^{3-2}$　　$lang^3$　　$lang^3$）　　＊ $lang^3$，平也。

3、陽去重疊

一領衫扯到爛爛（lan^{7-2}　　lan^7）
飯菜煮到便便（$phian^{7-2}$　　$phian^7$）
田無水，曬到硬硬（$ngang^{7-2}$　　$ngang^7$）
一碗公飯食淨淨（$chiang^{7-2}$　　$chiang^7$）

一堂屋掃到淨淨淨（chiang$^{7-2}$　　chiang^7　　chiang^7）

一只新碗打到爛爛爛（lan$^{7-2}$　　lan^7　　lan^7）

4、陽入重疊

一園菜死到絕絕（chiet$^{8-2}$　　chiet^8）

一領衫洗到白白（phak$^{8-2}$　　phak^8）

一鑊蕃薯煠到熟熟（shuk$^{8-2}$　　shuk^8）

惡人分佢制到服服（fuk$^{8-2}$　　fuk^8）

一園菜死到絕絕絕（chiet$^{8-2}$　　chiet^8　　chiet^8）

禾埕掃到白白白（phak$^{8-2}$　　phak^8　　phak^8）

第三課　連音變化

　　語言使用的詞都有固定的發音，不容任何人隨意改變。但是由於歷史的演變，或者由於語流中前後音的相互影響，會造成某些詞發音上的變化。這些語音的變化有兩種類型：一是語音從一個時代到另一個時代所發生的變化，稱爲歷史音變，例如「夫」字古音同「哺」，今音爲 fu¹ 便是。一是在連續語流中，因前後音的相互影響，而使某些詞的發音產生變化，稱爲語流音變，又稱連音變化。

　　連音變化包括聲調變化和聲母、韻母變化。客語聲調變化情形已見於前兩課，這裏探討的是聲母和韻母的音變。

一、聲母的音變

　　理論上，聲母的音便可能是受到前、後聲母的影響，和前、後韻母的影響，臺灣客語中見到的只有受到前字韻母影響的情形。

1、後字聲母因受前字韻母的韻尾影響，而產生與前字韻尾相同的聲母，例如：檳榔：pin¹（long⁵→）nong⁵

　　　　榔字本音 long⁵（同郎），因受檳字韻尾 n 的影響，使聲母 l - 變爲 n -，於是產生 nong⁵ 的聲音。（以下道理相同的，不另說明）

　　　　甘願：kam¹（ngian⁷→）mian7

　　　　生介生（生的生）：　　sang¹　（ke³/kai³→）nge³/ngai³　sang¹

　　　　死介死（死的死）：　　si²　（ke³/kai³→）ie³/iai³　si²

　　　　走介走（走的走）：　　ceu²　（ke³/kai³→）ue³/uai³　ceu²

　　　　十個銀（十塊銀）：siip⁸/ship⁸（ke³/kai³→）pe³/pai³　ngiun⁵

2、後字聲母因受前字韻尾的影響，和前字韻尾發生同部位變化，例如：

　　　　七個銀（七塊鐵）：chit⁴（ke³/kai³→）le³/lai³　ngiun⁵

　　　　一個銀（一塊鐵）：it⁴/jit⁴（ke³/kai³→）le³/lai³　ngiun⁵

　　上兩例「個」的聲母本爲 k -，因受前字韻尾 t 的影響，變爲發音部位也是舌尖的 l -，於是 ke³/kai³ 就變成 le³/lai³ 的音。

二、韻母的音變

　　常見的韻母音變有以下幾類：

1、 前字韻母受後字聲母影響，變爲與後字聲母相同的韻尾，例如：

隔壁：（kak⁴→）kap⁴ piak⁴

「隔」字的韻尾本爲 k，因受「壁」字聲母的影響，也變爲 p，隔變成甲 kap⁴。

難免（nan⁵→）nam⁵　mian¹

幾多（ ki² →）kit²　　to¹

2、 前字韻母受後字聲母的影響，和後字聲母發生同部位變化，例如：

新聞：（sin¹→）sim¹ vun⁵

「新」字的韻尾本爲 n，因受後字唇音聲母 v 的影響，便成了雙唇音 m，而變成「心」sim¹的音。

輕便（車）：（khin¹→）khim¹ phian⁷

天光日：（thian¹→）thiang¹ kong¹ ngit⁴

「天」的鼻音韻尾 n 受到後字聲母 k 的影響，變成與 k 同部位的舌根鼻音 ng 而產生 thiang¹的聲音。

3、 前字韻母受後字韻母的影響，產生與後字韻母一致的現象，例如 ：

亂彈：（lon⁷→）lan⁷　than⁵→ lan⁵　than⁵

「亂」的韻母本爲 on，受後字韻母的影響，也變爲 an，成爲爛 lan⁷的音，甚至連聲調也相同，變成蘭 lan⁵，說成「蘭彈」。

三、合音的音變

二字、三字的詞，唸快時合併成一個或兩個音節的現象。例如：

自家：chii⁷ ka¹→ chia¹ 例：～煮來食。

親家母：chin¹　ka¹ me¹→chia¹ me¹　 例：親家～～。

分佢：pun¹　ki⁵ → pi¹⁻⁵（聲調從第 1 聲滑到第 5 聲）。例：這本書拿～。

無愛（不要）：mo⁵　oi³ → moi⁵⁻³（聲調從第 5 聲滑到第 3 聲）。
　　　　　　　　例：𠊎～去。

係無（是嗎）：he³　mo⁵ → he³ o⁵ 例：你毋去～？

毋係（不是）：m⁵　he³ → me³ 例：這～你介書？（這不是你的書嗎？）

□係（也是）：ma³　he³ → me³ 例：這領衫係𠊎介，該領衫～𠊎介。

等佢去（隨他去）：ten²　ki⁵　hi³ → tei²⁻⁵ hi³ 例：～去，莫插佢。

幾多儕（多少人）：ki² to¹ sa⁵ → kio¹ sa⁵ 例：～～愛去爬山？

第一好（最好）：thi⁷ it⁴/jit⁴ ho² → thi⁷⁻⁵ ho² 例：熱天食西瓜～～。

　　客語的連音變化算是相當單純的，除了合音變化，上面舉的都是同化現象。此外，像「法」（fap⁴）字，有人說成 fat⁴（發），從音理上講，因 f 和 p 都是脣音，爲便於發音和區別，p 就變成舌尖音 t。法：fap⁴→fat⁴，這算是異化作用。不過客語的音變，也同其他語言的音變一樣，只是一種可能，一種習慣，而不是必然。

第四課　　音節結構分析

　　客家話是漢語方言之一，漢語的特徵就是單音節，比如我們說「大家來學客家話」這句話時，就使用七個音節，換句話說，每個字就是一個音節。

　　音節的結構可分聲母、韻母、聲調三大部份，其中韻母又包括介音、主要元音、韻尾三部分。介音又稱韻頭，有 i、u 兩個（沒有 y）；主要元音又稱韻腹，有 a、e、i、o、u 五個；至於韻尾，則有 i、u、m、n、**ng**、p、t、k 八個，其中 i 與 u 為元音韻尾，m、n 與 **ng** 為鼻音韻尾，p、t 與 k 為塞音韻尾。鼻音韻尾的稱為陽聲韻，塞音韻尾的稱為入聲韻，其他的屬於陰聲韻。

　　聲母都是輔音（consonant），今以 C 為代表，並以 M 代表介音（medial），V 代表元音（vowel），E 代表韻尾（ending），T 代表聲調（tone），則各樣俱全的音節結構形式便是：CMVET。但實際上客語的音節結構並不都是五樣俱全，請看下表：

例字	聲 C	韻			調 T	說　　明
		M	V	E		
阿			a		1	
夜		i	a		7	四　縣　音
安			o	n	1	
邀		i	e	u	1	四　縣　音
古	k		u		2	
卦	k	u	a		3	
膽	t		a	m	2	
接	c	i	a	p	4	
皮	ph		i		5	
力	l		i	t	8	

　　由上表可知，音節結構必不可少的條件是韻腹與聲調（VT），也可以只有韻頭、韻腹、聲調（MVT）、韻腹、韻尾、聲調（VET）、韻頭、韻腹、韻尾、聲調（MVET），這些都是無聲母，也稱零聲母。有聲母的，至少要有聲母、韻腹、聲調（CVT），也可以只有聲母、韻頭、韻腹、韻尾、聲調（CMVT）、聲母、韻腹、韻尾、聲調（CVET），最齊全的是聲母、韻頭、韻腹、韻尾、聲調俱全（CMVET）。

　　另有三個成音節的輔音毋（m）、你（n）、魚（**ng**），也是無聲母。各類結構的音節都在二十二課以前練習過了，學習者只須按音標拚音就沒問題了。

　　元音 i 和 u，既可做介音（韻頭），也可做韻腹和韻尾，那麼在一個音節中，如何判定它的角色呢？這裡簡單的作一個說明：

1、凡韻母只有一個 i 或 u 時,它就是韻腹,如上表皮 phi^5、古 ku^2 的 i、u 便是。

2、凡韻母 i 或 u 之後,有任何其他元音(a、e、i、o、u)時,它就是韻頭,如夜(ia^7)、卦(kua^3)的 i 和 u 便是。

3、凡韻母 i 或 u 之後,接任何輔音(m、n、**ng**、p、t、k)時,它也是韻腹,如力(lit^8)的 i 便是。

4、凡韻頭、韻腹、韻尾齊全時,居前的便是韻頭,如接(ciap^4)的 i,居末的便是韻尾,如邀(ieu^1)的 u 便是。

第五課　又讀字（一）

　　漢字多音現象約有四種原因：一是別音辨義，即一般所謂破音字，如「種」字有上去之分，上聲音腫，如種類、人種；去聲音眾，如種樹、種菜。二是文白異讀，即所謂讀音、語音，如「分」字有重唇（雙唇音）輕唇（唇齒音）之別，重唇讀如奔，如分家、分餅，是白讀口語音；輕唇讀如紛，如三分鼎立、永不分離，是文言讀書音。三是方言異讀，如「早」字韻母有 **au**、o 之異，梅縣話韻 **au**，音如找，臺灣客語韻 o，如「做」之上聲。四是同義異音，即同字同義而音不同，如「凸」字分屬沒、屑兩韻，沒韻者音如突，即《廣韻》「陀骨切」之音，屑韻者音如「鐵」之陽入，即《廣韻》「突結切」之音，這就是又讀字。

　　又讀字這種多音現象是經過長時期的演變和累積，有的在《廣韻》中已有異音，有的在《廣韻》中尚無記載，可能是後來才發展成的。茲分別舉例說明如下：

　　爆　1.pau^3　　　　2.pok^8　　　　3.phau^3

都是爆裂的意思。《廣韻》一為「北教切」音同豹，效韻；二為「北角切」，音同剝的陽入，覺韻。

　　胞　1.phau^1　　　　2.pau^1

都是胎胞之義，音可互用，習慣上說「同胞兄弟」時，音拋，說「雙胞卵」時，音包。《廣韻》一音「匹交切」；一音「布交切」，均屬肴韻。

　　推　1.chui^1　　　2.thui^1　　　3.thoi^1

都是推排之義。《廣韻》一為「叉佳切」，脂韻；二為「他回切」，灰韻。他回切客語發展成第2、3兩音。

　　聽　1.thang^1　　2.thin^7　　3.thang^3　　4.then^1

都是聆聽之義。《廣韻》一為「他丁切」，青韻，音如廳；二為「他定切」，徑韻，音如定。第二音就是國語去聲「ㄊㄧㄥˋ」的依據，因為它除了聆聽之外，尚有「待」的意思。臺灣客語多使用第一音，海陸話則第一音與第三音混用。第二音為讀音，《教兒經》：「有用兒孫聽此教，無用兒孫不留心。」讀的就是此音。東勢話用第四音，是「他丁切」不同發展的結果。

　　訂　1.thin^7　　　2.tin^2　　　3.tang^3

前者如訂婚、訂日子，其次如承訂香煙，後者如訂約，都有協議之義。《廣韻》一音「他丁切」，音汀，青韻；一音「徒頂切」，音挺，迥韻。

$$冷 \quad 1.lang^1 \qquad 2.len^1$$

第一音使用最普遍，東勢地區用第二音，但其他地區也可以聽到老一輩人使用。《廣韻》釋爲「寒」者有兩音，一爲「魯打切」，梗韻，一爲「力鼎切」，迥韻。

$$籠 \quad 1.lung^1 \qquad 2.lung^2$$

前者如雞籠，後者如戲籠（戲班裝道具的籠子），均指竹做的籠子。《廣韻》有三音，一爲「盧紅切」，東韻；二爲「力董切」，董韻，此二者與客語音相符；三爲「力鍾切」，擬音爲 $liung^1$，今客語未聞此音。

$$重 \quad 1.chung^5/zhung^5 \qquad 2.chiung^5$$

前者如九重山，後爲又讀音，多用在「重陽節」一詞，都有重複之義。《廣韻》一音「柱用切」，更爲也（重新來過），腫韻；一音「直容切」，複也，鍾韻。

$$掘 \quad 1.khut^8 \qquad 2.khiet^8$$

都是「掘地」之義，習慣上，以手爪爲第一音，音倔，如掘泥，以腳爪爲第二音，音鱖，如雞掘穀。《廣韻》一音「衢物切」，物韻；一音「其月切」，月韻。

以上各例都是意義相同而發音不同的字，且都與《廣韻》相合，可見其由來已久，值得探討。

又讀字練習（一）

爆　車輪仔爆風　　cha^1/zha^1　lin^3　ne^2/ne^5　pau^3　$fung^1$
　　車輪仔爆忒　　cha^1/zha^1　lin^3　ne^2/ne^5　pok^8　$thet^4$
　　雞頦仔歕爆忒　kie^1/kai^1　koi^1　ie^2/ie^5　$phun^5$　pau^3　$thet^4$
　　雞頦仔歕爆忒　kie^1/kai^1　koi^1　ie^2/ie^5　$phun^5$　pok^8　$thet^4$
　　炸彈爆發　　　ca^3　tan^5　$phau^3$　fat^4

胞　同胞兄弟雙胞卵　$tung^5$　$phau^1$　$hiung^1$　thi^7　$sung^1$　pau^1　lon^2

推　推窗望月　thui¹　chung¹　mong⁷　ngiat⁸
　　推銷農產品　chui¹　seu¹/siau¹　nung⁵　san²　phin²
　　推辭　thoi¹　chii⁵

訂　訂貨　thin⁷　fo³
　　承訂　siin⁵/shin⁵　tin²
　　訂約　tang³　iok⁴/jok⁴

籠　豬籠、戲籠　cu¹/zu¹　lung¹、hi³　lung²

重　七重山　chit⁴　chung⁵/zhung⁵　san¹
　　九重粄　kiu²　chung⁵/zhung⁵　pan²
　　重陽節　chiung⁵　iong⁵/jong⁵　ciet⁴
　　重重疊疊　chiung⁵　chiung⁵　thap⁸　thap⁸

掘　手掘、掘泥　su²/shu²　khut⁸、khut⁸　nai⁵
　　狗掘、掘泥　kieu²　khiet⁸、khiet⁸　nai⁵

第六課　　又讀字（二）

　　有些又讀字在《廣韻》中未見有異讀記載，但民間使用時，同字同義而音異的現象不少，其中有些是臺灣客語的普遍現象，有些可能只流行於某些地區，但又讀現象確實是存在的事實，例如：

　　波　　1.po^1　　　2.pho^1

此字《廣韻》僅載戈韻「博禾切」一音，客語在波浪、風波等詞多用 po^1，但也有說成 pho^1 的。pho^1 是泡泡，常用在「水波」、「起波」等詞中。波浪流動往往也會起泡，或許這就是多一音的由來。

　　劈　　1.phit^8　　　2.phiak^8

此字《廣韻》僅載錫韻「普擊切」一音，剖也、裂也、破也，擬音與第一音同，如劈開、劈樹椏（把樹叢中濃密的樹椏砍掉，闢出一條通路，也叫做劈。）平常用第二音的時候多，指揮動刀斧將整塊的硬物破開，如「擎斧頭來劈！」破西瓜則說切而不說劈。

　　碧　　1.pit^8　　　2.phet^8

此字《廣韻》僅有「彼役切」一音，昔韻，與第一音合。從文字結構看，碧字從石珀聲，碧字與珀同音，正合於第二音。

　　房　　1.fong^5　　　2.phiong^5

此字《廣韻》僅載「符方切」一音，民間使用絕大部份也用第一音，但姓氏中則保有 phiong5 的古音。

　　貓　　1.meu^3/miau^3　　2.ngiau^3

此字《廣韻》僅載「武交切」一音，宵韻，本為平聲，客語變陰去聲。meu^3 是四縣音，miau^3 與 ngiau^3 為海陸音，故海陸「貓」字有二音，並以用 ngiau^3 者為最多。東勢話也說 ngiau^3。

　　彌　　1.mi^5　　　2.ni^5

此字《廣韻》僅載「武移切」一音，支韻，與第一音合。但「阿彌陀佛」、「彌

勒佛」，很多人都念第二音，與「彌」同音。

　　膩　1.ne³　　　2.ni³

肥膩的膩，《廣韻》僅載「女利切」一音，至韻，客語卻有第二音，四縣話用第一音較普遍，如膩膩細細，海陸話則二音兼用，第二音與《廣韻》相合。

　　膏　1.ko¹　　　2.kao¹

此字《廣韻》僅載「古勞切」一音，豪韻，客語則分屬ｏ韻與ａｕ韻，四縣話多用第一音，海陸則兩音兼用。

　　勢　1.sii³/shi³　　2.se³/she³

勢力的勢，《廣韻》僅載「舒利切」一音，祭韻，與第一音合。又音se³/she³，如「靠勢頭」。

　　亨　1.hen¹　　　2.khien¹

亨通之亨，《廣韻》爲「許庚切」，庚韻。客語卻分屬ｈ與ｋｈ兩種聲母，反切應該都是許庚切，許字現代客語聲母爲ｈ，北方話變爲ｓｉ，但在較古時期聲母是ｋｈ，閩南語正好保留此音，可爲佐證。

　　魏　1.ngui⁷　　2.nui⁷

此字《廣韻》僅載「魚貴切」一音，未韻。擬音與第一音合，應該是「正音」，第二音則是「變音」，因爲ｎｇ與ｎ相變，在客語中不乏其例，如「你」字讀ni⁵，又讀ngi⁵（海陸），「宜」字讀ngi⁵，又讀ni⁵，都是音變的結果。

　　宜　1.ngi⁵　　　2.ni⁵

此字《廣韻》僅載「魚羈切」一音，音儀，與第一音合，今「便宜」一詞用此音。但平常讀此音多用第二音，這可與上舉「魏」字對照看。

　　匙　1.sii⁵/shi⁵　2.chi⁵/zhi⁵

此字《廣韻》僅載「是支物」一音，支韻，擬音與第一音合，一般用在「鎖匙」一詞，但「飯匙」一詞，可用第一音，多數卻用第二音，國語中「鑰匙」、「湯

匙」也有這種現象。

律　1.lut^8　　2.lit^8

此字《廣韻》僅載「呂卹切」一音，術韻，擬音與第一音合，海陸話多用此音，四縣話則多用第二音。

塞　1.set^4　　2.chet^4

阻塞之塞，《廣韻》僅載「蘇則切」一音，與第一音合，但口語中第二音用的也很普遍。

瘦　1.seu^3　　2.cheu^3

此字《廣韻》僅載「所祐切」一音，與第一音合，海陸話多用此音，也兼用第二音，四縣話多用第二音。聲母的變化與「塞」字相同。

　　以上諸例都是客語中同義異音的字，其中如房讀 fong^5，又讀 phiong^5，亨讀 hen^1，又讀 khien^1，可能是不同時代的遺音，如貓讀 meu^3/miau^3，又讀 ngiau^3，膩讀 ne^3，又讀 nι^3，又像是次方言不同發展的現象，這些，都可以做更深入的考察。

又讀字練習（二）

波　波浪、水波　po^1　long^7、sui^2/shui^2　pho^1

劈　劈開、劈樹頭　phit^8　khoi^1、phiak^8　su^7/shu^7 theu^5

碧　碧玉、碧血黃花　phet^8　ngiuk^8、phet^8　hiet^4　vong^5　fa^1
　　芳草碧連天　fong^1　cho^2　pit^8　lian^5　thian^5

貓　花貓公　fa^1　meu^3　kung^1（四縣）fa^1　miau^3　kung^1（海陸）
　　貓公打老鼠 meu^3　kung^1　ta^2　lo^7　　chu^2（四縣）
　　　　　　　　ngiau^3　kung^1　ta^2　lo^7　zhu^2（海陸）

膩　膩膩細細、肥膩膩　ne^3　ne^3　se^3　se^3、phi^5/phui^5　ni^3　ni^3

膏　膏藥、藥膏　ko^1　iok^8/jok^8、iok^8/jok^8　kau^1

勢　勢力、有錢有勢　sii³/shi³　lit⁸、iu¹/jiu¹　chian⁵　iu¹/jiu¹　se³/she³

亨　亨通、大亨　khian¹　thung¹、thai⁷　hen¹

宜　宜蘭、便宜　ni⁵　lan⁵、phian⁵　ngi⁵

匙　鎖匙、飯匙　so²　sii⁵/shi⁵、fan⁷　chii⁵/zhi⁵

塞　塞塘涵、塞落去　set⁴　thong⁵　ham⁵、chet⁴　lok⁸　hi³

瘦　瘦豬肉　seu³　cu¹/zu¹　ngik⁴
　　牛肥牛瘦　pan³　phi⁵/phui⁵　pan³　cheu³

第七課　　破音字(一)

　　破音字，就是某字除了本音本義以外，另有其他的音義，因用於其他處，意義不同，改變了音讀，稱之爲破音字。

　　破音字的來源甚古，原是古代注解經書者，爲了破除經中所用的假借字而讀以本字，所以叫做破音字。王引之《經義述聞》引其父王念孫說：「訓詁之旨，在乎聲音，字之聲同聲近者，經傳往往假借，學者以聲求義，破其假借之字，而讀以本字，則渙然冰釋。」如相字，《詩·小雅·伐木》：「相彼鳥矣。」鄭箋曰：「相，視也。」《說文》亦云：「相，省視也。」相，原是省視的意思，後來，亦爲相與之意，而客語讀音亦多與之同，因此，客語破音字可謂源遠流長。茲將常用之破音字列之如下：

背：　poi³　non⁵　　　背囊　枵到肚笥變背囊。
　　　pa⁵　tai³　　　　背帶　背帶係背細人仔介帶仔。（此義今或用「揹」字）
　　　phoi⁷　shu¹　　　背書　大家共下來背書。

別：　phet⁸　ngin⁵　　別人　毋好管別人，愛管自家。
　　　fun¹　phiet⁸　　　分別　這兩項有脈介分別無？

星：　lang⁵　sang⁵　　零星　你有零星錢無？
　　　sen¹　khi⁵　　　　星期　今晡日星期幾？

分：　pun¹　ka¹　　　　分家　樹大分叉，子大分家。
　　　ship⁸　fun¹　　　　十分　我感覺十分滿意。

正：　ciin³/zin³　kin¹　　正經　做事毋好假正經。
　　　cang³/zang³　ho²　正好　下課以後愛遽遽轉去正好。
　　　cang¹/zang¹　ngiet⁸　正月　正月裡來是新年。

斷：　thon¹　sien³　　　斷線　流浪在外，就像斷線介紙鷂共樣。
　　　phan⁷　ton³　　　判斷　這件事就請你來判斷。

輪：　lin³　ne²/ne⁵　　輪仔　這只輪仔介氣飽飽。
　　　lun⁵　liu⁵　　　　輪流　大家輪流來值夜。

合：　hap⁸　cok⁴　　　合作　大家分工合作，事情正能成功。
　　　jit⁴　kap⁸　　　　一合　少少也愛一合糧。

kap⁴ fo²	合火	阿公婆合火。
kak⁴ tu²	合肚	酸忒介菜合肚毋得。

析：fun¹ sit⁴	分析	你分析介盡有道理。
khoi¹ sat⁴	開析	捞這只西瓜破開析。

少：seu³/shau ngien⁵	少年	少年易老學難成。
to¹ seu²/shau²	多少	多少柔情多少淚。

難：khun³ nan⁵	困難	做事毋好驚困難。
lok⁸ nan⁷	落難	落難時節愛堅強。

平：phin ciin²/zin²	平鎮	平鎮市在桃園縣。
phiang⁵ phiang⁵	平平	佢兩儕平平高。

好：ho² ciu²	好酒	好酒飲來慢慢醉。
hau siit⁸/shit⁸ ciu²	好食酒	佢當好食酒。

應：tap⁴ in³/jin³	答應	答應以後就愛做到。
en³ sang¹/shang¹	應聲	喊到，馬上就應聲。

相：siong¹ siit⁴/shit⁴	相識	相識滿天下，知心能幾人。
khon³ siong³	看相	看相愛先修心。

發：fat⁴ choi⁵	發財	恭喜發財。
tong¹ pot⁴	當發	這個頭家當發。

長：chong⁵/zhong⁵ ton²	長短	竹子不論長短大細也可以用。
cong²/zong² thai³	長大	長大以後愛自立。

重：chung⁵/zhung⁵ fuk⁸	重複	再重複一遍。
chung¹/zhung¹ khiang¹	重輕	細人兒做事毋知重輕。
chung⁷/zhung⁷ tiam²	重點	做事愛有重點。

朝：ceu¹/zau¹ siin⁵/shin⁵	朝晨	朝晨毋知暗晡。
cheu⁵/zhau⁵ thin⁵	朝廷	朝廷無人莫做官。

行：ngiun⁵　hong⁵　　　　銀行　台灣銀行。
　　hang⁵　lu⁷　　　　　　行路　行路愛小心。
　　phin²　hen⁷　　　　　品行　佢介品行盡好。

降：theu⁵　hong⁵　　　　投降　敵人已經投降了。
　　kong³　lok⁸　　　　　降落　飛機降落了。
　　kiung³　cii²　　　　　降子　佢降子先安名。

尺：it⁴/jit⁴　zhak⁴　　　　一尺　一尺就係十寸。
　　kung　che　　　　　　工尺　工尺係頭擺介樂譜。

試：khau²　sii³/shi³　　　考試　入學考試。
　　chii³/zhi³　khon³　　試看　試看一下。

更：kien³　ka¹　　　　　更加　大一歲了愛更加打拚。
　　ng²　kang¹　　　　　五更　一暗晡有五更。

參：cham¹　ka¹　　　　　參加　參加人數非常多。
　　ngin⁵　sem¹　　　　　人參　高麗人參盡有名。

樂：khuai³　lok⁸　　　　快樂　新年快樂。
　　im¹/jim¹　ngok⁸　　音樂　西洋音樂。

著：chok⁸/zhok⁸　fo²　著火　衫尾著火自家救。
　　mo⁵　tiok⁸　　　　無著　這個人盡無著，講話毋算話。
　　cok⁸/zok⁸　sam¹　著衫　著衫係愛保暖，也係愛好看。
　　cu³/zu³　cok⁴　　　著作　這本書係盡有名介著作。
　　khon³　to²　　　　　看著　看著一個老伯伯。
　　khi¹　ten²　　　　　企著　你在著企著莫走！

第八課　　破音字（二）

沈：siang　siim²/shim²　　　姓沈　　𠊎婆姓沈。
　　chiim⁵/zhim⁵　ha²　hi³　　沈下去　雞毛毋會沈下去。

展：can²/zan²　lam²　　　　展覽　客家文物展覽會。
　　tien²　po²　　　　　　展寶　大家來展寶。

數：sii⁷　pu²　　　　　　數簿　毋好去看男人數簿。
　　su³　hok⁸　　　　　　數學　這題數學𠊎做好了。

折：ta²　cat⁴/zat⁴　　　　打折　換季時節百貨公司會打折。
　　sat⁸/shat⁸　pun²　　　折本　做生意毋好折本。

畜：chuk⁸/zhuk⁸　sang¹　　畜生　毋好罵人畜生。
　　hiuk⁴　cii²　　　　　畜子　畜子長大無恁該。

惡：ok⁴　ngin⁵　　　　　惡人　惡馬自有惡人騎。
　　iam⁷/jam⁷　vu³　　　厭惡　做事毋好分人厭惡。

會：khoi¹　fi⁷/fui⁷　　　開會　這張係開會通知。
　　an²　voi⁷　　　　　恁會　你恁般恁會？

監：kam³　khau²　　　　監考　監考一日也盡痹。
　　kam¹　ngiuk⁸　　　監獄　犯人關在監獄。

差：cha¹　phiet⁸　　　　差別　這有脈介差別？
　　kung¹　chai¹　　　　公差　佢今晡日出公差。

混：fun³　chap⁸　　　　混雜　這所在真混雜。
　　kun²　kun²　　　　混混（滾滾）　原泉混混，不捨晝夜。

教：kau³　iuk⁴/jiuk⁸　　教育　中小學係義務教育。
　　kau¹　su¹/shu¹　　　教書　佢在中學教學。

調：thiau⁵　kie²/kai²　　調解　市公所有調解委員會。
　　tiau³　thung⁷　　　　調動　職務調動係正常介。

龜：hoi² kui¹　　　　　海龜　這隻海龜真大。
　　kiu¹ liet⁸　　　　　龜裂　這地板龜裂了。

屬：shuk⁴ ji⁵　　　　　屬於　桃園屬於臺灣。
　　ngia⁵ teu¹　　　　　若屬　若屬去奈位？

中：cung¹/zung¹ kuet⁴　　中國　中國文學盡優美。
　　cung³/zung³ ciong²　中獎　大家都有中獎介機會。

曾：chen⁵ kin¹　　　　　曾經　渠曾經住在新竹。
　　cen¹ cii²　　　　　　曾子　曾子係孔子介學生。

爲：vui⁵ ngin⁵　　　　　爲人　爲人愛忠實。
　　vui⁷ liau²　　　　　爲了　爲了生活，遠離家鄉。

若：ngia⁵ pa¹　　　　　　若爸　若爸做脈介頭路？
　　iok⁸/jok⁸ sii³/shi³　若是　若是成功，一定答謝你。

傳：chon⁵/zhon⁵ po³　　傳播　傳播公司。
　　chii⁷ zhon³　　　　　自傳　偓介自傳寫好了。

當：tong¹ sii⁵/shi⁵　　　當時　當時你恙般對佢講？
　　thin⁵ tong³　　　　　停當　做事停當了。

營：pin¹ iang⁵/jang⁵　　兵營　這附近有砲兵介兵營。
　　kin¹ in⁵/jin⁵　　　　經營　經營百貨公司。

惱：fan⁵ nou⁵　　　　　煩惱　恁大咧，你煩惱脈介？
　　tet⁴ ngin⁵ nau¹　　得人惱　這實在得人惱！

苦：kian¹/kan¹ khu²　　艱苦　經過了艱苦介歲月。
　　fu² kua¹　　　　　　苦瓜　苦瓜雖苦連皮食。

還：han⁵ he³　　　　　　還係　恁久無見，你還係恁靚！
　　van⁵ cai³　　　　　　還債　做這件事，就像還債共樣！

沒：mat⁸ that⁴　　　　　沒忒　這頭樹兒沒忒咧！
　　mut⁴ cii² thi³　　　沒子弟　殺人放火，實在係沒子弟！

掩：em¹　ten²　　　掩著　㧯佢介嘴掩著！
　　iam⁷/jam⁷　tu²　掩土　掩土係一種喪葬儀式。

散：fun¹　san³　　　分散　兄弟分散各西東。
　　iok⁸/jok⁸　san²　藥散　這係治療感冒介藥散。

思：i³/ji³　sii³　　　意思　這句話盡有意思。
　　sii²　siong²　　　思想　睡到三更思想起。

落：lok⁸　nan⁷　　　落難　英雄落難可比虎落平陽。
　　lau³　thet⁴　　　落忒　鞋帶敨忒繫轉去！

　　破音字是漢語共同的現象，但客語與國語破音的情形是各自發展的，故有同有異。同者如「還」字有「還是（係）」、「還債」之分，異者如「惱」字，國字僅一音，而客語中「煩惱」與「得人惱」音義有別．又如「彈」字，國語中「彈簧」與「炸彈」音義不同，而客語中卻不分讀為二音，可見其發展情形並不一致，但總的來說，相同的還是居多，仍然可以看出漢語發展的共同性。

第九課　文白異讀（一）

　　如果不健忘，當我們小時看大人下棋時，聽到他們高興的大叫，「好呀！抽車。」歡喜之情，溢於言表。仔細回味，這「車」字，唸成（ki¹），而平常卻唸成（cha¹）和（zha¹），這就是所謂的文白異讀。

　　從文白異讀可以了解語音的變化，深入文化的內涵，例如我們讀「惜花須早起，愛月夜眠遲」兩句詩的時候，「惜」字讀音與「息」字同音，這就是所謂的「讀書音」，「可惜」一詞，平常用的也是讀書音，也稱爲「文讀音」。平常說「得人惜」一詞時，用的就是「說話音」，也稱爲「白讀音」。因此，要了解客語之美，可以從詩詞著手，而客語淵源悠久，文白異讀之字甚多。

　　本來，文白異讀，文是指讀音，白是指語音，讀音用的是唐代長安地區的標準音，而語音是說話時習慣用的口語音。口語音雖然容易隨時代及地域而變化，但因有些是傳自更早的時代，所以也往往存有更早的古音，如放心之「放」，其讀音爲（fong³），而語音則爲（piong³），從漢語語音史的發展來看，這「放」字的語音確比讀音的時代爲早。以下列舉一些常用的例字以供參考：

分：pun¹　ka¹（白）　　分家　佢等兄弟已經分家了。
　　ship⁸　fun¹（文）　　十分　春在枝頭已十分。

無：mo⁵　iang²/jang²（白）　無影　鬼曬日頭，無影無跡。
　　vu⁵　lit⁸（文）　　無力　東風無力百花殘。

車：cho¹　cha¹/zha¹　　坐車　現代社會，離不開坐車。
　　ki¹　ma¹　　車馬　門前冷落車馬稀。

適：siit⁸/shi⁸　hap⁸（白）　適合　這工作盡適合佢介興趣。
　　vu⁵　tit⁸　ja¹（文）　無適也　君子之於人，無適也。

擇：thok⁸　choi³（白）　擇菜　先擇菜，正煮菜。
　　sien²　chet⁸（文）　選擇　擇其善者而從之。

生：sang¹　si²（白）　生死　毋知生死。
　　sen¹　miang⁷（文）　生命　一隻蟻公也係一條生命。

聽：thang¹　kong²（白）　聽講　上課愛認真聽講。
　　thin³　tien¹（文）　聽天　不得已正聽天由命。

輕：tong^1　khiang^1（白）　　當輕　這件東西當輕。
　　fung^1　khin^1（文）　　風輕　雲淡風輕近午天。

爭：cang^1　thian^1（白）　　爭天　皇帝相打---爭天。
　　kin^3　cen^1（文）　　競爭　商業競爭，各顯神通。

鳥：tiau^1　cii^2（白）　　鳥子　鳥子學飛。
　　thi^5　niau^1（文）　　啼鳥　處處聞啼鳥。

細：se^3　ngin^5　ne^2/n^2（白）　　細人仔　細人仔係盡得人惜介。
　　sang^1/shang^1　si^3　si^3（文）聲細細　歌管樓台聲細細。

飛：pi^1/pui^1　loi^5（白）　　飛來　飛來一隻白鶴。
　　fi^1/fui^1　siong^5（文）　　飛翔　清秋燕子故飛翔。

放：piong^3　ha^1（白）　　放下　東西可以放下。
　　fong^3　sim^1（文）　　放心　放心去毋使愁。

伐：phat^4　cho^2（白）　　伐草　你在山上伐草。
　　pet^4　fat^4（文）　　北伐　北伐中原。

諄：cun^1/zun^1　cun^1/zun^1（白）諄諄　諄諄教誨，感動人心。
　　fui^2　ni^5　tun^1　tun^1（文）誨汝諄諄　昔時賢文，誨汝諄諄。

惜：tet^4　ngin^5　siak^4　　得人惜　佢生到盡得人惜。
　　sit^4　　　　　　　　　惜　勸君莫惜金縷衣。

柴：cheu^5/chiau^5　cho^2　　柴草　煮飯愛燒柴草。
　　chai^5　mun^5　　柴門　相送柴門日月影。（杜甫）

粒：fan^7　liap^4（白）　　飯粒　飯粒毋好跌下桌。
　　lip^4　lip^4（文）　　粒粒　粒粒皆辛苦。

危：vi^5/vui^5　hiam^2（白）　　危險　酒後駛車仔係危險介事情
　　ngui^5　cho^1（文）　　危坐　正襟危坐

肯：hen^2　loi^5（白）　　肯來　你肯來無？
　　put^4　kien^2（文）　　不肯　晴乾不肯去，須待雨霖頭。

去：ceu² hi³（白）　　　走去　頭下你走去奈位？
　　khi³ ngian⁵（文）　　去年　去年今日此園中，人面桃花相映紅。

白：phak⁸ kieu²（白）　　白狗　白狗介毛白白。
　　min⁵ phet⁸（文）　　明白　道理愛講明白。

口：heu² lan¹（白）　　　口涎　嬰兒流口涎。
　　ngin⁵ khieu⁵（文）　人口　台灣人口有兩千零萬。

吾：nga⁵ pa¹（白）　　　吾爸　吾爸係耕田人。
　　ng⁵　　　（文）　　吾　　吾愛吾師。

呈：chang⁵/zhang⁵ hian³（白）　呈獻　呈獻母校紀念品。
　　chiin⁵/zhin⁵ siit⁴/shit⁴（文）　呈識　只此呈識，萬無一失。

塑：cok⁴ siong³（白）　　塑像　買油泥來塑像。
　　sok⁴ kau¹（文）　　塑膠　塑膠係盡有用介東西。

第十課　　文白異讀（二）

枝：su³/shu³　ki¹（白）　　　樹枝　樹枝杈椏。
　　it⁴/jit⁴　cii¹/zi¹（文）　　一枝　一枝紅杏出牆來。

弟：lo²　tai¹（白）　　　　　老弟　吾老弟去日本旅行。
　　hiung¹　thi⁷（文）　　　兄弟　我家有兄弟三人。

知：ngi⁵　ti¹　mo⁵（白）　　你知無　這件事你知無？
　　cii¹/zi¹　cii¹（文）　　　知之　知之爲知之，不知爲不知。

惱：tet⁴　ngin⁵　nau¹（白）　得人惱　佢專門騙人，盡得人惱。
　　kho²　nau²　　（文）　　可惱　佢好事毋做，壞事做盡，真正可惱啊！

挺：then²　tu²（白）　　　　挺肚　上崎低頭，下崎挺肚。
　　thin²　siin¹/shin¹（文）　挺身　公眾介事務，愛有人挺身出來帶頭。

摸：mia¹　theu⁵（白）　　　摸頭　一只問題想到緊摸頭。
　　mo¹　chai²（文）　　　　摸彩　慶祝大會又兼摸彩。

你：ngi⁵　loi⁵（白）　　　　你來　你來看這係脈介東西。
　　ni⁵　ngo¹（文）　　　　你我　細人還言知你我。

客：hak⁴　ka¹（白）　　　　客家　全世界都有客家人。
　　khiet⁴(khak⁴)　ki¹（文）客居　客居他鄉，人地生疏。

還：kui¹　van⁵〔白〕　　　歸還　借介東西愛歸還。
　　sii³/shi³　puk⁴　fan⁵（文）誓不還　不破樓蘭誓不還。

屑：ki³　sut⁴（白）　　　　鋸屑　這鋸屑抔去燒火。
　　put⁴　siet⁴（文）　　　不屑　這種事他不屑一顧。

弛：ie¹/jie¹　ha¹　loi⁵（白）弛下來　滴泥壁弛下來。
　　sung¹　chii⁵/zhi⁵（文）　鬆弛　紀律鬆弛必須整頓。

塞：set⁴　cha¹/zha¹（白）　塞車　高速公路塞車。
　　ieu³/jau⁵　sai³（文）　要塞　派兵把守要塞。

帥：ngian⁵ soi³（白）　　元帥　兵馬大元帥。
　　sai³ liang¹（文）　　帥領　率領兵馬把守潼關。

先：sen¹ hang⁵（白）　　先行　阿伯你先行。
　　sian¹ heu⁷（文）　　先後　事有終始，物有先後。

正：khi¹ cang³/zang³（白）　　企正　坐愛坐穩，企愛企正。
　　ciin³/zin³ kin¹（文）　　正經　山歌採茶為正經。

縮：sok⁸ su²/shiu²（白）　　縮手　一縮手，東西就倒。
　　put⁴ suk⁸（文）　　不縮　自反而不縮，雖千萬人吾往矣。

隱：iun²/jun² chong⁵（白）　　隱藏　隱藏在後看毋著。
　　in²/jin² ki¹（文）　　隱几　隱几而臥。

平：phiang⁵ tai²（白）　　平底　這隻鑊仔平底介。
　　phin⁵ fo⁵（文）　　平和　大哥介性體非常平和。

底：tai² ha¹（白）　　底下　鑊仔底下結一層油。
　　to³ ti²（文）　　到底　你到底愛去抑毋去？

　　文讀與白讀之間，或聲同韻異，如平、底字；或聲異韻同，如你、肯等字；或聲韻並異，如弛、擇等字，只要常用，便能分別清楚。但我們須注意的是：隨著語言的流傳與使用，日常說話時也常使用文讀的詞彙和語音，如可惜、正經等原屬文讀的用語，早就活在口語之中了。

第十一課 次方言的認識

　　時空的隔閡造成方言的差異，即使同一種方言，也因爲時空的各自發展而有分別，而形成了「次方言」現象。如「謝謝」一詞，苗栗說「恁仔細」，六堆一帶說「多謝」，海陸話說「承蒙」，這是用語的不同。客家的「客」，一般說 hak^4，東勢話說成 $khak^4$，煮飯的「煮」，四縣話說 cu^2，海陸話說 zu^2，這是聲母的差別，爭差的「爭」，一般說 $cang^1$，東勢話說 cen^1，上街的「街」，老一輩的人說 $kiai^1$，今四縣話說 kie^1，海陸話說 kai^1，這是韻母的差別。下雨的「雨」，四縣、海陸說 i^2 和 ji^2，饒平話說 vu^1，雨水的「水」，四縣、海陸說 sui^2 和 $shui^2$，饒平話說 fi^2，這是聲韻都不同。至於調值的差別，更是客語次方言最基本的差別現象。又如「正在吃飯」，一般說「食著（ten^2）飯」，永定話說「食緊（kin^2）飯」，「多住一夜」，一般說「歇加夜」，有人說「歇夜添」，這又是語法的差異。

　　客家次方言的差異主要還是聲音上的問題，茲就四縣、海陸、東勢、饒平、詔安、永定六種話，分別從聲、韻、調三方做比較，以供了解台灣客語話同中有異的現象。

一、聲母方面

四縣	海陸	東勢	饒平	詔安	永定	例　　字
p	p	p	p	p	p	本比班保巴幫
ph	ph	ph	ph	ph	ph	噴爬潘破步白
m	m	m	m	m	m	問馬滿冒明門
f	f	f	f	f	f	焚番火風花灰
v	v	v	v	v	v	溫彎禾翁文劃
t	t	t	t	t	t	敦打單東端當
th	th	th	th	th	th	吞他灘通透提
n	n	n	n	n	n	嫩拿難農怒南
l	l	l	l	l	l	倫罅蘭龍良來
c	c	c	c	c	c	子莊斬總組走 精獎進酒尖浸
	z	z	z	z	z	真著鍾主中
ch	ch	ch	ch	ch	ch	寸差錯聰粗草 清秋侵漸全松
	zh	zh	zh	zh	zh	稱痴抽蟲吹出
s	s	s	s	s	s	孫三宗色蘇愁 新修心習息相

	sh	sh	sh	sh	sh	申搧試書成
			f			水睡
∅	j	j	j	j	j	雲羊煙榮仁意
			v	v	v	雨運園院縣遠
k	k	k	k	k	k	軍加奸公監光
kh	kh	kh	kh	kh	kh	近卡權空起狂
ng	ng	ng	ng	ng	ng	誤牙硬咬鵝臥
						牛人扭熱娘年
h	h	h	h	h	h	好下賢漢虛海
∅	∅	∅	∅	∅	∅	奧暗安歐恩亞

根據上表，可以做以下幾點說明：

1、古知、莊、照系聲母，四縣話合併為 c（ㄗ）、ch（ㄘ）、s（ㄙ）一組舌尖音，海陸、東勢、饒平、詔安、永定話除 c、ch、s 外，又分出 z（ㄓ）、zh（ㄔ）、sh（ㄕ）、j（ㄖ）一組舌尖面音。不過東勢的這套舌尖面音發音較特別，後面大都跟著 i，有顎化的現象。

2、c 組逢細音（與 i 拼音）時，如例字精、清、新三行，大致都會有顎化為ㄐ、ㄑ、ㄒ的現象，尤以中年以下為明顯，故有的學者歸納語音系統時，往往多列出這一套。如濟、徐、西三字，本教材第一式注成：ci^3、chi^5、si^1，第二式則注成ㄐㄧˇ、ㄑㄧˊ、ㄒㄧ，以配合國語注音的習慣，同時也反應了這種音變的現象。

3、舌根鼻音 ng 逢細音時，會顎化為 n，如牛、月等的聲母，本教材採用的臺語音標省略這個音，直接以 ngi 來表示。

4、古止攝開口三等，如「起、氣」等，國語ㄑ母的字，四縣、海陸、東勢話聲母是 h-（ㄏ），饒平、詔安、永定話則發 kh-（ㄎ），保存古「溪」母的特色。

5、古「喻」母字如「雨、運、圓」等，四縣為零聲母，直接以 i- 開頭，海陸、東勢發 j-，饒平、詔安、永定話則發 v-。另如「水、睡」等字，饒平話則發 f-（fi、fei），這是很特殊的現象。

二、韻母方面

四縣		海陸		東勢		饒平		詔安		永定	
a	p- 巴	a	p- 巴	a	k- 加	a	z- 遮	a	f- 花	a	k- 家
e	h- 係	e	h- 係	e	s- 細	e	h- 鞋	ɛ	z- 嘴	e	t- 底
i	s- 西	e	h- 西	i	f- 飛	i	t- 知	i	kh- 起	i	th- 起
ii	s- 事	ii	s- 事	ii	s- 師	ii	c- 資	ii	c- 資	ii	s- 師

韻	聲	例	韻	聲	例	韻	聲	例	韻	聲	例	韻	聲	例	韻	聲	例
o	s-	鎖	o	s-	鎖	o	t-	多	o	t-	多		t-	多	o	t-	多
u	f-	夫	u	f-	夫	u	t-	賭	u	p-	布	u	p-	布	u	sh-	手
ai	n-	乃	ai	n-	乃	ai	ng-	偃	ai	th-	待	ai	t-	帶	ai	t-	帶
oi	k-	該	oi	k-	該	oi	l-	來	oi	ph-	倍	i	m-	梅	oi	l-	來
au	p-	包	au	p-	包	au	o-	拗	au	p-	包	au	p-	包	au	p-	包
eu	l-	樓	eu	l-	樓	eu	l-	樓	eu	m-	苗	εu	h-	猴	eu	f-	浮
ia	s-	寫	ia	s-	寫	ia	ng-	惹	ia	ng-	惹	ia	s-	寫	ia	s-	寫
ie	k-	街	ie	ng-	蟻	ie	ng-	蟻	ie	k-	雞	iε	k-	街	ie	k-	街
io	kh-	茄	io	kh-	茄	io	kh-	茄	io	h-	靴	i	h-	靴	io	h-	靴
iu	t-	丟	iu	t-	丟	iu	k-	久	iu	zh-	醜	iu	kh-	橋	iu	kh-	橋
			iai	k-	介				iai	k-	介						
									iei	k-	街				iei	k-	界
ioi	kh-	瘰	ioi	ch-	脆	ioi		□									
iau	l-	料	iau	l-	料	iau	h-	曉	iau	th-	條	iau	t-	釣	iau	l-	料
ieu	k-	狗	ieu	k-	狗	ieu	k-	鉤	ieu	k-	溝	iεu	k-	溝	ieu	k-	溝
ua	k-	卦	ua	k-	卦	ua	k-	卦	ua	k-	瓜	ua	k-	瓜	ua	k-	瓜
ue	kh-		ue	kh-		ue	kh-										
ui	k-	貴	ui	p-	飛	ui	k-	龜	ui	k-	貴	ui	k-	貴	ui	k-	貴
uai	k-	怪	uai	k-	怪	uai	k-	怪	uai	k-	怪	uai	k-	怪	uai	k-	怪
am	s-	三	am	s-	三	am	ch-	杉	am	s-	三	am	h-	含			
em	s-	森	em	s-	森	em	s-	森	em	s-	森	εm	s-	森			
im	l-	林	im	l-	林	im	l-	林	im	l-	林	im	l-	林			
iim	c-	枕										iim	sh-	審			
iam	th-	添	iam	th-	添	iam	th-	添	iam	k-	劍	iam	c-	尖			
iem	kh-	弇	iem	kh-	弇	iem	k-		iem	k-							
an	p-	班	an	p-	班	an	p-	班	an	l-	爛	an	p-	半	an	zh-	串
en	p-	冰	en	p-	冰	en	n-	能	en	s-	星	εn	ph-	朋	en	z-	轉
in	p-	兵	in	p-	兵	in	c-	精	in	k-	根	in	p-	兵	in	k-	今
iin	c-	真										iin	sh-	神			
on	t-	短	on	t-	短	on	ch-	門	on	kh-	寬	on	t-	端	on	s-	算
un	s-	孫	un	s-	孫	un	kh-	坤	un	j-	雲	un	p-	本	un	s-	孫
ian	p-	邊	ian	p-	邊	ian	p-	邊	ien	k-	間	iεn	ng-	軟	ien	th-	甜
(ien)			(ien)			(ien)											
ion	ng-	軟	ion	ng-	軟	ion	ng-	軟	ion	ng-	軟						
iun	kh-	近	iun	kh-	近	iun	kh-	近	iun	kh-	群	iun	h-	勳	iun	ng-	銀
uan	k-	關	uan	k-	關	uan	k-	官	uan	k-	官	uan	k-	官	uan	k-	官
uen	k-	耿	uen	k-	耿												
ang	k-	庚	ang	k-	庚	ang	ng-	硬	ang	k-	庚	ang	ph-	彭	ang	k-	柑

ong k- 光	ong k- 光	ong n- 糠	ong s- 桑	ong k- 缸	ong p- 幫	
ung f- 風	ung f- 風	ung ph- 蜂	ung t- 東	ung t- 東	ung t- 東	
iang ng- 迎	iang ng- 迎	iang ng- 迎	iang ch- 請	iang p- 丙	iang p- 丙	
iong h- 香	iong h- 香	iong kh- 強	iong kh- 匡	iong h- 網	iong l- 涼	
iung l- 龍	iung l- 龍	iung l- 龍	iung h- 雄	iung h- 雄	iung h- 雄	
uang k- 莖	uang k- 莖	uang k- 莖	uang k- 莖	uang k- 莖	uang k- 莖	
ap l- 臘	ap l- 臘	ap h- 合	ap h- 合	ap h- 合		
ep s- 澀	ep s- 澀	ep s- 澀	ep s- 澀	εp s- 澀		
ip l- 立	ip l- 立	ip l- 立	ip l- 立	ip k- 急		i? k- 急
iip s- 溼				iip z- 汁		
iap th- 貼	iap th- 貼	iap th- 帖	iap th- 貼	iap k- 夾		
iep k-	iep k-					
at p- 八	at p- 八	at h- 瞎	at f- 法	at f- 發		
et t- 德	et t- 德	et t- 踢	et p- 北	?t ph- 別		e? t- 德
it p- 筆	it p- 筆	it p- 筆	it p- 筆	it p- 筆		i? sh- 實
iit ch- 直				iit zh- 直		
ot th- 脫	ot th- 脫	ot th- 脫	ot k- 割	ot k- 割		o? th- 奪
ut k- 骨	ut k- 骨	ut k- 骨	ut m- 沒	ut k- 骨		u? m- 目
iat t- 跌	iat t- 跌	iat ch- 缺	iet ng- 月	iεt ng- 月		ie? ng- 月
（iet）	（iet）	（iet）				
iot c- 嗝	iot c- 嗝					
iut kh- 屈	iut kh- 屈	iut sh-	iut kh- 屈			
uat k- 刮	uat k- 刮	uat k- 刮	uat k- 刮	uat k- 國		
uet k- 國	uet k- 國		uet k- 國			ue? k- 國
ak p- 百	ak p- 百	ak c- 磧	ak p- 百			a? h- 客
ok m- 莫	ok m- 莫	ok l- 落	ok m- 莫			o? k- 郭
uk p- 卜	uk p- 卜	uk ch- 嗽	uk p- 卜			
iak p- 壁	iak p- 壁	iak s- 錫	iak ph- 劈			ia? p- 壁
iok k- 腳	iok k- 腳	iok k- 腳	iok k- 腳			io? k- 腳
iuk l- 陸	iuk l- 陸	iuk l- 六	iuk l- 陸			
uak k-	uak k-					

根據上表，客語次方言韻母之異，主要的有以下幾點：

1、韻母陽聲韻－m、－n、－ng 及入聲韻－p、－t、－k 俱全的有四縣、海陸、饒平、東勢；詔安話 k 韻尾完全消失；永定話雙唇鼻音韻尾－m 和三個入聲韻尾－p、－t、－k 都消失，其中－m 分入－n（今）及－ng（柑），入聲韻尾都變喉塞音爲？（急、德、客）。

2、四縣及詔安話有 iim、iin、iip、iit 四個以舌尖元音（空韻）為主要元音的韻母，饒平、永定話都沒有，海陸話有些家族（或地區）有，可能是受四縣的影響，但大部分都沒有。

3、蟹攝開口二、四等界、戒等字，饒平話有 iai（界）、iei（街）二個韻母，海陸有 iai（街），永定有 iei（界），美濃的四縣話同樣有 iai（街），苗栗的四縣話，詔安話都沒有這組三個元音的韻母。

4、蟹攝開口四等的低、犁、泥、弟、洗等字，四縣海陸分讀 ai、i、e，東勢、饒平、詔安、永定均讀 e。

5、宵韻喬、橋等字，四縣海陸讀 ieu 和 iau，詔安、永定均讀 iu。

6、桓韻官、管、貫等字，四縣海陸讀 on，東勢、詔安、永定均讀 uan。

7、「國、號」等字，四縣海陸讀 uet，東勢、饒平、詔安均讀 uat。

　　其他細部的差異還有很多，例如四縣腔的苗栗和美濃有些不同，而在美濃地區，各鄉鎮也有小的差別，海陸、饒平等，也都有這種現象，這叫做大同小異，但在應用上都能溝通了解，這點最重要。

三、聲調方面

調 ＼ 次方言	四縣	海陸	東勢	饒平	詔安	永定	例　字
1 陰平	24	53	33	11	22	33	東天高包庫
2 上聲	31	13	31	53	31	31	董古是好犬
3 陰去	55	21	53	24	33	11	凍正報對勸
4 陰入	32	55	32	32	33	24?	篤曲七德缺
5 陽平	11	44	113	55	52	53	同平朋羊權
7 陽去	(55)	33	(53)	(24)	(33)	(11)	洞路鄧助
8 陽入	55	32	55	55	43	44?	毒玉岳月傑

　　上表從陰平到陽入，依次賦予代號 1 至 8（上聲不分陰陽，故缺 6），為傳統上記錄閩客語方言的調類，也是本教材的標調法，表中間的數字是本調的調值。四縣的陰平後面接陰平、去聲、陽入時，變調為 33，與其他各調都不同，故以 0 來表示，勉強可說成第 0 調。海陸變調的調值，都不超出原有各調，如上聲的變調同陽去，陰入的變調同陽入，故不須賦予新的番號。東勢音部份陰平聲出現在陽平、陰入、上聲前，變調為 35（與四縣陰平同為上升調），可以數字 9 代表；部份去聲音出現在其他聲調前，變調為 44（與四縣去聲同為高平調），可以數字 10 代表;陽平出現在其他聲調前，變調為 11（與四縣陽平同為低平調），可以數字 11 代表。准此，饒平、詔安、永定話的變調，也可依此方式處理。

　　上列六種次方言的聲調，從上聲、陰入、陽入來看，四縣、東勢、饒平、詔安、永定五種是相當一致的，它們的上聲都是下降調，陰入調低而陽入調高。海

陸話則恰恰相反，它的上聲是上升調，陰入調高而陽入調低，尤其與四縣話對應非常整齊，如陰平調是上升（24）對下降（53），陽平是低平（11）對高平（55），上聲是下降（31）對上升（13），陰入與陽入也正好倒過來，這種現象不但有趣，也顯示這兩種語言的密切性。

　　客語次方言之間最明顯的差異在於聲調，其次才是聲母和韻母。不過詞彙方面也有一些差別，例如「夫妻」，一般說「公婆」，東勢說「公姐」（kung^9 cia^2）。「窮苦」，東勢說「匱」（khuai^5）。四縣「番豆」，海陸說「地豆」。一般說「哭」為「叫（噭）」，饒平說「vo^2」。北部說「貌美」為「靚」，南部說「艷」，推究起來多於古有據，也很容易理解。

　　不管是聲韻的差別，或詞彙的差異，都會因地域的相鄰、婚姻的關係，而產生地域性或家族性的變化，其結果是更容易溝通。尤其是客語電台出現後，過去四縣、海陸之間不能溝通的現象也逐漸有了改善。如果大家都以開放的心胸去接受，甚至學習另一種語言，那客語各次方言之間就會沒有隔閡了，何況各種客家話之間，本來就具有極高的共通性呢！

第十二課　　漢字書寫問題

　　客語，是古老而優美的語言，有許多都是經典雅文，可說是語言的活化石。但是，客家歷史年深月久，源遠流長，除了五次南遷之外，向上的探源尙無定論，向下的發展又無窮盡，受到長期時間、空間的影響，客語本身亦產生不少的變化，因此，書寫問題亦隨之產生，所謂「有音無字」，是目前急待解決的問題。

　　其實，客語有音大多有字，連橫云：「臺灣之語，無一語無字，則無一字無來歷。」臺灣客語，不只絕大部份有音有字，而且多有來歷，有古義古音，正音變音轉音等，內容豐富而多變化，如何解決漢字書寫問題，使書寫時有音有字，下列方法可供參考：

一、找出本字

　　找出本字，是客語中數量最多，內容最爲豐富，而且是最有價值的一部份，也才能合乎所謂古義古音。客家是相當古老的族群，必須堅決不放棄自己母語，才能提升客語的地位，建立自己的信心。但找出本字須注意聲調、聲母、韻母的處理，不宜穿鑿附會。在此，僅作詞語的舉例，以見客語之有典有源：

　　毋（m^5）　俗做「唔」，如「食茶唔食隔夜茶」，唔，其實應作「毋」，如《論語・子罕》：「子絕四：毋意、毋必、毋固、毋我。」毋使，如崔瑗《座右銘》：「毋使名過實，守愚聖所臧。」唔，無「不」的涵義，毋，才是本字。

　　無（mo^5）　坊間常看到「冇」以代「無」字，其實，無即沒有念爲（mo^5）的音，即此字，「冇」是「穀有精冇」的「冇」（$phang^3$）（穀不實也）如《論語・學而》：「君子食無求飽，居無求安。」無即本字。

　　卵（lon^2）　蛋，客語稱爲卵，先秦所有經典都有卵字，如《禮記・內則》：「濡魚卵醬實蓼。」《史記・殷本紀》：「見玄鳥墮其卵。」今蛋字通行，則以卵爲俗，實則，溯其本字，宜以卵爲是。

　　徙（sai^2）　搬遷房屋，客語稱爲「徙屋」，可是現在廣告招牌卻多以「移屋」代替。徙，如徙木立信，《史記・商君列傳》：「（商君）乃立三丈之木於國都市南門，募民有能徙至北門者。予十金，民怪之，莫敢徙。」搬遷房子和住所，都可稱爲「徙」。

　　畜（$hiuk^4$）　客語稱養小孩爲「畜」小孩，如《詩經・蓼莪》：「母兮鞠我，拊我畜我。」畜是養的意思，養人養牲畜，都可稱之爲「畜」，如《後漢書・南蠻西南夷列傳》有「畜狗」等。

二、採用俗字

採用俗字，就是未找出本字前的權宜之計，也是假借的一種。如客家語的「偃」（我），佢（他），唔（毋）等，就是俗字。

三、採堪用字

尋找可以使用的字，但卻還不是正確的本字，這就是所謂的堪用字，如雕琢（捉弄、磨練）；妻子，夫娘（輔娘、婦娘）等。

四、採用同源字

就是找同一語源，音義有關的同源字。如媳婦（心舅），以前（頭擺），此則未找出確切源頭，但論之音義，亦都可通。

五、音近借音

音義都無法相近，只好採取借音，雖不一定是本字，但有時卻合其義，如整天（歸日），太多（忒多），隨便（請裁）等。

六、同音通假

利用同音假借作爲語詞書寫假借方法，例如我們，客語詞尾有的是(teu^1)，有的念成(ten^2)，於是通假便寫成爲「偃兜」、「偃等」，其實，在文言辭彙中有許多「吾等」、「汝等」、「爾等」，而「兜」，只是同音通假，又如「無採工」（沒有用，作白工）亦是同音通假。

七、另造新字

文字有繁有簡，有的由繁入簡，有的由簡入繁，因此，無法再予繁簡時，就再造一新字，如前述沒有的無，造新字「冇」，如一春龘龘（pin^3　$piang^3$）百花開，用兩個春和三個春合起來，形容百花的盛開，亦頗有生意。

八、文白異讀

文白異讀並不構成漢字書寫問題，因那只是語音讀音之別，白話音往往比讀音更爲久遠，如「歌管樓台聲細細」，「細細」，白話講（se^3　se^3），可是文讀

卻讀成(si^3 si^3)，這可以幫助我們考慮：「ni^3　ni^3　si^3　si^3」一詞，是不是可寫成「膩膩細細」可見文白異讀也有助於客語用字的探討。同理，客語次方言的異音和又讀音，對於解決漢字書寫問題，也有助益。

現代流行的客語中，有些成分是近代才增加的，包括原住民語、閩南語和外來語等，如果能了解其來源，則其書寫問題也可以用以上的方法來解決，例如：

一、原住民語借用

形容太過活潑、輕浮叫刺額($chiak^4$　$ngiak^4$)。這「刺額」一詞的來源，是因為看到他們頭上的刺青。又竹東地區有人說「靚」叫 vat lai，也是原住民語。

二、閩南語借用

客語稱祖母為阿婆，閩南語稱阿媽，可是很多客家人也稱阿媽；水粄是客語，碗粿是閩南語，現在也有客家人跟著說「碗粿」，了解語源，便能解決書寫問題。另外有認為請裁（隨便），食糜（吃稀飯），痶（累）是受閩南話影響，但據大陸贛南、馬來西亞、印尼客家人亦多有此稱，恐怕本是客語，不是閩南語。也就說固有的和新加入的，要設法釐清。

三、外來語借用

如歐吉桑、歐巴桑、tomato、卡車、運轉手等。這些多採音譯或是義譯的方法，也有原詞照用的，若能兼顧音義當然更好。

總之，前代客家人很少用口語寫文章，所以原來有的字也被遺忘，而且一部份口語可能也還沒造字，加上又吸收了一些其他語族的語言，這些語音都需要文字表達，才形成了客家書寫的急迫性。目前客家研究學者已提出許多寶貴的解決途徑，相信只要群策群力，不久的將來一定可以有音必有字，達到「我手寫我口」的境地了。

第十三課　　採集與記音

　　任何民族、任何地區，都有流傳於民間的文學資料，其範圍很廣，從天地的形成、祖先的來源、遷徙的歷史、鄉邦人物掌故、風俗傳說、生命禮俗，到歌謠、謎語、老古人言、師父話、笑語、口訣等，林林總總，凡非經文字記載，而以口頭相傳下來的，都是民間文學的採集對象。民間文學是不斷產生的，因為人類真實生活中，每天都有新鮮的事物發生，這些事物都有可能成為傳講的資料。但舊有的民間文學卻可能隨著傳講者的減少、過世因而消逝，所以民間文學的採集和整理，真可以說是「今天不做，明天就要後悔」的事情。

　　民間文學採訪，需要經過調查、採集、記錄、整理等步驟。各個地區都有善於講述或唱誦的人物，這必須經過事先的調查，找到採訪的對象，以便進行採集。而在過程中，記音是關鍵性的工作，茲從採集前、採集時、採集後三方面分述其注意要點：

一、採集前的準備工作

　　（一）、記音的訓練

　　記音訓練的目的在使採集記音者能精確熟練的使用音標。換言之，音標是代表「音」的符號，只要使用同一套符號標記的音，任何人都應讀出同樣的音；反過來說，同一個發音，任何人記下來都應該是同樣的音標。所以音標訓練，是練習記音的第一步。以下分幾個步驟來說：

　　1、聽音和發音練習：先要求準確的聽出對方發的什麼音，再準確的跟著發出這個音，如果發音不正確，須重複矯正，直到正確為止。這項練習其實很簡單，每個人從小學說話都經過這樣的過程，而且人類能發的音大多相同，不過就是遇上母語中所沒有的音，要特別注意學習罷了。

　　2、音標辨認練習：怎樣的音標代表什麼樣的音，先要能夠辨認。也就是見到音標，要能精確的讀出來，包括聲母、韻母和聲調。這就跟小學生認字一樣，見到學過的字，先要能讀得出來。本書上編的二十二課，每課都列有學習的重點，依次練習下來，恐怕老早就熟識了。

　　3、音標使用練習：前項「辨認」的要求是看見音標能讀得出，本項「使用」的要求是聽到的語音能寫下來。同樣的，也能夠把所認識的漢字，準確的標出音來。能用音標記音、標音，就算能使用音標了。

　　（二）、記音的前致作業：記音是進行民間文學採集的必要手段。工作進行之前，先要物色受訪的對象，再進行連絡，探明交通路線，約定時間，再安排出發。如果是熟識受訪者的地點，自然就可以省去了探明路線等過程。

　　先行了解受訪者使用的語言，也是採集前應準備的工作。採訪者如果熟悉對方的語言，那是最方便的，否則也應先行了解對方語言的聲韻系統，漢語的話就是聲、韻、調，南島語的話就是母音和子音。以客家語而言，各種次方言之間最

大的差異是聲調，其次是聲母，韻母的差異甚微，所以先了解其聲調特徵是很重要的。此外，還須知道一些常用語彙。

假如不諳對方的語言，最好找一位能通的人作陪，一則便於溝通，再則他可以明瞭語境，當你的顧問，整理記錄時，可以把握更精確。

採集工具的準備，勢必不可缺少，同時也是最重要的。包括筆記本、筆、照相機和底片、錄音機和錄音帶、電源線和電池，當然也可以使用錄影機。這些工具都必須事先檢查，保持堪用、好用、夠用。最好有備份，以便臨時故障或用完時，可以替換或補充。此外像小刀、小剪、螺絲起子、膠帶等，雖不一定用得上，但佔的空間不多，帶在身邊，常有意想不到的用處。

二、採集時應注意事項

採集時除了準備好紙、筆，甚至錄音或錄影器材外，特別要注意「應該記些什麼？」和「怎樣記？」的問題，這可分以下五點來說：

（一）、記下語言的全部：即把語言的全部都記下來，例如諺語、歌謠、笑話、謎語等，須一字一音忠實的記錄，保留發音者的原貌，甚至包括發音者的口頭禪、發語助詞、語尾助詞等。因為內容的精神和趣味就在語言之中。這些語言是不可翻譯的，像利用同音、諧音的雙關語，懂的人聽到往往捧腹大笑，無法體會的人卻絲毫不覺得好笑。記音者這時的任務就是把語言全貌忠實記錄下來。

（二）、記下語言的主要內容：即將內容的主要情節記錄下來。例如故事、傳說、神話之類的，只要記下主要的情節和語彙，即使改變了部份用語，還不至模糊原意的，可容許以這種方式記音。換言之，其內容是可以翻譯的。

（三）、記下講述的背景和情境：包括講述的時間、地點，講述者的姓名、年齡、性別、職業、教育程度、族別，這是基本的項目。細心的記音者還會記下：講給誰聽、為什麼講、怎樣講等資料。甚至還會問他：從哪裡聽來的‧什麼時候？你跟原講述者有什麼關係？你是怎樣學會的？這些，對於記音整理、流傳等很有幫助。當然也要同時留下記音者的姓名。

（四）、記下講述者的答覆或說明：採集者對講述的內容或用語不明白時可以在不妨礙講述順利進行的情形下，請求講述者說明，並把它記下來，這有助於正確的記音，並省去整理時的麻煩。

（五）、採集時的記音：採集的記音可以用錄音和手記的方式。手記，原則上是記音標，因為採用音標，可以讓不諳這種語言的人，也能準確讀出，這種資料可供全世界研究語言及有關問題的參考。有了音標的記錄，整理時再轉換成文字，就可以供一般人閱讀了。

如果採集者本身熟悉採集的語言和文字，則不想用音標留下記錄的話，則不妨直接使用漢字記音，但一定要把握準確，尤其是內容中不可翻譯的部份，和一時寫不出漢字的語音，仍先以音標註記比較可靠。

錄音、錄影的記音材料也一樣，先記音標，再譯成文字。今不妨把這種經過

音標過程的方式稱爲「完整式」，而把直接以文字記音的，稱爲「省略式」；也可稱爲音標式和文字式。採記熟悉的語音多直接採省略式，但必要時還是要用音標輔助。

三、採集後的整理

　　採集的工具不論是使用手記、錄音或錄影，都要經過整理，整理的重點是把它轉換成完整的文字資料，因爲文字更便於閱讀和保存。客語資料的整理過程中，難免遇上寫不出來的字，這時就要用上面（漢字書寫問題）所提的方法去解決。當然這是很麻煩的手續，而且各自爲政終難有統一的時候，所以漢字書寫是必先解決的問題。若無法解決漢字問題，最保險的方法是先以音標記錄，以保其真。

第十四課　　聽音與記音練習（一）

一、　聲母辨音練習

（一）下列各詞，請老師唸，注意聽，並記下每個字的聲母。例：伯公：
　　　p-、k-（自己會唸的，可自行練習）

1、姊婆：	2、姑丈：	3、老弟：	4、滿叔：
5、蕃藷：	6、糯米：	7、冬瓜：	8、黃瓠：
9、金瓜：	10、莧菜：	11、電影：	12、燈臺：
13、清酒：	14、桌席：	15、戰爭：	16、河川
17、防空：	18、西皮：	19、福路：	20、水牛：
21、羊角：	22、田螺：	23、寒熱：	24、新衫：

（二）下列各詞請自己讀，並記下每個字的聲母，例：桂香姐：k-、h-、c-

1、白布：	2、摘茶：	3、登嫂：	4、豆腐：
5、顧家：	6、兩步：	7、開業：	8、錯過：
9、牙科：	10、溫萬爐：	11、洗菜：	12、河水：
13、榜飯：	14、破冰：	15、明年：	16、龍鳳：
17、菜刀：	18、橫山：	19、斬頭：	20、照鏡：
21、牙齒：	22、詩人：	23、焚香：	24、會計：

二、　韻母辨音練習

（一）下列各詞，請老師唸，注意聽，並分別記下韻頭（介音）或韻腹（主
　　　要元音）是 i 和 u 的字。例：春聯、田水、中元節……　i：聯、田、
　　　元、節　u：春、水、中（自己會唸的，可自行練習）

高雄	台東	花蓮	新竹	打獵	訓練
燒香	送米	字典	清明	親戚	搶劫
鐵籠	風雪	結凍	空缺	列國	蜂蜜
快樂	熱天	煎餅	仙草	腳盤	相惜
紅棗	乾坤	溫習	出入	七年	醬薑
祥雲	交通				

　　　　i：

　　　　u：

（二）請聽老師唸出下列各詞，並記下每個字的主要元音（韻腹）。例：台北：
　　　　o、e（自己會唸的，可自行練習）

1、機關：	2、青龍：	3、大學：	4、店主：
5、琉璃：	6、洗衫：	7、火車：	8、蟻公：
9、香花：	10、老師：	11、資本：	12、巴西：
13、細妹：	14、餈粑：	15、樹頭：	16、油漆：
17、高樓：	18、白露：	19、法院：	20、部落：
21、縣長：	22、總統：	23、公園：	24、開心：

（三）請聽老師唸出下列各詞，並記下每個字的韻尾。例：i、t（自己會唸的，可自行練習）

1、行政：	2、立法：	3、監察：	4、交通：
5、教育：	6、財政：	7、鄉鎮：	8、銀行：
9、公園：	10、合作：	11、金銀：	12、建設：
13、感覺：	14、泰山：	15、七歲：	16、白肉：
17、蠟燭：	18、山猴：	19、頭城：	20、相逢：
21、海產：	22、買賣：	23、擔當：	24、炒菜：

附：練習答集：

一、聲母辨音練習答案：

（一）1、c、ph　　2、k、ch/zh　　3、l、th　　4、m、s/sh

　　　5、f、s/sh　　6、n、m　　　7、t、k　　　8、v、ph

　　　9、k、k　　　10、h、ch　　11、th、ϕ/j　12、t、th

　　　13、ch、c　　14、c、s　　　15、c/z、c　　16、h、ch/zh

　　　17、f、kh　　18、s、ph　　19、f、l　　　20、s_/sh、ng

　　　21、ϕ/j、k　22、th、l　　23、h、ng　　24、s、s

（二）1、ph、p　　2、c、ch　　　3、t、s　　　4、th、f

　　　5、k、k　　　6、l、ph　　　7、kh、ng　　8、ch、k

　　　9、ng、kh　　10、v、v、l　　11、s、ch　　12、h、s/sh

　　　13、p、f/ph　14、ph、p　　15、m、ng　　16、l、f

17、ch、t　　　18、v、s　　　19、c、th　　　20、c／z、k

21、ng、ch／zh　22、s／sh、ng　23、f、h　　　24、f、k

二、聲母辨音練習答案：

（一）1、韻頭或韻腹是 i 的：雄、蓮、新、獵、訓練、香、米、典、清明、
　　　　親戚、搶劫、鐵、雪、結、缺、列、熱天、煎、仙、腳、相惜、
　　　　乾、習、入、七年、醬薑、祥。

　　　2、韻頭或韻腹是 u 的：東、竹、送、籠、風、凍、空、國、蜂、紅、
　　　　坤、溫、出、雲、通。

（二）1、i、a　　　　2、a、u　　　　3、a、o　　　　4、a、u
　　　5、i、i　　　　6、e、a　　　　7、o、a　　　　8、e、u
　　　9、o、a　　　10、o、ii　　　11、ii、u　　　12、a、i
　　　13、e、o　　　14、i、a　　　15、u、e　　　16、i、i
　　　17、o、e　　　18、a、u　　　19、a、e／a　　20、u、o
　　　21、e／a、o　22、u、u　　　23、u、e／a　　24、o、i

（三）1、ng、n　　　2、p、p　　　　3、m、t　　　　4、u、ng
　　　5、u、k　　　　6、i、n　　　　7、ng、n　　　8、n、ng
　　　9、ng、n　　　10、p、k　　　11、m、n　　　12、n、t
　　　13、m、k　　　14、i、n　　　15、t、i　　　16、k、k
　　　17、p、k　　　18、n、u　　　19、u、ng　　　20、ng、ng
　　　21、i、n　　　22、i、i　　　23、m、ng　　　24、u、i

第十五課　　聽音與記音練習（二）

一、聲調辨音練習

（一）下列各詞，請老師唸，注意聽，並記下各詞後面一個字的聲調。例：
　　火車：1（車字陰平聲，所以是 1。自己會唸的，可自行練習）

1、擔保：	2、摘茶：	3、挾榜：	4、食飯：
5、細哥：	6、來坐：	7、做事：	8、蕃藷：
9、豆腐：	10、笠嫲：	11、過家：	12、丁對：
13、點督：	14、椪床：	15、推辭：	16、加減：
17、發達：	18、警察：	19、花舌：	20、眨目：
21、牛角：	22、錯過：	23、白布：	24、賺錢：
25、來看：	26、開會：	27、自在：	28、福氣：
29、滿叔：	30、青草：		

（二）下列各詞請老師唸，並記下兩字的聲調。　例：擔保：1、2（自己會唸的，可自行練習）

1、交椅：	2、桂花：	3、糯米：	4、湯匙：
5、淋菜：	6、星期：	7、兩斤：	8、四十：
9、黃金：	10、落地：	11、白鐵：	12、朋友：
13、教室：	14、月光：	15、氣候：	16、豆腐：
17、食卒：	18、茶罐：	19、紅字：	20、烏筆：
21、楊桃：	22、柑橘：	23、細叔：	24、滿嫂：

（三）下列各詞，第一個字都會變調，請老師先讀原調，再按說話習慣唸出這
　　個字的變調（第二字不會變），仔細聽，並記下第一字的原調和變調。
　　以下分四縣和海陸兩組，可任選一種練習。
　　例：四縣組：天光：1~0　　　海陸組：好天：2~7

〔四縣組〕

1、生養：	2、生趣：	3、仙哥：	4、衫袖：
5、通天：	6、滿莊：	7、雙十節：	8、天氣：
9、冬瓜：	10、江山：	11、先去：	12、分局：
13、花鹿：	14、三勺：	15、山岳：	16、炊過：

17、蒸熟：　　18、番豆：　　19、關顧：　　20、痾尿：

〔海陸組〕

1、寶山：　　　2、老狗：　　　3、妙計：　　　4、打結：
5、伙頭：　　　6、等路：　　　7、解藥：　　　8、碗公：
9、保險：　　　10、繳庫：　　　11、所得：　　　12、小雪：
13、本來：　　　14、好人：　　　15、子弟：　　　16、寶石：
17、菊花：　　　18、穀雨：　　　19、桌布：　　　20、鐵尺：
21、腳程：　　　22、竹頭：　　　23、出入：　　　24、發落：

二、下列各詞，請聽老師唸，把音標注出來。（四縣、海陸任選一種即可）　例：山猴 san¹ heu⁵

（一）都注本調的詞

1、仙草：　　　2、睡目：　　　3、紹介：　　　4、食酒：
5、牛角：　　　6、問候：　　　7、能幹：　　　8、電火：
9、紅卵：　　　10、白頭：　　　11、顧家：　　　12、見笑：
13、高塔：　　　14、公館：　　　15、苗栗：　　　16、台北：
17、牙科：　　　18、開門：　　　19、人客：　　　20、白衫：
21、尋路：　　　22、中壢：　　　23、自誇：　　　24、豆奶：

（二）變調的詞，原調和變調都要注。　例：天光 thian¹⁻⁰ kong¹(四縣)　好天 ho²⁻⁷ thian¹(海陸)

〔四縣組〕

1、山豬：　　　2、分數：　　　3、膏藥：　　　4、顛到：
5、擔當：　　　6、通透：　　　7、生活：　　　8、三十：
9、江山：　　　10、番豆：　　　11、蒸熟：　　　12、關顧：
13、滿莊：　　　14、西瓜：　　　15、天氣：　　　16、天賦：
17、衫褲：　　　18、張三：　　　19、公庫：　　　20、親見：

〔海陸組〕

1、火山：　　　2、解毒：　　　3、老古：　　　4、等人：
5、本成：　　　6、碗公：　　　7、出行：　　　8、發覺：

9、著衫：　　　10、竹北：　　　11、穀雨：　　　12、桌布：

13、濕泥：　　　14、目鏡：　　　15、福德：　　　16、缺盤：

17、子孫：　　　18、草木：　　　19、鐵錘：　　　20、反攻：

三、音標譯國字：下列各音標，請老師唸，聽了以後直接譯成國字。例：thien^7　thoi^5：電台　　san^1　ko^1：山歌

1、kui^3　fa^1：　　　　2、thuk^8　su^1/shu^1：　　　3、sii^7　tien^2：

4、theu^7　nga^5：　　5、kie^1　ngiuk^4：　　　6、ciu^2　cin^1：

7、li^1　hang^5：　　　8、so^2　fi^3/fui^3：　　　9、kung^1　kon^2：

10、ap^4　lon^2：　　11、mai^1　choi^3：　　　12、theu^7　fu^7：

13、cung^2　thung^2：　　　　14、ta^2　thien^7　fa^3：

15、khon^3　sin^1　ngiong^5：　　16、thien^1　kung^1　lok^8　sui^2/shui^2：

17、kieu^2　siit^8/shit^8　no^7　mi^2：　　18、thien^5　ap^4　ma^5　sang^1　lon^2：

19、co^3　theu^5　poi^3　ta^2　pu^1　ngiong^5：

20、kiong^1　thai^7　kung^1　tiau^3　ng^5：

附：練習答案：

一、聲調辨別練習答案：

（一）　1、(2)　　2、(5)　　3、(2)　　4、(7)　　5、(1)　　6、(1)

　　　　7、(7)　　8、(5)　　9、(7)　　10、(5)　　11、(1)　　12、(3)

　　　　13、(4)　14、(5)　15、(5)　16、(2)　17、(8)　18、(4)

　　　　19、(8)　20、(4)　21、(4)　22、(3)　23、(3)　24、(5)

　　　　25、(3)　26、(7)　27、(7)　28、(3)　29、(8)　30、(2)

（二）　1、(1、2)　　　2、(3、1)　　　3、(7、2)　　　4、(1、5)

　　　　5、(5、3)　　　6、(1、5)　　　7、(2、1)　　　8、(3、8)

　　　　9、(5、1)　　　10、(8、7)　　11、(8、4)　　12、(5、1)

　　　　13、(3、4)　　14、(8、1)　　15、(3、7)　　16、(7、7)

　　　　17、(8、4)　　18、(5、3)　　19、(5、7)　　20、(1、4)

　　　　21、(5、5)　　22、(1、4)　　23、(3、4)　　24、(1、2)

（三）

　　　〔四縣組〕

　　　　1、1~0　　2、1~0　　3、1~0　　4、1~0　　5、1~0　　6、1~0

7、1~0　　8、1~0　　9、1~0　　10、1~0　　11、1~0　　12、1~0

13、1~0　　14、1~0　　15、1~0　　16、1~0　　17、1~0　　18、1~0

19、1~0　　20、1~0　　21、1~0　　22、1~0　　23、1~0　　24、1~0

〔海陸組〕

1、2~7　　2、2~7　　3、2~7　　4、2~7　　5、2~7　　6、2~7

7、2~7　　8、2~7　　9、2~7　　10、2~7　　11、2~7　　12、2~7

13、2~7　　14、2~7　　15、2~7　　16、2~7　　17、4~8　　18、4~8

19、4~8　　20、4~8　　21、4~8　　22、4~8　　23、4~8　　24、4~8

二、注音標答案：

（一）1、sien^1 cho^2　　2、soi^7/shoi^7 muk^4　　3、seu^3/shau^3 kie^3/kai^3

4、siit^8/shit^8 ciu^2　　5、ngiu^5 kok^4　　6、mun^3 heu^7

7、nen^5 kon^3　　8、thien^7 fo^2　　9、fung^5 lon^2

10、phak^8 theu^5　　11、ku^3 ka^1　　12、kien^3 seu^3/siau^3

13、ko^1 thap^4　　14、kung^1 kon^2　　15、meu^5/miau^5 lit^8

16、thoi^5 pet^4　　17、nga^5 kho^1　　18、khoi^1 mun^5

19、ngin^5 hak^4　　20、phak^8 sam^1　　21、chim^5 lu^7

22、cung^1/zung^1 lak^4　　23、chii^7 khua^1　　24、theu^7 nen^3

（二）〔四縣組〕

1、san$^{1-0}$ cu^1　　2、fun$^{1-0}$ su^5　　3、ko$^{1-0}$ iok^8

4、tien$^{1-0}$ to^5　　5、tam$^{1-0}$ tong^1　　6、thung$^{1-0}$ theu^3

7、sen$^{1-0}$ fat^8　　8、sam$^{1-0}$ siip^8　　9、kong$^{1-0}$ san^1

10、fan$^{1-0}$ theu^7　　11、ciin$^{1-0}$ suk^8　　12、kuan$^{1-0}$ ku^3

13、man$^{1-0}$ cong^1　　14、si$^{1-0}$ kua^1　　15、thien$^{1-0}$ hi^3

16、thien$^{1-0}$ fu^3　　17、sam$^{1-0}$ fu^3　　18、cong$^{1-0}$ sam^1

19、kung$^{1-0}$ khu^3　　20、chin$^{1-0}$ kien^3

〔海陸組〕

1、fo$^{2-7}$ san^1　　2、kai$^{2-7}$ thuk^8　　3、lo$^{2-7}$ ku^2

4、ten$^{2-7}$ ngin^5　　5、pun$^{2-7}$ shang^5　　6、von$^{2-7}$ kung^1

7、zhut$^{4-8}$ hang^5　　8、fat$^{4-8}$ kok^4　　9、zok$^{4-8}$ sam^1

10、zuk$^{4-8}$ pet^4　　11、kuk$^{4-8}$ ji^2　　12、cok$^{4-8}$ pu^3

13、ship$^{4-8}$ nai^5 14、muk$^{4-8}$ kiang^3 15、fuk$^{4-8}$ tet^4

16、khiet$^{4-8}$ phan^5 17、cii$^{2-7}$ sun^1 18、cho$^{2-7}$ muk^4

19、thiet$^{4-8}$ zhui^5 20、fan$^{2-7}$ kung^1

三、譯國字答案：

1、桂花　　　2、讀書　　　3、字典　　　4、豆芽　　　5、雞肉

6、酒精　　　7、旅行　　　8、所費　　　9、公館　　　10、鴨卵

11、買菜　　　12、豆腐　　　13、總統　　　14、打電話　　15、看新娘

16、天公落水　17、狗食糯米　18、田鴨嫲生卵　19、灶頭背打夫娘

20、姜太公釣魚

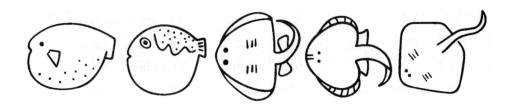

第十六課　　聽音與記音練習（三）

一、記音標練習：下列各詞，請老師唸，注意聽，並用音標記錄下來（自己會讀的，可自行練習。一律注本調）。

（一）常用詞

1、包粟：	2、叛果：	3、椪柑：	4、盤碗：
5、米穀：	6、梅茶：	7、飯盆：	8、粉腸：
9、溫泉：	10、刀斧：	11、擔竿：	12、對門：
13、團圓：	14、土牛：	15、泥水：	16、嫩葉：
17、魯夫：	18、滷鹽：	19、古董：	20、過家：
21、口才：	22、空手：	23、韌皮：	24、戀牯：
25、好額：	26、孝順：	27、贊成：	28、做家：
29、糙米：	30、坐車：	31、掃把：	32、酸醋：
33、製造：	34、朝晨：	35、春分：	36、長腳：
37、神仙：	38、少年：	39、永久：	40、勇敢：

（二）常用語句

1、加早去：	2、賭賸造化：	3、大做細用：
4、挷皮扯瓤：	5、豬接勻：	6、辭頭路：
7、插七插八：	8、目攝鼻動：	9、粗鱗剝殼：
10、看新毋看舊：	11、月光擎枷：	12、窮人無計想：
13、矮人好著高踭靴：14、瓜盲大摘來賣		15、一踢三通：
16、結拜兄弟：	17、打三國：	18、刮皮挷毛：
19、出門看山勢：	20、猴頭老鼠耳：	21、食毋燥：
22、爭天對地：	23、鋪橋施路：	24、雞盲啼狗盲吠：
25、言從計聽：	26、驚山：　　27、頭路做到 khuang³ khuang³ 滾：	
28、拈蛇打蛙：	29、禾縛絹布袋：	30、敢就撿來食：
31、無影無跡：	32、硬 kuak⁸ kuak⁸：33、走到飛躍：	
34、牽轉笠嫲花：	35、嬰兒吮奶：	36、呸呸激激：
37、牛噏水：	38、鬱鬱卒卒：　39、山猴仔恙般會變紅屎胐？：	
40、食得六十六，任學都毋足；阿公分人換酒食，孫仔分人換豬肉：		

二、譯國字練習：請把下列用音標記錄的語料讀出來，並譯成國字。

（一）常用詞語

1、pak^4 kung^1 pak^4 pho^5 2、chin^1 ka^1 chia^1 me^1

3、hiung^1 thi^7 ci^2 so^2 4、kang^1 thien^5 thu^3 cii^2

5、chok^8 khung^1 teu^3 sun^2 6、kie^1/kai^1 khiet^8 kieu^2 cau^2

7、khie^2 siit^8/shit^8 lo^5 hon^3 8、siong^1 chui^5/zhui^5 teu^3 ta^2

9、theu^5 ko^1 ki^3 thai^7 10、ai^1 li^5 phen^7 piak^4

11、thap^8 chut^4/zhut^4 thap^8 ngip^8 12、lu^{5}su^2/shiu^2 lot^8 kiok^4

13、tien^1 sam^1 to^3 si^3 14、cu^1/zu^1 tho^1 kieu^2 pak^4

15、cu^3/zu^3 ko^1 ma^3 chiet^8 16、nan^1 ngiu^5 to^1 ngiau^7

17、kau^1 phen^5 ciap^4 iu^1/jiu^1 18、thien^1 su^3 liong^5 ien^5/jan^5

19、pak^4 ngien^5 hai^5 lo^2 20、cii^2 sun^1 man^1 thong^5

（二）常用語句

1、fa^1 vu^5 pak^4 ngit^4 fung^5

2、mang^5 kiung^3 lai^3 ie^2 sen^1 on^1 miang^5

3、kong^2 cak^4/zak^4 iang^2/jang^2，sang^1 cak^4/zak^4 kiang^2

4、ngi^5 iu^1/jiu^1 chu^1 it^4/jit^4，ngai^5 iu^1/jiu^1 siip^8/ship^8 ng^2

5、kong^1 cung^1/zung^1 hi^3，am^3 cung^1/zung^1 loi^5

6、kie^1/kai^1 khiet^8 fan^7 phun^5，cun^2/zun^2 siin^5/shin^5 kieu^2

7、co^3 kon^1 mok^8 chai^7 chien^5，co^3 hak^4 mok^8 chai^7 heu^7

8、khiam^3 cai^3 van^5 chien^5，ngin^5 chin^5 cai^3 nan^5 van^5

9、siit^8/shit^8 cut^4 ta^2 cut^4，mo^5 hieu^1/hiau^1 pan^3 sut^4

10、thang^1 sang^1/shang^1 put^4 i^5/ji^5 kien^3 mien^3

11、vong^5 ngiu^5 then^3 ma^1 ceu^2

12、it^4/jit^4 iong^7/jong^7 chung^5/zhung^5 cu^3/zu^3 it^4/jit^4 iong^7/jong^7 muk^4

13、ho^2 ma^1 m^5 siit^8/shit^8 fi^5/fui^5 theu^5 cho^2

14、iu^1/jiu^1 loi^5 iu^1/jiu^1 hi^3 cang^3/zang^3 sen^1 chi^3

15、chi^1 hien^5 fu^1 fo^3 seu^2/shau^2

16、cii^2 hau^3 fu^3 sim^1 khon^1

17、ti^1 ngin^5 ti^1 mien^3 put^4 ti^1 sim^1

18、ta^2 kieu^2 tu^7 m^5 chut^4/zhut^4 mun^5

19、pak^4 san^3/shan^3 hau^3 vi^5/vui^5 sien^1

20、thong^5 song^7/shong^7 kau^1 i^2/ji^2 lun^5 liu^5 cho^1

21、ia^5/ja^5 ngiong^5 siong^2 cii^2 chong^5 kong^1 sui^2/shui^2

22、si¹ thien¹ lu⁷ hong⁷ it⁴/jit⁴ cak⁴/zak⁴ ngo⁵，khieu² ham⁵
　　chiang¹ cho² ngiam⁷ ni⁵ tho⁵

附：練習答集：

一、 記音標練習：

（一）常用詞

1、pau¹ siuk⁴ 　　2、pan² ko² 　　3、phong³ kam¹

4、phan⁵ von² 　　5、mi² kuk⁴ 　　6、moi⁵ cha⁵

7、fan⁷ phun⁵ 　　8、fun² chong⁵/zhong⁵ 　　9、vun¹ chan⁵

10、to¹ pu² 　　11、tam³ kon¹ 　　12、tui³ mun⁵

13、thon⁵ ien⁵/jan⁵ 　　14、tu² ngiu⁵ 　　15、nai⁵ sui²/shui²

16、nun⁷ iap⁸/jap⁸ 　　17、lu¹ fu¹ 　　18、lu² iam⁵/jam⁵

19、ku² tung² 　　20、ko³ ka¹ 　　21、khieu² choi⁵

22、khung¹ su²/shiu² 　　23、ngiun⁷ phi⁵ 　　24、ngong³ ku²

25、ho² ngiak⁴ 　　26、hau³ sun⁷/shun⁷ 　　27、can³ siin⁵/shin⁵

28、co³ ka¹ 　　29、cho³ mi² 　　30、cho¹ cha¹/zha¹

31、so³ pa² 　　32、son¹ sii³ 　　33、cii³/zi³ cho⁷

34、ceu¹/zau¹ siin⁵/shin⁵ 35、chun¹/zhun¹ fun¹

36、chong⁵/zhong⁵ kiok 37、siin⁵/shin⁵ sien¹ 　　38、seu³/shau³ ngian⁵

39、iun²/jun² kiu² 　　40、iung²/jung² kam²

（二）常用語句

1、ka¹ co² hi³

2、tu² lin² cho⁷ fa³

3、tai⁷ co³ se³ iung⁷/jung⁷

4、pang¹ phi⁵ cha²/zha² lat⁴

5、cu¹/zu¹ ciap⁴ sok⁸/shok⁸

6、chii⁵ theu⁵ lu⁷

7、chap⁴ chit⁴ chap⁴ pat⁴

8、muk⁴ ngiap⁴ phi⁷ thung¹

9、chu¹ lin¹ pok⁴ hok⁴

10、khon³ sin¹ m⁵ khon³ khiu⁷

11、ngiat⁸ kong¹ khia⁵ ka¹

12、khiung⁵ ngin⁵ mo⁵ kie³ siong²

13、ai² ngin⁵ hau³ cok⁴/zok⁴ ko¹ cang¹ hio¹

14、kua^1 mang^5 thai^7 cak^4 loi^5 mai^7

15、it^4/jit^4 thet^4 sam^1 thung^1

16、kiet^4 pai^3 hiung^1 thi^7

17、ta^2 sam^1 kuet^4

18、kuat^4 phi^5 pang^1 mo^2

19、chut^4/zhut^4 mun^5 khon^3 san^1 sii^3/shi^3

20、heu^5 theu^5 lo^3/^{2} chu^2/zhu^2 ngi^2

21、siit^8/shit^8 m^5 cau^1

22、cang^1 thian^1 tui^3 thi^7

23、phu^1 khieu^5/khiau^5 sii^1/shi^1 lu^7

24、kie^1/kai^1 mang^5 thai^5 kieu^2 mang^5 phoi^7

25、ngien^5 chiung^5 kie^3 thang^1

26、kiang^1 san^1

27、theu^5 lu^7 co^3 to^3 khuang^3 khuang^3 kun^2

28、ngiam^1 sa^5/sha^5 ta^2 kuai^2

29、vo^5 phiok^8 thak^4 pu^3 thoi^7

30、kam^2 chiu^7 kiam^2 loi^5 siit^8/shit^8

31、mo^5 iang^2/jang^2 mo^5 ciak^4

32、ngang^7 kuak^8 kuak^8

33、ceu^2 to^3 fi^1/fui^1 chiok^4

34、khien^1 con^2/zon^2 lip^4 ma^5 fa^1

35、ong^1 nga^5 chion^1 nen^3

36、lep^8 lep^8 kiep^8 kiep^8

37、ngiu^5 ciot^8 sui^2/shui^2

38、vut^4 vut^4 cut^4 cut^4

39、san^1 heu^5 ue^2 ngiong^2 pan^1 voi^7 pien^3 fung^5 sii^2/shi^2 vut^4?

40、siit^8/shit^8 tet^4 liuk^4 siip^8/ship^8 liuk^4，im^7/jim^7 hok^8 tu^{7}m^5 ciuk^4，
a^1 kung^1 pun^1 ngin^5 von^7 ciu^2 siit^8/shit^8，sun^1 ne^2 pun^1
ngin^5 von^7 cu^1/zu^1 ngiuk^4。

二、譯國字練習

(一)常用詞語

1、伯公伯婆	2、親家且姆	3、兄弟姊嫂	4、耕田渡子
5、鑿空鬥榫	6、雞蹶狗抓	7、乞食羅漢	8、相搥鬥打
9、頭高髻大	10、挨籬憑壁	11、踏出踏入	12、攑手拎腳
13、顛三倒四	14、豬拖狗擘	15、咒孤罵絕	16、懶牛多尿

17、交朋接友　　18、天賜良緣　　19、百年偕老　　20、子孫滿堂

(二)常用語句

　　1、花無百日紅　　2、官降賴子先安名　　3、講只影生只頸
　　4、你有初一毋有十五　5、光中去暗中來　　6、雞蹶飯盆準承狗
　　7、做官莫在前做客莫在後　8、欠債還錢，人情債難還
　　9、食卒打卒無梟半屑　10、聽聲不如見面　　11、黃牛捧馬走
　12、一樣蟲蛀一樣木　13、好馬毋食回頭草　14、有來有去正生趣
　15、妻賢夫禍少　　16、子孝父心寬　　17、知人知面不知心
　18、打狗都毋出門　　19、百善孝爲先　　20、堂上交椅輪流坐
　21、爺娘想子長江水　22、西天路上一隻鵝，口唧青草念彌陀。

第十七課　　民間文學採訪舉例（一）

　　民間文學是民間生活的動力、泉源，是文學的重要內涵，《詩經》三百篇，多係來自民間，沒有民間，那來文學？因此，民間是真正文學的發祥地，古來《易經》《詩經》等經典無不蘊含著民間文學，文學家如李白等無不在民間文學中汲取了豐富的生命，而使其文學大放異彩，如果沒有民間文學，那文學可能就黯淡無光了。

　　民間文學種類繁多，本課僅就山歌、童謠、謎語、諺語、故事等的採訪所得，作一介紹：

一、山歌

　　有人以為山歌之名似嫌土氣，欲改為民歌或者民謠云云。其實，孔子云：「仁者樂山，智者樂水。」樂山之歌豈不是仁者之歌嗎？因此，山歌之名，並無不好，何況，客家山歌還特出名呢！茲舉數首如下：

入山看見藤纏樹　　　出山看見樹纏藤
藤生樹死纏到死　　　藤死樹生死也纏

古井深處種幽蘭　　　賞花容易採花難
啞狗食飯單枝箸　　　想愛湊雙開口難

人生在世孝為先　　　先敬老來後敬賢
爺娘面前愛行孝　　　貧窮富貴命由天

客家山歌特出名　　　條條山歌有妹名
條條山歌妹有份　　　一條無妹唱毋成

正月思戀真思戀　　　打扮三妹過新年
打扮三妹來飲酒　　　杯杯盞盞過新年（思戀歌）
……………………………（一至十二月對唱）

（男）正月裡來係新年　　行路婦人真賺錢
　　　丈夫走無三步腳　　風流阿哥帶滿間

（女）二月裡來人落秧　　無情無義撐船郎
　　　河邊搭介虎尾寮　　無桌無凳無眠床（桃花過度）
……………………………（一至十二月對唱）

正月裡來係新年　　攬石投江錢玉蓮
繡鞋脫忒爲古記　　連喊三聲王狀元（十二月古人）
‧‧‧‧‧‧‧‧‧‧‧‧‧‧‧‧‧‧‧‧‧‧‧‧‧‧‧‧（一至十二月）
（男）正月裡來新年時　（女）娘今病子無人知
（男）阿哥問娘食脈介　（女）愛食豬腸炒薑絲
　　　二月裡來係春分　（女）娘今病子頭昏昏
　　　阿哥問娘食脈介　（女）愛食果子煎鴨春（病子歌）
‧‧‧‧‧‧‧‧‧‧‧‧‧‧‧‧‧‧‧‧‧‧‧‧‧（一至十二月對唱）

日頭落山一點紅　　牛嫲度子落陂塘
那有牛嫲毋惜子　　那有阿妹毋想郎

上崎毋得牛崎坐　　手攬膝頭唱山歌
人人講我風流子　　命帶桃花無奈何

脈介圓圓在天邊？　脈介圓圓水中間？
脈介圓圓樹頂吊？　脈介圓圓妹面前？

月光圓圓在半天　　荷葉圓圓水中間
柑子圓圓樹頂吊　　銅鏡圓圓妹面前（猜謎山歌）
‧‧‧‧‧‧‧‧‧‧‧‧‧‧‧‧‧‧‧‧‧‧‧‧‧‧

二、童謠

　　童謠即兒童所念的歌謠，也就是兒歌。客家童謠內涵至爲豐富，文學性甚高，是最好的啓蒙教材，極具教育意義，茲舉數例於後：

（一）田塍草

回塍草　開紅花
打扮阿嫂轉外家
三月去　四月轉
轉來雞嫲亡生卵
雞子呱呱啼
牛嫲亡降子
牛子會拖犁

（二）一歲嬌

一歲嬌
兩歲嬌
三歲揀柴分母燒
四歲接線
五歲膺布
六歲繡花
七歲繡出牡丹花
八歲食娘飯
九歲理娘家
十歲度子轉外家

（三）月光光（之一）

月光光　秀才郎
船來等　轎來扛
一扛扛到河中心
蝦公毛蟹拜觀音
觀音腳下一蕊花
拿分阿妹轉外家
轉去外家笑哈哈

（四）月光光（之二）

月光光　好種薑
薑必目　好種竹
竹開花　好種瓜
瓜宣大　摘來賣
賣到三介錢
學打棉　棉線斷
學打磚　磚斷截
學打鐵　鐵生鑢
好剧豬　豬會走
學剧狗　狗愛跳
學剧貓　貓愛飆
學剧鳥　鳥愛飛
飛到奈

飛到榕樹下
拈到一個爛冬瓜
拿轉去
瀉倒滿廳下

第十八課　民間文學採訪舉例（二）

三、謎語

　　客家謎語，又稱爲「令兒」，簡稱爲令，內容豐富，頗具巧思，文字優美，對偶工整而且押韻，像絕句，像小詩，圍繞生活周遭的事物，都是題材，都可入謎。謎者，迷也，使昏迷也，昏迷之後又能清醒，至有價值，茲舉例於後：

（一）　頭那四四方　尾仔圓叮噹
　　　　一日行三到　一夜企到光
　　　　　　　　　　－－箸（筷子）

（二）上樹毋怕高　下樹毋怕跌
　　　拔無毛　　　　劁無血
　　　　　　　　　－－螞蟻

（三）銅鍋煮麵線　緊煮緊毋見
　　　　　　　　　－－油燈

（四）十三兄弟共爺哀　十二兄弟年年在
　　　　一個流浪在外背　三年兩載正轉來
　　　　　　　　　　　　－－閏月

（五）爺仔著青衫　賴仔著黃襖
　　　黃襖脫啊忒
　　　兩子爺
　　　般般老
　　　　　　　　　－－竹子

（六）四四角角一張床　同胞兄弟各爺娘
　　　富貴官員無幾久　恁好夫妻無幾長
　　　　　　　　　　－－演戲

（七）人人講𠊎兩公婆　自從毋識共下坐
　　　佢嫌𠊎介皮恁皺　𠊎嫌渠介鬚恁多
　　　　　　　　　　－－蝦公．蝦蟆

（八）一出世來到汝家　毋食檳榔毋食茶

　　　有腳毋踏黃金土　有手毋探牡丹花

　　　　　　　——目珠（眼睛）

（九）生時山頂企　死後窟仔埋

　　　魂魄上西天　骨頭街路賣

　　　　　　　——火炭（木炭）

（十）小小針恁細　緊大緊婆娑

　　　老了腰骨痛　因爲子孫多

　　　　　　　——禾仔（稻子）

四、諺語

　　諺語是先民生活經驗的結晶，最精鍊而有智慧的語言，能指導人生，教育子弟，修身養性，預測未來，覘候天氣，反省修爲，最值得細細體會思考的語言。自經典史書以來，諺語之記載，史不絕書，而客家諺語亦多，茲舉數例於後：

（一）爺娘惜子長江水　子想爺娘擔竿長

（二）養兒方知娘心苦　養女方知苦了娘

（三）愛信得老人話　免得上壢走下壢

（四）雷打冬　十個牛欄九個空

　　　十二月打雷　豬仔毋使捶

（五）三月北風燥惹惹　四月北風水打叉

　　　五月北風平平過　六月北風毋係貨

（六）狐狸莫笑貓　共樣尾翹翹

（七）在家毋會迎賓客　出路方知少主人

（八）賺錢就像針挑笐　使錢就像水推沙

（九）六月牛眼──白核（囥）

（十）朝晨三片薑　生活毋使上藥坊
　　　飯後一杯茶　餓死賣藥家

講述者：何包妹
執筆者：何石松

五、故事

民間故事就是你我周遭的故事，有趣、生動，而且有意義，幾千年來，和其他歌謠諺語一樣，口耳相傳，是極有生命力、血肉相連的，值得一代一代傳承下去。在此，僅采錄三則，敘之於後：

（一）考狀元

考狀元（1）

講述者：曾文炳　　　采錄者：徐登志
時　　間：82、5、10　　地　　點：東勢國小體衛室

以前有一個秀才，愛上京考試。噢！一日行到屹暗嚕(2)。啊！這個煞(3)無那方(4)好歇宿(5)，遠遠个看著一個農家，佢就(6)行去。哦！一個細阿妹就出來，佢講：「啊！拜託哪，𠊎愛吭，愛來你這方借歇啊咧。」這個細阿妹佢講：「你係做麼(7)吭？恁(8)暗待這方？」佢講吭，佢愛去上京考試吭。啊這細阿妹：「哦！你愛去上京考狀元哪吭。恁仔啦，𠊎做鈴仔(9)分你揣(10)。你係揣著啊，你這擺上京考試啊，狀元就會若額(11)哦；啊係(12)講，揣毋著啊，該可能無麼个希望。啊係揣著(13)吾屋下(14)就借你歇；啊係無揣著，你愛稈棚(15)下跍(16)哦。」這個秀才也講：「好！」啊這個細阿妹，細阿姐就講，講：
　　「麼个東西頑如鐵
　　　麼个東西亮如月
　　　麼个東西肥過糞
　　　麼个東西甜過糖」
哦！這個秀才耶，一下煞答毋會出。欸(17)！緊想(18)這鈴仔做麼恁該。
　　佢講，啊！細阿妹講：「你秀才啊，這鈴仔揣毋出啊，你去稈棚下跍哦！」啊！這秀才無奈何，就走去稈棚下跍！跍！看著月光啊，堵堵好(19)出來，真明光。喲！好久咧，煞落該雨吭。雨耶！這當時這個秀才耶，就講：「啊！𠊎想著咧！」佢就趕緊哪！就去尋(20)農家該細阿妹吭，講：「𠊎想著咧。」
　　佢講：「啊無你這鈴仔樣詢(21)揣？」佢講：
　　「少年讀書頑如鐵
　　　聰明先生亮如月

秋淋夜雨肥過糞(22)

十八滿姑(23)甜過糖」

佢講：「啊！這揣著！」該暗晡就待該農家該方歇。

【注解】

（1）標題爲講述者所說。

（2）忒暗嚕：太晚了。忒音 thet^4，嚕，音 lio^2。

（3）煞：音 sa^3，竟然。

（4）那方：本地音 ne^3 高降調 hong^1，那個地方、那裡。

（5）歇宿：音 hiet^4　siuk^4。

（6）佢就：他就。「就」講述者大多讀爲 to^2。

（7）做麼：即做麼个的省略，爲什麼。

（8）恁：音 an^2，這麼。

（9）鈴仔：音 liang^3　e^2，謎語。

（10）揣：音 thon^5，猜測。

（11）若額：　音 nia^1　ngiak^4，你的份。

（12）啊係：音 a^3　he^3，要是。

（13）揣著：音 thon^5　chok^8，猜著。

（14）吾屋下：音 nga^1　vuk^4　ha^1，我的家裡。

（15）稈棚：音 kon^2　phang^5，稻草堆。

（16）跍：音 ku^1，蹲。

（17）欸：音 e^2，發語詞。

（18）緊想：音 kin^2　siong^2 或讀 in^2　siong^2，一直想不停。

（19）堵堵好：音 tu^2　tu^2　ho^2，剛剛好。

（20）尋：音 tshim^5，找。

（21）樣詢：音 ngiong^2　sun^5，怎麼。

（22）秋淋夜雨肥過糞：指秋天晚上下雨對植物來說比施肥還好。

（23）滿姑：小姑娘。

【故事大意】

　　從前有個秀才，要上京赴考，有一天走的太晚了，找不到地方可以住宿，遠遠看到一個農家，他就前去詢問，有一位女孩來應門，他說：「拜託啦！我想在妳這兒借宿一夜。」這個女孩說：「你怎麼會弄得這麼晚還在這兒逗留？」他說要上京赴考，這女孩說：「啊！你要上京考狀元呀！這樣吧，我出個謎讓你猜，你猜中得話，這次上京考試呀，狀元就有你的份；如果沒猜中，那就沒有什麼希望。猜著了，我家借你宿一晚；假如沒猜中，你要到稻草堆上蹲一夜哦！」這個

秀才就說：「好！」這個女孩就說：

　　「什麼東西頑如鐵？
　　什麼東西亮如月？
　　什麼東西肥過糞？
　　什麼東西甜過糖？」

　　哦！這個秀才一下子竟然答不出來，一直想，唉！這謎怎麼那麼難猜。女孩子就說：「秀才你呀！謎猜不出來，你就去稻草堆下蹲吧！」這個秀才無可奈何，就走到稻草堆下蹲啦！蹲了一會兒，看見月光剛好出來，真亮啊。過了好久，唰！下雨了。這時，秀才就說：「啊！我想到了！」他就趕快去找那位農家女孩，說：「我想到了。」她說：「這個謎你要怎麼解？」他說：

　　「少年讀書頑如鐵
　　聰明先生亮如月
　　秋淋夜雨肥過糞
　　十八姑娘甜過糖」

　　她就說：「猜對了。」那晚秀才就待在農家裡過夜。

定稿者：金其河

（二）猴兒介(1)屎朏(2)恙般(3)恁(4)紅？

　　頭擺(5)，有一介家娘(6)，非常惱(7)薪臼(8)，常常呵呵咄咄(9)，嫌這嫌介，苦毒(10)渠。毋係(11)撿柴，就係挴水(12)，薪臼過著心情盡艱苦，逐日(13)用目汁(14)洗面介日兒。

　　有一日，薪臼挴等水桶去水井挴水，一邊行，一邊想到自家(15)介辛酸，又生得恁醜，目汁像泉水樣流下噭(16)出來。當渠將水桶放下，愛裝水介時節，一位滿面鬍鬚介老阿伯出現在面前。

　　「細阿妹兒，汝噭做脈介？(17)」老阿伯問。

　　「𠊎噭𠊎生得恁醜，毋得人惜(18)，𠊎家娘又常常罵𠊎，心情艱苦，就噭出來。」薪臼含淚回答。

　　老阿伯聽到以後，就拗(19)下兩枝芒花，向渠畫了兩下，又呸(20)了一下口水，無想到，這位薪臼突然之間，就變得花容月貌，當靚(21)了。薪臼非常歡喜，愛承蒙渠(22)介時節，眨眼之間，老阿伯就毋見忒咧。

　　薪臼當歡喜介轉到屋下(23)。家娘看到薪臼變到恁靚，險險毋識渠，就問：「你恙會變得恁靚呢？」薪臼就將渠堵到老阿伯介情形挳(24)渠講，家娘聽到以後，也想愛靚起來，就遽遽(25)挴擔水桶，噭等(26)去水井挴水，希望遇到老阿伯。

　　老阿伯看到家娘目汁闌干(27)介來到水井滣(28)，就問渠恙般噭到恁傷心，家娘介回答挳薪臼講介完全共樣(29)，講忒(30)又噭。老阿伯聽了以後又拗兩支

芒花，在渠面前畫了兩下，無想到，眨下一目之間，拿起鏡兒一照，哎，恁會變像猴兒呢？

從這以後，家娘毋敢轉屋下，常常走出去，肚笥(31)枵(32)介時節，正轉來(33)吃飯。不管薪臼煮好也係未煮好，就用手去拃，跳到灶頭頂吃，逐日也共樣，薪臼毋知恁般正好，實在無結殺(34)。想來想去，又去問老阿伯。

老阿伯教渠，準備一只燒得紅紅燒燒介磚兒，放在灶頭頂，等到家娘轉來拃飯跳上灶頭，坐到磚兒介時節，渠就毋敢倒轉來咧。

果然，變成猴兒介家娘又來咧，渠拃到飯菜就跳上灶頭頂，看到一張用磚兒做介凳兒，也無看清楚，就坐下去。「哎呀」的驚叫聲淒厲傳出，原來，渠介屎朏分紅磚兒燒著紅紅，一下兒就毋知走那位去。自從這擺以後，家娘變成介猴兒一直無轉來，但是，所有猴兒介屎朏，全部就變得非常介紅了。

這是新竹寶山竹東流傳介故事。

講述者：何包妹

執筆者：何石松

【注解】

(1) 介：的。

(2) 屎朏：shi² vut⁴　屁股。

(3) 恁般：怎樣，為什麼。

(4) 恁紅：很紅。

(5) 頭擺：從前。

(6) 家娘：婆婆。

(7) 惱：討厭。

(8) 薪臼：媳婦。

(9) 呵呵咄咄：ho¹　ho¹　tot⁴　tot⁴　大聲吆喝。

(10) 苦毒　：虐待。

(11) 毋係：不是。

(12) 拯水：挑水。

(13) 逐日：tak⁴　ngit⁴　每天。

(14) 目汁：眼淚。

(15) 自家：自己。

(16) 噭：kiau³　哭。

(17) 做脈介：做什麼。

(18) 毋得人惜：不討人喜歡。

(19) 拗：折下。

(20) 呸：吐。

(21) 當靚：非常漂亮。

(22) 承蒙渠：謝謝他。

(23) 屋下：家裡。

(24) 捞：和。

(25) 遽遽：快快。

(26) 噭等：哭著。

(27) 目汁闌干：眼淚縱橫，淚流滿面。

(28) 滣：邊。

(29) 共樣：一樣。

(30) 講忒：講完。

(31) 肚笥：肚子。

(32) 枵：餓。

(33) 轉來：回來。

(34) 無結殺：mo^5 kat^4 sat^4 做的令人啼笑皆非，不知如何是好的意思。

(三) 劉一非我子也

頭擺(1)，苗栗有個做樟腦介(2)生理人(3)，渠(4)姓劉，因為生理當(5)好，賺到盡多(6)錢，大家就喊渠「劉員外」。

劉員外介夫娘(7)早死，只降(8)一介妹兒(9)，妹兒大了以後，招一個婿郎(10)，全家過得非常快樂幸福。婿郎姓羅，厥(11)爸也係一儕(12)定定(13)，劉員外就請親家過來住共下(14)，日子一久，婿郎就對丈人老(15)員外越來越生疏了。

有一擺，劉員外分人邀請，一去就係半個月，轉(16)介時節(17)，就買盡多新竹名產愛分孫兒做等路(18)，街頭堵到(19)親家公，共下轉屋下(20)。無想到這擺孫子、孫女趨(21)前來，毋係牽親家公介手，就係喊親家公「阿公」，全無喊劉員外阿公。劉員外雖然無計較，心中也無幾歡喜，就問孫子：「𠊎也係汝等(22)介阿公，恁般毋喊𠊎呢！」孫兒應渠：「汝正毋係𠊎介阿公呢？」劉員外一聽，心想：一定係婿郎作怪，𠊎介財產愛傳分渠等(23)，有脈介(24)意思。

劉員外心肝無歡喜，就討一介夫娘，降介賴子來傳下去。果然，一年以後，就降下一介賴兒(25)，名安(26)到「劉一」，表示劉家只有一介賴兒，入學時，先生捞渠加一隻字，安到「一非」，對外喊「劉一非」，對內喊「劉一」。

日子一日一日過去，劉員外一日一日老，一非一日一日大。不久之後，劉員外知自家來日無多，就喊夫娘、賴兒、婿郎、孫子來，立下遺囑交分大家，遺言寫道「劉一非我子也家產盡與女婿外人不得侵佔」，當時無標點符號，妹兒婿郎看到盡歡喜，因為，渠等看介意思係：「劉一，非我子也，家產盡與女婿，外人不得侵佔。」就將所有財產歸到自家。

劉一非長大以後，發現毋著(27)，這財產應該係𠊎介，因為遺言係恁�形(28)寫等：「劉一非，我子也，家產盡與，女婿外人，不得侵佔。」一狀告到縣官去，縣官經過詳細調查了解後，就將財產判分劉一非。

這件公案，係發生在光緒十六年(1890)苗栗位所介故事。

原作者：奕　宏

改寫者：何石松

【注解】

(1)　頭擺：以前。

(2)　介：的。

(3)　生理人：生意人。

(4)　渠：他。俗做佢。

(5)　當：非常。

(6)　盡多：很多。

(7)　夫娘：妻子，即夫人娘子的省稱，俗做輔娘，輔娘。

(8)　降：生。音 kiung^3。

(9)　妹兒：女兒。

(10) 婿郎：女婿。音 se^3　long^5。

(11) 厥：他的。音 kia^5。

(12) 一儕：一個。音 jit^4　sa^5。

(13) 定定：而已。

(14) 共下：一起。

(15) 丈人老：岳父。音 zhong^1　min^1　lo^2。

(16) 轉：回家。

(17) 時節：時候。

(18) 等路：禮物。

(19) 堵到：遇到。

(20) 屋下：家裡。

(21) 趨：擁。音 ci^1。

(22) 汝等：你們。俗作你兜。音 ngi^5　teu^1 或 ngi^5　ten^2。

(23) 渠等：他們。

(24) 脈介：什麼。

(25) 賴兒：兒子。

(26) 安：叫。

(27) 毋著：不對。音 m^5　chok^8/ zhok^8。

(28) 恁羕形：這樣子。音 an^2　ngiong^5　hin^5。

後　記

民間文學是民族文化的珍寶，它蘊藏在各族群的語言之中。不過它會隨著傳講或吟誦人的凋零而消失，如果連該族群的語言也消失了，則該族群語言所蘊藏的文化，恐怕也將跟著消失無蹤。因此，民間文學採訪固屬刻不容緩的工作，而語言的傳承，更是發揚各族群文化的根本要圖。

臺灣是個多語族的社會，較理想的語言使用情形是：人人都能使用共同語，同時，各族群的語言也在國家政策的保障下獲得保存和發展。其次是：讓境內各種語言都成爲官方語，各族群的語言都能得到公平的發展。然而事實上並非如此，解嚴以前是獨尊國語，使各族群逐漸忘記了他們祖先的語言；解嚴以後似乎有聽任自由發展的跡象，但由於各族群之間強弱的形式懸殊，擁有的社會資源更大相逕庭，因此，若不從政策面施以保護，則恐自由競爭的結果，弱勢族群語言只有走向消滅的命運了。

臺灣客家語族群是開發臺灣的重要參與者，其人數本不在少，但由於前述的因素及「好禮」「保守」的性格，如今也成爲弱勢團體。說好禮，是因爲客家人只要與別語族人接觸，便會主動使用對方的語言，即使多數人對少數人也是如此，就像我國人對待外國人一樣，「改口」的總是我們，並以受到「你們真有語言天才」的恭維而沾沾自喜。但久而久之，可能就變成「你們應該都會說我們的話」了。說保守，是因爲客家人大多守著「農爲正業」的傳統觀念，過去很少動腦筋去做生意，所以上街買賣的時候，總是使用店頭家的語言，以致「雙語」能力就成爲「當家人」的必要條件。因此凡有客家市鎭的地方，客家語保存較好，沒有客家市鎭的「客家庄」，就逐漸流爲「方言島」了。

認真講起來，客家話的日漸流失，客家人自己也要負很大的責任，首先，家裡的子弟不會說，恐怕就不能推託責任。其次，你在外不說客家話，使許多想聽、想學客家話的朋友都無法聽到，更沒有學說的機會。爲什麼這樣吝惜，不把客家語說出來呢？不過目前的情況已經有點改善，因爲有客語電視台和廣播電台了，就連公營的，也有了客語節目，只是爲數尚少，還有待繼續爭取和自我努力。不過更嚴肅的問題是：如何吸引更多的觀眾和聽眾？另外的好現象是：在客家研究和書籍出版上，有愈來愈多的成果；在歌謠創作和傳播方面，更有明顯的進展。無論如何，在臺灣文化的傳承和發揚上，已經在努力之中了。

本書的編撰，是爲讓想學客家話和客家話記音的朋友，有一本可資依據的教材。所以在體例的安排上，偏重聽、讀、認的練習，從日常的淺近用語開始，透過多重變化的練習，讀者可掌握準確的發音和音標的使用能力，並從中學習語言。初學音標的朋友，不必貪多，只需按各課學習重點，每課最多不過六個，循

序漸進，上編讀完自然通通學會了。如果勤於瞀寫音標，記起音來必更加熟練，學習語言就可更達到事半功倍的效果了。

　　本書編寫期間，承友人葉鍵得博士及何石松博士助成其事，林欣怡同學協助文書處理，並得到本校相關行政同仁的協助，始克順利出版。因此，若有任何值得一提的優點，應該歸功於這許多合作的夥伴，謹此表示謝忱。

古國順　謹識於台北市立師院

86.11.15

國家圖書館出版品預行編目資料

臺灣客家話記音訓練教材 / 古國順編著. -- 初
版. -- 臺北市：文建會, 民 86
　　面：　　公分. -- (民間文學採訪記音手冊)
ISBN 957-02-0727-2(平裝)

1.客家話

802.5238　　　　　　　　　　86015836

民間文學採訪記音手冊

臺灣客家話記音訓練教材

發 行 人：林澄枝
編 著 者：古國順（主持人）
　　　　　葉鍵得（助理人）
　　　　　何石松（助理人）
文字編輯：林欣怡
插　　圖：蘇葦晟
出 版 者：行政院文化建設委員會
執行單位：臺北市立師範學院
印 刷 者：文史哲出版社
出版日期：中華民國八十六年十二月